UNE FEMME PATRIOTE

Julie B. Papineau

UNE FEMME PATRIOTE

Correspondance

1823-1862

Texte établi avec introduction
et notes par Renée Blanchet

Nous remercions le Conseil des Arts du Canada de l'aide accordée à notre programme de publication ainsi que la SODEC.

Illustration de la couverture — Antoine Plamondon, *Julie Papineau (née Bruneau) et sa fille Ézilda*, 1836, huile sur toile, Musée des Beaux-Arts du Canada, n° 17920

Correction d'épreuves — Jude Des Chênes

Maquette de la page couverture — Gianni Caccia

Mise en pages — Zéro Faute, Outremont

Si vous désirez être tenu au courant des publications
des ÉDITIONS DU SEPTENTRION
vous pouvez nous écrire au
1300, av Maguire, Sillery (Québec) G1T 1Z3
ou par télécopieur (418) 527-4978
ou consulter notre catalogue sur Internet :
http://www.ixmedia.com/septentrion

Dépôt légal – 4e trimestre 1997
Bibliothèque nationale de Québec
ISBN 2-89448-096-2

Diffusion Dimedia
539, boul. Lebeau
Saint-Laurent (Québec)
H4N 1S2

INTRODUCTION

On connaît bien le rôle joué par Louis-Joseph Papineau dans l'histoire de notre pays. Mais que sait-on de son épouse, Julie Bruneau ?

Julie Bruneau naquit à Québec en 1795, fille de Marie-Anne Robitaille et de Pierre Bruneau. Son père, marchand, résidait Place-du-Marché, dans la basse-ville de Québec ; il joua un rôle politique en siégeant à la Chambre d'assemblée. Fille de bonne famille, Julie Bruneau fut éduquée chez les Ursulines. Elle épousa, à Québec, en 1818, le patriote Louis-Joseph Papineau, député et « orateur » (président) de la Chambre d'assemblée.

La correspondance de Julie Bruneau-Papineau donne un éclairage nouveau sur les rouages politiques du Bas-Canada jusqu'à l'éclatement des troubles de 1837. On assiste, avec elle, à la montée de la popularité du Parti patriote, au refus des subsides, aux *92 résolutions*, à la peur créée par les assemblées des « constitutionnels », ces tories fanatiques, dans les rues de Montréal ; mais ce qui retient davantage l'attention, c'est la solitude de la femme du grand homme, confinée rue Bonsecours à Montréal, pendant que lui s'amuse, pense-t-elle, à faire des discours à Québec. Cette femme était-elle faite pour élever des enfants ou pour faire de la politique ? Et cet homme, orateur à la Chambre d'assemblée, qui attirait les foules, n'était-il pas plus heureux à cultiver son jardin et à arpenter la seigneurie de la Petite-Nation ? La correspondance révélée ici donne, pour une première fois, un élément de réponse à cette question.

Un peu à la mode à l'époque romantique, la maladie est ici omniprésente, souvent le refuge d'un cœur sensible qui se croit mal aimé. Pour conjurer ce drame, Julie développe ses connaissances en médecine (les remèdes souvent utilisés étant le vomitif, la saignée et la purgation), va d'une expérience à l'autre pour guérir l'impossible ; en même temps, elle éduque seule ses enfants, néglige la plupart des bals et des sorties mondaines, mais participe aux neuvaines et aux offices religieux.

Les remèdes physiques et spirituels ne sont pas toujours efficaces. Alors s'installe peu à peu la certitude qu'on est né pour souffrir et que cette souffrance est même salutaire, à condition de l'accepter comme venant de Dieu, qui ne peut que vouloir le bien de celle qu'il éprouve.

Le cercle des parents et des amies de Julie Papineau lui procure cependant des consolations : sa belle-sœur Mme Dessaulles, les Viger, les Cherrier, sa sœur Luce, son frère Théophile, son frère le curé de Verchères, chez qui elle se réfugie en cas de malheur, sa mère, Mme Plamondon, Mme Bourret, les Donegani, les Kimber, les Judah, ses oncles Joseph et Ignace Robitaille, son fils Amédée, sa bru Marie Westcott. La liste est interminable.

En décembre 1837, pendant que son mari quitte en catastrophe la région du Richelieu pour les États-Unis, elle se réfugie chez le curé de Verchères et chez Mme Dessaulles, où elle traverse une crise effroyable, sans aucune nouvelle de lui pendant plus de trois mois. Des journaux annoncent même qu'elle serait à la dernière extrémité. Tous les jours, elle guette la nouvelle qui lui annoncera que Louis-Joseph ou Amédée ont été arrêtés et conduits en prison, avec les patriotes, accusés de haute trahison... Elle apprend enfin qu'ils sont en sécurité de l'autre côté de la frontière, en ce pays où règne la liberté.

Elle ira les rejoindre à Saratoga et à Albany, où les Porter les ont accueillis. Ces retrouvailles ne durent guère. Le pays est ici en effervescence. Après l'échec de la deuxième insurrection, un petit cercle de patriotes réfugiés, qui n'a pas obtenu l'appui des Américains à sa cause, pousse Papineau à gagner la France. L'ancien orateur hésite ; elle favorise son départ, croyant qu'il reviendra aussitôt avec un appui militaire et financier de la France. Hélas, c'était rêver trop grand ! La France, depuis longtemps, avait bien d'autres problèmes à régler et ne voulait guère se mettre l'Angleterre à dos en envoyant une armée dans une colonie anglaise.

Elle partira ensuite elle-même pour la France où elle vivra pendant trois ans une sorte de vie semi-mondaine qui ne lui plaît guère, et reviendra à Montréal en 1843, croyant que son retour favoriserait celui de son mari. Mais elle devra attendre encore deux ans avant que la famille ne se retrouve enfin en 1845.

Pendant toute sa vie, Julie est aux prises avec des enfants malades. Les maladies de l'enfance ne sont rien à comparer aux maladies nerveuses qui guettent ses deux fils, Lactance et Gustave, et sa fille Azélie. Le premier finira ses jours tristement, chez les Hospitaliers de Lyon ; Gustave traînera longtemps un « rhumatisme inflammatoire » transformé en une maladie cardiaque qui aura raison de lui à 22 ans.

Par ses lettres, Julie Papineau nous présente un portrait de sa famille et de la société canadienne où fourmillent les détails de la vie quotidienne du plus haut intérêt. Il m'est donc apparu important que toute cette correspondance ne demeure pas seulement trésor d'archives, mais soit connue du public, donnant un éclairage nouveau sur cette période bouleversée de notre histoire.

★

★ ★

La majeure partie des lettres provient des Archives nationales du Québec, à Québec et à Montréal (ANQQ, ANQM). Un certain nombre, environ le tiers, avait déjà paru dans le *Rapport de l'archiviste de la province de Québec,* dans une transcription littérale faite par Fernand Ouellet. Ces lettres provenaient du fonds Papineau-Bourassa des ANQQ.

Encore plus nombreuses sont les lettres inédites. Ce sont celles qui proviennent du fonds Papineau acquis par les ANQM en 1972. Deux lettres ont été retrouvées aux ANC, celle du 19 novembre 1838 à ses enfants, et celle du 16 mai 1839 à son mari. Cinq autres lettres adressées à Mme Dessaulles, belle-sœur de Julie Bruneau-Papineau, proviennent du fonds Dessaulles du musée McCord à Montréal : ce sont celles du 28 avril 1837, du 16 septembre 1838, du 20 octobre 1838, du 18 septembre 1844 et du 11 novembre 1850.

Enfin, sept lettres proviennent de la collection particulière de Mlle Anne Bourassa, petite-fille d'Azélie Papineau-Bourassa. Ce sont celle du 25 juin 1852, écrite à Amédée, et les autres à sa fille Azélie : 31 janvier 1859, 3 mars 1859, 9 mars 1861, 8 mai 1861, une autre de 1861, et celle du 16 mai 1862.

La correspondance s'étend sur une période de 39 ans, c'est-à-dire de 1823 à 1862. La répartition dans le temps n'est pas uniforme, car un certain nombre de pièces ont été ou perdues ou éliminées.

La correspondance de Julie Bruneau-Papineau donne une idée assez précise de son caractère et de sa personnalité. Sur le plan personnel, elle se révèle une femme intègre, visionnaire à sa manière, capable de jugements percutants sur ses contemporains. Cette femme patriote avait une grande fierté et une force de caractère évidente, malgré la maladie et la mélancolie qui l'assaillaient. Elle aura exercé une influence marquante sur Louis-Joseph Papineau et sa famille. Pour cette raison, elle mérite de passer à l'histoire.

Renée Blanchet

TABLEAU GÉNÉALOGIQUE

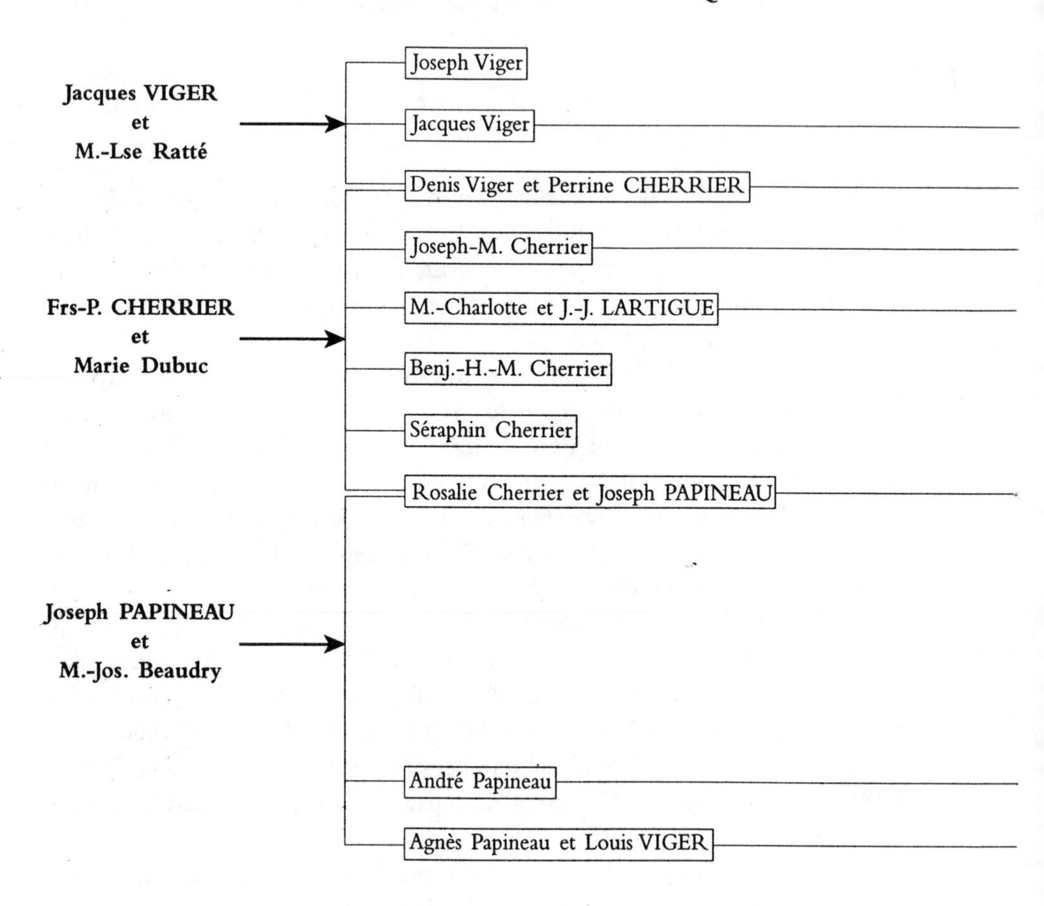

Pierre BRUNEAU et M.-Anne Robitaille

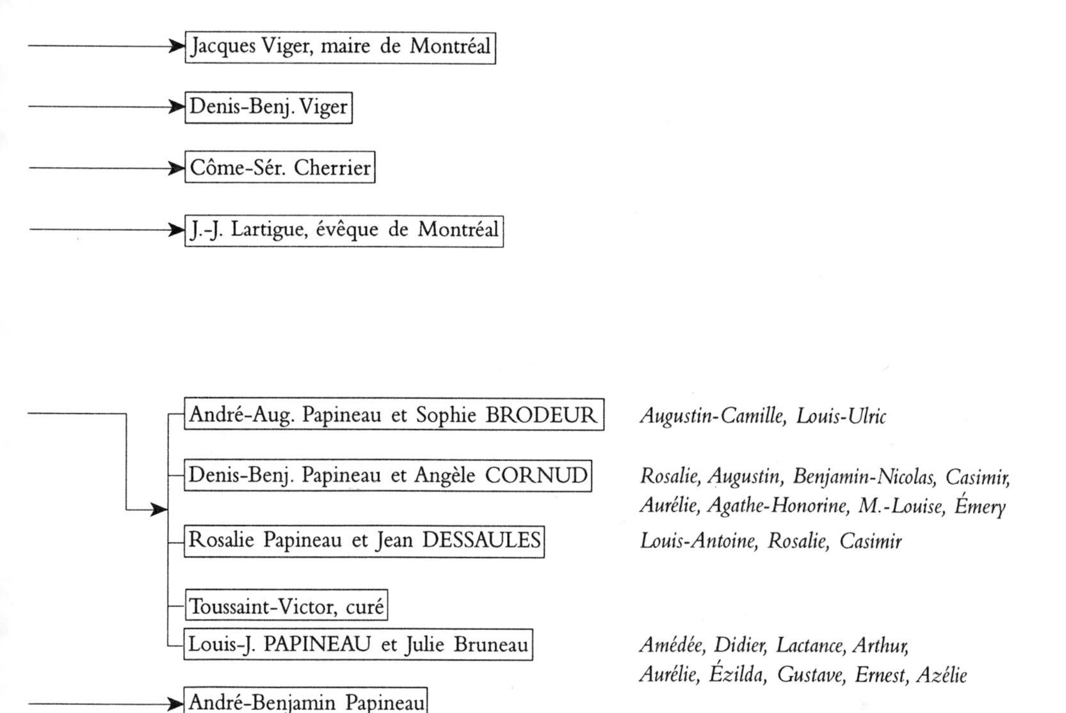
Jacques Viger, maire de Montréal
Denis-Benj. Viger
Côme-Sér. Cherrier
J.-J. Lartigue, évêque de Montréal
André-Aug. Papineau et Sophie BRODEUR
Augustin-Camille, Louis-Ulric
Denis-Benj. Papineau et Angèle CORNUD
Rosalie, Augustin, Benjamin-Nicolas, Casimir, Aurélie, Agathe-Honorine, M.-Louise, Émery
Rosalie Papineau et Jean DESSAULES
Louis-Antoine, Rosalie, Casimir
Toussaint-Victor, curé
Louis-J. PAPINEAU et Julie Bruneau
Amédée, Didier, Lactance, Arthur, Aurélie, Ézilda, Gustave, Ernest, Azélie
André-Benjamin Papineau
Louis-Michel Viger

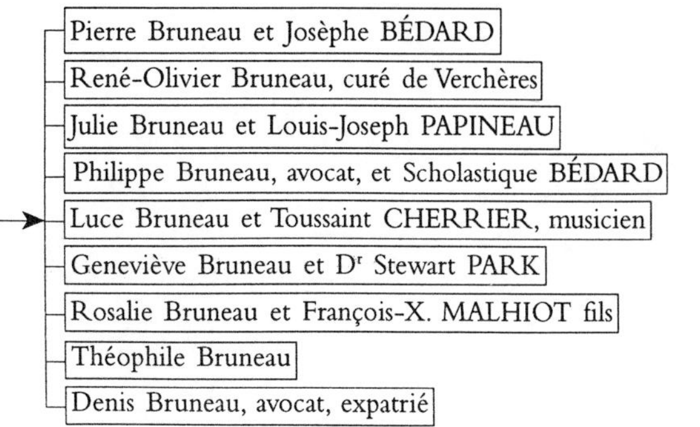
Pierre Bruneau et Josèphe BÉDARD
René-Olivier Bruneau, curé de Verchères
Julie Bruneau et Louis-Joseph PAPINEAU
Philippe Bruneau, avocat, et Scholastique BÉDARD
Luce Bruneau et Toussaint CHERRIER, musicien
Geneviève Bruneau et Dr Stewart PARK
Rosalie Bruneau et François-X. MALHIOT fils
Théophile Bruneau
Denis Bruneau, avocat, expatrié

CHRONOLOGIE

1795 Naissance de Julie Bruneau à Québec, le 19 janvier, fille de Pierre Bruneau et de Marie-Anne Robitaille. Julie Bruneau est fille et petite-fille de marchands pelletiers.

1818 À Québec, le 29 avril, mariage de Julie Bruneau et de Louis-Joseph Papineau, député de Montréal-Ouest, orateur à la Chambre d'assemblée du Bas-Canada et seigneur de la Petite-Nation. Le mariage est béni par Mgr Plessis. Le couple s'établit à Montréal, rue Bonsecours, où naîtront leurs neuf enfants.

1819 Naissance d'Amédée, fils aîné.

1820 Décès de Pierre Bruneau, père de Julie, à 57 ans. Naissance de Didier, qui décédera en 1821.

1822 Naissance de Lactance.

1823 Séjour de Louis-Joseph Papineau à Londres pour protester contre un premier projet d'union du Bas-Canada et du Haut-Canada.

1824 Naissance d'Arthur, qui décédera en 1825.

1826 Naissance d'Aurélie, fille aînée qui décédera en 1830.

1828 Naissance d'Ézilda.

1829 Naissance de Gustave.

1832 Naissance d'Ernest, qui décédera en 1834.

1834 Naissance d'Azélie, dernière enfant de la famille.

1837 Première insurrection des Patriotes. Louis-Joseph Papineau s'en va à Albany, N.Y. Amédée gagne aussi les États-Unis.

1838 Départ de Julie pour les États-Unis. Le 1er juin, elle retrouve son mari et son fils à Saratoga, N.Y.

1839 En février, Louis-Joseph Papineau quitte New York pour la France, pour y plaider la cause des patriotes.

Le 1er août, départ de Julie et de ses enfants, sauf Amédée, pour l'Angleterre, à bord du *British Queen*. Elle s'en va retrouver son mari en France (arrivée le 16 août).

Le rapport Durham préconise l'union du Bas et du Haut-Canada.

1841 Entrée en vigueur de l'Acte d'Union.

1843 Retour de Julie en Amérique avec Ézilda, Gustave et Azélie. Elle est à Boston, le 3 juillet ; à Saratoga, le 5 juillet ; à Montréal, le 18 juillet.

1845 Retour de Louis-Joseph Papineau au pays, avec le désir de s'installer à la Petite-Nation.

1846 Denis-Benjamin Papineau, alors commissaire des Terres de la Couronne, fait voter par le gouvernement le versement des arrérages de 4500 £ dus à son frère Louis-Joseph. Cette somme sera investie dans la construction du manoir de la Petite-Nation (Montebello).

Début de la maladie de Lactance, placé quelque temps dans une maison de santé à New York.

1847 Décembre, retour de Louis-Joseph Papineau à la vie politique : il se fait élire député de Saint-Maurice.

1851 En juillet, à Verchères, décès de Marie-Anne Robitaille, mère de Julie, à 88 ans.

En décembre, à la Petite-Nation, décès de Gustave, âgé de 22 ans.

1852 Élection de Louis-Joseph Papineau comme député de Deux-Montagnes.

1853 Juin-juillet, voyage en famille à Saratoga.

1854 Fin de la vie politique active de Louis-Joseph Papineau.

Internement de Lactance à Lyon.

1856 À Québec, le 24 juin, célébration de la Saint-Jean-Baptiste : les Papineau sont parmi les invités d'honneur.

Début de la maladie nerveuse d'Azélie.

Novembre-décembre, voyage d'Azélie Papineau à Philadelphie avec ses parents.

1862 Le 18 août, à la Petite-Nation, décès de Julie Bruneau-Papineau. Elle est inhumée le 21 août au manoir, dans le caveau de la chapelle familiale. Le service est chanté par Mgr Guigues, évêque d'Ottawa. Le registre d'état civil (Notre-Dame-de-Bonsecours de Montebello) dit qu'elle était âgée « de soixante-six ans environ ». Elle avait plutôt 67 ans.

Décès de Lactance à Lyon, le 4 décembre.

LA VIE QUOTIDIENNE

To the Honble L.-J. Papineau
[London]

[Montréal], 5 février 1823

Cher ami,

Il est inutile de te mander dans quelle situation je me suis trouvée après ton départ[1], je te dirai seulement que j'ai été malade et que je ne suis pas bien encore. Maman est arrivée une heure après ton départ, bien affligée, tu peux me croire, de n'avoir pu te voir. Bruneau s'est rendu à Saint-Jean aussi pour te voir mais en vain : tu étais parti à quatre heures et lui n'est arrivé qu'à sept. Maman n'est restée que cinq jours avec moi, parce qu'il fallait qu'elle fût à Québec. Elle y est encore.

J'ai reçu tes lettres de Burlington et de New York, dans lesquelles tu me fais un récit assez circonstancié de ton voyage : j'ai seulement regretté la demi-page employée à me rapporter le sermon méthodiste et qui aurait pu être employée plus utilement pour moi. Je vois, par ta dernière, que vous avez eu bien de la peine à vous rendre à temps pour embarquer le 24. La gazette d'aujourd'hui mentionne que, depuis le 16, les vents ont été contraires mais que, depuis le 24, le vent est favorable : cela nous fait espérer que vous mettrez pied à terre en Angleterre aussi tôt que M. Stuart[2].

Je vais donc être au moins deux mois dans la plus cruelle inquiétude, sans espoir d'avoir de nouvelles. Ah ! il faut être dans une pareille situation pour en

1. Louis-Joseph Papineau est parti pour Londres avec John Neilson, tous deux délégués par le Parti canadien pour porter des pétitions contre un premier projet d'union entre le Bas-Canada et le Haut-Canada.
2. Parti de New York à bord du *Meteore,* Papineau toucha le quai de Liverpool le 16 février 1823, après une navigation de 24 jours. James Stuart, lui, porteur de pétitions en faveur de l'union, arriva à Liverpool le 9 février. Voir *Le Canadien,* 16 avril 1823.

bien ressentir toute l'amertume. Au moins, quand je te saurai arrivé, je n'aurai que l'ennui et que tu tâcheras de me rendre moins pénible en m'écrivant le plus souvent qu'il te sera possible. Je veux bien croire que cela sera souvent fatigant pour toi parce qu'en premier tu seras fort occupé, et qu'ensuite tu n'en ressentiras pas le besoin comme moi ; tu ne manqueras pas de distractions de toutes espèces, mais au moins j'espère que tu auras pitié de moi et, sachant que c'est la seule chose qui puisse faire diversion à ma profonde douleur, ce seul motif doit t'engager à employer un petit moment chaque jour à penser et à écrire à celle qui passe uniquement ses jours à s'occuper de toi et souvent à pleurer ton absence et que rien n'est capable de distraire de son ennui.

Ton cher papa[3] et maman se portent assez bien ainsi que tes frères et ta sœur[4]. Je voudrais pouvoir te donner des nouvelles aussi satisfaisantes des autres individus de ta famille mais la Providence en a ordonné autrement. Il lui a donc plu de retirer de ce monde ta chère et respectable tante Mme Denis Viger[5] : elle est tombée malade samedi au soir à huit heures et elle est décédée lundi matin à quatre heures ; elle est tombée de paralysie, elle a montré quelques signes de connaissance mais elle n'a pu articuler un seul mot. Elle sera inhumée demain. Tu penses bien comme le pauvre M. Viger aura été affligé ; étant à Québec, il ne sera pas arrivé pour le service si toutefois il monte. À présent qu'il ne pourrait pas la voir, se décidera-t-il peut-être à rester aux affaires ? Ta tante Lecavelier[6] et tes oncles Cherrier sont arrivés en ville.

Nos chers petits enfants[7] sont bien portants. J'ai sevré le petit Lactance et Amédée a bien eu connaissance de ton départ : il est venu me dire que tu étais parti en carrosse et qu'il y avait beaucoup de monde, et qu'aussitôt que tu étais parti, tout le monde est parti. Et puis ensuite, me voyant si affligée, il monta sur mon lit et me dit de lui-même : « Ne pleure donc pas, ma petite maman. Papa n'est pas allé en Angleterre, il est allé faire un petit tour, il viendra tantôt. » Il dit à tout le monde que tu es allé en Angleterre et, depuis que j'ai reçu ta lettre, il dit que tu es sur la mer mais s'il me voit du chagrin, il dit aussitôt ce qu'il m'a dit le premier jour.

---

3. Joseph Papineau (1752-1841), notaire, arpenteur et député. Il avait épousé Marie-Rosalie Cherrier en 1779. Père de Louis-Joseph Papineau.
4. Rosalie Papineau, épouse de Jean Dessaulles, de Saint-Hyacinthe.
5. Charlotte-Perrine Cherrier, épouse de Denis Viger (Saint-Denis-sur-Richelieu, 1772).
6. Marie-Anne Cherrier, épouse de Toussaint Lecavelier.
7. Amédée, né le 26 juillet 1819; Lactance, né le 4 février 1822.

Vevette[8] est venue passer quelques jours avec moi. Philippe[9] te fait ses amitiés. Adieu.

Ton affectionnée épouse pour la vie,

Julie Bruneau Papineau

Le Dr Labrie[10] a été bien malade, il a du mieux mais le Dr Kimber[11] ne le croit pas sauvé.

To the Honble L. J. Papineau, Esquire
Care of MM. Peter, William and George Wynn
Paternoster Row[12]
London

Montréal, 21 mars 1823

Cher ami,

Que le temps me paraît long et qu'il est pénible pour moi d'être un si long espace de temps sans avoir de tes nouvelles ! Quelle cruelle incertitude sur ton sort, ne sachant si tu es arrivé heureusement au port ! On me fait espérer que tu as eu un court passage parce que les vents ont été favorables ; au moins, je cherche à me le persuader quoique je sois très inquiète. Dans quelle situation suis-je ! J'éprouve tout à la fois un ennui dont rien ne peut me distraire et mille inquiétudes de différentes espèces qui viennent nécessairement assiéger mes idées et font de moi une être assez malheureuse que je ne compte plus sur le prétendu bonheur que l'on croit pouvoir goûter dans ce monde, car, en vérité, les peines ne cessent de se succéder les unes aux autres sans interruption. Si je puis seulement parvenir au but de souffrir avec patience et sans me plaindre et, par là, mériter quelque chose pour l'autre vie ! C'est, je crois, tout ce que l'on peut

8. Vevette, surnom donné à Geneviève Bruneau, sœur de Julie.
9. Philippe Bruneau, avocat, frère de Julie Bruneau.
10. Jacques Labrie, médecin, journaliste et passionné d'histoire. Ancien collègue de Papineau au collège. Auteur d'une *Histoire du Canada* en quatre volumes de 500 pages chacun. Cet ouvrage inédit fut détruit dans l'incendie de Saint-Benoît en 1837.
11. René-Joseph Kimber, médecin, fils de René Kimber, marchand de Trois-Rivières et de Marie-Josèphe Robitaille. Le Dr Kimber était un cousin de Julie.
12. La rue Paternoster Row est alors située entre la rue Newgate et la cour de l'église Saint-Paul, dans le quartier *fashionable,* centre de commerce de Londres.

attendre de consolation, même dans cette vie. Je m'efforce d'y travailler ; je ne me plains à personne, je souffre en silence.

Quant à toi, je t'en fais un peu part, car il me serait difficile d'écrire, étant dans la peine, sans que mon style ne s'en ressentît. Il m'est comme impossible d'écrire autrement, aussi ne le fais-je que rarement, pour seulement t'éviter de l'inquiétude, en te donnant de nos nouvelles de temps en temps. Et quand il y aura quelque extraordinaire, je le ferai aussi. Ainsi, ne sois pas surpris si tu n'en reçois pas plus souvent. Je sens bien qu'en écrivant souvent je n'aurais toujours que les mêmes lamentations et rien d'amusant à te mander, je ne pourrais que te fatiguer et t'ennuyer en ne t'entretenant que de mes soucis.

Pour moi, tes lettres seront toutes au contraire fort amusantes et intéressantes. J'espère que tu ne négligeras pas de les réitérer le plus souvent qu'il te sera possible au milieu de toutes les grandes occupations, soit utiles ou agréables, qui ne peuvent manquer d'absorber tous tes moments. Tu songeras que c'est la seule chose qui puisse consoler un peu ta malheureuse amie.

Les petits enfants sont assez bien portants. Amédée ne laisse pas que d'être toujours méchant, pourtant il parle quelquefois de son papa, il demande : « Quand est[-ce] qu'il viendra ? il est bien longtemps. » Il prie pour toi. Lactance a deux dents en bas et celles d'en haut lui percent ces jours-ci ; cela l'a un peu affaibli. Sans cela, je crois qu'il commencerait à marcher. Je crois t'avoir écrit dans ma première lettre qu'il est sevré. Il ne prononce pas encore un mot, il est toujours bien bon et bien gai.

Je n'ai pas sorti, cet hiver, et ne sortirai pas. Par conséquent, je n'ai pas été à Chambly comme je le devais. Maman est venue me voir deux fois. Elle est descendue à Québec en février pour ses affaires : elle n'a pas encore trouvé à vendre sa grande maison, elle l'a louée pour trois ans au même, et aux mêmes conditions. Ton père se porte bien. Il est arrivé hier [de] Vaudreuil et ta maman est à Maska [Saint-Hyacinthe]. Mme Dessaulles[13] n'est pas encore accouchée. Mme Benjamin[14] est venue à Montréal : elle te prie de faire ton possible pour découvrir sa sœur. Toute ta famille est en bonne santé et, dans la mienne, il n'y a que M. Plamondon[15] qui est toujours dans le même état. Il n'a pas encore reçu son sirop. Le Dr Labrie a été bien malade, comme je te l'ai écrit, mais il est assez bien à présent.

13. Rosalie Papineau, sœur de Louis-Joseph, épouse de Jean Dessaulles, est alors enceinte de sa fille Rosalie.
14. Angélique (Angelle) Cornud, épouse de Denis-Benjamin Papineau.
15. Louis Plamondon, camarade de classe de Papineau, en rhétorique, fils de Joseph Plamondon et de Louise Robitaille; avocat de Québec, époux de Rosalie Amiot (Québec, 1811). Par sa mère, Louis Plamondon est cousin de Julie.

Le Parlement va se proroger ces jours-ci. La Chambre a fait beaucoup d'ouvrage : elle a voté la liste civile[16], les arrérages des orateurs[17] et la nomination d'un ou plusieurs agents pour résider en Angleterre, mais le tout a été rejeté par le Conseil. Nous sommes bien mécontents contre les membres canadiens qui n'y sont pas demeurés, tels que MM. Debartzch[18], Cuthbert, de Salaberry[19], etc., car tout cela aurait passé. Tu as vu que, dans le commencement, lorsque ces messieurs y étaient, les Canadiens ont eu une grande majorité et qu'ils ont fait tout ce qu'ils ont voulu, mais, au bout de quinze jours, ils sont tous retournés chez eux et n'ont pas reparu au Conseil. Richardson[20], plus rusé et plus intéressé, y est encore. On dit que le gouverneur est bien mécontent : il dit qu'il voit bien que ce n'est pas la chose qui retarde le progrès des affaires dans ce pays et que ce serait beaucoup mieux si, comme à Halifax, il n'y avait qu'une Chambre et un Conseil exécutif.

Le Comité[21] ne m'a pas encore remis les 75 £ qu'il devait me remettre. J'ai su par le Dr Kimber que tu avais refusé de prendre 250 £, que tu n'as pris que 150 £ pour ton voyage. Je trouve que tu aurais mieux fait de prendre plus. Mais qu'importe, puisqu'il t'a plu d'en agir ainsi, cela ira comme cela pourra. Si jamais je manque, je ménagerai encore plus, s'il est possible.

Je te prie de m'envoyer ce que je t'ai demandé pour cet été, car ici, je ne pourrai rien acheter pour moi. Je vais te nommer les articles : mes plumes, peignes, une pièce de dentelle large et une étroite, une chape claire d'été.

Ta sincère et fidèle épouse,

Julie Bruneau Papineau

P.S. Ah ! ton cher parent, M. Viger, est arrivé de Québec aujourd'hui, le 23 mars. Le Parlement n'était pas encore prorogé lors de son départ mais devait l'être hier. La Chambre et le Conseil se sont accordés sur quelques mesures, mais le Conseil a encore rejeté les bills les plus nécessaires comme celui des écoles, d'un agent pour résider en Angleterre, les bills d'indemnité pour les quatre dernières années. Il a été néanmoins passé, dans les deux Chambres, la liste civile pour cette année, c'est-à-dire cette partie de la liste civile qui a été demandée

16. Liste civile : crédits nécessaires pour payer le salaire des employés du gouvernement.
17. Louis-Joseph Papineau était président (« orateur ») de la Chambre d'assemblée du Bas-Canada ; à ce titre, il devait toucher un salaire, qu'il n'aura que bien plus tard, après son retour d'exil à Paris.
18. Pierre-Dominique Debartzch (1782-1846), avocat, membre de la Chambre d'assemblée avec Louis-Joseph Papineau en 1809. D'abord patriote, puis considéré ensuite comme un « traître ».
19. Charles-Michel Irumberry de Salaberry (1778-1829), héros de Châteauguay en 1814, membre du Conseil législatif ; de même que James Cuthbert, de Berthier.
20. John Richardson (c1754-1831), d'origine écossaise, ex-commerçant de fourrures, bureaucrate, membre du Conseil exécutif.
21. Un des comités créés pour recueillir les signatures contre le projet d'union de 1822.

par l'Exécutif, car on prétend qu'il y en a une grande partie accordée d'une manière permanente. Un bill, que je ne sais comment appeler, a passé par les deux Chambres et qui tend à faire payer des arrérages de la liste civile. Dans ce bill, la Chambre a adroitement introduit une clause pour faire toucher les arrérages des orateurs et, par conséquent, les vôtres. Il n'y a pas à douter que le gouverneur ne sanctionnerait pas ce bill. M. Viger vous écrira ces jours-ci. Et je vous écrirai moi-même par l'évêque Macdonell[22] qui doit partir sous une douzaine de jours. Mme Papineau vous a déjà écrit par la voie de M. Masson[23] et elle envoie cette lettre par la même voie de la sorte, etc.

To the Honble Louis-Joseph Papineau
[London]

Montréal, 18 avril 1823

Cher ami,

Ta lettre du 16 février ne m'est parvenue que le 11 avril. Avec quel plaisir je l'ai reçue ! et me suis hâtée de l'ouvrir et de lire les premières lignes qui m'ont appris ton heureuse arrivée à Liverpool, ce que je désirais savoir depuis longtemps avec impatience comme le seul adoucissement à l'ennui et surtout à la cruelle inquiétude qui me dévorait ; je t'ai bien plaint en pensant que tu devais être malade pendant la traversée, cependant je n'ai pas laissé que d'être surprise en voyant tout ce qu'il y a à souffrir sur mer. On pensait ici, au contraire, que vous aviez eu du beau temps. J'espère au moins que ta plus grande misère est passée, que tu vas te bien porter et que tu n'éprouveras pas trop de désagrément dans tes affaires.

Je pensais que tu m'écrirais avant ton départ pour Londres : tu ne l'as pas fait mais j'ai eu de tes nouvelles par le correspondant de M. Masson ; ce dernier est toujours très poli pour nous, tu dois lui avoir bien de l'obligation de t'avoir recommandé à ce monsieur à Liverpool qui, à ce qu'il paraît, t'a servi de son mieux.

M. Masson est venu hier avec trois lettres qu'il venait de recevoir : dans chacune il est fait mention de toi, il nous a laissé celle qui mentionne ton départ

22. Alexander Macdonell (1762-1840), auxiliaire de Mgr Plessis pour le Haut-Canada, avec le titre de Mgr de Rhésina.
23. Joseph Masson (1791-1847), époux de Marie-Geneviève-Sophie Raymond, seigneur de Terrebonne. Ses affaires l'appelaient souvent à Londres.

pour Londres, pour en extraire ce qui te concerne. Philippe l'a fait [copier] et je vais t'en copier une partie qui m'a fait bien plaisir. Cela me fait espérer que tu seras bien accueilli des personnes à qui tu es recommandé, au moins de la plupart. Il faut croire que les Anglais de là ne sont pas tout à fait comme les nôtres. M. Humberston[24] dit :

> *Your friend, Mr Papineau, I cal[le]d upon early on monday morning and got his baggages etc. through, both for him and his friend Mr Neilson of Quebec of the Custom house and devoted the whole of the day to him ; and he was kind enough to ask me to dine with him. He is indeed a very superior man. I had a deal of very pleasant conversation with him, he will, I hope, return through here when he will have more time ; for as a friend of yours, you may depend upon me showing him the most possible attention.*

Ensuite, il mentionne les recommandations qu'il t'a données [et] qui te doivent être bien utiles. Et il continue ainsi :

> *My dear Sir, I have on our account done as I can for Mr Papineau and will continue him to do so, upon that, you may depend. I sincerely wish him every success because I think his cause a good and just one, but I fear he has a very powerful party to oppose him.*

Philippe a été lire cela à ton papa et à Louis Viger[25]. Le Dr Kimber était là, il a dit qu'il allait assembler le Comité demain au soir, qu'il leur lirait les extraits de ces lettres qui ne manqueraient pas de leur faire plaisir et puis pour décider qui d'entre eux allait t'écrire ces jours-ci, pour te faire part et te rendre compte de tout ce qui se débite ici de nouvelles, depuis l'arrivée des derniers packet-boats[26]. Je n'entre dans aucun détail de ces nouvelles puisque ces messieurs doivent t'écrire exprès.

Ne manque pas dans tes lettres de me donner beaucoup de détails sur tout ce que tu verras, sur l'accueil que l'on te fera chez les différentes personnes chez qui tu seras introduit. Cela m'amusera. Je ne montrerai tes lettres à personne, excepté ce que tu voudras bien concernant les affaires. Alors j'en ferai des extraits que je montrerai.

Quant à nos propres affaires, je vais laisser l'autre page pour que Philippe t'écrive à ce sujet. On t'a déjà écrit que tes arrérages avaient été votés dans les deux Chambres et le gouverneur a sanctionné le bill.

---

24. Joseph Masson avait recommandé Louis-Joseph Papineau à M. Humberston, avant son départ pour Londres.
25. Louis-Michel Viger (1785-1855), cousin de Louis-Joseph Papineau par sa mère, Agnès Papineau.
26. Le mot français « paquebot » vient de *packet-boat*. À cette époque, on utilise plus communément l'abréviation « packet ».

Ton papa et ta maman se portent bien et tous les autres individus de la famille, excepté le jeune Joseph Trudeau[27] qui est bien malade.

Le docteur ne sait que dire de sa maladie ; il dit qu'il en peut revenir, mais aussi qu'elle peut devenir dangereuse d'un moment à l'autre. C'est un mal intérieur autour du cœur.

Mme Dessaulles n'est pas encore accouchée. Maman est bien portante et toute la famille aussi. Vevette est partie et Rosalie[28] est revenue. Pour moi, je vais me mettre à prendre des remèdes : j'ai grand besoin d'être purgée. Les petits enfants sont bien portants. Le petit Lactance a été indisposé : il lui a percé des dents et puis il a été inoculé[29] pour la troisième fois et elle a bien pris. Il a eu la fièvre fort. Il ne marche pas encore, il est trop craintif. Il est bien éveillé, il veut faire tout ce qu'il voit faire à Amédée. Voilà les beaux temps, ils aiment à sortir. Amédée n'est pas aussi méchant qu'il était, il commence à entendre raison. Il parle souvent de toi. Il dit : « Il faut bien que je sois bon, je suis le petit homme de la maison à la place de papa. »

Mme Guy[30] vient de me rendre visite il y a un instant. Elle me charge de te faire ses amitiés et elle dit de t'écrire que les demoiselles ont prié pour toi.

Je voudrais, pendant que tu es à Londres, que tu trouves à engager un petit jeune homme pour te servir. Tu aurais le temps de connaître son caractère. Tu l'engagerais jusqu'à l'âge de majorité. Tu l'amènerais, il se trouverait ici sans parents ni amis. On en pourrait avoir du service, il parlerait l'anglais, cela sera bien commode par rapport aux enfants et on a tant de misère à se procurer de bons domestiques ici.

Tous nos parents et amis te font bien des amitiés et s'intéressent fort à toi. Plamondon n'est pas mieux, on craint fort qu'il n'en meure. Je viens de recevoir une lettre de toi datée du 21 février, de Londres. C'est surprenant qu'elle ne soit arrivée qu'aujourd'hui, parce [qu']il en est arrivé le même jour, datées du commencement [de] mars. M. Masson, entre autres, en a reçu de son correspondant à Liverpool qui dit qu'il est fort surpris de ne pas recevoir de lettres de toi, depuis quatorze jours que tu l'as laissé, que tu devrais lui envoyer ton adresse afin qu'il pût te faire passer les lettres qui te viendraient de ta famille. Je crois qu'elles se rendraient plus ponctuellement par cette voie. De plus, il dit qu'il t'avait dit qu'il travaillerait à te procurer une lettre de recommandation, de plus très importante, qu'il l'avait obtenue et qu'il ne savait comment te la faire parvenir, n'ayant pas ton adresse. Il paraissait mécontent dans sa lettre. M. Masson est venu s'informer,

---

27. Zéphirin-Joseph Trudeau (1804-1866), fils de Toussaint Trudeau et de Marie-Louise Papineau, filleul et cousin de Louis-Joseph Papineau. Il deviendra notaire à Montréal.
28. Rosalie Bruneau, épouse de François-Xavier Malhiot, sœur de Julie.
29. Depuis 1798, certains vaccins sont offerts à la population.
30. Marie-Josèphe Curot, épouse de Louis Guy. Ce dernier était membre du Comité de Montréal qui recueillit plusieurs signatures contre le projet d'union de 1822.

voir si tu parlais de lui dans ta lettre ; je lui ai lu ce que tu m'écris par rapport à son M. Humberston. Cela l'a satisfait. Il craignait que tu fusses mécontent de lui, quoique ce monsieur lui ait écrit toutes les attentions qu'il a eues pour toi, comme je te l'écris dans cette lettre. Je suppose que tu lui as écrit à présent, ou si tu ne l'as pas fait, tu ferais bien de le faire, car il paraît qu'il trouve cela un peu indifférent de ta part, ayant le désir de t'être utile. Et de plus, il faut absolument que tu lui envoies ton adresse si tu veux recevoir mes lettres, car voilà la troisième que je t'écris et je les ai envoyées par la voie de M. Masson à son correspondant à Liverpool, comme nous en étions convenus. Le docteur a dit que M. Masson était mortifié. Il dit qu'il craint que tu [n']oublies que M. Humberston peut être fort utile à présent que tu es au milieu des grands dans Londres. Je t'écris aussi long à ce sujet parce que tous tes amis, ici, ont été flattés de l'éloge que ce monsieur a fait de toi dans ses lettres et ils voudraient que tu lui fusses reconnaissant.

Adieu, je termine en te disant que Philippe va terminer la lettre en te parlant de nos affaires particulières.

Ta tendre et affectionnée épouse,

Julie Bruneau Papineau

To the Honble Louis-Joseph Papineau
[London]

Montréal, 23 avril 1823

Cher ami,

J'ai reçu ta lettre du 6 mars hier, 22 avril, dans laquelle tu ne m'apprends rien de nouveau quant à l'objet de votre mission. Nous avons été informés par la voie du gouverneur que les ministres avaient abandonné leur inique projet[31] pour cette session, et nous avons pensé comme toi que c'était abandonner la chose tout à fait. Les ministres n'osent pas le faire trop ouvertement. Mais tu ne me dis rien sur ce que vous allez faire et à quoi vous allez vous occuper maintenant, à quoi votre voyage va-t-il être utile à présent, par rapport aux affaires du pays, si vous croyez pouvoir conférer avec quelques-uns des ministres ; ni si tu as vu quelques-unes des personnes à qui tu as été recommandé, si vous allez faire des représentations contre l'administration du pays. On s'attend que M. Neilson fera mettre quelque chose sur les gazettes à Londres.

31. Le projet d'union du Haut-Canada et du Bas-Canada.

Il y a plus de quinze jours de distance entre les deux lettres que tu m'as écrites à Londres ; je devrais avoir plus de nouvelles ; ta lettre n'est pas écrite serrée, tu l'as écrite à la hâte. Tu devrais prendre un petit moment chaque soir, avant de te coucher, pour me rapporter ce qui t'est arrivé de plus intéressant dans le cours du jour, et ainsi, de cette manière, ta lettre se trouverait bien remplie, le jour de poste. J'espère aussi que tu le feras chaque semaine, c'est le moins que je doive m'attendre à en recevoir, étant si éloignée de toi et n'ayant que ce seul soulagement à un ennui dont tu ne peux comprendre la force, parce [que] tu as trop d'occasions de dissipation et d'amusement. Je sais bien que c'est beaucoup exiger de toi, étant aussi occupé que tu dois l'être, mais si ce n'est pas impossible tu peux être persuadé que tu obligeras infiniment ton amie triste et affligée. Ne pouvant prévoir encore l'époque qui doit fixer ton retour, et qui sait si jamais nous devons nous revoir ? il faut espérer mais il faut nécessairement craindre. Quelle cruelle situation ! dont j'ai grand hâte de voir la fin, pour ne plus jamais m'y exposer, au moins de ma propre volonté. Ce sont de trop grands sacrifices dont on ne peut prévoir toute l'étendue que par expérience.

Nos petits enfants sont bien portants. Amédée devient de plus en plus raisonnable. Il parle souvent de toi, il dit : « Ah ! pour le sûr, je ne laisserai plus papa aller en Angleterre, il est trop longtemps. » Je lui dis alors : « Tu t'ennuies donc ? » Il me répond : « Pas beaucoup, mais j'aime papa. » Quelquefois aussi il demande à aller à l'église de Bonsecours pour prier le bon Jésus pour son papa. Le petit Lactance ne dit pas encore un mot, ni ne marche, mais il est gentil et bien gai.

Ton papa et ta maman sont bien portants ; il doit t'écrire dans peu. Mme Dessaulles n'est pas encore accouchée. Toute ta famille est en bonne santé, excepté le jeune Trudeau, ton filleul, comme je te l'ai déjà écrit dans ma dernière : il est toujours en danger. Ils ont marié une de leurs filles, Émilie, à un assez bon parti, à un jeune homme résidant à la Pointe-aux-Trembles, menuisier[32]. Maman se porte bien. Elle n'a pas trouvé encore à vendre sa grande maison. Tous nos amis ici sont en bonne santé. Nous n'avons pas eu de nouvelles de M. Plamondon depuis quelques jours ; tout ce que je sais, c'est qu'il a reçu le sirop que tu avais recommandé de lui envoyer de New York. Je ne sais s'il s'en trouve bien.

Le Dr Labrie continue à se mieux porter ; le Dr Kimber te fait ses amitiés, il voulait t'écrire mais il ne l'a pas fait parce qu'il est beaucoup occupé. Il a changé de demeure, il est plus loin que la paroisse et il a des ouvriers chez lui. M. Doucet[33] m'a dit aussi qu'il t'écrirait sous peu. Sa dame est encore embarrassée [enceinte]. Rosalie est avec moi et te fait ses amitiés.

---

32. Émilie Trudeau (1799-1864), fille de Toussaint Trudeau et de Marie-Louise Papineau, épouse Adolphe-Hippolyte Fissiault-Laramée, menuisier, le 8 avril 1823.
33. Nicolas-Benjamin Doucet, notaire, époux d'Euphrosine Kimber (Trois-Rivières, 5 août 1807), fille de René Kimber et de Josèphe Robitaille. Euphrosine Kimber était une cousine de Julie.

J'ai pris des remèdes la semaine dernière. Je ne sais en quel temps j'irai à Chambly. Je ne me propose que cette seule promenade, et peut-être irai-je à la Petite-Nation[34], pour l'amour de Mme Benjamin, si toutefois ta maman y va, comme elle se le propose. Je dis par rapport à Mme Benjamin, car pour moi je n'aurai de plaisir nulle part et je serai peut-être pire ailleurs que chez moi.

Tu vois que mes lettres ne sont guère intéressantes. Je n'ai rien de nouveau à te mander. Aussi vais-je terminer en te priant de me croire pour la vie,

Julie Bruneau Papineau

Je ne sais pas si tu as pensé à m'envoyer les effets que je t'ai demandés pour ce printemps.

[De la main de Philippe Bruneau] : Je m'attendais à remplir le reste de cette lettre, qui devait [ne] partir que demain, mais M. Masson l'a fait demander à l'instant. M. Guy a reçu votre lettre du 6 mars.

MM. Peter, W^m^ and George Winn
45 Paternoster Row
London
For the Honble L.-J. Papineau

Montréal, 19 mai 1823

Mon cher ami,

J'ai reçu ta lettre du 22 mars le 8 mai et celle du 5 avril le 19 mai ; ainsi tu vois que les passages sont assez longs pour la saison et dans quelque temps, ils le seront beaucoup plus mais au moins les lettres parviennent bien régulièrement. Je les ai toutes reçues, comme je te le mentionne, dans chacune de mes lettres, si elles te parviennent. Ton papa a aussi reçu la sienne et M. Viger, puis M. Guy. Tu me dis avoir reçu la mienne du 5 février et tu ne me dis pas comment elle a pu te parvenir mais M. Humberston l'écrit à M. Masson : il dit que voyant que tu ne lui avais pas envoyé ton adresse, il s'est avisé de l'envoyer à un de ses amis à Londres à qui il t'avait recommandé ; qu'il supposait qu'il pourrait te la faire parvenir. J'espère qu'il enverra les autres de même. Aussitôt que j'ai eu ton adresse, je [la] lui ai envoyée parce que j'avais déjà écrit deux lettres ; j'étais inquiète, je voyais que cela serait long avant que tu pusses avoir de nos nouvelles :

34. La seigneurie de la Petite-Nation, sur l'Outaouais, appartenait à Louis-Joseph Papineau, qui en avait hérité de son père.

ainsi tu peux voir que cela m'a fait grand plaisir quand tu m'écris que tu as reçu ma première ; celle-ci est la cinquième et je l'envoie par monseigneur de Rhésina, qui part demain pour Québec d'où il doit s'embarquer pour Londres.

Je ne parle pas des affaires, car M. Viger t'écrit et ton père est à Québec qui doit t'écrire aussi au sujet des affaires publiques et de nos affaires privées par rapport à tes arrérages. Comme on dit qu'il n'y a pas d'argent, ou bien peu au moins, on paiera les juges et autres, etc., et nous, nous pouvons nous attendre à être payés les derniers. Ton père écrit aujourd'hui à M. Viger que cela ira à l'automne. Je ne sais si cela est très exact, car j'ai su cela indirectement : on ne me communique rien et M. Viger est toujours de plus en plus mystérieux. Mais je suppose que, comme ils en savent plus long que moi et qu'ils t'écriront, ils te satisferont sur ces sujets.

M. Jacques Viger[35] est arrivé de Québec et il a rapporté que M. Neilson avait écrit que la question de l'Union était abandonnée, que M. Robertson était parti de Londres et que vous alliez revenir bien vite. Mais je n'ai pas ajouté foi à cela et pour plusieurs raisons et je vois par ta lettre d'aujourd'hui que tu ne me parles pas du tout du temps que tu crois être obligé de rester là ; tu ne me parles presque pas d'affaires qui, tu sais, m'intéressent beaucoup ; je puis garder secret ce que tu voudras qu'il le soit. Tu ne me dis pas un mot non plus des personnes à qui tu étais recommandé ; si tu les as vues ; quel accueil elles t'ont fait ?

Je vais à présent t'entretenir de la famille. Mme Dessaulles est accouchée vendredi dernier d'une fille ; elle est assez bien pour le temps. Ta maman est bien. Il n'y a que le jeune Trudeau qui est toujours bien malade.

Nous avons eu des nouvelles de la Petite-Nation : ton frère a été malade ; il a eu un panaris au premier doigt de la main droite et madame est malade aussi de fatigue qu'elle a eue. Quant à moi, je ne suis pas bien depuis que je me suis purgée ; je ne suis guère mieux mais cela ne peut pas être autrement. Tu sais comme la peine m'affecte, je m'ennuie à l'excès. S'il faut que tu sois longtemps, je ne sais comment je ferai. Je [ne] suis bien qu'où je ne suis pas.

J'ai été à Chambly aussitôt que j'ai eu laissé la maison. Je m'ennuyais beaucoup plus. Je suis revenue le troisième jour, j'ai été seulement pour faire mes adieux à cette chère Vevette qui est partie hier avec maman pour entrer dans le couvent de l'Hôpital général à Québec. Elle est venue passer quelque temps avec moi l'hiver dernier et elle m'avait communiqué son dessein ; elle a fait la neuvaine à cette intention et elle a été exaucée. Tu serais surpris de voir avec quel courage elle abandonne le monde, sa famille ; elle a partagé son butin à ses sœurs de gaieté de cœur. J'ai été bien touchée de ses bons sentiments et je la trouve bien heureuse d'être appelée à cet état. Car plus je vais, plus je suis convaincue

35. Jacques Viger (1787-1858), cousin de Louis-Joseph Papineau, époux de Marguerite Lacorne, veuve de John Lennox, demeurait à Montréal, voisin des Papineau.

que c'est l'état le plus heureux quand on y est appelé. Dans le monde, on n'y a que peines et tourments de toutes espèces.

Les petits enfants sont bien portants. Le petit Lactance marche depuis quinze jours, il commence à être drôle. Amédée demande toujours : « Quand est-ce que papa viendra donc ? Je ne le laisserai jamais aller, il est trop longtemps. »

Toute la famille et tes amis te font leurs amitiés. Côme[36] me prie de te faire ses amitiés en particulier et qu'il est bien sensible aux souvenirs que tu fais de lui dans tes lettres.

Adieu, il est déjà tard et cette lettre doit partir demain matin de bonne heure. Je suis pour la vie,

Ta sincère et affectionnée épouse,

Julie Bruneau Papineau

[L.-J. Papineau][37]

Montréal, 8 janvier 1825

Cher ami,

Je vois par ta dernière que tu étais très inquiet du petit [Lactance], mais tu vois à présent ce qui m'a empêchée de t'écrire et puis, de plus, ce mauvais temps qui aura encore retardé ma lettre : j'ai été bien dépitée de mon côté mais tu as toujours tort de croire que, s'il y avait quelque chose de grave, je ne te ferais pas écrire par quelques-uns de la famille si je n'avais pas le temps moi-même. Le petit continue à avoir du mieux sans pourtant être guéri : il a un jour de bien et le lendemain il a un accès de fièvre et une attaque de ce mal que l'on ne peut savoir au juste ce que c'est. C'est toujours intérieur, il est un peu changé mais il n'a pas beaucoup maigri.

Le petit Arthur[38] est bien ; il commence à mieux dormir la nuit, ce qui fait que je me porte mieux et mon rhume commence à se passer. J'engraisse et ai assez d'appétit. Il n'y a que l'ennui qui ne fait qu'augmenter quand je songe que nous ne sommes tout au plus qu'à la moitié du temps de notre séparation. Je ne

36. Côme-Séraphin Cherrier (1798-1885), avocat et cousin de Louis-Joseph Papineau, époux de Mélanie Quesnel, veuve Coursol.

37. Toutes les lettres sans adresse, commençant par « Cher ami » sont destinées à Louis-Joseph Papineau. Dorénavant, son nom ne sera plus mentionné entre crochets.

38. Marie-Olivier-Arthur, fils de Louis-Joseph Papineau et de Julie Bruneau, né le 25 septembre 1824, décédera le 23 août 1825.

puis sortir : les enfants ont toujours besoin de moi, je n'ai sorti que deux ou trois [fois] le soir. J'ai été souper chez M. Louis Viger et chez M. Jacques pendant que Mme Labrie[39] était ici et, mardi dernier, ta famille s'est trouvée réunie ici. Mme Benjamin était venue dîner avec moi et le soir j'ai envoyé chercher ton papa et ta maman, ta tante Lecavelier et puis M. Augustin et M. Toussaint qui étaient en ville, et, hier, j'ai dîné chez ton papa avec ta tante Séraphin[40] qui est en ville et qui me charge de te faire ses amitiés ainsi que Mlle Sophie Brodeur[41]. Je ne pourrai les avoir à dîner que jeudi ; elles sont engagées ces jours-ci. Je me propose d'avoir Mme Denis Viger et la famille chez ton papa et puis maman qui vient d'arriver à l'instant pendant que j'écrivais le commencement de ma lettre. Ainsi, nous dînerons en famille pendant que tu dîneras avec les grands. Je suis bien certaine que tu préférerais bien être avec nous ; nous aurons le plaisir de boire à ta santé et tu ne pourras pas boire à la nôtre.

Amédée se porte bien et parle souvent de toi, il dit de te dire qu'il est encore un peu malin mais qu'il espère devenir meilleur de jour en jour d'ici que tu reviennes pour mériter sa récompense et Lactance dit seulement : « Je m'ennuie beaucoup de papa. S'il était ici, il me prendrait sur ses genoux, il me chanterait de petites chansons : je ne veux plus qu'il s'en aille. Dis-lui cela. » Il a encore de la fièvre aujourd'hui, il dort dans ces moments-ci.

Je crois que je vais être obligée de changer de garçon, je ne sais où en trouver, le mien est bien négligent et personne pour le surveiller, et puis hier il a profité du temps que j'étais à dîner chez ton papa pour sortir et il est revenu enivré et il a été malade. Étant seule comme je suis, j'aurais besoin de quelqu'un de confiance. Je te parle de cela parce que j'ai entendu dire que le Patrick de chez M. Doucet devait sortir. Le docteur voudrait l'avoir mais il a dit à Théophile[42] qu'il préférait venir ici mais je ne sais quel prix il demandera. C'est pourquoi je voudrais savoir le plus haut prix que tu voudrais lui donner : j'espère qu'il viendra à meilleur marché ici que chez M. Doucet où il a six piastres. Il est bon jardinier et est bien capable de faire le marché. Il est honnête et fiable mais je ne sais s'ils l'ont à présent.

---

39. Marie-Marguerite Gagnier, fille du notaire Pierre-Rémi Gagnier et épouse du Dr Jacques Labrie.
40. Louise Loubet, épouse de Séraphin Cherrier, oncle de Louis-Joseph Papineau.
41. Sophie Brodeur, fille de Louis LeBrodeur et de Marie-Josèphe Plamondon, épousera André-Augustin Papineau, en 1826, frère de Louis-Joseph.
42. Théophile Bruneau, frère de Julie.

Toute la famille te fait ses amitiés et moi je te prie de m'écrire souvent et suis avec affection,

Ton amie et épouse,

Julie Bruneau Papineau

Montréal, 13 janvier 1825

Cher ami,

Je n'ai pas reçu de lettre hier ; j'espère en recevoir demain. M. Viger vient de me dire qu'il part demain matin pour Québec, je m'empresse de te dire quelques mots sur la santé de nos chers enfants : c'est toujours ce qui inquiète le plus quand on est éloigné.

Je te dirai qu'Amédée est bien, que Lactance est toujours dans le même état : il est gras et il souffre toujours. Hier, il a eu de la fièvre, le mal de tête, et il se plaint de temps en temps de son mal dans le fondement. Il a pris de l'huile de castor aujourd'hui. Et le petit Arthur est malade depuis deux jours. C'est, je crois, le besoin d'être purgé. Il est en remède aussi ; j'espère qu'il se trouvera mieux après. J'ai grand besoin d'être purgée moi-même. C'est peut-être ce qui rend l'enfant malade. Je vais peut-être me décider à me purger, si les enfants deviennent mieux portants. Je suis sur mes gardes et redouble de précautions, car c'est étonnant ce qu'il y a d'enfants de malades, et il en meurt beaucoup.

Je vois bien que la session va être bien longue par ce que tu m'en dis dans tes lettres : cela dépite seulement d'y songer. Comme cette vie est remplie de tourments de toute espèce, il n'y a personne d'exempt.

À propos de malheurs, que je plains ce pauvre Plamondon et sa femme de voir qu'il ne peut guérir ! Je le crois un homme fini[43] puisqu'il n'a pas de mieux depuis tant de temps ! Et cette pauvre Mme Chase, sois assuré que cela m'a beaucoup surprise et m'a vraiment affligée [de] voir une personne aussi estimable être aussi malheureuse sans l'avoir mérité, et encore si jeune ! Quel malheur ! Que Mlle Dumoulin doit être désolée !

Je vais à présent te donner des nouvelles de ta famille. Ton papa et maman se portent bien, ainsi que ta tante Lecavelier, à qui je n'ai pas parlé de Luce. Elle ne m'en a jamais parlé. Je ne veux pas non plus lui en parler. Mme Benjamin n'est pas encore de retour de Maska. Maman se porte bien et te fait ses amitiés ; elle

43. Louis Plamondon souffre de « douleurs cruelles dans ses pauvres jambes qui ne le peuvent porter ». Lettre de Louis-Joseph Papineau à sa femme, 23 février 1825.

va passer ici quelques jours, puis Rosalie viendra à son tour. Nous attendons le curé[44] demain ; il n'a pas pu venir la semaine dernière parce qu'il était indisposé.

Nous allons entrer dans le Carême : cela va faire cesser vos plaisirs à Québec, vous aurez plus de temps à donner au travail. Pour moi, cela ne fera aucun changement. Le carnaval que j'ai passé a bien valu un Carême : je n'ai eu que de la peine et de l'ennui et je ne m'attends pas à autre chose, le reste de l'hiver. Nous allons avoir des nouvelles de ton dîner demain, j'espère que tu n'auras pas eu de désagrément et que tout aura bien été.

Fais mes compliments à nos parents et amis et à Mlle Dumoulin. Dis-lui que je partage bien sa peine, par rapport à sa chère nièce. Tu me demandes des nouvelles de la maison. Je t'ai donné quelques détails dans ma dernière, excepté de tes fleurs dont je ne t'ai pas parlé. Elles sont assez belles, quoiqu'elles souffrent de la chaleur. Il faut chauffer la nuit comme le jour avec des enfants malades. Adieu, je souhaite que ton séjour à Québec et la fatigue que tu éprouves n'altèrent pas ta santé. Je suis pour la vie,

Ton épouse et amie,

Julie Bruneau Papineau

L'honorable L.-J. Papineau
Québec

Montréal, 30 janvier 1825

Cher ami,

Je n'ai pas reçu de lettre hier et la dernière que j'ai reçue, vendredi dernier, était la première que je recevais de toute la semaine. Tu négliges plus que jamais à m'écrire, quoique tu sois persuadé que je m'attriste quand je m'attends à recevoir une lettre et que je ne la reçois pas. Je n'ai pourtant pas besoin de cela pour empirer ma triste existence, mais je m'arrête. À quoi servent les reproches sinon quelquefois à rendre notre sort plus malheureux ?

Le petit Lactance n'est mieux que d'hier, je ne sais si cela continuera. Il a beaucoup souffert et nous a donné beaucoup de trouble. Je voulais t'écrire samedi, mais Mme Labrie est arrivée avec deux de ses petites filles, et aujourd'hui même à peine puis-je trouver un moment à t'écrire. Elle est allée à Chambly et

44. Un frère de Julie, René-Olivier Bruneau (1788-1870), fut curé à Verchères de 1823 à 1864.

m'a laissé ses deux petites filles, et elle doit revenir ce soir. Mais il fait un grand froid et je crains qu'elle ne puisse revenir.

Je suis encore seule. Il paraît que Rosalie ne veut pas venir. M. Augustin[45], ton frère, est arrivé de Maska et il a passé par Verchères. Il dit que maman doit venir seule cette semaine. Mme Benjamin est arrivée hier de la Petite-Nation avec la petite Honorine. Elles se portent bien. Elle a laissé toute sa famille bien portante.

Tu as sans doute appris par les papiers publics le mariage de Luce[46]. Nous avons tous été bien surpris. Les deux familles se sont opposées autant que possible. Ta tante Lecavelier surtout était bien fâchée. Je ne sais si elle l'est encore, je ne lui en ai pas parlé, ni à aucun de la famille, excepté à ta maman. Ils ont voulu en faire la folie : qu'ils subissent leur sort, qui ne peut être que malheureux, puisque, même avec une certaine aisance, on a tant de choses à supporter ; à plus forte raison, étant pauvres, en endureront-ils des misères !

Toute la famille se porte bien. Amédée se plaint aussi de ce mal dans le fondement, qu'il a coutume d'avoir. Hier au soir, je lui ai donné un lavement. Cela lui a fait du bien. Je crains que cela devienne considérable, comme à Lactance. Ce ne sont pas des vents, ils n'en rendent pas. Le docteur ne sait pas lui-même ce que c'est ; il l'attribue à différentes causes[47]. Le petit Arthur a encore le rhume. D'ailleurs il se porte assez bien.

Tu ne me dis pas si tu te proposes d'avoir, avec la Chambre, le gouverneur à dîner et quelques membres du Conseil. Il me semble que cela serait mieux.

Fais mes compliments à Mlle Dumoulin et à Mme Chase, ainsi qu'à toute la famille, et [je] suis avec affection

Ton épouse,

Julie Bruneau Papineau

45. André-Augustin Papineau (1790-1876), frère de Louis-Joseph, épousera Sophie Brodeur-Lavigne (Saint-Hyacinthe, 5 octobre 1825) et sera notaire à Saint-Hyacinthe.

46. Luce-Caroline-Eugénie Bruneau, sœur de Julie Bruneau-Papineau, venait d'épouser Toussaint Cherrier (Verchères, 24 janvier 1825).

47. Plus tard, Amédée a annoté le manuscrit : « C'était les hémorroïdes sèches qui m'ont tourmenté jusqu'à l'âge de 16 ou 17 ans. Pas dangereux, commun chez les enfants. Je fis usage de beaucoup de remèdes. Le seul bon (et qui me guérit), c'est un onguent d'écailles d'huître calcinées et pulvérisées très fin, et mêlées avec saindoux. »

Montréal, 10 [février][48] 1825

Cher ami,

Je me mets à t'écrire, il est une heure, je ne sais si la poste est arrivée ni ne sais si je recevrai une lettre. Je n'ai rien de nouveau à t'écrire depuis ma dernière, sinon que M. Amédée a voulu t'écrire. Il a demandé à Mlle Waller[49] si elle était capable, elle lui a fait un petit brouillon et elle m'a fait dire par Clotilde[50] que cela lui ferait plaisir si je voulais te l'envoyer disant qu'il l'avait écrite de lui-même, que personne ne lui avait dirigé la main. Il est arrivé de l'école, comme tu peux l'imaginer, tout joyeux et me tourmentant pour l'envoyer le même jour. Je l'ai remise à aujourd'hui et je te l'envoie ci-incluse. Il m'a dit le soir : « Je crois que cela va bien désennuyer papa de recevoir une lettre de son fils. » Il fait le petit homme. Lactance est toujours indisposé, je ne sais comment cela se terminera. Le petit Arthur est bien et commence à être amusant.

Je suppose que ton grand dîner va avoir lieu aujourd'hui et que tu es bien occupé. Pour moi, j'ai été désappointée pour ma réunion de famille : ta tante Séraphin part ce matin, ainsi elle n'a pas pu venir dîner. Je vais passer mes jours gras bien tranquillement ; heureusement que maman est avec moi à présent. J'ai été si seule, quand venait le déclin du jour jusqu'au moment du coucher, je ne saurais te dire combien je m'ennuyais ! Philippe est bien, je le vois assez rarement ; il est assez occupé et il aime à travailler chez lui ; il ne sort presque point. Théophile vient une couple de fois, en passant, voir si j'ai quelques commissions à lui faire faire. Il demeure avec Philippe à présent. Ils mangent chez eux quoiqu'ils n'aient encore qu'un petit garçon pour faire leur gargote[51].

J'ai vu toute la famille hier à dîner chez Mme Denis Viger : ils sont tous bien portants. Ton papa a l'air très bien ; Mme Benjamin est allée à Maska. Je lui parlerai de ce que tu m'as dit au sujet d'un prêtre pour la Petite-Nation.

Maman te fait ses amitiés ; elle a reçu hier une lettre de Bruneau qui dit que Luce[52] est bien portante et bien gaie ; que son mari l'aime beaucoup, qu'il est rempli d'attentions pour elle. Ils ont reçu toutes les visites des personnes de

48. Distraitement, Julie a écrit ici le mois de janvier, alors que la lettre a bien été écrite en février.

49. Fille aînée de Jocelyn Waller et d'Elizabeth Willis, d'origine irlandaise, première institutrice du jeune Amédée Papineau, en 1823-1828. Voir Journal d'Amédée, vol. 1 : « Le peu d'anglais que je sais, et qui m'est aujourd'hui si utile, mes notions de géographie, d'histoire, de morale, c'est à elle en grande partie que je les dois. »

50. Clotilde Kimber (1810-1874), fille de René Kimber et de Marie-Josèphe Robitaille, sœur du Dr Kimber de Trois-Rivières. Par sa mère, Clotilde Kimber était cousine de Julie Bruneau-Papineau.

51. Faire la gargote : apprêter les aliments, faire la cuisine.

52. Luce Bruneau, sœur de Julie, qui vient d'épouser Toussaint Cherrier.

l'endroit et même de Saint-Charles : il n'y a que sa famille qui ne veut absolument pas le voir.

Fais mes amitiés à la famille à Québec. Maman fait ses amitiés à la famille et à M. Plamondon. Adieu, fais mes compliments à Mlle Dumoulin[53] et à M. Stuart et à Mme Chase.

Je suis ta tendre amie et épouse,

Julie Bruneau Papineau

L'honorable L.-J. Papineau
Québec

Montréal, 24 janvier 1829

Cher ami,

Pour cette fois et avec raison, je m'attends à être grondée d'avoir été aussi longtemps sans t'écrire. J'ai mené une vie active et dissipée, à raison des visites des dames qu'il a fallu recevoir et rendre, et depuis, il y a toujours eu quelqu'un de la famille en ville.

Les curés Bruneau et Papineau[54] sont venus pour le sacre de l'évêque[55] et quelques autres de ces messieurs ont soupé ici jeudi et, presque tous les soirs, il y a quelqu'un de la famille à veiller. Et c'est ordinairement le temps que je puis facilement t'écrire ; le jour, je ne puis trouver un moment de tranquillité.

Mon oncle Ignace Robitaille[56] est ici aussi depuis trois jours. Il part ce matin et me charge de te faire ses saluts et amitiés. Mme Berthelot est en ville et a passé la soirée ici hier avec sa fille et son gendre, et puis ma tante Robitaille. Nous nous sommes bien amusés. Ton père était très gai ainsi que mon oncle Ignace. Au réveillon, ton père a dit qu'il devait lui rester du champagne ; il a fait venir une bouteille. Je t'écris cela, car je suis certaine qu'il n'en faut pas même autant pour te donner ample matière à me sermonner. J'ai aussi Clotilde Kimber que j'ai amenée passer quelques jours ici, car je craignais vraiment qu'elle ne devînt tout

53. Plusieurs parlementaires, dont Louis-Joseph Papineau, logeaient à Québec, chez Mlle Dumoulin.
54. Toussaint-Victor Papineau (1798-1869), frère de Louis-Joseph, est alors curé de Lachenaie.
55. Bernard Augus MacEachern (1759-1835), le 12 janvier 1829, est nommé suffragant et auxiliaire de Mgr Plessis, pour le Nouveau-Brunswick, les îles de la Madeleine et l'île du Prince-Édouard.
56. Ignace Robitaille, frère de Marie-Anne Robitaille, mère de Julie Bruneau.

à fait affectée, elle était faible et d'une grande mélancolie. Elle a un mieux surprenant et est très gaie. Ici, elle prend un peu de nourriture et ne vomit plus, je la fais endurer et lui dis que c'est qu'elle couche dans ton lit, et que c'est par cette vertu qu'elle guérit et que tu seras son saint. Elle te fait ses amitiés et à la famille.

Maman se porte bien et t'embrasse. Les enfants sont assez bien. Amédée se plaît à son école, il a été le premier de sa classe cette semaine et a porté la médaille : son pépé l'en a récompensé. Lactance a beaucoup de peine à se rétablir, il ne sort pas encore, il a encore pris un remède au commencement de la semaine, il est maigre et très changé. Aurélie[57] est bien portante mais toujours méchante et me donne toujours du trouble et de l'embarras le jour, et puis là, elle dort mieux qu'elle ne le faisait, mais pas très bien.

J'attends M. Viger à grand hâte pour avoir des nouvelles de toi d'abord et puis ensuite de la politique. J'ai vu hier M. Turgeon[58], prêtre, qui m'a donné de tes nouvelles. Je lui ai dit que tu trouvais que les affaires allaient encore lentement à ton gré. Il dit que tu es un peu trop chaud, qu'il faut un peu de modération, enfin, j'ai trouvé qu'il parlait en Québécois[59] : il dit qu'il a été peiné de te voir une fois voter seul avec Valois par entêtement. Tu dois te rappeler en quelle occasion. Et il approuve la réponse que t'a faite Vallières[60] et que nous avons vue sur les gazettes.

Théophile a reçu une lettre de Mme Lupton[61] qui nous salue bien. Elle dit t'avoir envoyé des manuscrits de M. Jackson[62] pour te convertir à sa politique. Sa lettre est intéressante. Comme elle est écrite en français, elle fait dire à M. Jacques Viger que son tableau a été bien admiré ; elle invite de nouveau tous ses amis à l'aller voir, ainsi que la famille Porter, chez qui elle passe l'hiver.

Rien de nouveau ici, la maladie règne toujours dans toutes les familles, il y en a plus ou moins. Le Dr Selby est mieux mais pas encore hors de danger. J'ai été voir les dames Waller ; elles m'ont dit que le jeune Waller leur écrit qu'il t'a beaucoup d'obligations, qu'il n'a pas un meilleur ami que toi, c'est-à-dire personne qui [ne] lui montre plus d'intérêt. Et elles t'en remercient.

Tu ne m'as pas dit de chercher quelqu'un pour le jardin et je n'y pensais pas non plus, mais il est venu une femme s'offrir. Tu me rendras réponse s'il faut

---

57. Aurélie, fille de Louis-Joseph Papineau et de Julie Bruneau, née le 21 mai 1826.
58. Pierre-Flavien Turgeon (1787-1867), secrétaire et procureur du séminaire de Québec, futur évêque de Québec.
59. C'est-à-dire quelqu'un qui habite dans la ville de Québec.
60. Joseph-Rémy Vallières de Saint-Réal, député de Québec.
61. Voir lettre de Mme Lancaster Lupton, d'Albany, N.Y., à Jacques Viger, 21 septembre 1829, *La Saberdache,* vol. 8 : 309. Mme Lupton s'intéressait aux arts. Elle était venue à Montréal en 1828 et avait rencontré les familles Viger et Papineau. Elle avait épousé Lancaster Platt Lupton (1807-1885), militaire, fondateur d'un poste de traite au Colorado, le fort Lupton.
62. Andrew Jackson, premier président démocrate des États-Unis (1829-1837).

attendre ton retour ou non. Tu m'écriras aussi quand il sera temps de faire remplir la glacière, je ferai avertir Caty qui n'est pas venu s'offrir.

Le pauvre Dr Labrie a plus que sa part de la maladie. Ses deux petites filles, qui avaient déjà eu les fièvres pendant son séjour à Québec, les ont attrapées de nouveau et, depuis, sa nièce et sa fille aînée, et enfin le petit est tombé hier à son tour, et, ce qui est pis, c'est que sa femme n'est pas mieux. Il est presque découragé, il a de la fatigue, ne dormant presque pas : je crains qu'il ne succombe à son tour. C'est malheureux, car il a déjà beaucoup de pratique ; comme docteur, il fait bien ses affaires.

Je reçois à l'instant ta lettre qui me cause un grand plaisir et surtout, n'en ayant pas reçu de la semaine, ce que tu me dis au sujet des finances me fait espérer parce qu'ordinairement tu n'es pas porté à espérer sans avoir quelques certitudes, et j'ai bien confiance dans tes idées et ta manière de juger.

Quant à ce que tu me conseilles, de sevrer la petite[63], j'avais oublié dans ma dernière de t'en parler et je l'allais encore oublier, si ta lettre d'aujourd'hui ne m'en parlait de nouveau. Je ne vois aucune raison de sevrer la petite : elle est encore trop jeune et, de plus, elle n'a pas encore de dents, ce qui est toujours la principale raison qui fait que l'on ne sèvre pas les enfants à moins que l'on ait d'autres motifs, et moi, qui n'en ai aucun, je me porte bien et cela ne me fatigue pas de nourrir. Tu verras, par ces raisons, que je ferais bien mal de la sevrer : je me propose de la nourrir jusqu'au printemps ; j'espère qu'alors elle aura des dents.

J'ai reçu une lettre de Mlle Turgeon par son frère. Je crains de n'avoir pas le loisir de lui répondre de quelque temps. Si tu la vois, fais-lui mes amitiés ; dis-lui que je lui suis reconnaissante de son bon souvenir et ses souhaits. Compliments à toute la famille et je suis pour toujours avec sincérité ton amie et épouse.

Julie Bruneau Papineau

Tu me dis que tu voudrais te trouver dans la rue Bonsecours et que tu t'ennuies malgré toutes tes occupations. Imagine-toi si je dois m'ennuyer, moi, avec bien plus de raisons. Ce qui doit te consoler, c'est que tu ne souffres pas seul et que ton amie partage ton ennui et pense à toi autant et plus que tu ne peux le faire, à raison de la vie que tu es obligé de faire à Québec. Adieu.

63. Marie-Rosalie-Ézilda, fille de Louis-Joseph Papineau et de Julie Bruneau, née le 7 mars 1828.

L'honorable L.-J. Papineau
Québec

Montréal, 9 mars 1829

Cher ami,

Je vois par ta dernière lettre que tu es très occupé et que la fin de la session approche. Ainsi soit-il : il est grandement temps. Je n'ai pu t'écrire la semaine dernière, car les offices de la neuvaine augmentent encore mes occupations. Aujourd'hui, je ne vais pas à l'église pour pouvoir t'écrire quelques lignes, car je n'ai rien de nouveau à te mander depuis ma dernière : j'espère que la session se terminera bien et que le bill de subsides[64] passera dans le Conseil ; c'est à désirer sous bien des rapports ; et par rapport à toi, j'en serais bien aise : cela te dédommagerait des tourments et des inquiétudes que tu as endurés toute cette session.

Les petits garçons sont bien mais Aurélie n'est pas bien depuis hier : il lui sort des boutons qui ressemblent à la picote volante. Je n'ai pas envoyé chercher le docteur, je l'enverrai chercher ce soir. La petite Ézilda est bien et n'a pas apparence de dents ; je ne puis la sevrer à présent, il sera assez tôt quand j'y serai forcée. Rosalie est bien et Clotilde beaucoup mieux ; elles te font leurs amitiés et à la famille. Ma tante Robitaille est mieux, ma belle-sœur a aussi du mieux : elle sort. Mme Labrie n'est pas mieux, elle est allée passer quelques jours à la Rivière du Chêne. On a fait courir le bruit, ces jours-ci, qu'ils retournaient à la campagne mais le docteur m'a dit le contraire. Il n'a pas encore cependant loué de maison.

J'ai vu le voisin, Jacques, et lui ai fait part de ta lettre au sujet de ce qui le concernait. Il a été à l'enterrement de M. de Salaberry ; cela lui fait deux voyages dans la Rivière Chambly[65] et il dit qu'il est bien occupé. Je ne sais s'il t'écrira.

Quant à moi, je ne puis t'écrire rien de plus, je suis occupée et, ne pouvant écrire qu'à la hâte, je ne puis rassembler mes idées et je [ne] fais rien qui vaille. Quand on a l'habitude, il faut un peu de temps pour le faire d'une manière passable, et puis je m'attends à te revoir bientôt ; je te dirai de vive voix ce que je sais et ce que je pense. Je voulais seulement te donner des nouvelles des enfants. Adieu, au revoir, j'espère une lettre de toi mercredi qui m'annoncera ton prochain retour ; s'il retarde, je te récrirai.

Ton amie et épouse affectionnée,

Julie Bruneau Papineau

64. La Chambre d'assemblée avait le pouvoir de voter ou de refuser les dépenses gouvernementales (subsides).
65. La « Rivière Chambly » désigne la région du Richelieu.

L'honorable L.-J. Papineau
Québec

Montréal, 21 janvier 1830

Cher ami,

Que le temps me paraît long et ennuyeux, d'autant plus que je ne pourrai recevoir de lettre que demain ! J'ai été indisposée mais j'espère que je vais avoir du mieux, ce qui fera que je pourrai me livrer à mes occupations qui ne manqueront pas d'employer tout mon temps.

Je me hâte de te donner d'abord des nouvelles de notre chère petite Ézilda. Je te dirai qu'elle a continué son mieux, qu'elle est plus forte, plus gaie, que son extinction commence à disparaître d'elle-même sans remède. Elle recommence à faire mille petites singeries qui me font penser et dire que son cher papa aimerait tant à voir. Le petit Gustave est bien aussi, mais il crie à l'ordinaire et tu auras peine à croire que j'ai été assez prudente et réservée que je ne lui ai fait prendre de ses gouttes qu'une fois depuis ton départ. Tu vois que je redouble de précautions pendant ton absence. Sois tranquille de ce côté-là. J'espère qu'ils ne seront plus malades, mais si cela arrive, nous les soignerons bien de notre mieux. Aurélie est bien ainsi que Lactance. Maman a été voir le petit Amédée au collège : il est bien aussi.

Ma pauvre tante Robitaille affaiblit toujours. Je crains bien de ne pas la revoir, je ne puis sortir encore cette semaine. Notre voisin, M. Quesnel, est mieux, mais Mlle Quesnel m'a dit hier soir qu'il ne partirait pas cette semaine. Ainsi, j'enverrai par lui les rabats que je suis après te faire.

Nous n'avons pas de nouvelles de Maska ni de la Rivière Chambly. N'ayant pas encore de traverse, nous serons encore quelque temps seules.

Je n'ai rien de plus à te mander aujourd'hui. Fais mes amitiés à ma tante Amiot, ainsi que celles de maman à Mme Plamondon et, à sa demoiselle, des souhaits et amitiés. Je m'attends à avoir de leurs nouvelles demain par ta lettre. Adieu, mon ami, porte-toi bien et écris-moi souvent.

Ton épouse et amie,

Julie Bruneau Papineau

L'honorable L.-J. Papineau
Québec

Montréal, 28 janvier 1830

Cher ami,

Tu peux bien dire que je m'ennuie et suis pour passer un hiver de fatigue, je n'ai encore pris aucun arrangement pour une aide pour les enfants, je n'ai pas encore revu Mme Tavernier, je pense que je n'aurai pas la nourrice de Mme Rolland. La veuve Thouin veut sortir, ses enfants l'assiègent et la redemandent. Si je puis en trouver une autre, j'en serai bien aise, mais cela ne se trouve pas aisément. Je fais rester Mme Brisset encore quelques jours sur le prix du mois, parce que l'enfant[66] donne bien de la fatigue, il dort très peu.

J'ai peine à me rétablir, j'ai sorti hier pour la première fois pour aller voir cette pauvre tante Robitaille : elle est dans le même état que tu l'as laissée. Elle a pleuré en me voyant et puis, ensuite, elle était si contente de me voir qu'elle a eu un bon moment ; elle est toujours la même pour moi. Mon oncle Ignace était là, arrivé de la veille. Il est revenu avec moi et a couché ici. Je l'ai trouvé bien changé et maigri. Il dit pourtant qu'il est bien. Nous n'avons vu encore personne de la famille, de la campagne ; j'ai eu des nouvelles de la Rivière Chambly par M. Jacques Viger, qui est venu me voir hier. Il dit que M. Dessaulles doit partir la semaine prochaine. Il a trouvé M. Debartzch bien malade et bien changé, ce qui fait qu'il ne lui a rien dit pour l'engager à descendre à Québec bien entendu, ne sachant pas quand il sera en état de le faire. Il m'a aussi donné des nouvelles de Québec et de toi en particulier. C'est le seul moment de récréation que j'ai eu depuis ton départ. Il m'a parlé politique un peu, un peu des plaisirs qu'offre la capitale dans cette saison de l'année. Ici, tout est triste et silencieux.

Quant à ce que tu me dis au sujet de ce monsieur en question, il serait difficile de savoir ce qu'il est, car il suffit qu'on le marie pour être décrié par les uns, loué par les autres. On ne sait à quoi s'en tenir ; ses amis mêmes le font parler d'une manière différente, disant qu'ils tiennent de lui-même qu'il ne nie pas qu'il va se marier avec Mlle Plamondon. Et Johnson, le pensionnaire de chez mon oncle, disait hier qu'il lui avait dit, à lui-même, qu'il n'était pas vrai qu'il dût épouser cette D^lle^ R. P., que cela n'était pas faute d'avoir été bien accueilli et bien attiré, et d'autres propos semblables. Est-ce vrai ou non ? C'est ce que l'on ne peut savoir, puisque ces personnes qui disent chacune tenir de lui tels propos diffèrent essentiellement les unes des autres. D'où j'en conclus que ce sont des faussetés exagérées ou l'homme est un sot et un pédant s'il dit ces propos.

66. Philippe-Gustave, fils de Louis-Joseph Papineau et de Julie Bruneau, né le 15 décembre 1829.

On dit aussi qu'il est jaloux ; d'autres, qu'il est bon et que c'est un bon parti. Tout le monde en général le marie : voilà tout ce qu'il y a de certain.

Pour ce que tu me dis pour le bois, pour la glacière pour le cidre, je te rendrai réponse la semaine prochaine, car je ne puis voir Théophile un moment : il est occupé en cour et la cour siège très tard. Le nouveau juge veut débrouiller et avancer les affaires et tous en sont contents.

Tous les enfants sont assez bien. Ta chère petite Ézilda est de mieux en mieux ; elle engraisse et fait tous les jours de nouvelles grimaces, elle dit que son papa n'y est plus, qu'il est parti avec le Jack mais elle ne peut pas prononcer le mot Québec, cela la fait rire. Et Aurélie dit tous les jours qu'elle est bonne et que tu diras à ton retour : « Mais comment est-ce que cela se fait que ma petite maligne soit devenue bonne tout à coup ? »

Écris-moi souvent. Tu sais combien tes lettres m'amusent et m'intéressent. Quant à moi, j'écrirai de temps en temps pour te [donner] des nouvelles des enfants, car je n'ai rien d'intéressant et [ ]. Je griffonne de plus en plus, j'écris à la hâte, sans plumes taillées, [en sorte] que je ne sais si tu pourras me lire et me comprendre. Fais mes amitiés à la famille, ainsi que celles de maman. Elle se joint à moi pour te dire que la maison est seule et bien triste depuis ton départ et, quand on pense à la longueur de ton absence, cela ne nous console pas. Adieu, écris souvent et crois-moi toujours

Ta meilleure amie et fidèle épouse,

Julie Bruneau Papineau

L'honorable L.-J. Papineau
Québec

Montréal, 6 février 1830

Cher ami,

J'étais tout attristée de ne pas recevoir de lettre au jour accoutumé, ni le lendemain même, et puis hier j'en ai enfin reçu une par le Dr Demers, qui dit vous avoir laissés bien gais et bien réjouis de voir que les affaires vont assez bien. Tant mieux ! Nous avons tous les jours le plus grand empressement à lire *La Minerve*[67] et puis tes lettres, qui sont toujours aussi intéressantes.

Dans ta dernière, je regrette pourtant la page que tu emploies à louer le bonheur de la vie retirée, etc. Tu sais bien par là ce que je veux dire, car ici je

67. Journal patriote fondé à Montréal par Augustin-Norbert Morin et Ludger Duvernay.

te dis toujours à ce sujet que tu rendras compte de tant de paroles inutiles ; que sera-ce de celles que tu écris ? Mais non, je n'aurai plus, j'espère, de reproche à te faire ; à Québec, tu parles trop bien pour ne pas écrire de même. Je lis vos discours avec plaisir.

Je n'admire pas M. Duval[68], le grand homme de Québec, mais il est jeune et peut être ami de M. Christie[69]. Je trouve ses discours bien peu éloquents. Mais le cousin Denis[70] est tant méchant, cette année. Il parle avec énergie, plus qu'à l'ordinaire, quoiqu'il parlât toujours bien.

Je ne te parle pas au sujet de tes affaires. Théophile m'a dit t'avoir mandé ce qu'il avait fait et ce qu'il se proposait de faire. Ici, à la maison, je n'ai encore fait aucun arrangement : les enfants sont encore dans la même chambre, je n'ai pas encore pu me trouver une nourrice. Mme Brisset consent à rester ce mois-ci, après quoi elle va soigner Mme Beaubien.

Le petit Gustave a été plus souffrant encore depuis la dernière que je t'ai écrite ; j'ai été obligée d'avoir recours au docteur qui l'a purgé. Il est mieux depuis hier, il n'a plus de fièvre. Sa mémé dit qu'il sera le plus beau de la famille, qu'il a le front et les yeux de son Amédée, le bas du visage d'Aurélie et puis le teint de Lactance. Les autres enfants sont bien. Je n'ai pas encore été voir ce pauvre petit Amédée, mais j'espère l'aller voir bientôt. Ta chère Ézilda est tout à fait bien, elle engraisse et dort mieux qu'avant sa maladie. Dans ces grands froids, ma chambre était très froide, il était difficile de la chauffer ; pour les autres chambres, on n'y souffrait pas.

Ton papa est arrivé dimanche dernier avec un gros rhume qui lui donnait de la fièvre et qui l'a fatigué, mais il est mieux depuis hier. Je l'ai été voir deux fois, il a une des D^lles^ Truteau pour le soigner. Ainsi, ne sois pas inquiet, on lui a envoyé ce qu'il avait de besoin.

L'oncle Ignace Robitaille a passé ici quatre jours. Il m'a chargée de te faire ses amitiés. Le curé Bruneau est venu la semaine dernière ; il dit que Rosalie ne viendra pas si tôt. Mon frère[71] de Saint-Denis est venu aussi et n'a resté qu'un jour. Tous ces gens te font bien des amitiés et à la famille, à Québec, fais-leur les miennes aussi. Le beau Montréaliste[72], dit-on, part aujourd'hui ou demain pour Québec.

---

68. Jean-François-Joseph Duval (1802-1881), avocat, député de la Haute-Ville, tantôt bureaucrate, tantôt patriote.
69. Robert Christie (1787-1856), avocat, député de Gaspé, journaliste au *Quebec Mercury*. Opposé à Papineau avant l'Union, il devint son ami par la suite.
70. Denis-Benjamin Viger, alors membre du Conseil législatif.
71. Pierre Bruneau, marchand de Saint-Denis-sur-Richelieu, frère de Julie.
72. Louis-Michel Viger, dit « le beau Viger », du Parti patriote.

Les parties de noces commencent à se donner. Il devait y en avoir une chez Bingham le 4 ; elle a été suspendue parce que madame a eu la picote. Il y en aura une le 8 chez M. de Rocheblave et une autre chez M. McGill-Desrivières le [ ]. J'ai reçu des invitations pour ces deux dernières, mais je n'irai ni à l'une ni à l'autre.

Je n'ai plus qu'à te dire, avant de fermer ma lettre, que ma tante n'est pas mieux et que le père Le Saulnier[73] est mort, la nuit dernière. Adieu, mon ami, je m'ennuie plus cette année encore que les précédentes, et serai contente quand la session avancera.

Ton épouse et amie,

Julie Bruneau Papineau

L'honorable L.-J. Papineau
Québec

Montréal, 13 février 1830

Cher ami,

Je ne t'ai pas écrit jeudi parce que j'avais le petit Amédée à dîner et ensuite je l'ai mené voir son grand-père et sa tante Robitaille et puis, de là, je l'ai mené au collège ; il est bien portant et Dessaulles aussi. Il n'a pas sorti jeudi parce que, la semaine précédente, il était allé en ville.

Ton père est mieux, mais il tousse encore. Ma tante affaiblit beaucoup, maman est auprès d'elle depuis lundi. Tu peux croire que je me trouve seule et brave de rester ainsi ; on ne peut pourtant pas faire autrement. Je m'aperçois doublement de ton absence cette année : je suis mélancolique.

Les enfants se portent bien : la petite Ézilda engraisse toujours mais ne grandit pas ; elle est bien gaie et assez méchante ; elle commence à se défendre et à se quereller avec Amédée. Le petit Gustave est bien ; il a moins de coliques, il nous sourit déjà, il est fort et plus avisé à son âge que n'ont été les autres. Il est bel enfant : j'ai peur qu'il [ne] soit plus beau que ta petite Ézilda. Même à cela, dit la mémé, au moins je ne sais si le papa dira de même.

---

73. Michel-Candide Le Saulnier, sulpicien, curé de la paroisse Notre-Dame de Montréal, originaire de la cour des Ausy, diocèse de Coutances, en Normandie, avait fui la Révolution française. Lors de son inhumation, le 8 février 1830, son service est chanté par Mgr J.-J. Lartigue.

Pour répondre à ce que tu me dis au sujet de la picote, j'ai de l'appréhension mais moins que je n'en avais d'abord, parce qu'il fait grand froid et qu['il y a] plusieurs personnes qui ont fait inoculer leurs enfants à qui elle n'a pas pris, et de plus je veux attendre ton retour au cas qu'ils en fussent bien malades. Je ne serais pas capable de soutenir autant de fatigue et, plus que tout cela, l'inquiétude que j'aurais de les voir bien malades. Je ne suis pas bien portante : je crois que je serai obligée de me purger ; j'ai souvent de la fièvre.

Théophile se plaint de ce que Mme Leslie[74] tarde à venir visiter la maison. Il dit que le Dr Beaubien la louera peut-être mais il ne veut pas donner plus de 60 louis. Ainsi, tu répondras à ce sujet après que tu auras parlé à M. Leslie.

J'ai fait remplir la glacière, Mme Coursol m'ayant fait l'offre de la faire remplir en même temps que la leur. J'ai accepté l'offre avec plaisir et reconnaissance, c'était un service de voisine et d'amie. Comme ils ont plusieurs hommes et encore plus de chevaux, tout l'avantage était pour nous. J'ai fait prendre la jument et j'ai fait demander à maître Caty une voiture parce que ton Buckingham a eu mal à la cuisse et puis aux pattes : depuis un mois, on ne s'en est pas servi. J'en étais inquiète, c'est pourquoi je n'ai pas voulu t'en écrire. À présent qu'il est guéri, je te dis qu'on va s'en servir bientôt.

J'avais fait demander aussi Caty pour m'arranger avec lui pour du bois, et il était convenu de m'envoyer de l'érable vert et, après deux ou trois traînées, ils m'ont apporté du bois mêlé qu'il avait de l'automne. J'ai renvoyé ses hommes, je n'ai eu de lui que trois cordes qu'il me faisait payer quatre piastres, sans compter le transport. Mais, depuis, je me suis arrangée avec un habitant des environs ici, qui m'apporte du bel érable vert à trois piastres et demie. J'en fais apporter sept cordes, comme mon seigneur m'avait défendu d'en acheter, que cela et pas plus, au risque de me faire mettre sur la gazette comme prodigue qui ne manquerait pas de le ruiner. En attendant, nous aurons de quoi nous chauffer. Et je m'attends que tu ne te fieras pas [trop] sur ma passive obéissance à tous tes ordres ; il te faudra la mettre à de plus rudes épreuves. S'il s'agissait de comptes de modistes, par exemple, je t'entends et devine tes malices.

Fais nos amitiés à Mme et Mlle Plamondon. Tu pourras bien m'écrire s'il y a quelque chose de sûr par rapport à son mariage. Cela ne demeurera pas longtemps secret, car, avant même qu'il en soit question, comme tu me l'écris, tout le monde le donne pour certain.

74. Julia Langan, fille du seigneur Patrick Langan, épouse de James Leslie, marchand et membre de l'Assemblée.

M. J. Perrault écrit à sa famille que M. D. épouse Mlle P.[75] pour le certain et qu'il le tient de personnes sur qui il peut se fier et on le dit ami intime de ce monsieur.

Je n'ai plus rien à te dire aujourd'hui, sinon que je m'attends à une lettre et que je m'ennuierai fort si je n'en ai pas.

Tout à toi pour la vie, mon époux ami.

Julie Bruneau Papineau

L'honorable L.-J. Papineau
Québec

Montréal, 8 mars 1830

Cher ami,

C'est à bon droit que tu me nommes mère de douleurs et d'afflictions : je le suis et le serai longtemps. J'ai été soumise à la plus grande et la plus sensible de toutes les pertes que j'aie encore éprouvées, et encore rendue plus sensible par toutes les circonstances qui l'ont accompagnée. Oui, cher ami, tu ne pourras avoir qu'une faible idée de ton malheur, comparé à celui de ta malheureuse mère, puisque tu n'as pas vu souffrir notre chère enfant[76], et quelles souffrances ! Grand Dieu ! souffrances les plus violentes et les plus cruelles ! Les plus violentes puisqu'elles ont pu réduire une enfant robuste, pleine de santé, en dix jours, à l'état de maigreur et de faiblesse qui ont amené sa fin prématurée ; les plus cruelles, car est-il rien de plus terrible que de voir une enfant presque étouffée à chaque instant, ne prenant rien et ne demandant pour tout soulagement que de la promener, la secouer afin de pouvoir respirer un peu plus librement, et encore, ce faible secours, elle ne l'a reçu que d'amis et d'étrangers, son infortuné et tendre père absent, et elle l'a bien senti et même exprimé, et sa malheureuse mère étendue elle-même sur un lit, malade et souffrant de toutes manières, a été privée de lui rendre des services et des soins qu'il m'eût été si consolant de lui rendre et qu'il n'est plus en mon pouvoir de réparer.

---

75. Louise-Geneviève-Rosalie Plamondon, fille de défunt Louis Plamondon, avocat et inspecteur des domaines du roi, et de Rosalie Amiot, épouse John Donegani (Québec, 3 mai 1830). John Donegani, seigneur de Foucault (Manoir Caldwell), riche marchand de Montréal, fera un mois de prison avec les patriotes, au cours de la deuxième insurrection.

76. Julie vient tout juste de perdre son enfant, Aurélie, décédée du *croup* le 24 février 1830. Aurélie Papineau allait avoir 4 ans en mai.

Mais que fais-je ? Où m'entraîne ma douleur ? Je voulais t'écrire quelques mots pour te rassurer et te consoler, diminuer l'inquiétude que tu as au sujet de ma santé et je ne fais que t'affliger en t'écrivant ce que je ne voulais te dire que de vive voix, à ton retour, à ce retour après lequel je soupire sans cesse. Oui, je n'attends que cela pour adoucir mes tourments ; jusqu'à présent, il n'y a que tes lettres qui ont apporté quelque adoucissement à mes maux. Oui, je le répète, dans ces lettres où je reconnais les sentiments de ton cœur noble, généreux et aimant, et ces inépuisables ressources de tendresses d'époux et de père que tu ressens et que tu sais si bien exprimer, m'ont vivement touchée et attendrie et pénétrée de la plus vive reconnaissance et du plus tendre attachement pour un époux et un père, comme il en fut jamais de meilleur. Aussi, je fais tout en mon pouvoir pour recouvrer la santé et les forces qui me sont nécessaires et que tu me recommandes avec tant d'instances, mais je sens bien que je [ne] serai mieux que quand tu seras de retour.

Les enfants sont bien portants. Théophile te donne tous les jours des détails et continuera à te les donner. Pour moi, j'ai encore de la peine à écrire : j'ai commencé cette lettre depuis hier et je suis fatiguée. Il me reste encore des forces pour te dire de revenir le plus tôt possible. Dans ce moment, mon Aurélie me manque, et son père. Je n'ai plus rien.

Ton épouse désolée mais tendre et affectionnée,

Julie Bruneau Papineau

L'honorable L.-J. Papineau
Québec

Montréal, 15 mars 1830

Cher ami,

Quelle triste pensée vient frapper mon esprit, pénétrer mon cœur à chacun des jours que je vois renaître et disparaître de même, sans m'annoncer ton retour prochain ! Cette absence me tue. Oui, mon ami, quand on a le cœur déchiré, l'esprit assiégé de mille pensées lugubres, on ne peut voir tout qu'en noir, et ce qui est bien dans la réalité le portrait fidèle de la vie humaine, mais que dans des temps moins malheureux on veut bien envisager sous des dehors et des traits séduisants et trompeurs, qui nous échappent au moment où nous nous y attendons le moins. J'attends et j'espère ton retour mais je ne puis te définir ce que je ressens, partagée entre la crainte et l'espoir ; un sombre effroi me glace : il me semble que quelques nouveaux malheurs pèsent sur nous ; la mélancolie s'empare de tout mon être dont rien ne me distrait, pas même la pensée de nos autres enfants qui semblent devoir faire notre consolation ou au moins un grand sujet de distraction, deviennent pour moi le contraire. Il me semble qu'ils me sont devenus indifférents et je m'en fais des reproches ; je leur prodigue des soins indispensables mais comme étrangers à mon cœur si jaloux de se retrouver en présence de l'objet chéri et si digne de l'être, que nous avons perdu, et qui fait aujourd'hui et fera le sujet fréquent de nos regrets et de nos larmes. Je n'ai d'espoir et, il me semble, de ressources à trouver que dans ta présence pour adoucir mes maux, apaiser mes angoisses, calmer mes esprits agités, inquiets par tous nos malheurs passés et qui me font tout craindre pour l'avenir.

Le Dr Labrie est venu me voir, à son retour, comme il l'avait promis ; il m'a rassurée sur l'état de ta santé, il m'a dit que tu te proposais de monter aussitôt que le Parlement serait fini sans aucun délai et même sans prendre aucun repos ; je crains que cela ne te fatigue trop. Là-dessus, [ne] consulte ni ton cœur ni ma faible raison mais bien ta santé.

Tu me dis de t'écrire mon avis au sujet de l'achat de la maison de Dewitt. Je ne suis guère en état de t'aviser, ne connaissant ni la maison ni l'étendue du terrain divisé ainsi par lots. Ton père t'écrit à ce sujet et M. Viger. Je te dirai seulement que je crains que la maison ne soit pas commode et qu'il faudrait mettre bien de l'argent pour la finir ; et pour les autres lots, il faudrait qu'ils fussent assez grands pour que tu puisses y avoir un jardin, car, sans cela, tu ne t'y plairais pas. Mais, sur le tout, vois à ce que cela ne t'engage pas à devenir une propriété de grand prix, car je blâme beaucoup ceux qui font la folie de mettre un grand prix sur une propriété, et plus pour nous que pour bien d'autres, qui en avons déjà d'autres. Pour celle que nous habitons, je me réserve à t'en parler à ton retour.

Nos enfants se portent bien et t'embrassent, et moi bien plus qu'eux.

Ton épouse affligée, mais te chérissant et aimant de tout son cœur,

Julie Bruneau Papineau

L'honorable L.-J. Papineau
Québec

[Montréal, 3 février 1831]

[ ][77] Lactance t'écrit et te parle de la réunion de famille que nous avons eue hier. Dans ces occasions, nous ressentons encore plus vivement, s'il est possible, ton absence. Amédée m'a dit qu'il t'écrirait ces jours-ci ; il est bien portant. Le petit Gustave est toujours de plus en plus gai ; je l'ai presque sevré ; je le sèvrerai tout à fait la semaine prochaine si je puis avoir le temps de me purger : le docteur dit que c'est nécessaire. Je vais dîner aujourd'hui avec la famille chez Mme Louis Viger. Ton papa a [ ] désirer. Cela me coûtait de laisser les enfants mais maman [ ] elle restera pour garder.

Adieu, mon cher ami. Écris [ ] plus souvent : c'est mon *motto* de la session. Tu [ ] assuré que je le ferai aussi aussitôt que possible. Reçois les embrassements de tous nos chers enfants et les miens avec toute la tendresse avec laquelle je me souscris.

Ton épouse affectionnée et amie,

Julie Bruneau Papineau

L'honorable L.-J. Papineau
Québec

Montréal, 17 février 1831

Cher ami,

Pour répondre à toutes tes lettres au sujet des réparations de la maison, je te dirai que j'insistais à avoir un troisième étage parce que je ne croyais pas que cela coûterait aussi cher et je me rends facilement à tes bonnes raisons pour cela. Mais, quant à ton plan de la distribution de l'intérieur, je ne l'approuve pas ; je préfère celui de M. Trudeau et qui est moins dispendieux. Je vois par ta lettre que tu ne l'as pas tout à fait compris : il ne faut pas cette porte battante dans la chambre de compagnie ; il faut revenir à notre premier plan de faire l'arche entre le salon et la chambre à manger et puis, si tu veux m'en croire, nous arrangerons bien cela, nous. Tu as décidé le principal et, de plus, tu seras peut-être ici lorsque nous serons rendus à faire ces distributions. Ne t'en occupe plus autant, cela doit beaucoup te fatiguer au milieu de tes nombreuses occupations et cela nous prive d'avoir d'autres nouvelles, surtout au sujet de la politique dont tu as coutume de nous entretenir au long dans tes lettres, qui sont devenues rares et courtes.

77. Le début de cette lettre n'a pas été retrouvé.

Tu auras eu de nos nouvelles de vive voix par le Dr Labrie qui nous a fait l'amitié de venir nous voir quoiqu'il ait fait un bien court séjour à Montréal, parce qu'il ne voulait pas partir sans venir nous voir. Il savait que cela te tranquilliserait sur l'état de la santé de notre chère petite Ézilda. Elle était bien et elle continue de même : j'ai suivi ton désir de la faire sortir en carriole tous les jours. Je trouve que cela lui fait du bien ; elle avait tous les jours des accès de fièvre et un mauvais sommeil. Elle dort un peu mieux à présent : j'espère que cela ira de mieux en mieux. Quant à son habillement, ne sois pas inquiet. C'est Théophile qui t'a mis en erreur. Je lui faisais mentionner ce petit habillement tout exprès parce qu'il était conforme à tes recommandations, qu'il était de drap, monté au col, à manches longues avec des culottes. Sans cela, je sais bien que la toilette ne doit pas entrer pour rien dans un esprit comme le vôtre, n'occuper la moindre partie d'une lettre qui vous est adressée, et c'est encore Théophile qui est cause que tu veux me faire jouer la comédie en exagérant mes gronderies, mais comme je ne puis jouer qu'un triste rôle en ton absence, je ne choisirai ni celui de Mme Grichard, prétendue, ni d'autres.

Lactance est assez bien mais il perd son temps. Tu m'écriras s'il faut le remettre au collège en mars. Amédée se porte bien, il t'a écrit la semaine dernière ; il te disait quelle place il avait : il a encore la même cette semaine, neuvième. Le petit Gustave se porte bien, il est gai et tout à fait sevré. Et moi, je suis assez bien ; je ne me suis pas purgée, je ne sais si j'en aurai besoin : si je suis bien, je ne le ferai pas. Ton cher papa était mieux mais ces jours-ci, il est moins bien. J'ai envoyé Théophile hier avec ta lettre, car il pleuvait. Mais il dormait. Ta maman lui a dit qu'elle pensait que cela n'aurait pas de suite. Elle est assez bien, elle. J'y ai été avec les enfants, mardi, et j'irai après dîner si le temps le permet. Nous nous trouvons bien isolés ici, dans ton absence. Nous commençons le temps de Carême qui ne fera pas grand différence pour nous, car notre carnaval n'était pas plus gai.

Tu ne me dis pas si tu vois le gouverneur et quelles sont ses dispositions. Quelques-uns nous dirent ici, l'autre jour, qu'ils ne seraient pas surpris que la Chambre fût cassée. Je ne sais pas si c'est par rapport à l'affaire des juges, moi je suis contente de vos procédés. Tes discours ici sont bien applaudis ; le dernier sur l'affaire des juges est assez malin pour que je me contente. On voit que M. Bourdages[78] est content de toi aussi, depuis tant de temps qu'il blâmait votre modération, il ne manque pas de te seconder.

Les dernières nouvelles de l'Europe sont de nature à vous encourager à vous faire faire justice ; ils seront obligés de nous ménager s'ils veulent nous conserver.

Je t'écris à la hâte et assez mal surtout, comme tu vois, surtout pour traiter de pareils sujets, mais s'il me fallait prendre le temps nécessaire pour le bien faire, je le ferais encore plus rarement : de deux maux, il faut éviter le pire.

---

78. Louis Bourdages (1764-1835), député et notaire, rédacteur au journal *Le Canadien*.

Maman te fait bien ses amitiés, et lit et relit tes malices parce qu'elle les aime, et puis cela la distrait.

Nos chers enfants t'embrassent et moi bien plus tendrement qu'eux, et t'assure que je ne m'habitue pas à l'absence. Elle me devient de plus en plus ennuyeuse. Tout à toi, mon cher ami.

Ton épouse affectionnée,

Julie Bruneau Papineau

L'honorable L.-J. Papineau
Québec

Montréal, 23 mars 1831

Cher ami,

J'entrevois enfin la fin de la session et, avec elle, l'espoir de te revoir bientôt voler dans mes bras ; cette session m'a paru encore plus longue que les précédentes tant il est vrai que l'on ne s'habitue pas à l'absence de personnes aussi chères et qui sont faites pour vivre ensemble.

Je suis bien loin d'avoir eu les grandes occupations qui m'ont quelquefois privée de tes lettres, mais j'ai eu mille petits incidents qui m'en ont empêchée et qu'il n'est pas facile de te dire par lettres et qui ont encore coopéré à augmenter mon ennui. Tu t'imagines facilement dans quel isolement je vis ; je ne sortirai encore que plus rarement, à présent qu'il faut se servir des voitures d'été, et je suis certaine de ne voir personne que Théophile qui vient coucher tous les soirs régulièrement. Mais l'espoir de te revoir bientôt me soutiendra et, quant à ma paix, je suis assurée de la bien faire : j'ai d'assez bons motifs et les moyens ne me manquent pas, entre autres ceux de tes petits enfants que je te présenterai à ton arrivée gros et gras ; tu verras s'ils ont été bien soignés, car ils nous donnent beaucoup d'occupations.

Le petit croît en fantaisies et la petite[79] ne devient pas encore raisonnable ; ils veulent toujours être ensemble et ne veulent pas s'en céder. Le petit grandit et grossit beaucoup et est très intelligent, disant plusieurs mots. Mais il ne veut pas marcher seul : il faut toujours le tenir par la main. Mais c'est ta chère petite Ézilda qui ne grandit pas du tout, mais elle engraisse. Depuis quinze jours, elle a du mieux visible, son teint revient, elle n'a plus d'accès de fièvre, elle dort bien. Je suis tout à fait réjouie de lui voir ce changement au moment de ton retour,

79. Le petit est Gustave, né en décembre 1829 ; la petite est Ézilda, née en mars 1828.

car je t'ai toujours caché mon inquiétude, mais j'en avais de la voir toujours en langueur. Elle n'était pas malade mais elle était toujours changée et avait toujours des accès de fièvre. J'espère que son mieux continuera ; elle parle mieux que lors de ton départ et est toujours caressante, elle parle souvent de toi et se propose bien de se faire bercer quand papa reviendra. Elle dit qu'il n'y a que lui qui la gâte. Elle t'amusera bien et tous ensemble nous nous dédommagerons du long temps passé dans la tristesse.

Lactance a grand hâte de te revoir, il dit qu'il ne s'est jamais tant ennuyé de son papa : ayant passé l'automne toujours avec toi et sous tes soins, il a trouvé cela plus dur. Amédée se porte très bien ; il n'a pas eu la plus légère indisposition et travaille assez bien ; il a toujours eu d'assez bonnes places. Le petit Lactance perd son temps, il est bien, il n'a pas été malade du tout depuis qu'il t'a écrit. Je serais d'avis de le remettre au collège. Quand il serait en français, cela lui servira bien pour l'année prochaine. Nous en parlerons à ton retour.

J'ai bien du plaisir à lire tes discours ; ils sont vraiment des plus beaux.

Quant à nos réparations de maison, elles vont leur train, je ne puis entrer en détail mais je charge Théophile de t'en parler au long et souvent je ne sais s'il le fait, mais je ne crois pas qu'elle soit prête à nous recevoir au 1er mai. Enfin, on fera pour le mieux.

M. Donegani est venu ici hier, un instant, avec Mme Plamondon : ils sont bien portants. La petite maman et la belle petite fille aussi[80] ; elle a été des plus heureuses sous tous les rapports, aussi elle se rétablit bien promptement. M. Donegani m'a annoncé que la maison de Dewitt s'était vendue hier à 1200 louis. Il trouve que c'est grand marché. Je ne te dis pas ce que j'en pense et je ne sais pas non plus ce que tu en diras. Reviens au plus vite et nous parlerons de tout cela.

Adieu, mon cher petit [ami], je t'embrasse de tout mon cœur et les enfants avec moi. Ton papa et ta maman sont bien. Ton papa travaille chez Mme Berthelet[81], où ils procèdent au partage des biens et par conséquent, ne s'accordent guère.

Ton amie et épouse affectionnée,

Julie Bruneau Papineau

80. Naissance d'Albina Donegani, fille de John Donegani et de Rosalie Plamondon (Montréal, 11 mars 1831).
81. À la suite du décès de Pierre Berthelet, marchand de Montréal, époux de Marguerite Viger.

L'honorable L.-J. Papineau
Québec

Montréal, 17 novembre 1831

Cher ami,

Tu as bien fait de m'écrire à ton arrivée, car j'ai été fort inquiète, la nuit de ton départ. Il a fait un si gros vent toute la nuit que j'ai été doublement tourmentée de ton départ et, si je n'eusse reçu de lettre lundi, j'aurais cru qu'il t'était arrivé quelque accident. J'en reçois une autre aujourd'hui par M. Cherrier.

Tu as eu des nouvelles de nous par M. Quesnel que j'ai vu au collège et que j'avais prié de te dire que nous étions un peu mieux de notre rhume. Je n'ai pas sorti depuis, ni la petite, car cela nous l'aurait augmenté.

Je suis bien attristée de ton absence et de plus dans l'embarras des poêles et du ménage. J'ai bien de la peine à trouver un moment pour t'écrire. Vevette n'est pas encore arrivée, je n'en ai aucune nouvelle, je ne sais quand elle viendra. J'espère que tu as reçu le petit paquet que je t'ai envoyé par M. Morin. Ne sois pas inquiet de la petite, son rhume est beaucoup mieux ; j'espère que cela n'aura pas de suites fâcheuses, et puis elle parle souvent de son cher papa, mais ne s'ennuie pas trop, car elle croit que tu vas revenir bien vite, dit-elle.

Le petit Gustave a continué à marcher, il court partout, il parle aussi souvent de toi que la petite, et me fait mettre sur la chaise berceuse pour « chanter comme papa ».

Tu ne me parles pas de M. Donegani. Je ne sais si tu l'as vu et s'il est près de monter. Les dames sont venues ici, hier, un instant. Elles n'avaient pas reçu de lettre lundi.

Ton papa et ta maman sont bien portants. Ils sont venus passer la veillée avec moi avant-hier. Les enfants au collège sont bien portants, j'en ai des nouvelles par Benjamin. Je ferai ta commission à M. Jacques Viger.

Je viens de lire à l'instant la harangue de Son Excellence[82] : elle est bien cordiale. Je vois aussi que vous êtes déjà entrés en besogne puisque vous avez déjà expulsé M. Christie[83]. J'en suis bien aise. Tu ne me dis pas s'il y a eu de l'opposition mais nous l'apprendrons bien vite par les papiers[84].

82. Le discours du Trône, lu par le gouverneur.

83. Robert Christie, député de Gaspé, avait été expulsé de la Chambre d'assemblée, une première fois, pour avoir provoqué, de la part du gouverneur Dalhousie, la démission de quelques représentants ; il fut réélu cinq fois et expulsé ensuite autant de fois.

84. Les papiers, c'est-à-dire les journaux *(newspapers)*.

Adieu, mon bon ami et époux, avec toute la tendresse possible.
Ton épouse et amie,

Julie Bruneau Papineau

L'honorable L.-J. Papineau
Québec

Montréal, 24 novembre 1831

Cher ami,

Par ta dernière tu me fais des reproches de ce que je ne t'ai pas écrit. Tu dois pourtant en avoir reçu une samedi, mais il est vrai que tu ne l'auras reçue que tard, vu le mauvais état des chemins, dans laquelle je te donnais quelques détails. Mais je n'ai peut-être pas, comme tu dis, obéi en tout point à tes ordres absolus, et je me permets quelquefois d'y dévier, au grand scandale de ces hommes qui prêchent tant l'indépendance et qui aiment tant leur liberté et, par contraste, exigent tant de soumission de leur épouse.

Je te dirai pourtant que je suis plus soumise que par le passé : je vois que je vieillis et deviens faible. J'ai fait coucher la fille près de moi pour t'obéir et, pour cette fois, je conviens que j'ai bien fait de t'obéir. Je suis bien plus indisposée encore que je ne l'étais, la nuit ; depuis ton départ, je ne dors presque plus, cela m'affaiblit beaucoup ; je digère le peu que je prends avec bien de la difficulté et ne m'attends pas à avoir de mieux. Je voudrais essayer de me purger. Je l'ai fait dire au docteur qui ne veut pas m'envoyer ce remède sans me voir ; et il est malade, il ne peut sortir, il faut que j'attende. Théophile a aussi fait ce que tu lui avais recommandé au jardin et ici pour les [ ].

Vevette est enfin arrivée. Elle a eu bien de la misère. Il eût été impossible à maman d'y venir. Cela m'a un peu consolée, je m'ennuyais tant depuis ton départ. J'ai été aussi bien aise du retour de Mme Amiot : elle nous sera utile à tous. Mme Plamondon est un peu mieux. Si cela peut continuer, cela serait fort heureux.

Pour toi, mon cher, j'espère que les bonnes nouvelles que nous avons d'Angleterre vont contribuer à te rendre ton séjour à Québec plus agréable, que vous travaillerez avec plus de plaisir, en pensant que vos travaux seront couronnés de succès.

J'ai communiqué tes lettres à ton papa, qui est bien portant ainsi que ta maman et ta tante Lecavelier, qui est arrivée il y a trois jours pour venir passer l'hiver avec eux. Je ne l'ai pas encore vue, je n'ai pas été en état de sortir, il fait si mauvais, ces jours-ci, et je suis si peu bien : j'ai de la fièvre, j'ai beaucoup de peine à t'écrire aujourd'hui.

Les petits enfants au collège sont bien et doivent t'écrire ces jours-ci. Le petit est bien aussi, mais la petite tousse toujours, la nuit. J'ai hâte que ce rhume se passe. Elle parle souvent de toi mais ne s'ennuie pas trop et, à présent que sa tante est ici, elle s'amusera mieux.

Tu vas trouver celle-ci encore courte mais il est l'heure de la poste. Je me dis tous les jours : « Il faut que j'écrive tous les jours quelques lignes et au jour que j'enverrai ma lettre, elle se trouvera remplie ». C'est ainsi que l'on forme souvent de bons projets que l'on n'exécute pas toujours. Cela viendra peut-être. Y crois-tu ? Mais au moins espère-le.

Fais mes amitiés à la famille à Québec. Vevette te fait ses amitiés et te fait dire qu'elle va soigner ta femme, que maman lui a bien recommandé de me faire faire du bouillon et de m'en faire prendre. Adieu, mon bon ami pour la vie.

Ton épouse et amie,

Julie Bruneau Papineau

L'honorable L.-J. Papineau
Québec

Montréal, 1er décembre 1831

Cher ami,

J'ai reçu hier au soir ta lettre du 28 qui, comme toutes celles que je reçois de toi, m'intéressent et me sont chères.

Je t'écris aujourd'hui quelques lignes parce que je pense qu'il n'y a pas de poste demain et que tu ne recevras pas de lettres cette semaine, car il est déjà trois heures et j'ai été occupée avec les ouvriers qui sont venus ajuster les doubles-châssis. Cela a refroidi la maison, il fallait avoir soin des enfants pour les empêcher d'avoir du froid.

Depuis dimanche, il m'eût été impossible de t'écrire, car j'ai été malade. Le docteur est venu me voir samedi et, sur ce que je lui ai dit, il m'a dit qu'il ne fallait pas retarder de me purger. Et voilà deux médecines que je prends, qui m'ont rendue bien malade. Je ne sais si j'aurai du mieux, mais je suis bien fatiguée. Le docteur ne veut plus que j'en prenne.

Je m'ennuie toujours, mais c'est surtout dans les moments que je me sens aussi malade que je te regrette doublement. Personne ne peut te remplacer sous aucun rapport, et je ne suis pas à bout de mes misères.

La chère petite Ézilda n'est pas très bien non plus, elle a toujours de la fièvre ; sa toux était diminuée et elle augmente depuis dimanche. Cela n'a pas pourtant apparence de la coqueluche. Je ne sais quand cela finira. Elle dort bien peu. C'est la nuit surtout qu'elle tousse. Elle ne manque pourtant pas de soins : je redouble de précautions, je ne sors pas du tout, j'y veille par moi-même, je n'ai pas été à la grand-messe dimanche. Tu me disais, quand tu étais ici, qu'il était de mon devoir de plutôt soigner mes enfants. Ainsi, je n'aurai pas de reproches à me faire, s'il m'arrive quelque malheur. Je te dis tout cela pour t'ôter de l'inquiétude ; je vois par tes recommandations que tu es inquiet : cela ne me surprend pas.

Les enfants du collège sont venus hier, depuis midi jusqu'à quatre ; ils sont bien portants. Je leur ai lu ta lettre, ils y ont paru sensibles. Amédée avait les larmes aux yeux. Ils ont tous deux de bonnes places cette semaine. Je les ai blâmés de ne t'avoir pas écrit cette semaine, comme ils me l'avaient promis. Ils m'ont dit qu'ils le feraient la semaine prochaine.

Ton papa et ta maman ainsi que ta tante Lecavelier te font leurs amitiés. Ils sont tous bien portants, ils sont mieux que les jeunes. Benjamin, ton frère, est venu à Montréal. Il a été ici quatre jours, il est reparti. Il m'a chargée de te faire ses amitiés et qu'il t'écrirait à son retour à la Petite-Nation.

Vevette est bien aussi et te fait ses amitiés. Adieu, je crains de manquer l'heure de la poste.

Ta meilleure amie et épouse,

Julie Bruneau Papineau

L'honorable L.-J. Papineau
Québec

Montréal, 8 décembre 1831

Cher ami,

Je vois par ta lettre du 5 que tu es inquiet de me voir toujours souffrante, mais, mon cher, tu pouvais t'y attendre : il est impossible à présent que j'aie beaucoup de mieux, je me suis trop négligée, j'ai attendu trop tard à me purger. Et j'en ai pourtant grand besoin.

Et à présent j'ai l'estomac si affaibli, depuis le temps que je ne prends que peu de nourriture, et que j'ai encore plus de peine à digérer, que j'ai bien plus de peine à digérer les remèdes. Le docteur m'a dit de n'en plus prendre, de laisser faire. Je ne l'ai pas revu cette semaine, mais je crains d'être obligée d'en prendre encore. J'ai toujours des coliques accompagnées de la diarrhée.

Je sors ces jours-ci en carriole avec les enfants. Demain, j'irai à l'église. Je suis mieux de mon rhume, je ne tousse plus. La petite Ézilda est beaucoup mieux aussi : voilà deux nuits qu'elle dort bien et qu'elle ne tousse plus. Cela me soulage beaucoup ; je craignais la coqueluche.

Ce que tu me dis au sujet de maman, de la faire venir, à présent c'est impossible, il n'y a qu'un peu de neige en ville, mais à la campagne il n'y en a pas et, de plus, les glaces commencent à se former. Nous espérons que les rivières prendront à bonne heure. Sois tranquille, maman sera ici avant le temps nécessaire. Je suis plus raisonnable que tu ne penses, c'est-à-dire plus que toi. J'attends avec patience, sans me décourager. Je m'ennuie, mais c'est de toi, parce que personne ne peut te remplacer auprès de moi, ni pour les soins ni pour la tendresse.

Quelquefois je me berce de l'espoir que peut-être je me suis trompée et que, si j'allais jusqu'à la fin de janvier[85], tu pourrais être près de revenir. Mais c'est peu probable. Pourtant tu me dis aujourd'hui que vous faites beaucoup d'ouvrage, cela raccourcira la session. Mais vous ne faites pas toujours le bien. Vous voilà aux prises avec notre clergé et cela va probablement occasionner bien du bruit et de la division parmi les Canadiens. C'est épineux ! Je me défie de toi dans cette occasion. Je crains que tu n'aies été un peu violent. On ne voit pas les débats, cette année, c'est un ennui de plus. Je suppose que tu auras dit bien des malices.

J'ai commencé cette lettre hier au soir, je la termine aujourd'hui. Je ne suis pas mieux de mes coliques et, dimanche, j'étais pour envoyer chercher le docteur. Mais il vient de passer, je l'ai fait appeler, il est entré et, sur ce que je lui ai dit, il trouve à propos de me saigner. Il viendra demain dans l'est. Ainsi, ne sois pas inquiet si je ne t'écris pas d'ici à quelques jours. Je ferai écrire Théophile samedi pour te donner de mes nouvelles.

Toute la famille chez ton papa sont bien portants. M. Cherrier vient d'ici et me dit que le petit garçon de M. Louis Viger a la rougeole. Elle est ici aussi : dans le quartier, les trois enfants de M. Mondelet l'ont aussi ; je crains bien qu'elle [n']atteigne les nôtres. Je n'aurais pas besoin de cette fatigue dans ce moment-ci. Si cela arrive, il faut se soumettre à la volonté de Dieu et nous ferons pour le mieux.

85. Julie accouchera le 4 janvier 1832 d'un garçon qui sera baptisé, le lendemain, Charles-Léonide-Ernest.

Je ne sais comment est Mme Plamondon aujourd'hui. Je ne les verrai pas parce que la petite a le rhume, et elles ne sortent pas sans l'emmener. Les enfants au collège sont bien.

Vevette te fait ses amitiés. Elle dit que maman viendra aussitôt qu'elle pourra, car elle est aussi inquiète que toi. Elle lui a dit qu'elle serait moins inquiète si elle était ici.

Adieu, écris-moi toujours assidûment. Mon cher, je suis pour la vie,

Ton épouse et amie affectionnée,

Julie Bruneau Papineau

L'honorable L.-J. Papineau
Québec

Montréal, 15 décembre 1831[86]

Cher ami,

Je me trouve assez bien aujourd'hui pour t'écrire moi-même. J'en suis bien aise, car je sais que cela te tranquillisera plus. La saignée m'a laissée bien faible mais m'a fait un grand bien ; il était grandement temps : j'avais un commencement d'inflammation depuis que j'avais pris mes remèdes. Cette irritation sur les intestins allait toujours en augmentant. Je t'avais écrit le jour de la fête[87] que je devais être saignée le lendemain. Et la nuit, je me trouvai si souffrante que je fus au moment d'envoyer chercher le docteur, mais je persistai à attendre au lendemain, pensant bien qu'il ne pouvait pas me saigner dans la nuit. Depuis ce temps, je ne me ressens plus du tout de ces douleurs mais j'en ai d'autres qu'il faut souffrir et que l'on ne peut pas empêcher ainsi que le dérangement d'estomac, qui ne se passera qu'avec le temps et qui est moins inquiétant, parce que cela est produit par mon état. Ce qui me fâche, c'est que mon rhume recommence et, s'il continue, cela me fatiguera beaucoup. Je prends pourtant bien des précautions : ne sois pas très inquiet, le docteur est plus attentif depuis ce temps. Je lui ferai part de tes recommandations : cela ne manquera pas de le faire rire.

Je lui disais l'autre jour que je voudrais bien te voir ici. Il reprit : « Ah ! bien moi, je dis que j'aime mieux le voir loin dans le temps de la maladie, car il est démontant, il m'empêche de bien faire. C'est un contraste, dans le caractère de

86. La première partie de cette lettre est aux Archives de Montréal ; la seconde partie, aux Archives de Québec.
87. Le 8 décembre, fête de l'Immaculée-Conception.

cet homme-là, inexplicable : il a tant de force de caractère dans toutes les occasions et puis il est d'une faiblesse pour sa femme et ses enfants, comme je n'en connais pas. » Il nous a fait rire : il disait cela devant ma tante et Mme Plamondon qui passaient la journée avec moi.

Au sujet de cette dernière, je te dirai qu'elle n'est pas mieux. Le docteur l'a trouvée grossie au point qu'il lui a dit (parce qu'elle l'a consulté pendant qu'il était ici, disant qu'elle était plus incommodée que jamais) qu'il croyait qu'elle était rendue au temps qu'il fallait lui faire la ponction ; qu'il était d'avis, comme ci-devant, qu'il n'était pas à propos de la faire sans nécessité, mais aussi qu'il ne fallait pas attendre trop tard et qu'il croyait le temps arrivé. Je crois qu'elle va s'y décider d'ici à quelques jours. Tu peux savoir que cela nous inquiète et nous afflige, surtout ma tante.

Les enfants au collège sont bien mais ils sont paresseux : ils ne t'ont pas encore écrit. Je ne sais quelles places ils ont cette semaine. J'ai oublié de dire à Vevette de [le] leur demander. C'est elle qui va les voir depuis que je [ne] sors plus. Les petits à la maison sont bien. Ton Ézilda, comme tu dis, et mon Gustave sont amusants et parlent souvent de toi quand je leur lis ce qui les concerne dans tes lettres. Cela leur fait un plaisir et ils comprennent très bien l'un et l'autre, et le répètent. C'est curieux de les voir depuis que le petit court partout : ils ont l'air de bessons, ils sont de même grandeur, habillés pareil, ils ont des mêmes manières. Le petit parle aussi bien qu'Ézilda, en sorte qu'il est porté à l'imiter en tout, il se sert des mêmes expressions. Tu penses bien s'ils amusent la tante Vevette qui les chérit et les gâte comme tu sais ! Elle te fait ses amitiés.

Le froid continue quoique nous n'ayons presque pas de neige surtout à la campagne ; nous espérons que les glaces vont prendre bien vite, et que maman sera bien vite avec nous : je le désire autant pour toi que pour moi, car je sais que cela diminuera de beaucoup tes craintes et tes inquiétudes. Tu as bien assez de soucis au sujet des affaires ; c'est inévitable, cela me peine mais moins que cela le ferait, si je ne te connaissais pas toute l'énergie et le courage qu'il faut pour se mettre au-dessus de ces attaques personnelles et que tu souffres depuis longtemps comme homme public sans que cela te fasse [dévier] d'un pas de faire ton devoir.

Je suis bien de ton avis qu'il y a peu d'hommes parfaitement désintéressés et qui sacrifient en toutes occasions leurs intérêts à ceux du public, comme c'est le devoir d'un homme public. [ ] c'est ce que je ne cesse d'admirer en toi et qui m'étonne, car je n'en connais pas d'autres, excepté ton père et M. Viger, et je crains bien que nous n'en ayons pas d'autres de sitôt, et que, dans ce pays-ci, l'on ne sait pas apprécier ce que l'on devrait, tant s'en faut.

J'ai fait ta commission à Théophile de t'écrire, je ne sais pas s'il le fera ; je crois bien que ses écrits te font rire, comme sa conversation produit le même effet sur moi et ton expression que sa politique est « à tout vent » au sujet des fabriques.

Je t'embrasse de tout mon cœur et tes petits enfants aussi. Ézilda dit qu'elle fera des joies, des joies quand papa viendra ; elle dit quelquefois « Dada », a de la misère quand papa n'est pas dans la maison, mais elle supporte mieux ton absence que je ne pensais ; quand elle a des petits chagrins, elle te demande mais, en général, elle ne s'ennuie pas trop.

Tout à toi, mon ami et cher époux,

Julie Bruneau Papineau

L'honorable L.-J. Papineau
Québec

Montréal, 22 décembre [1831][88]

Cher ami,

Je t'ai fait écrire lundi par Théophile en départ pour Verchères, ne pouvant le faire moi-même. Et aujourd'hui, jeudi, ils ne sont pas encore arrivés ; on ne sait ce qui les retarde. C'est pourquoi je rassemble le peu de forces que j'ai pour te dire quelques mots sans quoi tu n'aurais pas de nouvelles à la fin de la semaine. Je te dirai que cette toux opiniâtre m'avait mise dans un état de grandes souffrances, surtout il s'était déclaré une douleur dans le côté du ventre, insupportable, qui me faisait jeter les hauts cris et même verser des larmes malgré moi. J'étais seule. Mme Mondelet[89] qui vient passer l'après-dîner avec moi, tu sais comme elle me porte de l'amitié et comme elle est attentive, malgré qu'elle a un jeune enfant qu'elle nourrit, elle ne m'a pas laissée et elle a insisté à ce que j'envoyasse chercher le docteur à neuf heures du soir. Et quand il est arrivé, il a jugé à mon état que j'avais besoin de soulagement et m'a blâmée de ne l'avoir pas envoyé chercher la veille, quand la toux m'avait tellement fatiguée depuis deux jours. Il m'a saignée copieusement, ce qui m'a laissée dans une grande faiblesse jusqu'à minuit et après j'ai eu du mieux. Mme Mondelet n'est partie qu'après ce temps ainsi que le docteur. Je me suis trouvée mieux le lendemain mais encore bien souffrante pendant deux jours. Je suis mieux depuis hier. Lundi matin, quand on a su que j'étais malade, les parents et amis sont venus me visiter et ma tante Amiot est restée avec moi tous ces jours ici, et même la nuit. Elle ne me laissera que quand maman arrivera. Ainsi, ne sois pas inquiet. J'espère que

88. Un descendant de la famille Papineau avait attribué l'année [1829] à cette lettre ; il faudrait la ramener à [1831], étant donné son contenu.
89. Henriette Munro, épouse de Dominique Mondelet, avocat à Montréal.

je ne serai pas toujours aussi incommodée ; après tous ces traitements, j'espère que je vais éprouver du soulagement. Mon rhume est bien mieux aujourd'hui. Le docteur m'a donné d'une fiole que je prends toutes les heures ; il n'est pas encore venu aujourd'hui ; je ne manquerai pas de lui faire part du joli passage qui le concerne dans ma lettre que j'ai reçue hier et que j'ai lue et relue à plusieurs reprises. C'est le seul amusement que j'ai.

On a fait courir le bruit, ces jours derniers, que vous alliez ajourner la Chambre pour quinze jours. Je ne l'ai pas cru, mais je l'aurais bien désiré. Que je me serais trouvée bien heureuse de te voir pendant quelques jours ! Je crains que ces saignées et remèdes ne me fassent devancer mon temps[90]. Enfin, il faut se soumettre et se résigner à ce qui arrivera.

Mme Plamondon est bien incommodée, je crois pourtant qu'elle ne se fera faire la ponction que la semaine prochaine.

Adieu, mon cher. Tout à toi, ton épouse et amie,

Julie Bruneau Papineau

Au moment que je cachette ma lettre, maman arrive et te fait ses amitiés, j'espère que cela va te tranquilliser. J'oubliais de te dire que j'avais fait ta commission à M. Viger au temps que tu me l'écrivais et que ce n'est pas moi qui ai été négligente mais bien lui de n'avoir pas écrit à M. Girouard, mais, ces jours-ci, il va réparer cela, il y est allé lui-même et fera les affaires en personne.

L'honorable L.-J. Papineau
Québec

Montréal, 31 décembre 1831

Cher ami,

Voilà encore la fin d'une année que j'ai terminée bien mal, toujours souffrante, et je commence celle-ci sous les mêmes auspices, c'est-à-dire que je ne puis m'attendre qu'à souffrir, et par-dessus tout de ton absence. Je suis mieux parce que ma toux est passée mais je suis bien traînante et les cuisses, genoux et jambes bien enflés, ce que je n'ai jamais éprouvé dans aucune de mes autres grossesses. Dans les fêtes, j'étais si souffrante, et c'était le neuvième jour après ma seconde saignée que l'on a craint. Le docteur lui-même le croyait et m'avait dit de prendre mes précautions. J'avais envoyé chercher mes femmes pour passer la

90. Julie est alors enceinte d'un enfant (Ernest) qui naîtra le 4 janvier 1832.

nuit ; cela n'a été qu'une fausse alarme. J'irai peut-être à mon temps, je ne sais si cela est à désirer ou non, car si je suis toujours souffrante jusqu'à ce temps, cela ne peut que continuer à m'affaiblir. Ainsi, j'aimerais autant que cela arrivât d'un jour à l'autre. Il faut se résigner et attendre puisque cela ne dépend pas de nous.

Pour toi, mon cher, je ne puis que te souhaiter la continuation de ta bonne santé malgré tes fatigues et l'inquiétude que tu éprouves loin de ta famille, surtout dans ces circonstances-ci. Je t'exhorte à ne pas trop t'inquiéter. Il faut espérer que la Providence aura pitié de nous.

Amédée est ici, on a craint la rougeole. J'étais alarmée, craignant que tous les enfants ne l'eussent dans ce moment, que je ne puis les soigner, et maman incapable d'avoir de la fatigue ; le docteur a dit que c'était les fièvres mais qu'il pouvait les détourner promptement. Il lui a donné un vomitif qui a eu son effet : il est beaucoup mieux, il va prendre médecine demain. Je lui ai fait une petite lettre qu'il essaye à te copier. Comme il est malade, je n'ai pas voulu qu'il se fatiguât à écrire de lui-même.

Et lundi, Lactance passera la journée ici ; on le fera écrire à son papa. Les petits, Ézilda et Gustave, sont bien portants et s'amusent bien ensemble. Ils s'aiment beaucoup, cela n'empêche pas qu'ils se querellent souvent. Ils parlent souvent de toi et disent qu'ils feront bien des joies quand papa arrivera.

Mme Plamondon continue à se trouver bien. Depuis sa ponction, je ne l'ai pas encore vue. Si cela peut la soulager pour longtemps, elle se trouvera bien heureuse.

Toute la famille chez ton papa est bien. Pour ce que tu me disais au sujet de ta tante Lecavelier, tu dois te rappeler qu'elle a été marraine de notre cher petit Arthur. C'est pourquoi, je n'ai pas cru devoir lui demander à l'être de celui-ci. Si tu en as quelques autres à me suggérer, cela me fera plaisir, car je n'ai encore parlé ni à ma tante Amiot[91] ni au voisin. Je n'ai pas non plus cherché de nom.

Maman te fait ses amitiés ainsi que Vevette, et t'embrassent au commencement de la nouvelle année, et moi, bien plus qu'elles, je le fais de tout mon cœur et je prie la Providence de nous réunir. C'est le vœu le plus ardent que je forme puisqu'il n'y a aucun bonheur pour nous sans cela. Je ne jouis de rien en ton absence, tout me semble ennuyeux et insipide, et bien plus cette année, ayant tant de motifs de te regretter.

Tout à toi, mon cher ami,

Julie Bruneau Papineau

---

91. Geneviève Robitaille, veuve de Jean Amiot, sera marraine d'Ernest Papineau, le 5 janvier 1832 ; et le parrain sera Jacques Viger, « lieutenant-colonel, commandant du 8e bataillon des milices du comté de Montréal ».

Je reçois à l'instant ta lettre. Le porteur me l'apporte toujours tard : il est quatre heures. J'attends la lettre d'Amédée pour la mettre dans la mienne. S'il n'a pas le temps de finir, je l'enverrai lundi.

L'honorable L.-J. Papineau
Québec

Montréal, 2 janvier 1832

Cher ami,

Je t'écris aujourd'hui, n'ayant pas vu Théophile. Je te dirai que ma santé est la même que samedi. Je ne tousse plus, c'est un grand point. Je suis douloureuse et toujours les cuisses et les jambes enflées. Je ne sais si j'irai à mon temps ou non.

Comme je ne reçois pas de visites de jour de l'An, nous sommes aujourd'hui tranquilles avec nos enfants du collège, Dessaulles, Labrie et Lactance : ils sont tous bien portants. Amédée a pris encore médecine hier, il est toujours de mieux en mieux. J'espère qu'il sera bien vite rétabli. Cela sera bien heureux, surtout dans ce moment.

Chez ton papa, ils sont tous bien. Mme Benjamin Papineau, qui est arrivée il y a quelques jours avec Toussaint, elle part pour Maska après-midi : elle sera six jours dans son voyage. Mon frère de Saint-Denis est ici depuis hier au soir, il part aussitôt après dîner.

J'ai vu hier au soir Mme Plamondon pour la première fois depuis sa ponction. C'est vraiment une métamorphose complète : elle est tout à fait mince, elle n'a plus de ventre du tout, je ne l'ai jamais vue de même de sa vie. Elle le dit elle-même aussi, elle a toujours été un peu grosse du ventre et, depuis quinze ans, elle l'était beaucoup. Elle mange et dort très bien. Si cela continue, qu'elle va se trouver heureuse !

Je ne suis pas surprise de ce que tu me dis que tu t'ennuies et que tu es de mauvaise humeur. Tu as bien des sujets de l'être. Je prends bien part en tout ce qui te concerne. Sois persuadé que, de mon côté, je ferai tout en mon pouvoir pour supporter la maladie et me rétablir du mieux qu'il me sera possible. Tu sais bien que je ne suis pas extravagante ; mais, avant la maladie, il est bien difficile de ne pas avoir d'inquiétude, surtout cette année que j'ai tant souffert d'avance.

Je suis presque à bout d'argent. M. Mears n'a rien payé, je n'ai pas entendu parler de lui. J'ai prêté à ton papa cinq louis que je lui redemanderai, si je manque tout à fait d'argent. Maman te fait ses amitiés, ainsi que Vevette. Fais nos amitiés à la famille à Québec.

Adieu, mon bon ami, je te souhaite de la santé et du courage. Nous en avons besoin tous deux. Ézilda et Lactance sont toujours bien portants.

Tout à toi, cher époux,

Julie Bruneau Papineau

Je ne donne pas d'étrennes aux enfants. J'attends ton retour. Benjamin est bien aussi. Si tu veux lui donner quelque chose, tu [le] lui donneras aussi, comme aux autres, à ton retour.

L'honorable L.-J. Papineau
Québec

Montréal, 2 février 1832

Cher ami,

Je me trouve heureuse de pouvoir t'écrire aujourd'hui. Comme je te l'avais fait dire par Théophile, je craignais de n'être pas assez forte parce que j'ai veillé très tard depuis trois jours ; lundi et mardi, parce que le petit dernier a été fatigué par des glaires, ce qui l'a empêché de dormir. Je fais demander le docteur pour le purger. Et puis hier au soir, j'ai eu une aubade, une assemblée de famille. Depuis que M. Delagrave est revenu de la Rivière Chambly, ils se sont assemblés, toute la famille, un soir chez Donegani, chez Mme Doucet[92], et puis hier ils m'ont fait dire qu'ils viendraient veiller ici. Il a bien fallu préparer un petit souper et puis faire dire qu'on les recevrait avec plaisir et sans cérémonie, en câline et en robe de chambre, comme une malade. La famille réunie, cela a formé un assez bon nombre pour se bien amuser. Chez Donegani, ils sont six ; chez Mme Doucet, il y avait Télesphore Kimber et sa dame, arrivés de la veille, et Angelle Limoges[93] qui est venue depuis plusieurs jours avec mon oncle Ignace qui est ici ; et puis j'ai demandé Philippe et sa femme, et Delphine Robitaille ; enfin la même compagnie qui était réunie, la veille, chez Mme Doucet. Ils sont bien contents et disent s'être bien amusés ; ils ont dansé sur le piano, ils ne sont partis qu'à minuit. J'ai été surprise de n'être pas plus fatiguée aujourd'hui, moi qui n'avais pas encore

92. Euphrosine Kimber, cousine de Julie.
93. Marie-Angélique Limoge, fille de Toussaint Limoges, notaire, et d'Angélique Robitaille ; petite-fille d'Ignace Robitaille.

laissé ma chambre. Si tu y avais été, cher ami, la fête aurait été belle pour moi, mais je n'ai eu de plaisir que de les voir se bien amuser. Ils ont dit au souper : « Si M. Papineau venait nous surprendre dans ce moment, quelle fête cela serait ! » Et l'on a bu à ta santé et à ton prompt retour. Mon oncle Ignace a dansé un menuet avec ma tante Amiot et maman tour à tour. Et ma tante me charge de te dire que c'est une preuve du plaisir qu'elle a de nous voir si bien, Mme Plamondon et moi, après avoir été si inquiète de nous. De nous voir réunies et en bonne santé, cela leur fait faire des excès de pieds au-dessus de leur âge, et elle me charge de te dire que si elle avait eu le double plaisir de te voir réuni à nous, elle aurait dansé un second menuet avec toi de grand cœur. Mme Plamondon a aussi dansé ; il n'y avait que Mme Doucet et moi qui faisions les vieilles.

Tu t'informes dans chacune de tes lettres si ta femme est bien rétablie, rajeunie, et tu vas même jusqu'à vouloir qu'elle soit belle. Ah ! mon ami, tu en demandes trop. J'espère que tu me trouveras bien portante et cela sera beaucoup plus que nous devions espérer, car j'ai été si malade que tous nos parents et amis m'ont avoué qu'ils avaient eu de l'inquiétude à mon sujet. Et j'en avais ma bonne part, je me suis bien gardée de te le communiquer : je connaissais bien que tu étais bien inquiet de ton côté, et avec cela, le désagrément que tu as eu au sujet des affaires publiques, car cela [est] vraiment dégoûtant, cette année, de voir comment les affaires de la Chambre se sont conduites par l'intrigue des différents membres. Mais le public sait bien les juger.

Je ne t'en dis pas plus long, car l'heure de la poste arrive et demain il n'y en a pas. Tu ne saurais croire comme le temps de ma convalescence me paraît long. Je m'ennuie beaucoup plus, ne pouvant m'occuper, et de plus la longueur de ton absence, qui se prolonge toujours, me tue. Je n'ai jamais trouvé un hiver aussi long.

Les petits enfants sont tous [bien] et t'embrassent. Ta petite surtout ne cesse de dire que tu auras beau faire enrager maman, elle ne t'enverra plus à Québec, que tu es trop longtemps.

Adieu, mon cher époux et bon ami.

Ton épouse et amie affectionnée,

Julie Bruneau Papineau

L'honorable L.-J. Papineau
Québec

Montréal, 9 février 1832

Cher ami,

Je reçois à l'instant une lettre au moment où je me mettais à t'écrire ; je m'ennuyais doublement, n'en ayant pas reçu hier, au jour accoutumé, ce qui me faisait désespérer d'en recevoir jusqu'à samedi. Depuis lundi, je me propose d'écrire de jour en jour et je n'ai pu le faire. Le petit m'occupe beaucoup depuis que Mme Dauphin est partie, n'ayant personne de capable de le soigner. Mais le jeudi, je laisse tout, sachant que tu passerais la semaine sans avoir une lettre de moi.

Je ne suis pas surprise que tu t'ennuies, d'après ce que j'éprouve moi-même, malgré que je suis chez moi, entourée de nos enfants et parents. Il me semble qu'il y a un an que tu es absent, et cette session est en effet une des plus longues que nous ayons eues depuis longtemps, et des plus désagréables. J'ai bien pris part à tous tes tourments. J'espère que tu oublieras cela, s'il est possible, quand tu nous seras rendu ; au moins je m'en flatte.

Tu me retrouveras assez bien rétablie. Je ne suis pas forte, ni [n'ai] beaucoup d'appétit, je pense que je serai mieux quand je commencerai à sortir. Et je ne pourrai le faire que quand il fera moins froid. Je n'ai pas consulté le docteur, ne l'ayant pas vu depuis quelques jours. Je crois que je t'attendrai pour cela.

Lactance est encore ici. Je ne sais quand il pourra aller au collège. Il n'est pas encore guéri de son infirmité, il prend des remèdes, il va voir le docteur comme il [le] lui a ordonné.

Amédée est bien et continue à avoir de bonnes places. Les petits à la maison sont bien. Ta chère Ézilda te désire beaucoup, on voit que son ennui va en augmentant ; elle dit qu'elle fera des joies à ton arrivée. Tu ne la trouveras pas grandie, je crois. On ne s'en aperçoit pas, au moins nous qui la voyons habituellement. Gustave grandit et grossit et parle bien. Le petit dernier a plus de coliques qu'il n'en a eu le premier mois, il dort moins bien, mais cela ne l'empêche pas de profiter.

Chez ton papa, ils sont tous bien portants. Il est venu ici, lundi et hier. Mme Lecavelier est venue, et puis Augustin, qui est à Montréal, mais pour peu de temps. Cherrier et sa femme sont arrivés ici, à Montréal, pour résider ; il a pris logement dans le haut de la maison chez Paquin, jusqu'au printemps. Tu auras de nos nouvelles plus en détail par Mme Delagrave[94], qui doit être rendue à Québec de mardi soir. Si tu peux, trouve un moment à l'aller voir.

94. Geneviève Amiot, fille de Jean Amiot, orfèvre, et de Geneviève Robitaille, était une cousine de Julie Papineau. Elle avait épousé François-Xavier Delagrave (Saint-Mathias, 6 janvier 1808).

Maman te fait ses amitiés et dit qu'elle se vengera bien de la réponse que je lui ai attirée par le rapport que je t'ai fait de ses excès de danse et d'amusements, quand elle aurait dû s'attrister de la perte qu'elle avait faite. Mme Plamondon continue à être bien, ainsi que la famille. Mon oncle Ignace est parti de lundi et m'a chargée de te faire ses amitiés. Il s'est amusé jusqu'à la fin. Tu diras à Mme Delagrave que l'on a été obligé de les renvoyer chez eux. Elle leur avait donné l'impulsion de se divertir, que l'on [ne] pouvait plus les arrêter ! Ils ont encore dansé ici [ ]. Ils sont venus après leur thé passer dimanche et ont trouvé M. et Mme Cherrier qui ont fait une musique vocale et instrumentale[95], et quelques survenants, qui sont venus après, les ont mis à même de danser. Tu vois par là que maman a raison de te dire qu'elle pourra t'en conter et se venger. Adieu, mon bel et bon ami.

Tout à toi, ton épouse,

Julie Bruneau Papineau

L'honorable L.-J. Papineau
Québec

[Montréal, 18 février 1832]

Cher ami,

Comme je me trouve un peu plus forte que je n'étais lorsque je suis arrivée du collège, comme te le mande Théophile, je vais t'adresser quelques mots pour te dire que je suis pour le moins aussi dépitée que toi de ce retard de la fin de la session. Cela paraît tripler le temps. Quand on s'est flatté de te voir ici ! Demain dimanche : que je vais le trouver long ! J'essayais à sortir aujourd'hui pour être en état d'aller à une messe demain, mais je vois que je ne pourrai pas le faire. Je resterai prudemment à la maison.

Pierre Bruneau, de Saint-Denis, est ici avec ses petites [filles][96]. Elles vont passer la journée de demain chez M. Donegani qui nous a tous invités. Mais je crois que je n'irai pas et que je resterai seule.

Je suis affligée que tu sois moins bien portant que tu ne l'étais. Je n'en suis pourtant pas surprise après tant de fatigue et de désagréments. J'espère que ton retour au milieu de nous te fera oublier ces misères.

95. Toussaint Cherrier, époux de Luce Bruneau, devint organiste à Montréal et compositeur.
96. Les deux seules enfants de Pierre Bruneau, marchand, et Josèphe Bédard, sont Elmire et Cordélie Bruneau. Elles entrèrent chez les sœurs des SS. Noms de Jésus et de Marie en 1849, à Longueuil.

Nos petits enfants sont tous bien. Chez ton papa, toute la famille est bien aussi. Adieu. J'attends une lettre lundi qui nous annoncera, j'espère, le jour certain où l'on pourra t'attendre.

Tout à toi, mon cher ami et époux,

Julie Bruneau Papineau

L'honorable L.-J. Papineau
Montréal

Verchères[97], 23 juillet [1832]

Cher ami,

Je n'ai pas d'occasion pour répondre à ta lettre de samedi, mais on me dit que la poste part après dîner.

J'ai pensé à toi quand j'ai appris la triste nouvelle de la mort de M. Tracey[98], et j'étais bien inquiète et bien affligée, au point où j'en ai été malade. Mais M. Donegani nous a dit qu'il t'avait laissé bien portant et bien gai. J'ai toujours continué à avoir de la fatigue et au moment d'en avoir encore plus, car la petite Ézilda est malade et, je crois, de la rougeole.

N'oublie pas de faire ma commission à Mme Sanspitié. Je vois par ta lettre que tu es bien occupé et que nous ne retournerons pas cette semaine, et si nous avons la rougeole à essuyer, on ne pourra peut-être pas s'en retourner de quinze [jours]. Cela me fatigue et m'ennuie de plus en plus. Si j'ai assez de force pour résister, il faudra bien se résigner.

Quant à ce que tu me proposes au sujet de Mlle Tracey, c'est une chose bien délicate et bien difficile à décider. Je ressens et j'approuve bien tes bonnes raisons en sa faveur, mais celles que tu me donnes contre sont bien essentielles, je les avais prévues comme toi, et bien d'autres auxquelles tu ne penses pas. Je te prie de ne pas te hâter et d'attendre que nous nous soyons vus pour décider une telle chose. On pourrait peut-être lui procurer une autre place, telle que chez M. Debartzch ou autre. Il est impossible de détailler cela dans une lettre. Quant à me procurer du soulagement, dont je ressens de plus en plus le besoin par mon manque de santé, ce ne sont pas toutes ces personnes dont tu me parles qui pourraient me rendre service et m'aider à élever une famille. On peut à peine

97. Julie et les enfants sont à Verchères, chez le curé Bruneau, pour fuir le choléra qui s'abat sur Montréal ; pendant ce temps, Louis-Joseph est à Montréal et supervise des rénovations à leur maison de la rue Bonsecours.

98. Le Dr Daniel Tracey, député de Montréal, décédé du choléra.

se faire aider par des domestiques. Il faut donner la vraie raison ; quand on prend des personnes comme cela, c'est que l'on se croit obligé de le faire pour rendre service. Je m'y suis toujours opposée et suis encore dans les mêmes sentiments, par les mêmes raisons. Cela ne peut être qu'un surcroît de dépenses, d'embarras et de fatigue pour moi, soit que l'on prenne une parente ou une étrangère. Si elle est d'un bon caractère, elle pourrait rendre service, mais au contraire cela peut être bien gênant et finir par de grands désagréments. Pèse bien cela et ne te fais pas une idée que cela peut me soulager, car tu te tromperais grandement.

Tu ne me dis pas quel jour tu viendras, écris-moi quand tu trouves des occasions et envoie-moi les gazettes.

Nous attendons Théophile aujourd'hui ; j'aurai bien des détails de la ville par lui, et de la maison, auxquels je n'ajouterai pourtant trop de foi.

Adieu, mon cher ami, j'ai grand hâte que nous soyons réunis. C'est mener une triste vie. Tout à toi pour la vie.

Ton épouse et amie affectionnée,

Julie Bruneau Papineau

Verchères, 4 août 1832

Cher ami,

M. Cherrier vient me dire à l'instant qu'il part demain matin, à trois heures. Je t'écris à la hâte quelques lignes, car je suis bien occupée et bien fatiguée : le petit Gustave a la rougeole, elle sort aujourd'hui. Et le petit Ernest est bien malade depuis deux jours et deux nuits ; on pense que cela sera la rougeole.

Je ne te demande pas à venir. Le docteur dit qu'il n'y a aucun danger, quoiqu'ils soient bien malades, car je serais inquiète de te faire tant voyager, surtout ces jours-ci que le choléra augmente. Mais j'espère te voir la semaine prochaine.

Je demande par M. Cherrier du pain, une boîte [de] lampions, de la camomille. Écris-moi et dis-moi si tu fais faire tes ouvrages. Envoie-moi les gazettes, je m'ennuie beaucoup et suis [ ].

Adieu, mon cher. Quand serons-nous réunis ? Il n'y a que Dieu qui le sait. Ta petite Ézilda est mieux mais elle s'ennuie et te désire beaucoup. Mes respects et amitiés à ton cher papa.

Ton épouse et amie,

Julie Bruneau Papineau

Mes amitiés à mon cher Amédée, à Théophile. Lactance se joint à moi.

L'honorable L.-J. Papineau
Montréal

Verchères, août 1832

Cher ami,

J'ai le plaisir de t'annoncer que les enfants sont mieux aujourd'hui de la rougeole. Ils ont été bien malades et bien souffrants, surtout ce cher petit Ernest : c'est tout juste qu'il a pu recouvrer. J'ai eu bien de l'inquiétude et de la fatigue que j'ai eu peine à supporter. J'en aurai encore quelques jours, car ils sont encore malades et donnent bien de la peine, la nuit.

Tu n'as pas besoin de m'envoyer cette nouvelle nourrice : elle ne pourrait pas m'être utile ici. Les enfants ne s'accoutumeraient pas tout de suite à elle. J'ai eu la Carquois une nuit et les enfants ne voulaient pas aller à elle.

J'ai eu des nouvelles en détail de la maison par Théophile, et de nos amis et de la politique. Enfin, cela m'a aidée à passer ces deux jours-ci un peu mieux, car les précédents ont été bien ennuyeux et inquiétants.

Je suis bien aise d'apprendre que tu fais poser tes tapisseries et qu'ensuite tu viendras nous chercher. Nous serons prêts, car les enfants seront rétablis. Si tu décides que l'on parte à la fin de la semaine prochaine, je suppose qu'au lieu de venir samedi tu ne viendras qu'au commencement de la semaine prochaine. Tu m'écriras ce que tu décideras par M. Donegani qui reviendra samedi. Si le choléra n'augmente pas, je désire m'en retourner, car je ne puis pas avoir beaucoup de mieux : j'ai de la fatigue, jamais le loisir de sortir, des filles [qui] sont malades tour à tour. Je serai aussi bien chez moi pour la santé et beaucoup mieux sous tous les autres rapports.

Adieu, mon cher ami.

Ton épouse et amie,

Julie Bruneau Papineau

Montréal, 26 novembre 1832[99]

Cher ami,

Je mérite assurément des reproches pour ne t'avoir pas écrit, et j'en aurais encore mérité, même en t'écrivant, parce que le ton de mes lettres aurait respiré

99. La première partie de cette lettre se trouve dans le fonds Papineau des ANQM ; la suite est aux ANQQ.

la mauvaise humeur et la répétition fatigante de tous les désagréments que m'ont occasionnés les ouvriers à tous les jours, et les enfants, la nuit. Tu en étais fatigué avant ton départ et tu en es débarrassé, tu es bien heureux. Cela n'était pas nécessaire de t'en entretenir ; je t'avais fait donner des nouvelles et Théophile m'a dit qu'il avait écrit la semaine dernière. S'il y eût eu quelque chose d'extra, on n'aurait pas manqué de t'en informer. Quand je n'écris pas, cela n'est pas, comme tu veux bien le dire, ma passion dominante qui m'en empêche. J'ai été très occupée, il est vrai, et bien fatiguée. Je ne suis pas bien, je voudrais me purger, je ne sais si je trouverai le temps. J'ai le sang bien échauffé, une forte fièvre la nuit, je dors très peu, ayant tous les enfants dans ma chambre.

Le petit Gustave a eu bien du chagrin. Les premiers jours, il se mettait en colère mais ensuite il pleurait amèrement sa nourrice, sa chambre, sa petite couchette. Il était attaché vraiment de cœur à tout son petit train ordinaire, au-dessus d'un enfant de son âge. Il m'a fait pleurer plusieurs fois, autant que lui ; il m'a fallu trouver des forces pour persister, mais il commence à se consoler.

La petite Ézilda a eu encore ses coliques et une forte fièvre pendant plusieurs jours. Comme j'avais ici des prises de calomel, je lui en ai fait prendre et elle est mieux. Elle va à son école et elle s'y plaît toujours ; elle s'ennuie quand elle n'y va pas. J'ai vu la maîtresse, qui l'aime beaucoup et qui m'a dit qu'elle en avait un soin particulier, qu'elle n'endurerait pas de froid. Elle parle toujours beaucoup de toi, elle s'ennuie quelquefois, surtout quand elle a des indispositions. La nuit dernière, elle a souffert du mal de dents et elle a dit qu'elle dirait cela à son cher petit papa, qui aurait bien du chagrin de savoir sa petite fille aussi malade.

Je laisse ma lettre pour aller au collège, je n'y ai pas été samedi, je n'y ai été qu'une fois depuis ton départ. Je te donnerai des nouvelles des enfants à mon retour.

J'arrive du collège. Les enfants[100] sont bien portants et te présentent leurs respects et amitiés.

Les ouvriers n'ont pas fini. Hamilton ne veut pas finir ce qu'il faut en menuiserie ; ni les maçons, le crépi pour empêcher le dalot des latrines de geler. Cela a déjà gelé. Théophile te l'a écrit, mais je vois que tu n'as pas reçu sa lettre. L'eau coule à présent, mais si cela n'est pas arrangé au plus tôt, cela gèlera, à ce que m'a dit l'homme, pour le reste de l'hiver. Ne sois pas inquiet du poêle de l'étude, je l'ai arrangé. M. Cherrier m'a aidée ; j'ai fait avancer le poêle et changé la plaque de dessus, en sorte que tout le tuyau se trouve dans le carré qui est bien mieux chauffé, et l'étude moins et sans danger.

Le petit dernier est assez bien. Ses autres dents n'ont pas percé, il ne dort pas bien.

100. Ses fils Amédée et Lactance sont alors au collège.

J'ai appris avec plaisir que vous alliez faire l'enquête[101] à la barre de la Chambre. C'est la seule manière pour produire l'effet que l'on attend, c'est-à-dire faire connaître au public toute l'infamie de leur conduite et leur faire craindre un peu votre pouvoir, car il n'y a en effet que par la législature du pays que l'on pourra obtenir justice ; j'en suis de plus en plus persuadée par les messages que l'on a eu l'infamie de vous envoyer d'Angleterre et que l'on vous a communiqués. J'ai été surprise et indignée on ne peut plus. Qui peut concevoir la conduite des ministres depuis si longtemps que les choses sont pendantes et que l'on vous fait de si belles promesses au sujet de cette partie du revenu, qu'ils savent bien que vous ne voulez pas leur céder d'après toutes les difficultés que vous avez surmontées et les sacrifices que vous avez faits pour obtenir un contrôle entier sur les deniers[102] ! Ils veulent à présent, à l'exemple de Dalhousie, piller cette partie et vous demander de voter par item l'autre qu'ils voulaient à tout prix avoir en bloc. Il y a vraiment autant de mauvaise foi, là comme ici, et pas plus de volonté de nous rendre justice ; il faut absolument se la faire d'une manière ou d'une autre. Je crois bien que M. Viger n'aura aussi que des promesses et point de justice réelle. Il a besoin de prendre bien des précautions : on aura bien eu soin de ne pas lui donner connaissance de ces belles dépêches-là.

Tu vas bien te rire de mes réflexions sur un pareil sujet mais cela m'intéresse ; j'en parle comme je l'entends et comme je ne puis pas me hasarder à en parler à d'autres, il faut bien que tu aies la patience de me lire.

J'ai grand hâte d'être rendue à mercredi pour avoir des nouvelles de l'affaire de l'honorable de Bleury ; Morin et d'autres ont écrit faisant un grand éloge de ta sortie contre le gouverneur. Tu parais très populaire : c'est bien surtout parce que j'espère que cela fera du bien. Adieu, tous les enfants t'embrassent, ton épouse et amie,

Julie Bruneau Papineau

Si tu trouves tes oignons d'hyacinthes [jacinthes], je les planterai. J'écris plus mal aujourd'hui que jamais, je n'ai pas de plumes de taillées.

101. L'enquête sur les meurtres de citoyens par des militaires, lors de l'élection du 21 mai 1832.
102. Julie Papineau fait référence à l'affaire des subsides.

L'honorable L.-J. Papineau
Québec

Montréal, 17 janvier 1833

Cher ami,

Il est vrai que j'ai été fort indisposée toute la semaine dernière ; je n'ai pas été en état d'aller à l'église dimanche. C'était un besoin d'être purgée, je pense, et néanmoins je ne l'ai pas fait et je suis mieux depuis hier.

J'ai eu l'enfant bien souffrant de son mal d'oreille et de l'irritation sur les intestins occasionnée par ses dents. J'ai beaucoup de fatigue la nuit ; je dors très peu et il n'est pas étonnant que je ne me porte pas bien, étant déjà affaiblie à la suite d'une assez longue maladie, mais je ne crois pas que cela soit de nourrir. Néanmoins, je ne m'obstinerais [pas] à le nourrir, quand cela ne servirait qu'à te tranquilliser, s'il m'était plus facile de le sevrer ; mais, malade comme il l'est depuis un mois, ne dormant pas, il tète plus que jamais. Au lieu que j'ai toujours sevré les autres peu à peu, j'attends qu'il soit mieux. Il me semble qu'il suffit de cette bonne raison pour te convaincre.

Puisque j'ai entamé les affaires de la famille, je vais continuer à te dire que les autres enfants se portent bien, tant au collège qu'à la maison. Ta chère Ézilda s'ennuie quelquefois assez fort qu'il faut que je la prenne sur mes genoux pour la consoler. Heureusement qu'à ce bel âge on passe subitement de la peine à la joie ; aussitôt qu'il y a un ami ou amie de la maison, elle nous invite à boire à la santé de son cher petit papa, et Gustave aussi qui devient plus raisonnable.

C'est toujours un plaisir nouveau pour moi de recevoir tes lettres surtout avec l'anxiété qui nous agite et l'empressement que nous mettons à avoir des nouvelles qui nous font trouver le temps long et maussadement ennuyeux : il était temps que nous eussions des nouvelles. Celle-ci va beaucoup abattre nos bureaucrates[103] ; je n'ai pas été dupe de leurs différents rapports au sujet du ci-devant procureur[104]. Je ne crois pas qu'on l'envoie ici dans une place plus élevée que celle qu'il avait. Cela a si peu de sens que l'on ne doit pas le supposer ni le craindre d'avance et si cela arrive, on doit s'en plaindre hautement aux ministres et leur faire voir leur mauvaise foi et leur jeu de toujours rendre des fantômes de justice qui ne sont plus de [leur] ressort. Les choses sont rendues au point qu'il faut disputer pas à pas et [ne] rien céder de nos droits. Si nous pouvons parvenir à les persuader que nous sommes fermement décidés à avoir pleine justice, ils seront forcés de nous la rendre tôt ou tard : nous sommes en bon chemin. Les mauvais Canadiens ne le voient pas parce qu'ils n'entendent pas

103. Bureaucrates : parti composé de marchands, maintenus au pouvoir par la corruption et le favoritisme, et qui jouissent de privilèges exclusifs.

104. Julie applaudit à la destitution par Londres du procureur général James Stuart, pour malversation.

assez les affaires ; ils se bercent encore d'illusions, mais nos ennemis sentent mieux leur position, ils enragent et nous feront encore enrager quelque temps. Il n'y a pas à en douter : il faut de notre part beaucoup d'énergie et de persévérance pour repousser et surmonter les difficultés qui se présenteront tous les jours, ici, avec une administration aussi malhonnête et aussi envieuse de nous écraser ; et, de l'autre côté de l'océan, nous ne sommes guère mieux, car tous les messages de lord Goderich cette année sont odieux au sujet des finances, au sujet du juge Evan, de Christie, etc. Toutes ces démarches démontrent évidemment qu'ils avaient envie de nous apaiser, parfois, quand ils nous voyaient trop mécontents, par de belles promesses et revenir ensuite avec plus de ruse et de despotisme nous tyranniser. Ils ne peuvent plus nous traiter comme cela si la Chambre se montre fermement décidée à ne pas voter de subsides et à ne pas lever d'impôts, car, tant qu'ils auront de l'argent dans les coffres, ils pilleront impunément.

En voilà de la politique assez mal traitée dans une lettre que j'écris à la hâte et par le peu d'habitude que j'ai de le faire que je devrais m'abstenir d'en écrire. Passe pour en discourir. Propos de femme sont toujours tolérés, mais j'en ai la tête et le cœur si remplis que je ne puis m'empêcher de t'en étourdir un peu, monsieur le censeur, qui trouvait son discours, au sujet du message du gouverneur, mal ordonné, et que chacun a tant vanté, et que nous n'avons pas vu, parce que *La Minerve* a eu le tort de ne pas nous [le] donner !

Que vas-tu dire de mon griffonnage ? Eh bien, pour te consoler, je te dirai que je parle un peu mieux que je n'écris et surtout avec plus de circonspection.

Les seules récréations que j'ai eues sont deux bouts de veillées que j'ai été passer chez mes [ ], où j'ai rencontré de plus Mlle Dupéré et, certes là, nous avons [fait de] la haute politique à l'étonnement et à la satisfaction de mon oncle [Ignace], qui est tout de bon le plus intrépide défenseur de nos droits qui fût jamais. Tu vois quels fruits produit une vraie conversion ! Ainsi soit-il de la tienne un jour, ainsi que de celle de notre aimable voisin que je salue et remercie de son bon souvenir et attentions de me faire donner des nouvelles par la voie de madame, et alors nous serons d'accord sur tous les points. Quel beau rêve ! Puisse-t-il se réaliser, il fera notre bonheur, le but où nous tendons tous et vers lequel nous courons avec une égale ardeur, avec cette différence que chacun y va à sa manière. Nous attendons avec impatience *La Minerve* de ce soir où nous verrons la lettre de M. Viger et un bout de ton discours, j'espère. Tu devrais bien donner quelques notes à Gosselin[105] pour qu'il rende plus de justice à ton discours. Il est certain que dans celle de Neilson, le français est bien inférieur à l'anglais.

105. Léon Gosselin, alors journaliste à *La Minerve*.

Adieu, toute la famille te fait ses amitiés. Puisse-t-elle te dédommager de la jalousie de tes ennemis ! Je t'embrasse ainsi que les chers enfants.

Ton épouse,

Julie Bruneau Papineau

L'honorable L.-J. Papineau
Québec

Montréal, 4 février 1833

Cher ami,

Depuis ce matin, je dois commencer cette lettre et j'ai toujours été interrompue et ne la commence qu'à trois heures. Tu vois par là que je ne la pourrai écrire ni longue ni bien. Je n'aurai pas le temps même de t'écrire des folies, comme tu qualifies la dernière et que j'avais ainsi jugée moi-même. En la lisant, avant d'être rendue à la fin, où j'aperçus que nous nous rencontrerions d'avis, cela m'a en effet un peu amusée, mais c'était mêlé de dépit de n'avoir pas un mot de politique.

Puisque je suis condamnée à n'avoir qu'une lettre par semaine, je voudrais qu'elle renfermât tout ; il me semble que, quand tu n'écrirais que quelques lignes tous les soirs, au logis, il se trouverait deux grandes lettres bien remplies chaque semaine. Tu as tant et de si amples matières à me communiquer qu'il ne faut que peu d'instants pour les mettre sur le papier.

Je viens encore d'interrompre ma lettre pour recevoir une belle visite. Tu me pardonneras facilement en sa faveur, si ma lettre est encore abrégée (Mme de Bleury[106]).

Mme Jacques Viger est inquiète, ayant appris que M. Jacques Viger est encore indisposé. Il lui dit qu'il doit se mettre en route aussitôt qu'il aura du mieux. Elle me charge de t'écrire de lui conseiller d'attendre qu'il soit bien et de ne pas monter seul, d'attendre qu'il ait un compagnon. Elle ne lui écrit pas parce qu'elle craint qu'il ne soit en chemin. Cela la rend très inquiète.

Je n'ai que le temps de te dire que les enfants sont assez bien, ainsi que moi. Mon oncle Ignace est encore ici et te fait ses amitiés. Ton papa est bien. Tes frères sont repartis pour en haut. Nous attendons des gens de Maska, de Verchères, etc.

---

106. Marie-Élisabeth Rocher, épouse de Charles-Clément Sabrevois de Bleury (1823).

Je t'écrirai jeudi sans faute. J'attends une lettre mercredi.
Tout à toi. Ton épouse et amie,

Julie Bruneau Papineau

L'honorable L.-J. Papineau
Québec

Montréal, 7 février 1833

Cher ami,

Je t'ai écrit lundi à la hâte, j'espère que je le ferai aujourd'hui plus au long. J'aurais bien envie de commencer par te gronder par rapport à ta lettre d'aujourd'hui qui vient me parler du choléra. Tu as bien assez d'autres affaires qui ne manquent pas de t'occuper et de te tourmenter tour à tour, sans commencer à chercher à me soustraire du danger du choléra. Je vois que les mêmes craintes qui t'obsédaient, l'été dernier, viendront encore chez toi et avec plus de raison (après la malheureuse expérience que nous avons eue de ce terrible fléau) te fatiguer et altérer ta santé et ta gaieté qui, toutes deux, me sont bien chères et bien nécessaires, moi qui suis encline par nature à la mélancolie et par conséquent le suis souvent, ayant des sujets raisonnables de l'être, dans ce triste séjour où nous sommes tous les jours exposés à de nouveaux chagrins. Ne l'augmente pas par des soins inutiles et des craintes peut-être fondées, mais il ne faut pas pour cela s'en occuper d'avance et sans fruit.

Il ne faut pas avoir une crainte excessive mais une crainte salutaire, qui fait que l'on se préparera pour le grand voyage s'il faut le faire. Je ne suis pas d'avis de sortir de chez moi. J'étais si malade, l'été dernier, c'était différent. Mais, en santé, on se fait une raison et l'on se dit : « Dieu me trouvera partout, s'il lui plaît que je meure ; je ne l'éviterai pas plus à la campagne qu'en ville, et je mourrai aussi bien d'une autre maladie que de celle-là, si mon heure est venue. »

En été, j'irai à la campagne, si tu le veux, avec toi ; et si tu restes en ville, j'y resterai aussi, me confiant à la Providence que nous sommes occupés ces jours-ci à remercier de nous avoir préservés, par ordre de tous nos hauts et puissants seigneurs religieux et civils. Et tu viens troubler notre joie et mêler ta voix discordante ! Tu es donc condamné à ne jamais marcher d'unisson avec les saints et les grands ? Infortuné pécheur, misérable roturier, que faudra-t-il pour te ramener dans la bonne voie ? C'est bien là un vrai sujet d'alarmes et qui doit plutôt m'occuper.

Tu es de plus en plus terrible et épouvantable dans tes censures contre les grands et le pouvoir. Tu n'épargnes pas même les amis. M. Q. a bien sa part : j'espère que nous verrons ce discours plus en long dans *La Minerve*. Tes deux dernières lettres ne me parlent presque pas d'affaires. J'attends toujours avec tant d'anxiété ce jour. Tu ne m'as pas fait part d'une seule conjecture au sujet du solliciteur. Je ne sais qui, ni quand, il sera nommé. Tu devrais au moins en avoir quelque idée et en savoir quelque chose. Non plus que de la liste civile : tu ne m'en dis pas un mot ! J'espère que vous n'en volerez pas. Il n'y a pas de plus puissants moyens pour les obliger de nous rendre justice.

J'ai grand hâte de revoir le voisin : il nous donnera des nouvelles bien plus en détail qu'on ne peut le faire par lettre. Tu ne saurais croire comme l'on trouve le temps long et avec quelle ardeur l'on désire des nouvelles ! Celles qui me viennent au sujet de ta santé au moins sont bonnes. L'on me dit que tu as un air de santé et de vigueur que rien ne peut lasser.

Je suis mieux aussi, depuis trois semaines, les petits enfants sont assez bien aussi ; les grands au collège ne se fatiguent pas trop à l'étude. Lactance travaille mieux. Ils s'y déplaisent tous deux ; je leur dis que cela est une raison de plus de travailler fort. Ils n'entendent pas cela. Je crains qu'ils n'aiment pas assez l'étude. Les maîtres s'accordent à dire qu'ils sont pleins de talent. Il faudra prendre des moyens de leur donner le goût de l'étude et de les y forcer, même s'il n'y a pas à faire autrement. Il y a déjà du temps que je te dis cela : il serait impardonnable s'ils n'étaient pas instruits avec tous les moyens qu'ils ont.

Ta chère petite Ézilda est bonne et aimable, et Gustave devient bien plus raisonnable. Je suis venue à bout enfin de me débarrasser de sa Marguerite, non sans peine. J'ai repris Anny à la cuisine et sa fille Marguerite. Angelle est sortie aussi. J'ai la nourrice de Mme Rolland : c'est une femme fiable, je ne lui donne que les mêmes gages que je donnais à Angelle. L'enfant commence à s'y habituer le jour, mais, la nuit, il faut que cela soit moi qui le lève et le fasse téter. À chaque fois, il ne dit que « papa ». À ton retour, je lui laisserai emmener dans une autre chambre, cela le sèvrera peu à peu. J'ai aussi changé de garçon. Celui-ci ne vaut pas mieux que l'autre : il ne veut pas scier de bois. En voilà pour cette fois des détails de ménage. Seras-tu content ?

Certes, je pourrais bien t'écrire de belles et longues lettres sur ce ton, il ne manque pas de sujets dans le ménage, mais j'en suis assez ennuyée que je n'aime pas à t'en entretenir.

Je suis à la fin du bois, il en reste six cordes. Dois-je en faire demander à Caty ? Il est venu une petite fille me demander si on voulait lui permettre de prendre de l'eau dans le puits au jardin. Je t'en écris et j'attends ta réponse. Elle dit qu'elle demeure chez Rogers. Adieu, écris plus souvent s'il est possible.

Ton épouse affectionnée,

Julie Bruneau Papineau

L'honorable L.-J. Papineau
Québec

Montréal, 2 mars 1833

Cher ami,

Tu as appris par M. Cherrier que j'ai été malade, jeudi, jour où je devais t'écrire. Je me suis senti une douleur au sein gauche, accompagnée d'une grosse fièvre ; j'ai été forcée de me mettre au lit et d'essayer de me faire transpirer, mais en vain. J'ai passé une nuit affreuse. Ce n'est que le lendemain matin que j'ai pensé à envoyer dire chez ton papa que j'étais malade. Mme Dessaulles est venue aussitôt et a envoyé chercher le docteur qui m'a donné une eau pour faire des fomentations au sein et une médecine à prendre, que je n'ai pas été en état de prendre de tout le jour. Je vomissais continuellement de la bile ; j'avais toujours des nausées et toujours une grosse fièvre, un grand mal de tête ; j'avais à peine connaissance de ce qui se passait autour de moi. J'ai pris mon remède le soir : j'ai passé la nuit à vomir et à évacuer. Le lendemain, j'étais un peu mieux ; j'ai engagé Mme Dessaulles à faire son voyage de la Petite-Nation, qu'elle avait déterminé pour le samedi matin et qu'elle voulait abandonner à raison de ma maladie.

J'ai encore pris médecine le dimanche. J'ai évacué vingt fois, j'étais extrêmement faible ; j'ai rejeté beaucoup de bile, j'aurais dû me trouver mieux, sauf la faiblesse. J'ai passé lundi. Mardi, j'étais moins bien et mercredi, tout à fait malade de la fièvre, grand mal de tête, étourdissement, enfin attaque de mes fièvres. J'ai encore pris médecine jeudi ; je ne sais si j'en serai quitte. Ah ! pour cette fois, je perdrai tout à fait courage s'il faut que mes fièvres recommencent ! Il n'y a qu'un mois que j'en suis guérie. Ainsi, tu vois que ce petit mal au sein n'a fait qu'accélérer cette maladie, qui se serait déclarée un peu plus tard. J'avais trop de bile, c'est la suite de toutes les fatigues et les veilles de tout l'hiver.

Le petit a percé ses deux dents d'en haut et je commençais à être récompensée de mes soins et peines en voyant l'enfant avec un beau teint, de la santé, gaieté, du sommeil, quand, le jour ou lendemain que j'étais malade, ils lui ont laissé attraper un rhume qui le rend tout à fait souffrant : il est oppressé [avec] une grosse fièvre, il faut le tenir dans les bras toute la nuit. Le docteur m'a envoyé hier du calomel, j'aurais préféré un vomitif. Et il n'est pas venu le voir, ni hier, ni aujourd'hui, à l'heure que j'écris. Je l'enverrai chercher. Je suis soignée Dieu sait comme, par le docteur. Dans la maison, personne ; je puis bien me décourager un peu, au moins c'est plus pardonnable que quand tu y es.

Ézilda et Gustave ont aussi le rhume, mais bien moins fort. Ceux du collège m'ont fait demander de la réglisse, d'où je conclus qu'ils ont aussi le rhume. Je n'envoie que le garçon. Théophile est encore à Verchères ; Benjamin à la Petite-Nation, et Augustin, ton frère, est avec ton papa, qui est bien portant.

Mme Dessaulles est arrivée hier avec son petit garçon au-devant de madame. Son petit garçon[107], qui n'a que six mois de plus que ta chère petite fille, a le col et la tête de plus qu'elle. Elle aura ses cinq ans le 7 de mars ; elle t'aime toujours tendrement et t'embrasse. Gustave dit aussi quelquefois qu'il s'ennuie de son papa. Et moi, puis-je ne pas le dire ? Quelle absence ! et encore sans prévoir quand cela terminera !

Quant à toi, tu es si occupé et tellement confit dans les affaires publiques, si je puis ainsi m'exprimer, que tu as [à] peine le loisir de penser que tu as une famille et un chez-soi où tu ne résides qu'en passant et où encore tu es plus occupé de ces mêmes affaires publiques que de toutes autres choses. Enfin, si tu peux avoir du succès, cela te récompensera et te fera oublier tes misères !

Je me fais lire les gazettes et je parle politique, quand j'ai quelqu'un [ ] visiter. Je trouve l'hiver bien long et votre enquête a porté d[ ].

Mme Coursol est venue ici hier soir, elle a couché ici. Elle m'a dit qu'elle attendait son frère ce soir. Je suppose qu'il va être nommé solliciteur. Elle dit qu'elle n'en sait rien. On a beaucoup fait de bruit ici de ton affaire avec Cuvillier[108]. Il était temps que l'on eût des renseignements exacts.

Excuse mon griffonnage, je tremble un peu, je ne vois presque plus clair : j'ai la vue faible, une plume pas taillée. Je n'écris que pour t'ôter de l'inquiétude, n'ayant rien d'intéressant à te mander, sinon que je t'aime et voudrais bien te le dire de vive voix.

Ton épouse affectionnée,

Julie Bruneau Papineau

L'honorable L.-J. Papineau
Québec

Montréal, 7 mars 1833

Cher ami,

Par ta lettre d'hier, tu te plains de n'avoir pas eu de nouvelles et tu en attendais hier, que tu n'auras pas eues non plus.

Théophile n'est pas revenu de Verchères, et moi, je n'étais pas en état d'écrire lundi. Je suis bien mieux depuis hier, j'espère que cela va continuer. Les enfants

107. Georges-Casimir Dessaulles, né le 29 septembre 1827.
108. Austin (Augustin) Cuvillier, député de La Prairie, refusa d'appuyer Papineau et les radicaux qui demandaient une chambre haute élective.

ont tous eu le rhume et les filles aussi : la cuisinière est malade. Depuis hier que je peux me remuer un peu et je suis bien obligée de m'occuper un peu dans la maison. J'ai Mlle Beaubien qui passe la neuvaine ici. Et Mme Jacques Viger est venue me demander, si j'écrivais aujourd'hui, de dire à monsieur son époux qu'elle a reçu sa lettre du 5, mais qu'elle n'a pas reçu celle qu'il lui annonçait par le messager de la Chambre ; et qu'elle n'a pas le temps de lui écrire aujourd'hui, parce qu'elle est en dévotion « et que cela n'a aucun rapport avec lui », j'en conclus. Elle lui écrira samedi.

Il est venu aussi d'autres visites qui me mettent à [ne] commencer ma lettre qu'à deux heures.

Les enfants du collège sont venus me voir hier, ils se portent bien. Ta chère Ézilda a été indisposée mais elle est mieux. Elle a aujourd'hui cinq ans ; personne ne lui donnerait cet âge. Elle aime aussi à faire l'enfant et à se faire caresser.

M. Quesnel est venu me voir hier ; il dit que tu te portes bien et qu'il pense que vous reviendrez sous quinze jours. Les enfants ont eu du plaisir à le revoir et ils parlent continuellement de toi, depuis hier qu'il leur a dit que tu allais bien vite revenir. À chaque fois qu'ils entendent sonner la cloche, ils disent : « C'est papa. »

Je vois par *Le Canadien*[109] aujourd'hui qu'il doit y avoir un appel nominal[110] ; on me dit aussi que M. Delisle est en prison. Ta lettre d'hier ne m'en mentionnait rien, non plus que de la réponse impertinente du gouverneur, que je vois dans *Le Canadien* d'aujourd'hui.

J'ai reçu hier le premier numéro de *L'Écho*[111]. Je l'ai lu avec plaisir.

M. et Mme Dessaulles sont partis pour Maska lundi. Ton papa se porte bien ainsi que toute la famille. Mon oncle Ignace est arrivé avant-hier de Sainte-Marie, Saint-Charles, où il a rencontré beaucoup de curés. Il dit qu'ils sont tous plus ou moins bureaucrates, qu'il lui a fallu se débattre et se défendre. Tous nos parents et amis ici te saluent. Adieu, mon cher ami.

Tout à toi, ton amie,

Julie Bruneau Papineau

---

109. *Le Canadien,* journal fondé à Québec en 1806 par un groupe de nationalistes dont François Blanchet, Pierre-Stanislas Bédard, Jean-Thomas Taschereau et Joseph-Louis Borgia. Ce journal voulait contrer l'influence du *Quebec Mercury.*

110. En Chambre, on votait par appel nominal.

111. *L'Écho du Pays,* journal publié à Saint-Charles-sur-Richelieu, fondé par le seigneur Debartzch en 1833. Son principal rédacteur fut Jean-Philippe Boucher-Belleville qui en devint propriétaire en 1835.

Montréal, 16 mars 1833

Cher ami,

Je suis bien triste de n'avoir pas eu de lettres cette semaine. Je voulais t'écrire jeudi mais je n'ai pu le faire. J'étais mieux depuis quelques jours mais mercredi, dans la nuit, je me suis trouvée bien malade et l'ai été jeudi tout le jour. Mme Jacques Viger me fit demander si j'avais quelque chose à faire dire à Québec. Je lui ai fait dire que j'avais un peu mal à la tête pour ne pas t'inquiéter et je me trouve un peu mieux depuis hier.

Le docteur m'ordonne de sortir : je suis allée au collège. Je me trouve fatiguée et ne peux t'écrire que quelques lignes. C'est toujours dans la tête que se porte mon mal, je vois tout trouble aussitôt que j'ai des accès.

Les enfants sont tout doucement. Le petit Gustave me donne toujours du trouble, surtout la nuit : il a une toux terrible qui ressemble beaucoup à la coqueluche. S'il l'a, les autres y passeront aussi. C'est une maladie continuelle. Le petit Ernest[112] est mieux depuis que ses dents sont percées mais il n'est pas tout à fait bien. Ézilda est assez bien ces jours-ci. Ton papa se porte bien ainsi qu'Augustin.

Il n'y a que la politique qui m'amuse et m'intéresse quand je peux en avoir des nouvelles, mais on n'en a guère. Les gazettes ne nous donnent que peu de débats et bien incorrects. Je n'ai que peu de lettres ou pas du tout. J'ai hâte de voir la fin de la session sous bien des rapports.

Adieu, ton épouse et amie,

Julie Bruneau Papineau

L'honorable L.-J. Papineau
Québec

Montréal, 11 janvier [1834]

Cher ami,

Je vois, par les papiers, que vous allez entrer en session. J'espère qu'elle ne sera pas longue, si vous vous bornez aux principales affaires et laissez de côté celles que l'on vous proposera pour vous tenir en session trois ou quatre mois, à travailler et voir les principales affaires rejetées au Conseil, comme de coutume.

112. Julie ne reparlera plus de son fils Ernest, qui décédera du choléra le 19 juillet 1834.

J'avais espérance que vous emporteriez la motion de M. le doyen[113] quand j'ai lu le discours impertinent du gouverneur. C'aurait dû ramener ceux des membres qui voulaient une session à tout prix. J'ai été bien scandalisée de voir une aussi grande majorité et cela me fait mal augurer de la session : il y aura encore de la division plus que jamais. Donne-moi ta manière de penser et surtout ne manque pas de m'écrire aux jours accoutumés. Je n'ai que cela d'amusement.

Quant à ma santé, je suis dans le même état que tu m'as laissée : toujours de la fièvre mais assez d'appétit. Je ne sais que penser de mon état. J'ai des étourdissements et maux de tête ; ce sont des symptômes qui indiquent le besoin d'être purgée, je digère difficilement, j'ai assez d'appétit et je me prive de manger, ce qui me fait croire que c'est plutôt un retardement qu'un commencement de grossesse.

Les petits enfants sont assez bien. Gustave est beaucoup mieux de ses yeux et, ta fille ayant eu encore congé toute la semaine, j'ai été obligée de l'emmener avec moi faire des visites. L'absence de son cher petit papa, les fréquentes sorties de sa maman la chagrinaient ; j'ai pris le parti de la mener avec moi. Tu peux penser que dans les couvents surtout elle a eu des caresses !

Toussaint est arrivé de Maska et Saint-Denis, où il a vu une grande partie de ta famille et la mienne : ils sont tous bien portants. Maman y était ainsi que Vevette, Malhiot et sa dame. M. Dessaulles, qui avait la complaisance d'y amener ton fils et qui devait aussi le mener à Verchères, a borné là son voyage, y rencontrant la famille de Verchères. Il me dit aussi que M. Prince en est bien content, qu'il s'applique, mais il dit aussi que tu ne l'as pas trompé en lui disant qu'il a une tête assez difficile à conduire et qu'il est très violent. Mais il dit qu'en le prenant par les sentiments il espère le conduire sans être obligé de le punir. Ils sont remplis d'attentions pour lui, M. Prince ainsi que Mme Dessaulles. Le premier s'apercevait que Lactance mangeait très peu et se trouvant, par là, faible, ils disent qu'il est bien délicat et que, quoique la nourriture soit meilleure qu'ici, elle n'était pas de son goût. Ta sœur a proposé à M. Prince de lui permettre de lui envoyer de la soupe au riz, et l'infirmière a la complaisance de lui faire prendre une soupe régulièrement, à 10 heures le matin et à 4 heures de l'après-dîner. Depuis ce temps, il trouve l'enfant mieux, l'infirmité qu'il avait aussi diminue. Le Dr Boutillier lui donne du quina et ils lui ont fait faire deux lits de quenouilles. Par ce moyen-là, il est bien moins incommodé. Tu vois les obligations que nous avons à toutes ces personnes pour de si grands soins. J'ai dit à Mme Dessaulles et à Lactance, si tu trouvais un moment, d'écrire à M. Prince au commencement du nouvel An et le remercier de soins aussi particuliers, j'en serais bien aise. Je sais que c'est beaucoup exiger de toi, étant aussi occupé que

113. Le doyen de la Chambre est alors Louis Bourdages (1764-1835), notaire, député depuis 1804. Établi à Saint-Denis-sur-Richelieu.

tu l'es, mais enfin écris quelques lignes en t'excusant du peu de temps que tu as en ton pouvoir, et mande-le-moi si tu le fais.

Ton papa est bien. Il a pris le thé ici hier au soir, avec ton frère Toussaint[114] et M. Côme Cherrier et sa dame. J'ai aussi écrit à maman, à mon frère, à Saint-Denis. Et j'écris aujourd'hui à mon mari et à ma cousine, Mme Leblanc[115]. Tu vas te réjouir de voir que ta femme se réforme au commencement du nouvel An ; tu vas espérer que cette réforme va s'étendre bien loin et produire des miracles, à la fin, si cela l'amène au point d'en faire quasi une assez bonne femme, mais ne t'y fie pas trop, en homme sage et prudent. Adieu, sois en bonne santé.

Ton épouse et amie,

Julie Bruneau Papineau

J'ai remis les papiers à ton père, mais je n'ai pas envoyé chez l'homme. Aussitôt que je verrai Théophile, je tâcherai de l'envoyer, Benjamin n'étant pas ici. Amédée est bien. Je lui ai donné comme encouragement les nouvelles que j'ai eues de son frère et qu'il a été premier plusieurs fois et second ; je lui ai dit aussi de t'écrire.

L'honorable L.-J. Papineau
Québec

Montréal, 18 janvier 1834

Cher ami,

J'avais résolu de t'écrire jeudi mais, ma fièvre ayant augmenté, j'ai pris le parti de me purger. Je me suis purgée trois jours de suite, je suis faible mais je vais écrire quelques lignes ce matin. Et je finirai après-midi. Il m'aurait trop coûté de te laisser dans l'inquiétude en ne recevant pas de nouvelles de la semaine.

Tu es assez tourmenté des affaires et je partage bien tes tourments et inquiétudes, et je suis de bien mauvaise humeur contre la Chambre. Il s'en faut qu'elle fasse son devoir, c'est pitoyable de voir que l'on [n']ait que de pareils hommes pour nous défendre de pareilles vexations ; et ta lettre d'aujourd'hui ne me réconcilie pas avec eux : il y a bien de l'inquiétude à avoir sur le résultat de votre

---

114. L'abbé Toussaint-Victor Papineau (1798-1869), frère de Louis-Joseph. Interdit par l'évêque Lartigue.

115. Clotilde Kimber, cousine de Julie, épousa en premières noces le notaire Antoine-Zéphirin Leblanc.

session. Et toi, cher ami, quelle tâche et quel désagrément vas-tu éprouver ! Je prends bien part à tes tourments et je tâcherai de t'écrire plus souvent que possible, et n'ai pourtant pas le courage de t'exempter de m'écrire, malgré tes grandes occupations. Tes lettres sont si intéressantes et m'apprennent des choses que je ne serais pas à même d'apprendre par d'autres voies, et qui m'intéressent tant, que c'est, tu le sais, le seul délassement à l'ennui et au besoin que j'ai de ta présence.

Je te prie de n'être pas inquiet sur les commissions que tu me donnes : je suis bien exacte à les faire. J'oublie de te les mentionner quelquefois mais je ne manque pas de les faire.

J'ai envoyé la lettre de M. Plamondon ; Théophile a payé les petits comptes ; les papiers qui étaient dans la garde-robe sont trouvés, prêts à être envoyés. Théophile est à Verchères. J'ai envoyé ta lettre d'hier aussitôt au voisin ; je croyais qu'il viendrait faire un tour hier, je ne l'ai pas vu. Je l'envoie ce matin. Aujourd'hui, je lui remettrai ces papiers : il te les fera parvenir par la voie des stages[116].

Si j'avais reçu ta lettre une heure plus tôt, j'aurais fait ta commission au docteur, il était ici. Je [la] lui ferai aussitôt que je le pourrai. C'est lui qui est d'une belle rage contre la Chambre.

Toute la famille ici se porte bien chez ton père. Delphine, qui est venue passer la journée avec moi, sachant que j'étais malade, me dit que Mme Benjamin est arrivée de la Petite-Nation, ainsi que Mme Plamondon, de Maska. Je vais leur faire dire que je suis en remède, ce qui m'empêche de les aller voir.

J'attends le curé lundi : il doit venir pour le sacre de l'évêque.

Ne sois pas inquiet de ta chère Ézilda, elle ne s'ennuie pas au point d'altérer sa santé ou sa gaieté. Elle va à l'école, cela la dissipe. Gustave continue son mieux. Amédée et le petit dernier sont bien aussi. J'ai fait remplir la glacière par le jeune Caty.

Mme Plamondon vient de me faire visite. Je lui ai dit que j'avais l'argent que tu m'as laissé pour lui, que je lui enverrai ce soir et il m'enverra le reçu. M. Viger sort à l'instant aussi et il me dit qu'il a une occasion pour [ne] t'envoyer les papiers que lundi. Adieu, mon cher.

Tout à toi, ton amie,

Julie Bruneau Papineau

116. *Stage* : voiture publique, diligence.

L'honorable L.-J. Papineau
Québec

Montréal, 25 janvier 1834

Cher ami,

Je vois par ta dernière que les affaires vont en s'empirant ; je m'en afflige mais n'en suis pas surprise. Je n'ai nulle confiance dans la plus grande partie des membres de la Chambre et ne sais où en trouver en qui on puisse reposer confiance, après les apostasies que nous voyons tous les jours. Il y a longtemps que je te dis que ce sont les hommes honnêtes et éclairés, sincèrement attachés à leur pays, qui nous manquent ; et c'est toujours ce qui m'a fait craindre et me fait encore bien plus que jamais douter si nous parviendrons à redresser une partie des griefs dont nous nous plaignons, car pour une pleine et entière justice, nous ne l'obtiendrons pas de nos jours.

Les gazettes devraient tonner contre ces membres : cela les ferait peut-être craindre à l'approche d'élections et ce[la] influerait sur leur conduite. Ils croient que le peuple ne voit pas leur conduite ; ils se trompent, au moins ici. À Québec, s'il ne vaut pas mieux que ses membres, c'est différent.

M. Debartzch est en ville depuis avant-hier. Il devait repartir aujourd'hui. Il est venu me voir le jour de son arrivée et il m'a chargée de te faire ses saluts et te souhaite du courage et de la patience. Je l'ai revu hier soir chez M. Jacques Viger. Il est indigné contre la Chambre qu'il égale à celle du Haut-Canada. Il s'est rencontré la veille, chez le voisin aussi, avec le Dr O'Callaghan et le Dr Beaubien. O'Callaghan a dit à M. Debartzch : « Que ne jetez-vous, ainsi que plusieurs autres membres du Conseil, ce *mandamus*[117] de côté et ne vous faites-vous pas élire membres de la Chambre ? car il nous faut d'autres hommes que ceux qui y sont, avec une pareille administration ! » Tu vois qu'ici nous faisons tapage. Le Dr Nelson est en diable contre Kimber et dit lui avoir écrit d'importance.

J'apprends que M. et Mme de Bleury sont arrivés. J'irai les voir ces jours-ci, car il fait si froid et je ne suis pas mieux qu'avant de me purger. Je crains beaucoup pour mon état et je m'en désole bien : je n'avais pas besoin de cela cette année. Avec une mauvaise santé et de mauvaises affaires, cela n'est guère supportable.

Les enfants sont bien. J'ai vu Amédée, il est venu dîner jeudi.

Tout est cher sur nos marchés, c'est étonnant. Le jardinier m'a apporté un quartier de bœuf aujourd'hui, j'achevais le mien. Je le lui ai payé. L'homme qui devait m'apporter de la morue fraîche n'est pas venu ; tu me diras son nom. J'ai

117. *Mandamus* : terme juridique, du latin « mandare », faire savoir. Mandement de la Cour du banc du roi à une cour inférieure, ou à un fonctionnaire.

encore du poisson de la Petite-Nation, je n'en achèterai pas avant le Carême. Si mon homme m'en apporte, cela suffira.

Le curé est venu en ville, il est bien. Il dit que maman viendra peut-être mais cela n'est pas certain. M. Dessaulles est venu chercher Angelle, et Mme Dessaulles doit revenir avec elle passer quelques jours. J'ai aussi eu le plaisir inattendu de voir M. Prince, ce matin. Je l'ai remercié des soins et attentions qu'il a pour Lactance. Il était bien pressé, il repartait pour Maska. Et [je] lui ai dit que je me félicitais tous les jours d'avoir pris le parti de le mettre sous sa direction. Le voisin dit que [ ] la réception des papiers qu'il t'a envoyés, il ne [ ] les as reçus.

Ton papa se porte bien. Il m'a envoyé emprunter aujourd'hui 20 piastres en me disant qu'il les remettrait sous peu de jours. Je ménage tout ce que je puis, je sais que nous avons besoin de le faire.

J'ai eu le plaisir de voir M. le supérieur de Québec, accompagné de celui de Montréal, lundi dernier. Il m'a donné de tes nouvelles. M. Jacques Viger sort d'ici, il m'a dit qu'il avait encore deux questions auxquelles il n'avait pas pu te répondre, qu'il travaillait pour cela, qu'il avait pris sur lui d'aller voir le père Mondelet, qu'il ne voyait plus depuis longtemps, et qu'il répugnait à voir qu'il fallait que cela fût pour toi.

Je n'ai pas de lettres aujourd'hui, cela m'ennuie. Adieu, porte-toi bien, tu en as grandement besoin.

Ton épouse et amie,

Julie Bruneau Papineau

L'honorable L.-J. Papineau
Québec
honoré par M. le supérieur
du séminaire de Montréal

Montréal, 30 janvier 1834

Cher ami,

Tu me marques que tu t'ennuies mais que tu ne perds pas courage. Il faut pas moins que ta fermeté de caractère et ta longue habitude des affaires pour te faire supporter l'état des affaires, dans ces moments qui sont pires que jamais.

On a toujours été maltraité du gouvernement en Angleterre et de l'administration locale, mais au moins on avait la consolation de voir les Canadiens unis et surtout la Chambre d'assemblée ferme et pleine d'énergie à supporter ses droits et privilèges. Et ta chute scandaleuse[118] de cette année est décourageante et laisse beaucoup à craindre pour l'avenir. Le triomphe de nos ennemis est plus grand [que] jamais et les enhardit à nous dire des injures[119], surtout ces malheureux Canadiens qui ont déserté la cause de leur pays pour leur ambition et intérêts personnels, et qui sont malheureusement en grand nombre, surtout à Québec.

Ma santé est toujours la même ; je ne sais quand je connaîtrai mon état. Les enfants sont bien. Ce que tu me dis de ta fille, je le lui relis : elle est d'une joie et s'écrie : « Ce cher petit papa, comme il aime sa fille ! Je l'aime bien beaucoup aussi, moi, eh que j'ai hâte de le revoir, qu'il est longtemps ! Il ne te dit pas quand il revient ? » D'autres fois, elle me dit : « Je commence à parler comme une grande personne, pour que mon petit papa soit surpris et content quand il m'entendra. » Elle va toujours à son école.

Le docteur juge à propos de continuer les remèdes à Gustave, en sorte qu'il ne va pas à l'école. Amédée a pris la résolution de mieux travailler. Je lui ai fait voir combien il devait te donner cette satisfaction, au moins ; puisque tu avais tant de soucis des affaires publiques, qu'il eût au moins le louable désir de te donner de la satisfaction, de la part de son fils aîné, et qu'il devait donner l'exemple à son frère cadet. Il a tenu sa promesse, il a de meilleures places.

J'attends la famille de Maska, au moins ta sœur qui doit ramener Angelle, et elles doivent passer ici quelques jours ensemble.

Tu me dis de faire faire des commissions à Théophile. Je ne le vois jamais. J'ai donné la commission à mon oncle Joseph, et l'homme est venu me parler ce matin. Il m'a dit qu'il m'en apporterait, il m'a dit que si j'avais besoin d'autres choses, je pouvais l'envoyer acheter de lui. Si tu m'avais dit cela plus tôt, je l'aurais bien fait plus tôt : cela me coûte assez de sortir de l'argent pour le marché, tout est si cher !

Toute la famille ici se porte bien. Mme Côme Cherrier passe la journée avec moi aujourd'hui. Le voisin est venu hier soir avec ses dames et je lui ai demandé s'il avait quelques papiers à t'envoyer. Il m'a dit t'en avoir envoyé hier. Accuses-en la réception. Je te l'avais déjà dit et tu ne l'as pas fait.

J'avais une bonne occasion par laquelle je t'envoie celle-ci, M. Quiblier[120] ayant eu la politesse de m'écrire un mot pour m'informer qu'il y avait une occasion sûre au séminaire qui partirait vendredi matin, que si je voulais « confier quelque chose pour l'honorable orateur », cela lui serait rendu fidèlement

118. L'obstruction menée en Chambre par Papineau et le refus répété de voter les subsides ont créé la division parmi les patriotes.

119. Voir la chanson de seize couplets, « C'est la faute à Papineau », dans *La Saberdache* de J. Viger, 17 février 1834.

120. Joseph-Vincent Quiblier (1796-1852), sulpicien français, supérieur du séminaire de Montréal.

dimanche matin. Adieu, cher ami, porte-toi bien et sois persuadé que je prends grandement part à tes travaux.

Ton épouse et amie,

Julie Bruneau Papineau

L'honorable L.-J. Papineau
Québec

Montréal, 28 février 1835

Cher ami,

Je reçois à l'instant ta seconde lettre qui me fait bien plaisir parce qu'elles m'apprennent que tu n'as pas eu le temps de t'ennuyer depuis ton départ : voyage gai, partir en groupe pendant la route, bal en arrivant et puis les affaires ! Tout cela passe bien du temps, mais moi, dans ma solitude, je vois tout en noir : occupations et fatigues et puis je vois que les affaires publiques ne vont pas mieux que les nôtres.

Je ne t'ai pas écrit au commencement de la semaine, espérant qu'il n'y aurait pas de session, et jeudi mon oncle Ignace, s'étant décidé à se faire faire l'opération de la cataracte, m'a demandé d'aller chez M. Donegani passer la journée où il s'est fait faire l'opération et après il était trop tard pour écrire. Il est assez bien pour le temps, son docteur espère beaucoup. C'est le jeune Racey qui commence à avoir de la réputation.

N'y ayant pas de poste le vendredi, cela [ne] m'a remise qu'à écrire aujourd'hui, samedi, et encore ai-je bien de la peine à trouver un moment. Mme Luce Cherrier et sa belle-sœur, Marguerite, sont venues passer la journée avec moi ; aussi tu m'excuseras si j'écris peu et mal.

Ton père est bien portant et part aujourd'hui pour Maska avec Honorine et Dodo[121], arrivés de la Petite-Nation, et Toussaint ; Angelle est rendue depuis le commencement de la semaine. Ils te font tous des amitiés. M. Dessaulles[122] est moins bien que quand tu y as été.

Lactance m'a écrit qu'il va faire sa première communion à la neuvaine. Voilà au moins une bonne nouvelle : si cela peut le faire changer un peu. On pourrait

121. Dodo pourrait être « le Vieux-Doudou », c'est-à-dire le capitaine Couillard, fermier de Plaisance. Voir *Journal* d'Amédée, 24 juillet 1847.

122. Jean Dessaulles, époux de Rosalie Papineau, décédera à Saint-Hyacinthe le 20 juin 1835.

espérer que cela continuera. Amédée est bien, ainsi que les autres enfants. La petite[123] souffre de ses gencives ; elle dort mal.

Je n'augure pas grand bien de notre session ; elle sera toujours trop longue puisqu'il eût mieux valu qu'il n'y en eût pas du tout. Je ne vois pas comment vous pourrez vous en retirer ni quand vous le pourrez.

Adieu, sois en santé et passe bien tes jours gras ; moi, je les passerai comme à l'ordinaire, toujours à la retraite. Toute à toi pour la vie.

Julie Bruneau Papineau

L'honorable L.-J. Papineau
Québec

Montréal, 11 mars 1835

Cher ami,

Tu vas être mécontent de ne pas avoir reçu de lettres aujourd'hui mais je t'assure que je ne savais si je devais écrire d'après ce que l'on disait ici, que vous vous étiez prorogés de vous-mêmes[124]. Et ne recevant pas de lettres de toi, cela m'a confirmé que tu devais être en chemin. Et je reçois une lettre aujourd'hui au lieu de recevoir le mari : cela n'est pas tout à fait la même [chose]. Enfin, il faut prendre patience, nous sommes [nés] pour les épreuves.

Je n'ai que le temps, comme tu me le demandes, de te donner des nouvelles de la famille qui est toute en bonne santé. Ton père est revenu de Maska avec Angelle. Ils ont laissé M. Dessaulles un peu mieux. Ils sont passés à Verchères : ils ont trouvé là la famille en bonne santé et les nouveaux mariés encore contents l'un de l'autre. Mon oncle Ignace est bien de sa cataracte mais cela demande beaucoup de ménagements et c'est difficile pour un homme de se contraindre et d'être prudent. Mme Plamondon te prie de parler de ses affaires à Narcisse, avant ton départ, s'il en est encore temps, car j'espère que celle-ci aura peine à te parvenir et que tu [le] rencontreras en chemin, sinon j'écrirai samedi. Maman et Mlle Malhiot doivent venir la semaine prochaine.

123. Marie-Julie-Azélie Papineau, née le 1er septembre 1834. Azélie sera la dernière enfant de la famille.

124. Papineau avait demandé une somme de 18 000 £ pour « le bon fonctionnement de la Chambre ». Le gouverneur Aylmer refuse. L'orateur menace d'une « sécession » ; alors Aylmer proroge la session le 18 mars 1835. Voir *Le Canadien*.

La picote de la petite a été bien belle : elle a eu de la fièvre. Suivant ton désir, j'ai fait inoculer les deux autres : je ne sais si elle prendra. C'est le troisième jour, on ne peut encore en rien savoir.

Respects et amitiés des enfants grands et petits. Et moi je te prie de me croire pour la vie,

Ton épouse affectionnée,

Julie Bruneau Papineau

L'honorable L.-J. Papineau
Orateur de la Chambre d'assemblée
À la Petite-Nation

Montréal, 18 juin 1835

Cher ami,

J'ai prié le docteur de t'écrire des extraits de la lettre que j'ai reçue de M. Roebuck[125] depuis que je t'ai écrit ; on a aussi [des] nouvelles que le Parlement est prorogé au 27 juillet. Nous n'avons pas eu de nouvelles de Maska depuis avant-hier. M. Dessaulles était bien faible. M. Papineau était encore là.

Je suis mieux mais je ne sors pas encore. Les enfants sont assez bien et t'embrassent ainsi que maman. Mes amitiés à toute la famille chez ton frère.

Adieu, il est l'heure de la poste et j'ai de plus un grand mal de tête.

Ton épouse affectionnée,

J. Bruneau Papineau

125. Joseph Arthur Roebuck, député au gouvernement anglais de Londres, favorable au Bas-Canada et ami de Papineau.

M. Amédée Papineau
Collège de Saint-Hyacinthe

Montréal, 17 octobre 1835

Mon cher Amédée,

Je suis chagrine de n'avoir pas encore eu le loisir de vous écrire à tous deux. Tu connais mes occupations, elles ont été encore augmentées par le besoin de monter les poêles, enfin le barda d'automne et la petite qui m'occupe les veillées et les nuits, seul temps que j'avais de vous écrire.

Je suis réjouie que tu sois assez raisonnable pour ne pas t'ennuyer mais cela n'est pas assez pour remplir tes promesses et le vif désir que j'ai que tu t'appliques de toutes tes forces à l'étude. Je n'ai pas eu un mot à ce sujet ou dans vos lettres, ni dans celles de ma tante Dessaulles, ni des personnes qui m'ont donné des nouvelles de vive voix, ce qui me fait craindre que l'on ne peut donner ce témoignage. Ne manque pas dans ta prochaine lettre de me mander si tes maîtres sont contents de toi ; sois sincère, je voudrais savoir la vérité. J'espère que tu ne me causeras pas le chagrin de ne pas t'appliquer, surtout au commencement de l'année. J'espère surtout que tu auras bien profité de la retraite que vous avez eu le bonheur de faire. C'est pour cela surtout, mon cher, que j'aurais voulu t'écrire avant. Je te conjure de bien te persuader que c'est la plus essentielle affaire que celle de ton salut ; qu'il ne peut y avoir de vrai bonheur, même dans ce monde, sans cela. Si tu n'as pas eu le bonheur de communier, j'espère que tu profiteras des fruits de la retraite pour te préparer à le faire au plus tôt. Je ne serai contente que quand je saurai que tu es en paix avec ton Dieu. Et alors, j'aurai l'espoir que tu rempliras tes devoirs d'écolier qui sont ceux de ton état.

Je pense à préparer le reste de vos effets. J'ai donné ton casque à refaire ; on le fera un peu plus grand. Pour tes culottes, en attendant les froids, [alors] que tu porteras tes culottes d'étoffe, porte celles que je t'ai fait faire ce printemps. Je t'envoie des pièces pareilles, car, pour tes noires, je n'en ai pas de pareilles.

Pour répondre à ton autre demande d'envoyer des bonbons, quand j'ai reçu ta lettre, monseigneur était parti et aujourd'hui c'est M. Roy qui me fait dire que son commis part dans une couple d'heures. Tu sens bien que je n'ai pas le temps d'écrire et d'aller lui demander s'il peut emporter un paquet. Tu peux te procurer du fromage du pays à Maska, si c'est permis. Si ton père veut, je puis vous envoyer quelques pommes, mais tu sais qu'il n'approuve pas cela : vous êtes assez bien nourris. Habitue-toi à te passer de ces choses, c'est un bien petit sacrifice et qui n'est que pour un temps ; tu en auras bien d'autres à faire qui te coûteront bien plus, et ainsi toute ta vie. Et, à chaque âge de la vie, il y en a à faire : c'est bon de s'y habituer. « Maman prêche par lettre comme de vive voix » diras-tu, mais j'espère, mon cher, que tu le prends par l'amitié que je te porte et le désir que j'ai [que] tu sois un joli garçon. Et tu seras heureux et tes parents aussi.

Les enfants sont bien, la petite a six dents et elle est toujours gaie et amusante, mais je crois qu'elle ne marchera pas de sitôt.

Le petit Louis Viger est mourant. Il y a quinze jours qu'il est malade, c'est sa pauvre jambe qui le conduit au tombeau. Il est jeune et promettait d'être un homme fort. C'est un grand combat que la nature chez lui luttant avec la mort. Il y a trois jours qu'il est sans connaissance, ne prenant rien du tout, et il n'est pas encore mort. Tu ne peux te faire une idée de ce que souffrent ses pauvres parents de le voir tant souffrir et encore sans espoir[126].

Adieu, fais part de cela à ta chère tante Dessaulles, fais-lui mes amitiés et réitère-lui mes remerciements pour toutes les bontés dont elle ne cesse de nous combler. Et suis ses avis et conseils, là en tout, mon cher fils, comme si elle était ta mère. Tu n'es pas isolé à Maska, avec une si bonne tante : je te prie de lui donner toute ta confiance.

Ta mère affectionnée,

Julie Bruneau Papineau

Ton père t'embrasse. Il est très occupé à écrire, et puis du monde qui l'assiège à la journée, au moment de son départ pour Québec. J'envoie porter ma lettre chez M. Roy et lui demander si j'ai le temps d'écrire à mon cher Lactance. Je lui fais refaire son casque aussi. Il a deux paires de culottes grises ; qu'il prenne les plus vieilles pour raccommoder les autres.

M. Lactance Papineau,
Saint-Hyacinthe

Montréal, 17 octobre 1835

Mon cher Lactance,

Je t'écris quelques lignes à la hâte. Je n'ai pas le loisir d'écrire et quand il se présente des occasions, c'est toujours pressé. J'espère, mon cher, mais je ne suis pas sans crainte que tu [ne] fausses tes promesses que tu m'as faites de t'appliquer de toutes tes forces au commencement de l'année, car dans vos lettres vous ne me dites rien de cela. Tu sais bien que c'est ce qui m'intéresse le plus : savoir si tu travailles, si tu continues à être respectueux envers tes maîtres, docile et

126. Louis-Michel-Joseph Viger, âgé de 10 ans, est inhumé à Montréal le 20 octobre 1835, fils unique de Louis-Michel Viger, avocat, et de Hermine Turgeon.

remplissant bien tes devoirs de charité. J'espère, mon cher, que tu m'écriras sur tous ces sujets.

Je t'ai fait donner la permission de ton papa pour apprendre la musique et le dessin, à condition que cela ne remplira que tes heures destinées aux récréations et que cela ne nuira en rien à l'essentiel de tes études. J'ai grand hâte de savoir si tu travailles fort, mon cher, j'espère que la retraite t'aura fait prendre de bonnes résolutions pour servir le bon Dieu. Il faut faire ses devoirs et en conscience il faut faire servir les talents que la Providence t'a donnés au bien, à l'étude, à contenter tes parents qui font de grands sacrifices de vous éloigner et de faire les dépenses qui sont inévitables pour cela. J'ai bien confiance en toi, à présent, mon cher, que tu as commencé à bien faire, l'année dernière.

Je te fais refaire ton casque et arranger tes mitaines. Pour tes culottes, des deux grises fais prendre la plus vieille pour faire raccommoder les autres, en attendant que tu portes tes culottes d'étoffe. Quant à ces peintures de dessins que tu demandes pour ton élève, ton père ne veut pas avancer l'argent et ta tante Cherrier n'est pas en état de le faire. Elle te les achètera ; envoie l'argent par ta tante Dessaulles qui doit venir en ville, ou d'autres bonnes occasions, comme celle du commis de M. Roy[127], par qui j'envoie cette lettre, ou par M. [François] Cadoret. Il ne manque pas de bonnes occasions.

Adieu, mon cher, je t'embrasse et finis ma lettre, car l'occasion part.

Ta tendre mère,

Julie Bruneau Papineau

Présente mes respects à M. Prince et à ton maître, à celui d'Amédée ; et ne manque pas de les remercier de ma part de tous les soins qu'ils prennent de toi et de lui. Je ne puis trouver tes dessins, je cherche parmi ceux d'Ézilda. Je ne reconnais que les siens. Je crois que tu les as emportés. Les enfants t'embrassent de tout leur cœur, ils parlent souvent de toi.

J. B. P.

127. Joseph Roy, marchand à Montréal.

L'honorable L.-J. Papineau
Québec

Montréal, 5 novembre 1835

Cher ami,

J'ai enfin reçu ta lettre hier. Je n'en avais pas reçu depuis ta harangue. Je ne savais que penser ; mais n'en ayant pas été bien satisfaite moi-même, je pensais bien qu'elle ne serait pas de nature à te contenter, malgré que tu étais prévenu que tu n'obtiendrais pas les principaux points contenus dans les 92 résolutions[128] et qui ne sont pas même mentionnés dans le discours. J'espère que la réponse sera bonne ; nous avons grand hâte de la voir, cela a pris bien du temps.

Je vois qu'il va y avoir une session mais je ne vois pas encore si c'est pour le mieux, ni ce qu'elle produira de bien : c'est fort inquiétant et cela n'est pas propre à m'égayer, joint à ma mauvaise santé et à l'embarras où je me suis trouvée depuis ton départ. Il m'a été impossible de t'écrire. J'aurais encore besoin de prendre des remèdes, j'ai été forcée de les interrompre ; le lendemain de ton départ, la cuisinière est partie, le mardi, la fille de chambre est tombée bien malade, je l'ai envoyé mener à l'hôpital, et je [ne] suis restée qu'avec Léonore jusqu'à avant-hier qu'est revenue la fille de chambre, et encore faible. Je n'ai pu ou ne peux encore avoir Marguerite. M. Cherrier était malade et surtout la petite qui l'est encore beaucoup et qui ne veut pas aller à d'autres qu'à elle et à sa mère. C'est trop cruel de laisser crier une pauvre petite enfant malade. Elle se tranquillise quand Marguerite l'a en soin. Il faut tout céder à la maladie. Il faut que j'attende que la famille à Lamontagne soit arrivée en ville ; et alors j'aurai la fille.

Si je ne suis pas mieux, je prendrai encore ces remèdes. La petite paraît bien le jour et elle ne dort pas la nuit. Je veille beaucoup et n'ai pas le loisir de sortir ni de prendre de repos ; il n'est pas ainsi facile de me rétablir.

Ézilda et Gustave ont leur congé, ils se portent bien et font force tapage et t'embrassent. Ils sont contents de ce que tu fais mention d'eux dans ta lettre. Ils avaient bien su s'informer si tu parlais d'eux.

Mme Cherrier (ma sœur, bien entendu) est accouchée avant-hier matin et est très bien, ainsi que l'enfant qui est un garçon. Le curé Bruneau est arrivé tout à propos hier matin avec le Dr Park qui vient faire ses visites dans la famille. Ils sont arrivés pour déjeuner, ils ont aussi dîné ici avec Philippe et ils ont soupé chez Donegani pour manger des huîtres, et aujourd'hui ils doivent partir dans le steamboat.

128. Les *92 résolutions* des patriotes constituaient l'essentiel de leurs demandes de réforme. Rédigées depuis 1834, elles furent envoyées au Parlement de Londres, qui les refusa. Ce refus constitua, en 1837, l'élément déclencheur de la première insurrection.

Revenons au curé. Il a été pris pour le parrain et Mme Louis Viger pour marraine ; j'espère que le bien de la mère continuera, car je ne puis pas l'aller voir et [n'ai] encore moins le temps de la soigner. Ton père se porte bien. Je lui ai envoyé ta lettre. Toussaint est arrivé pour demeurer avec lui. Ils se portent bien à la Petite-Nation. Mais il dit que les travaux n'avancent guère au moulin. Je n'ai pas eu de nouvelles de Maska cette semaine. Tu avais parlé à un maçon pour raccommoder près des cheminées. Il l'a fait et dit qu'il ne tombera plus de pluie. Il me demande 15 shillings. Je lui ai répondu que je t'écrirais et que je ne le payerais qu'après. Ainsi, réponds-moi s'il faut que je le paye, si tu n'avais fait aucune condition avec lui. Je n'ai pas vu Théophile ; il ne t'a pas encore trouvé de jardinier, les vignes ne sont pas taillées : faut-il les faire enterrer sans cela ?

Je vois par le *Vindicator*[129] d'hier les correspondances de M. Roebuck. Le curé Bruneau, qui arrive de chez l'évêque[130], dit fièrement que ce dernier dit que « ces despotes de patriotes vont avoir à se soumettre, eux qui veulent soumettre les autres, qu'ils payent un agent en Angleterre pour faire pire que le rabot du diable puisqu'il outrepasse ses pouvoirs en voulant empêcher la commission et en assurant qu'ils [ne] feraient rien en Canada, et ils y allaient sans pouvoir ou instruction de rendre le Conseil électif. Et voilà que [ ] vont être obligés d'en soutenir leur agent[131] ! » Que dire autant ? Si de semblables sorties sont bien dignes d'eux, ils sont de pis en pis. Le curé, lui, dit qu'il espère « que la majorité de la Chambre sera raisonnable et fera marcher les affaires et votera la liste civile et qu'il ne sera plus question de cette souveraineté du peuple, qui tend à détruire le catholicisme, comme on en a des exemples de plus en plus dans les États ». Il n'y a que l'affaire du séminaire qui lui plaît : il est l'homme de la poste. Adieu. Écris au moins deux fois la semaine.

Ton épouse et amie affectionnée,

Julie Bruneau Papineau

129. Journal patriote de langue anglaise, publié à Montréal, et dirigé par le Dr E.- B. O'Callaghan, d'origine irlandaise.

130. Mgr Jean-Jacques Lartigue (1777-1840), premier évêque de Montréal, cousin de Louis-Joseph Papineau, antipatriote notoire.

131. Denis-Benjamin Viger, agent des patriotes, alla à Londres promouvoir les *92 résolutions*.

L'honorable L.-J. Papineau
Québec

Montréal, 18 novembre 1835

Cher ami,

Tu te plains de la vie publique et des dégoûts que l'on y éprouve ; il est certain que personne ou au moins peu de personnes ont sujet de s'en plaindre et d'en être plus lassées que toi, et personne non plus [n']est plus disposé que moi à le croire. Je suis fatiguée de l'une et l'autre. Je ne vois aucun beau côté même dans la vie privée où toi, tu crois que tu y coulerais des jours plus sereins. Non, tu te trompes. Tu aurais plus de loisir à voir et à sentir tous les petits embarras de la vie privée. Est-ce que tu ne l'éprouves pas quand tu es à la maison ? Es-tu de meilleure humeur ? Le séjour et les occupations que tu as ici sont-elles propres à te satisfaire ? Non. Je ne suis qu'une femme mais je suis ennuyée et fatiguée de tous ces détails minutieux et fatigants qu'entraînent inévitablement le soin d'une maison, tracas de domestiques et bien plus encore, la grande tâche d'élever une famille, et encore plus, la pensée de l'avenir à mesure que cette famille avance dans la vie. Quelle inquiétude et quels chagrins tout cela nous prépare ! J'ai tout le temps de réfléchir à cela, moi, dans ma triste maison où je suis sans aucun délassement d'esprit, où je puise des idées de dégoût de cette vie, de craintes et d'alarmes pour l'autre, puisque je n'ai pas assez de vertu pour supporter mes peines avec patience et les offrir à la Providence. Je n'aime pas la vie et je crains la mort.

C'est le fruit d'une vie passée dans l'agitation et les embarras, sans avoir le courage de les surmonter avec énergie et de les faire tourner au profit de la vertu, au lieu que, dans la vie publique, tu as des moments de dégoût mais aussi tu as de bons moments, de grandes distractions, l'espoir quelquefois de faire beaucoup de bien, un genre d'occupation digne d'un homme de génie et d'instruction ; ainsi la vie privée ne te conviendrait pas et ne te rendrait pas plus heureux. Ce qu'il y a de certain, c'est que l'on ne peut pas être heureux dans cette vie. Ainsi, c'est inutile de croire que l'on serait plus heureux dans une autre situation que celle où l'on est. Je voudrais seulement avoir plus de force de caractère ; et au contraire je suis de plus en plus faible. Mais toi, au moins, qui as coutume d'en avoir pour les deux, ne me montre pas de faiblesse. Il ne faudrait plus que cela pour me décourager tout de bon, le reste du temps qu'il faut lutter ici-bas.

Je ne t'entretiens pas de ces longues et ennuyeuses réflexions pour que tu m'y répondes ; au contraire, c'est que je n'ai rien autre chose ici à t'écrire et que, naturellement, j'y suis entraînée sans m'en apercevoir, écrivant à la hâte, sans préparation et parce que tu désires que je le fasse. Mais toi, au lieu de cela, tu as tant et plus de nouvelles à me donner qui m'intéressent et me mettent un peu en rapport avec la politique de nos nouveaux gouvernants[132]. L'affaire de M. Mackenzie[133] m'a fait de la peine parce que cela t'a donné de la mauvaise humeur et a rempli un grand espace de ta lettre, qui eût été mieux employé, j'en suis sûre ; mais je goûte les raisons que tu m'en as données et je le regrettais d'autant plus que c'était ta seule lettre[134] depuis huit jours.

M. Jacques Viger a vu ces messieurs qui sont de retour ; il dit qu'ils sont de bonne humeur et bien contents de leur voyage. M. Mackenzie dit qu'il espère beaucoup du gouverneur ; l'autre, qu'il est heureux d'avoir fait connaissance avec toi et M. Debartzch, M. Viger, etc.

Ton père se porte bien. Ta tante Lecavelier est venue en ville et est retournée par le steamboat et m'a chargée de te faire bien des amitiés. Je n'ai pas eu de nouvelles de Maska, j'espère qu'ils sont bien. Les enfants ici sont bien : ils recommencent à aller à l'école depuis hier. Tu vois par là que cette pauvre Luce est bien et qu'elle a bien du courage de commencer son école au bout de quinze jours de maladie. M. Malhiot[135], mon beau-frère, était en ville hier. Il dit que Rosalie s'est bien rétablie aussi et que sa petite est bien. Les dames Viger sont bien. M. Cherrier est toujours chétif. Je ne sais quand il partira. Je t'ai [envoyé] tes mouchoirs par M. Augustin Perrault, occasion que m'avait [donnée] Théophile qui doit t'avoir écrit en même temps. Et j'ai étourdiment oublié ta boîte de pâte à rasoir ; je réparerai ma faute à une autre occasion. La petite Azélie est assez bien mais me donne toujours de la fatigue. La nuit, elle ne dort presque pas et tète une grande partie de la nuit. Rien de nouveau ici, nous attendons tout de Québec. Adieu, de la santé et surtout du courage.

Tout à toi, ton amie et épouse,

Julie Bruneau Papineau

132. Le gouverneur Gosford, successeur d'Aylmer.
133. W. L. Mackenzie, du Haut-Canada, était alors à Québec et demandait de faire tirer 1000 copies de son rapport sur le canal Welland. Papineau refusa, alléguant que les rapports, habituellement, n'étaient publiés qu'à 300 ou 400 exemplaires.
134. Voir la lettre de Louis-Joseph Papineau à sa femme, du 16 novembre 1835.
135. François-Xavier Malhiot fils, époux de Rosalie Bruneau (Verchères, 22 septembre 1830), sœur de Julie.

L'honorable L.-J. Papineau
Québec

Montréal, novembre 1835

Cher ami,

Ta lettre d'hier m'a confirmée dans l'opinion que vous étiez engagés en session et me donne l'espoir qu'elle produira du bien sous quelques rapports, mais non pas autant que nous l'aurions voulu. Mais on peut se réjouir de ce que nous avions obtenu : c'est déjà beaucoup si on considère combien les bureaucrates sont mécontents et trouvent que nous avons déjà obtenu beaucoup et, en effet, à comparer notre situation, cette année, à celle qui vient de s'écouler, nous avons de grandes grâces à rendre à la Providence. Nous avons beaucoup d'espérance si le gouverneur est sincère. Il est assez éclairé ainsi que les commissaires pour voir par eux-mêmes que, quand bien même le Conseil passerait plusieurs bills qu'il a refusés les années précédentes, cela n'est dû qu'à la crainte de perdre leurs emplois, que ce système n'est pas stable et que ces hommes-là changent avec chaque gouverneur ; et que les enragés qui n'ont pas d'emplois sont aussi fougueux et aussi prêts à se porter aux mêmes excès quand ils auront le pouvoir de le faire.

Quant aux pauvres prêtres, je crains leurs mauvaises politiques : je savais bien que tu ne les épargnerais pas ; mais aussi j'aime que tu saches ce qu'ils pensent pendant que tu es à Québec, cela pourra te servir. Je ne connais pas les motifs qui vous ont empêchés de répondre à la harangue au sujet des biens du Séminaire, mais quant à moi, j'en suis contente, j'ai mes raisons pour l'avoir approuvée ; elle est si bien faite qu'elle rencontre l'approbation de tous. M. Pothier a dit chez ton père que l'on ne pouvait faire rien de mieux quoiqu'il n'approuvât pas tous les principes qu'elle contenait. Je n'ai encore rien entendu dire contre ; il est vrai que je n'ai pas encore vu de prêtres. Comme ils ont leur politique à eux, différente des patriotes, disent-ils, pour cela, ils croient qu'ils n'en ont pas moins raison. Ce que tu me dis de l'évêque Provencher ajoute à la confiance et estime que j'avais de lui. On devrait échanger un de nos évêques avec lui, cela ferait un contrepoids dans la balance, mais, après tout, il faudra bien qu'ils reviennent et ils sont partis d'eux-mêmes à se ranger du côté du pouvoir, avec la différence que s'il faut se ranger du côté du peuple, ils le feront forcément et à contrecœur assurément.

Tu as raison de dire que vous êtes les loyaux ; votre réponse l'est très fortement et, ensuite, vous êtes les premiers rendus au château et on est assez adroit pour vous rendre le change en vous adressant, contre l'usage ordinaire, en français avant l'anglais. Je souhaite que toutes ces petites faveurs et apparences de rendre justice aux Canadiens n'endorment et ne flattent trop nos membres c'est-à-dire un certain nombre, car il y en a de qui je ne crains rien sous ce rapport.

Voilà assez de politique aussi mal traitée, pour faire rire plus d'un moins méchant que toi, de femmes qui veulent se mêler de choses qu'elles n'entendent pas et veulent malgré tout s'en occuper.

Ton père se porte bien. J'ai des nouvelles de Maska : les enfants se portent bien. Théophile doit t'en avoir donné des nouvelles plus au long, dans une lettre qu'il doit avoir écrite avant-hier. Il me l'avait promis. J'ai si peu de temps à moi. Je n'ai que deux filles, il faut toujours avoir la petite en soin : elle est bien portante mais remplie de fantaisies ; elle est bien fatigante. D'ici qu'elle marche, elle nous donnera de la fatigue et elle ne dort pas ou presque pas.

J'ai acheté tes mouchoirs : ils sont bien rares, des Indes ; j'en ai trouvé trois chez un Anglais et j'en ai pris trois autres chez Boudreau, que je ne crois pas être des Indes, mais ils sont assez forts et surtout de couleurs hautes : tu vas les trouver trop dandys pour un homme si sévère sur sa toilette mais tu en feras des mouchoirs de parade et fais-les laver le moins que tu pourras, à Québec, et si tu le fais, dis-leur de ne pas le faire à l'eau trop chaude. Voilà qui est pis que la politique pour te prêter à rire mais tu n'en feras toujours que ce qu'il te plaira, comme se permettent d'ordinaire les maris. Mais c'est pour te dire que j'ai fait pour le mieux, vu la rareté de cet article dans le moment.

Les enfants sont sensibles à ton souvenir. Gustave surtout est tout occupé depuis hier : il fait de son mieux et il est bien inquiet de ce que je vais t'écrire à son sujet ; il se tient près de moi pour que je lui lise ce que je t'en dis. Ton Ézilda, elle, cela ne dure pas si longtemps, mais elle me charge de te dire qu'elle s'ennuie beaucoup de son papa et qu'elle fera aussi de son mieux. Ils t'embrassent de tout leur cœur.

Tu verras sous peu une requête de la part de Mme Gamelin[136] pour son asile de vieilles, elle est venue me demander de la signer ; je n'ai pu m'y refuser, y voyant les noms des dames Viger. C'est peu important : elle m'a bien priée de m'intéresser auprès de toi ; je l'ai prévenue que cela serait en vain, que je savais que tu étais opposé à cette manière de surcharger la Chambre de pareilles demandes qui devraient se faire par souscriptions volontaires d'individus. Mais tout le monde est à la gêne et elle dit que ces pauvres vieilles vont mourir de besoin. Adieu, l'heure me presse.

Ton épouse et amie,

J. Bruneau Papineau

P.S. [ ].

136. Émilie Gamelin (1800-1851), fondatrice des sœurs de la Charité de la Providence de Montréal.

Montréal, 26 novembre 1835

Cher ami,

J'ai eu de tes nouvelles mardi dernier par M. de Bleury. Il dit que tu es bien portant et bien occupé : cela, je n'en doutais pas, mais je vois par tes lettres que tu n'as pas autant d'espoir de terminer nos griefs, suivant tes prétentions à rendre le bonheur au pays ; mais lui, M. de Bleury, est plein d'espoir : il dit que le gouverneur est si franc et promet de nous aider en tout, qu'il espère voir terminer et obtenir le tout d'ici à l'année prochaine.

M. Brown[137] est venu me voir avant-hier au soir, avant son départ pour Québec. [Il] a l'air plein d'espoir aussi ; il dit qu'il a vu M. Mackenzie à son retour de Québec, qui lui a dit qu'il était content et qu'il dit que le gouverneur est l'homme le plus honnête et le plus franc possible et qu'il a le désir de faire le bien. Il faut donc espérer encore d'ici que les commissaires aient fait leur rapport[138] ; et le gouverneur et la Chambre, leurs demandes de l'autre côté. Il faudra que cela se décide alors pour ou contre.

On a beaucoup parlé ici de la nomination de M. Caron comme juge en remplacement de M. Kerr[139] : je n'en ai rien cru, voyant que tu ne m'en disais mot dans ta lettre datée du même jour que celles qui mentionnaient cette nouvelle. Dis-moi donc s'il y a quelqu'un qui le sera prochainement ou, comme le pensent d'autres, que cela n'aura lieu qu'après le nouveau bill de la judicature.

Hier, après avoir reçu ta lettre, j'ai été voir un instant Mme Cherrier et faire ma commission à M. Cyr. Et j'ai rencontré M. Rolland qui est bien inquiet de son bill de judicature et de celui des subsides. Il m'a dit : « M. Papineau ne vous en parle pas ? » M. Quesnel et lui disaient qu'ils voudraient bien te voir, ne serait-ce qu'une heure ; qu'ils auraient la satisfaction de savoir quelque chose de certain, car ils comptaient pour rien l'opinion de ces jeunes représentants.

J'ai appris avec chagrin le retour de M. Debartzch dans sa famille, c'est-à-dire que je crains que cela ne le retienne longtemps absent du Conseil où sa présence est si nécessaire. Sous d'autres rapports, c'est heureux pour lui et sa famille : tous ces gens ne sont pas trop disposés à faire des grands sacrifices pour le public. Il faut avouer qu'il faut un mérite plus qu'ordinaire pour s'y sacrifier, dans un pays comme celui-ci où l'on est certain de ne recevoir pour récompense que des persécutions des uns, jalousies de la plupart, et indifférence du reste. Il faut leur faire du bien malgré eux. Si l'on y réussit, ils sauront bien en jouir, même sans reconnaissance.

---

137. Thomas Storrow Brown, rédacteur au *Vindicator,* futur commandant des patriotes à Saint-Charles en 1837. Jusqu'à la fin de sa vie, T. S. Brown restera un bon ami de L.-J. Papineau.

138. Les commissaires Charles Gray et George Gipps, arrivés avec le gouverneur Gosford, feront leur rapport sur les affaires de la colonie, à Londres, en mars 1837.

139. James Kerr (1765-1846), Écossais, juge puîné de la Cour du banc du roi à Québec, destitué en 1834 à la demande de la Chambre d'assemblée.

M. Cherrier écrit aujourd'hui à Québec. Il vous dira quand il pense partir. J'ai remis à ton père et la lettre et l'argent pour Benjamin. Quant à ton projet d'acheter, là je prends la liberté grande de te désapprouver ; tu es déjà embarrassé de savoir dépenser ton argent que de le mettre là où cela ne te rapporterait rien, une propriété qui ne pourrait que se détruire, si tu es payé (ce dont je doute fort encore). Ne fais pas de projets si tôt pour le dépenser ; paye d'abord toutes tes dettes et puis ensuite, garde une réserve au cas de nouvelles difficultés, l'année prochaine, qui peuvent nous exposer à une aussi grande gêne qui a pour résultat d'augmenter les dégoûts et difficultés que tu rencontres dans la vie publique, et les étendent aussi à la vie privée.

Je n'ai aucune nouvelle de Maska que celle que tu m'en as données : je ne puis trouver un moment pour leur écrire. Marguerite est enfin rentrée, mais nous avons le trouble de laver les doubles châssis. Hamilton les pose aujourd'hui. Aussitôt que ce barda sera fait, je me mettrai en remède : mon mal dans la tête m'a repris, j'ai des accès de fièvres bien forts tous les jours, la bouche amère, mauvaise digestion. Vendredi soir, j'ai été fortement indisposée ; Mme Jacques Viger a été également malade depuis deux jours, le docteur l'a fait vomir hier. Ces fièvres-là sont bien larges à déraper ! Une fois qu'on a le malheur d'en être atteint, on ne peut prévoir quand on s'en guérira : j'en ai la triste expérience.

Les petits enfants sont contents d'avoir de la neige pour aller à l'école ; ils se portent bien et disent qu'ils vont s'appliquer pour montrer à leur papa le fruit de leurs ouvrages et avoir une belle récompense à son retour.

La petite Azélie est grosse et grasse mais tourmentée par ses dents, par un corps échauffé et des éruptions qui font qu'elle dort peu et a bien des fantaisies à mesure qu'elle prend des connaissances. Quand elle est de bonne humeur, elle est amusante, essaie de dire plusieurs mots et à faire quelques pas mais elle ne marchera pas de sitôt, je crains. Toute la famille ici se porte bien et te fait des amitiés. Adieu, l'heure me presse.

Tout à toi, ton amie et épouse,

Julie Bruneau Papineau

L'honorable L.-J. Papineau
Québec

Montréal, 5 décembre 1835

Cher ami,

Je ne t'ai pas écrit jeudi parce que M. Cherrier m'avait dit qu'il partirait vendredi matin, et je devais le faire par lui et t'envoyer en même temps le livre que tu m'as demandé. Il n'est pas parti et il ne partira que lundi. S'il n'est pas en état de partir, M. de Bleury partira assurément. Ainsi tu recevras toujours ton livre par lui.

Je t'écris aujourd'hui, ayant manqué de le faire au jour accoutumé. Tu auras été un peu désappointé, j'en suis fâchée ; je sais par expérience que cela ne plaît pas et que cela fait ennuyer davantage. Il m'arrive assez souvent de n'en recevoir qu'une fois la semaine, au lieu de deux que j'avais coutume de recevoir. Et les gazettes ne nous donnent pas non plus grand détails. N'ayant pas de détails, nous n'avons rien pour nous entretenir de ce qui nous intéresse si fort, c'est-à-dire sur la politique du pays, sujet important dans un moment de réforme comme celui-ci. Au lieu qu'à Québec, à chaque instant, vous avez des nouvelles. Fais-nous-en donc part le plus au long que possible. Si je vois le Dr Nelson, je lui remettrai ses livres, mais c'est bien rarement que je le vois.

Mme Jacques Viger continue à être indisposée. Pour lui, je ne sais quand il sera prêt à descendre. Il fait le recensement des écoles. M. Quesnel m'a dit de te faire ses amitiés et dit qu'il t'a écrit ces jours derniers. Je n'ai pas eu de nouvelles de Maska, mais Amédée a écrit à son oncle Théophile que Lactance n'était pas bien quoique rentré au collège. Il paraît que ce sont les fièvres qu'il a eues. Il n'a peut-être pas été assez purgé. Je ne sais si le Dr Boutillier est à Québec ou à Maska.

Il paraît qu'Émery et un des jeunes Chamard sont à leur tour chez Mme Dessaulles - on a là-bas aussi des fièvres - et qu'ils en sont plus [atteints] que n'a été Lactance. J'ai écrit aux enfants pour leur faire des reproches de ne pas m'écrire plus souvent, je suis inquiète.

Les enfants ici sont assez bien. Ézilda cependant a été indisposée des maux de tête et des coliques. Je lui ai fait prendre des pastilles pour les vers que Mlle Lennox m'avait données : cela lui a fait du bien ; elle est mieux sans être bien. Elle ne veut plus en prendre, elle dit que cela est trop mauvais. Tu vas dire qu'elle a raison et que j'ai tort, qu'il ne faut pas prendre trop de remèdes. Je suis de cet avis, mais aussi en faut-il prendre assez, bref elle n'en a pris qu'une fois et elle en a éprouvé un peu de bien. D'où je conclus que si elle en avait pris une ou deux fois de plus, elle serait tout à fait bien. Le gros Gustave est bien. Ils me chargent tous deux de te dire qu'ils trouvent que tu es bien longtemps, qu'ils voudraient bien te voir, t'embrasser, qu'ils s'ennuient. Et la petite Azélie dit souvent : « Papa ». Elle dit plusieurs mots ; on lui fait dire que tu es à Québec.

Elle prononce bien « Tebec » et comprend bien tout ce qu'on lui dit. Elle interroge aussi en changeant de ton et montrant les objets qu'elle désire qu'on lui nomme. Et elle tient bien de son cher papa pour aimer à embrasser. Elle nous demande souvent tour à tour à l'embrasser.

Ton père est bien, ainsi que Toussaint qui m'a dit hier qu'il t'écrirait par ces messieurs représentants. Je ne sais s'il l'a fait.

Je n'ai rien de nouveau à te mander d'ici, je ne sais si la poste est arrivée. Il est trois heures et je ne sais si je recevrai une lettre. Je n'ai vu personne. Je cachette ma lettre. Si j'en reçois une et qu'il y ait quelque chose à répondre, je le ferai lundi.

Adieu, de la santé et du courage. Pour moi, je n'ai ni l'un ni l'autre fortement. Tout à toi pour la vie.

Ton épouse et amie,

Julie Bruneau Papineau

M. Amédée Papineau
Collège Maska

Montréal, 21 décembre 1835

Mon cher Amédée,

Je suis fâchée d'apprendre ton indisposition, mais j'espère que cela n'aura pas de suite. Je suis mieux, moi aussi, j'ai été bien malade. J'espère que Lactance en est quitte lui aussi. Les enfants ici sont bien, et s'étaient fait une fête de vous voir aux Rois, et moi aussi ; cela me désappointe. L'hiver est si rude, mon cher, que vous seriez exposés à voyager par un temps froid. Nous en avons eu la triste expérience l'année dernière. J'aurais autant de plaisir à vous voir que vous en auriez à nous venir voir ; s'il faisait un beau temps, comme il en fait un aujourd'hui, et comme tu dis que ton cousin Louis vient lui-même, cela serait une bonne occasion. C'est bien *tentatif* mais je ne sais que décider. Consultez votre tante Dessaulles et faites pour le mieux ; tant qu'à aller jusqu'à Verchères, il faudrait quasi aussi bien de venir ici. Si vous ne venez pas ici, je vous conseille de n'aller qu'à Saint-Denis. Suivez les avis de votre tante, de vos maîtres et de votre pépé, qui sera probablement à Maska dans ce temps-là : il est parti ce matin pour la Rivière Chambly.

Ton papa m'écrit qu'il est bien content de la lettre que tu lui as écrite et t'encourage à le faire de temps en temps : c'est un adoucissement à son ennui.

Je te prie aussi, mon cher, de n'être pas inquiet au sujet des bruits que les constitutionnels ont faits, ils sont déjà bien ralentis. Ils sentent quelles folies de leur part d'oser s'armer et d'essayer à faire du bruit : cela n'est plus le temps où l'administration les encourageait. On dit que le gouverneur a envoyé des ordres, on pense que c'est cela qui les oblige de se modérer. Je suis sans crainte et sans danger. Sois tranquille et faites bien vos devoirs, mes chers enfants. J'espère que le règne de la justice approche pour nous. Dis à mon cher Lactance que je l'embrasse et que je n'ai pu trouver le livre qu'il demandait. S'il vient, il le cherchera lui-même.

Fais bien mes amitiés et remerciements à votre chère tante[140]. Combien vous lui devez de reconnaissance pour tous les soins qu'elle vous donne ! J'espère que tu lui es bien obéissant et poli, mon Amédée. Tu es sujet à manquer à la politesse, tu sais. J'espère pourtant que tu es plus sur tes gardes avec des étrangers, et cela te formera.

Tu ne me dis pas si c'est la veille des Rois que vous aurez votre congé ou le samedi précédent. Adieu, mon cher. Tu m'écriras d'ici à ce temps comment vous aurez décidé la chose. Si cela paraît répugner les personnes que je t'ai mentionnées, j'espère que tu seras assez raisonnable pour t'y soumettre de bonne grâce comme je serai forcée de le faire. C'est dans la crainte de vous exposer à vous repentir de votre voyage.

Ta mère tendre et affectionnée,

Julie Bruneau Papineau

L'honorable L.-J. Papineau
Québec

Montréal, 26 décembre 1835

Je me suis fort ennuyée mercredi, ne recevant pas de lettres. Je m'attendais au moins à en recevoir le lendemain. Ce n'est qu'hier que je l'ai reçue. Je te pensais fort occupé et je vois que non, que vous allez doucement de toute manière. Je n'ai jamais vu de session où les procédés, dans les gazettes au moins, sont si peu intéressants jusqu'à présent ; j'espère que cela va changer. Tu n'as pas l'air d'avoir plus d'espérance dans l'administration que tu n'en avais avant la session. J'avoue que j'en avais un peu il y a quelque temps, mais l'inaction du gouverneur commence à me faire croire qu'il ne fera pas grand-chose et il y a

140. Rosalie Papineau-Dessaulles.

bien du monde ici qui pense de même. Je me repose sur la Chambre : au moins, elle doit bien faire son devoir, forcer le gouverneur à se prononcer avant de donner de l'argent, car, si vous avez le tort de donner des subsides sans avoir rien obtenu de vos prétentions, c'est vraiment nous mettre pis que nous étions auparavant.

Tu ne me dis pas un mot des commissaires que l'on dit au moment d'arriver à Montréal. On dit qu'ils préparent la maison du gouverneur pour les recevoir. Je n'augure rien de bon de cette démarche : ils seront encore pis après avoir fait quelques séjours ici, où ils ne verront que des ennemis. Les principaux Canadiens étant à Québec dans ce temps, ils n'ont pas besoin de mauvaise compagnie ; ils ne valent déjà pas grand-chose. Nous avons déjà des preuves, et nous en avons tous les jours de nouvelles, qu'il faut les forcer à nous rendre justice et que nous ne l'aurons pas autrement. L'inaction du gouverneur depuis toutes les insultes que les constitutionnels lui ont prodiguées, les violences auxquelles ils ont voulu se livrer et qui demeurent impunies, leur donnent l'espérance. Je vois leurs gazettes chez Mme Viger, qui se les procure, et elles ont tout à fait changé de ton et ils ont l'air de croire que le gouverneur a eu peur d'eux et que, puisqu'il ne fait rien pour nous, il pourra revenir sur ses pas et faire quelque chose pour eux. Et sa conduite à l'air de cela.

Je suis fâchée de n'avoir pas eu le plaisir de voir M. Leslie[141]. Il est venu hier, jour de Noël, pendant les vêpres. J'étais à l'église. Je ne sais s'il reviendra ou non, j'en serai fâchée.

Ton père est absent, parti pour Saint-Denis, Maska. Il était bien lors de son départ. Il sera à Maska quand les enfants auront leur congé aux Rois. Je ne sais pas s'ils viendront me voir. Ils en ont grand envie. Je leur ai écrit que si pépé et ma tante Dessaulles le trouvaient à propos, de s'en rapporter à leurs décisions. L'on me dit qu'ils font bien, que M. Prince est content d'eux. Je me réjouis tous les jours d'y avoir mis Amédée : il paraît par ses lettres d'être satisfait et dans de bons sentiments.

Toute la famille ici se porte bien. J'ai vu Mme Cherrier et elle est assez bien, excepté qu'elle a encore mal aux yeux. La petite Emma[142] est bien aussi et toujours belle. J'ai fait la commission à M. Quesnel. Mme Viger est encore malade du rhume, et les demoiselles ont toutes été indisposées aussi. J'ai aussi fait ta commission au voisin et l'ai engagé à t'écrire quand il serait disposé à descendre. Je ne sais pas s'il le fera aujourd'hui mais il m'a dit qu'il croyait descendre la semaine prochaine.

---

141. James Leslie (1786-1873), député et marchand de la rue Saint-Paul à Montréal.
142. Emma Cherrier, née à Montréal le 20 septembre 1834, fille de Côme-Séraphin Cherrier et de Mélanie Quesnel.

Tu me demandais des nouvelles de Mme Plamondon : elle est assez bien, elle continue de l'être depuis son voyage des Trois-Rivières. Si elle avait été plus malade, je te l'aurais écrit.

Si j'ai l'occasion de voir M. Brown, je lui dirai ce que tu penses au sujet de ces bruits. C'est malheureux que l'on n'en ait pas tiré d'avantages. Je n'ai point de vaines frayeurs, mais je sais apprécier à leur juste valeur la rage et la haine que ce parti nous porte et que l'état dans lequel nous sommes est bien déplorable, qu'ils veulent tout de bon dominer ou nous écraser et si nous n'avons pas l'énergie de nous soustraire à leur pouvoir, ils trouveront bien des moyens, eux, de nous faire du mal. Je suis certaine qu'ils y sont bien décidés et que c'est sérieux. Que la Chambre y pense bien ! Si elle ne fait rien dans cette session, si le roi venait à mourir, qu'il faudrait faire d'autres élections : nous aurions une guerre civile, c'est certain. Quand on pense que l'on ne peut pas seulement obtenir une nouvelle magistrature, c'est une infamie !

J'aurais encore bien des choses à te dire, et je te les dirais sans ordre et aussi mal que je te les écris, mais je le fais toujours à la hâte et sans cesse interrompue : une occupation succède à une autre. J'espère que pour nous désennuyer, tu m'écriras plus souvent dans le temps des Fêtes : tu n'auras que cela à faire et puis aller dîner, aller au bal ; et moi, je n'ai aucune distraction que des occupations ennuyeuses la plupart du temps.

Adieu, je suis mieux mais pas bien, je ne sais si je suis quitte de la maladie, pour quelque temps au moins.

Ton épouse et amie,

Julie Bruneau Papineau

L'honorable L.-J. Papineau
Québec

Montréal, 29 décembre 1835

Cher ami,

Je m'attendais à voir Théophile pour te faire écrire aujourd'hui et il n'est pas venu. Je reçois à l'instant ta lettre de jeudi et je n'ai que peu de temps à t'écrire quelques lignes d'ici l'heure de la poste, pour te tirer d'inquiétude au sujet des risques que tu crains de la part de nos ennemis.

Je t'avoue franchement que je n'ai pas eu sérieusement de craintes. Il est vrai que je n'ai peut-être pas su tout ce qui se disait et se passait. On craignait de m'alarmer, mais quand bien même je trouvais ce projet si extravagant que je n'ai pas ajouté foi à la moitié de ce que l'on me disait. Au surplus, sois tranquille, j'ai de bons amis qui m'avertiront au moindre risque et je prendrais un parti propre à te rassurer sur notre sort ; mais un puissant motif de te consoler, c'est que je t'assure que, de ma part, je suis sans crainte et, quand la petite me laisse du repos, je le goûte paisiblement.

Je suis plus affligée de mon mauvais état de santé. Je n'ai fait aucune imprudence pour m'avoir occasionné la dernière maladie que je viens d'essuyer, qui a été violente et souffrante : un sang échauffé, un grand mal d'yeux. Je suis mieux, je ne prends plus de remèdes, mais j'ai de la fièvre et un mal de tête habituel. Je crois que c'est la grande chaleur du poêle. Il fait si grand froid à une distance du poêle qu'il faut absolument s'en approcher. Je ne sors pas des deux appartements que j'occupe depuis ton départ ; tous les autres sont fermés. Je ne travaille pas, je ne dors guère, je m'ennuie beaucoup et je souffre du froid ; ayant toujours de la fièvre, je suis enveloppée comme pour sortir. Ne crains pas que j'aie l'idée de recevoir de visites : il y a longtemps que j'avais décidé le contraire.

J'ai bien des sujets dont je voudrais t'entretenir mais je suis faible et ai un grand mal de tête. De plus, l'heure avancée ne me le permettrait pas. Mais je suis bien de ton avis : il est grandement temps de hâter votre gouverneur à agir et à se prononcer. Et j'espère que vous ne donnerez pas d'argent avant qu'il ait fait des actes.

Tous les enfants sont bien, ne sois nullement inquiet d'eux. Tu sais que j'ai coutume de prendre les précautions nécessaires à leur santé ; aussi ont-ils été bien portants malgré les froids excessifs. Pour les autres précautions de ménage que tu me recommandes, elles sont toutes prises, je ne t'en parle pas, tu as bien d'autres affaires importantes sans t'occuper de ces détails. Adieu, j'espère que j'aurai du mieux si le temps devient doux. Tout à toi pour la vie.

Ton épouse et amie,

Julie Bruneau Papineau

L'honorable L.-J. Papineau
Québec

Montréal, 31 décembre 1835

Cher ami,

Je te remercie de ta lettre d'hier et des souhaits que tu me fais pour le nouvel An qui va commencer ; je te suis reconnaissante des projets que tu formes pour notre bonheur commun, et surtout bien sensible à l'amitié que tu me témoignes de m'aider avec de la douceur et de la patience à me supporter et supporter ensemble nos privations et gêne du côté de la fortune. Oui, nous y sommes exposés, et d'autres peines bien plus sensibles, dont nous sommes certains que nous partagerons, en commun avec les autres hommes, le sort, la maladie de toute espèce, les peines et enfin la mort ! La terrible mort, qui moissonne nos proches à tous les âges !

Nous en avons encore un exemple bien triste et bien récent, pour nous faire finir cette année, bien triste pour les Canadiens et surtout bien funeste pour la famille en particulier : Mme Louis Viger vient de perdre son seul et unique enfant[143]. N'est-ce pas trop cruel ? J'en suis affligée au point d'en être malade. Je viens de l'aller voir. Je ne te donne pas de détails sur sa maladie. Le docteur a écrit lui-même, il est le seul capable de vous en donner des données plus certaines. Dis à M. Viger que je lui fais mes amitiés et qu'il doit être persuadé que je prends une grande part à leur juste sujet d'afflictions. Fais aussi mes saluts à M. Cherrier pour le nouvel An et dis-lui qu'il ne soit pas inquiet pour sa petite, qu'elle est tout à fait bien, bien engraissée.

J'ai reçu une lettre d'Amédée hier, qui m'annonce que leur tante Dessaulles leur a dit qu'ils auraient le plaisir de me venir voir aux Rois, qu'elle allait les envoyer avec sa voiture, que Charles les mènerait avec Émery. Il m'écrit aussi qu'ils ont communié tous deux à la messe de minuit : tu vois comme nous avons sujet de nous féliciter de l'avoir mis dans ce précieux établissement, puisqu'il s'y trouve bien. La conséquence en est qu'il s'applique à remplir ses devoirs de chrétien et d'écolier et, par là même, il goûte le bonheur. Il faut que ces messieurs de la maison aient un grand mérite pour opérer un aussi grand changement dans leurs élèves ! C'est une grande consolation pour moi. Si mes enfants me donnent de la consolation, je supporterai avec beaucoup plus de courage toutes autres afflictions que celle-là.

Ce que tu me dis à l'occasion de la nomination du juge n'est pas aussi secret ici, comme tu le crois, c'est-à-dire qu'il a toujours été sur les rangs ; mais sa

143. Voir la lettre à Amédée, du 17 octobre 1835.

nomination ne plaît pas et surprend même. Quant à moi, je ne l'aime pas non plus. Il faut que les sujets soient bien rares.

Je ferme ma lettre, il est quatre heures. J'ai été interrompue.

Julie Bruneau Papineau

L'honorable L.-J. Papineau
Québec

Montréal, 9 janvier 1836

Cher ami,

Je n'ai reçu ta lettre qu'hier, après le départ des enfants. Ils sont arrivés la veille des Rois avec la permission de ne rester que deux jours ; ils sont partis sans trop de regret. Ils disent que c'était toujours mieux de venir me voir pour peu de temps que point du tout, n'ayant pas l'espoir de me voir à Maska cet hiver. Ils désirent et se flattent de te voir remonter par la Rivière Chambly en revenant de Québec, car, disent-ils, « si Papa se rend en droite ligne, il ne pourra plus s'absenter du printemps. » Je leur ai dit de ne pas se flatter de cela.

J'ai eu bien du plaisir à les voir tous réunis mais nous disions ensemble : « Quel plaisir nous aurions si papa n'était pas absent ! » Cela diminue beaucoup notre fête : c'est ainsi dans tous les événements de la vie, il faut s'habituer à faire des sacrifices ; nous sommes appelés à en faire tous les jours de notre pénible existence. Les petits enfants ici ont été d'une grande joie mais ont eu de la peine à se consoler du départ si subit. Gustave, en entendant la lecture de ta lettre hier, a dit : « Comment papa veut-il que je mette le temps à profit et apprendre de nouveaux jeux ? je n'ai pas eu seulement le temps de jouer ceux que je sais déjà, et puis, a-t-il ajouté, dites bien à papa que je m'ennuie beaucoup de lui et qu'il n'ira plus à Québec, qu'il y est trop longtemps. » Ta chère grande fille dit cela aussi. Souvent, elle dit qu'elle rêve que papa est arrivé et, en se réveillant, qu'elle voit que cela n'est pas vrai, qu'elle pleure et qu'elle s'ennuie.

La petite Azélie a reconnu ses frères, surtout Amédée, elle lui a fait des joies, a été souvent dans ses bras pendant le temps qu'il a été ici. Elle a joui autant que les autres de la fête. C'est étonnant comme elle comprend tout et comme sa petite figure exprime tout ce qu'elle ressent. Elle dit aussi beaucoup de mots et est toujours gaie. Je suis certaine qu'elle te reconnaîtra bien ; on lui parle souvent de toi et elle nous comprend bien, et son papa la comprendra encore mieux.

Nos constitutionnels[144] vont ici leur train ; ils ont eu une assemblée avant-hier soir et sont passés en procession et ont peu crié, c'est-à-dire choulé, sifflé. Je ne les ai pas entendus, les portes étaient toutes fermées et j'étais avec nos enfants grands et petits et l'oncle Théophile. Tu peux croire qu'il y avait un peu de tapage, quand Mlle Lennox[145] est venue me voir. Mme Viger, qui est si sensible et remplie d'attentions pour moi, a craint que je ne fusse effrayée, a dit à sa demoiselle de venir me rassurer. Je me tiens toujours dans la chambre à manger et c'est bien sourd. Je lui ai dit que je ne pouvais pas avoir peur puisque je ne les avais pas entendus et que je ne croyais pas qu'il y eût beaucoup de danger pour moi dans le moment, mais je n'en étais pas moins indignée et je l'ai répété à M. Jacques Viger, qui est venu me voir le soir même, et il disait comme moi que c'était déplorable. Et, aujourd'hui, M. Walker[146] était annoncé comme devant arriver. On a fait sortir des affiches pour s'assembler et aller au-devant de lui en procession. Je ne sais s'ils feront du bruit ; mais tout cela démontre comme ils sont exaltés, car ce n'est nullement l'estime ni le cas qu'ils font de M. Walker mais l'esprit de parti qui les fait agir ainsi : ils savent bien qu'il ne peut leur faire grand bien.

C'est une honte pour le gouverneur d'être joué, insulté par eux, et de n'avoir pas l'énergie de se montrer ; de réformer d'abord notre magistrature. Il y a assez de preuves que la ville n'est pas en sûreté avec des magistrats qui les encouragent au lieu de les arrêter ; il n'y a pas besoin d'autres preuves que celles-là ; que la paix publique est troublée par leurs cris, leurs menaces, leurs rassemblements sans aucun prétexte ; la crainte et l'alarme que cela répand dans nos faubourgs. Ils font circuler différents rapports qui effrayent les uns, irritant les autres, et qui aigrissent de plus en plus les esprits et nous préparent à des troubles sérieux. Si nous n'obtenons pas dans cette session des réformes qui puissent nous mettre en état de repousser leurs attaques, nous serons dans une situation sérieuse : ils se préparent en attendant la fin du Parlement. Si nous n'avons pas une autre magistrature et si la corporation[147] n'est pas établie sur un pied qui lui donne le pouvoir de se faire respecter et de maintenir le bon ordre et de pouvoir défendre la ville en cas d'attaques de ces brigands, ils profiteront du moment que vous serez sans protection pour assouvir leur rage au cas où de nouvelles réclamations de l'Angleterre de votre part ne vous obtiennent les réformes que vous demandez depuis si longtemps sans succès. Ils calculent que c'est le moment

144. Les « constitutionnels » sont des bureaucrates, en majorité des anglophones, qui manifestent bruyamment dans les rues de Montréal leur opposition aux patriotes.

145. Mlle C.-E. Lennox, fille de Marguerite Lacorne et de défunt John Lennox. Elle demeurait chez sa mère, épouse en secondes noces de Jacques Viger, voisin des Papineau, rue Bonsecours.

146. L'avocat William Walker, un tory, s'était présenté contre Papineau à l'élection de 1834.

147. Corporation : pouvoir municipal.

favorable et ils ne se préparent pas en vain. C'est s'abuser que de croire qu'ils ne veulent qu'effrayer ; cela serait le cas si l'on voulait raisonner et calculer de sang-froid, mais des gens qui ont pu se porter aux excès et aux folies qu'ils viennent de faire, ne calculent pas les suites et ils disent : « Faisons tout le mal qu'il est en notre pouvoir de faire », et cela satisfait la vengeance et la haine qu'ils portent à tout ce qui est canadien et c'est la faiblesse de notre gouverneur qui en sera la cause. Il n'a pas seulement le courage de remplacer un juge ! Quelle hésitation ! Quel laps de temps pour cela seulement ! Si la Chambre n'a pas plus d'énergie et ne procède pas avec plus de célérité, le pays sera dans un état plus déplorable qu'il ne l'a été à aucune époque précédente.

J'espère que dans ta prochaine, j'aurai des nouvelles au sujet des [ ] et aussi de cette pauvre Mme Clouet[148] dont le mari est en effet mort.

Adieu, sois en santé. Aie du courage : tu en as grand besoin. Je ne t'oublie pas et te plains de tout mon cœur et t'embrasse tendrement, ainsi que les enfants.

Tout à toi, ton épouse et amie,

Julie Bruneau Papineau

Montréal, 14 janvier 1836

Cher ami,

J'ai été, la veille du départ de M. Viger, pour avoir le plaisir de le voir et puis lui communiquer ce que je savais de la situation où nous nous trouvons, mais je ne l'ai pas trouvé. Il était à la banque mais je suppose qu'il n'aura pas manqué de prendre des informations.

Je t'avais annoncé, dans ma dernière, le triomphe que l'on préparait à M. Walker. Un instant après le départ de ma lettre, ils sont passés ici en faisant leurs hourras accoutumés c'est-à-dire que ce sont plutôt des cris, des sifflements de canaille, que des cris de réjouissance que les honnêtes citoyens ont l'habitude de faire en faisant honneur à un de leurs concitoyens, dans certaines occasions où cela est légalement permis et, par conséquent, cela ne produit que d'agréables sensations ; celles-ci, au contraire, sont faites dans un esprit de furie et avec un caractère insultant et toujours accompagnées de bâtons ; mais je ne crois pas qu'il y ait eu aucune suite fâcheuse dans le cours de la nuit. On le craignait, le samedi surtout, jour où tous les ouvriers sont payés et font ordinairement la soirée dans

148. Marie-Josèphe Lépine dit Lalime, veuve de Michel Clouet, député, juge de paix et marchand à Québec.

les auberges. Ici, il a passé une bande. La fille s'est adonnée par hasard dans la cour au moment où elle passait, car, dans la maison, c'est bien sourd, on n'entend rien de leurs folies. Elle a couru à la porte, a prêté l'oreille et dit qu'elle a entendu des menaces, elle est rentrée tout effrayée. Je l'ai rassurée avec peine. Elle ne voulait pas aller se coucher, ni les autres non plus. Il était près de minuit. Je t'assure que je n'ai pas été effrayée ; je me suis couchée assez tranquille, ne les croyant nullement arrangés pour assez se porter aux excès qu'ils ont déjà osé tenter mais, en même temps, je rends grâce à la Providence de m'avoir douée d'un caractère assez énergique et réfléchi pour ne pas succomber et manquer de force dans les moments d'épreuves comme celle que nous avons eue à subir, mais je ne me décourage pas. J'espère toujours que nous aurons un jour justice, qui n'est peut-être pas éloigné. Il faut bien que le gouverneur se décide à agir d'une manière ou d'une autre. J'ai vu le *Herald*[149] aujourd'hui que madame ma voisine m'a envoyé : il est toujours très violent.

Je te prie de n'avoir pas d'inquiétude à mon sujet : je suis prudente et j'ai chargé plusieurs de mes amis de m'avertir s'il y avait le moindre danger. Pour te tranquilliser, j'irais à Verchères.

Je crains plus d'imprudences de ta part ; ne sors pas le soir sans escorte, écris-moi si tu prends ces précautions.

Je n'ai pas vu Théophile depuis le jour de la procession de Walker, d'où je conclus qu'il ne s'est passé aucune violence. Il veille une partie des nuits, il fait patrouille avec d'autres jeunes gens : il doit m'avertir s'il se passe quelque chose, pour t'en écrire.

J'ai reçu une lettre d'Amédée : ils se sont bien rendus et à bonne heure. Ils sont rentrés bien contents et bien résolus de travailler avec une nouvelle ardeur. Les jeunes, ici à la maison, sont bien, mais commencent à s'ennuyer fortement ; ils ont des moments où ils se fâchent et disent qu'ils ne te laisseront plus repartir. Je me joins à eux, au moins de sentiment, et je crains que la session ne soit encore fort longue et surtout si elle ne doit produire le résultat que l'on en attendait, ce qui serait déplorable.

Je voulais aussi te faire dire par M. Viger que je n'ai plus que dix louis à la maison : j'ai payé cinq louis pour la cotisation, je n'ai pu m'en exempter. Il y avait longtemps que [ ] me le demandait. Je te l'ai fait dire par M. Cherrier et, n'ayant pas eu de réponse, j'ai payé. Je paye régulièrement les domestiques mais point d'autres comptes. Tu m'écriras quels arrangements tu prendras pour me faire parvenir de l'argent, si tu es pour être longtemps encore.

J'ai encore été interrompue et n'ai pu t'écrire plus au long et, de plus, Philippe vient d'arriver et t'écrit sur l'autre feuille pendant que j'écris celle-ci.

149. Le *Herald*, journal très violent, est l'organe officiel des bureaucrates, avec le terrible journaliste Adam Thom.

Adieu, mon cher ami. Je suis bien sensible et bien attristée de voir dans quelle inquiétude tu es à mon sujet. Je crois que tu n'as pas autant sujet de l'être, à présent que M. Viger t'aura dit ce qui se passe et que l'on t'exagère les choses.

Ton affectionnée épouse,

Julie Bruneau Papineau

L'honorable L.-J. Papineau
Québec

Montréal, 21 janvier 1836

Cher ami,

Je suis bien aise de voir que ma lettre te donne de la tranquillité sur ma situation. Tout le monde se trouve ici du même avis, sur ce qu'ils disent qu'il n'y a aucun risque pour moi, pendant ton absence, et puis, de plus, qu'il n'y a aucun risque qu'ils n'attaquent les maisons. Quant à moi, j'ai moins de crainte depuis la proclamation[150]. Néanmoins, ils ont l'air de ne la pas craindre et bravent le gouverneur de nouveau et les juges de paix aussi.

Ils ont eu leur assemblée hier soir et sont sortis comme à l'ordinaire. Ils sont passés ici deux fois en faisant leurs cris affreux et menaçants. J'étais si rassurée par la proclamation que je ne croyais pas du tout qu'ils feraient leurs folies et leurs extravagances. Que j'ai été saisie ! Heureusement que j'étais en bonne compagnie, car je te dirai de plus, pour te rassurer, que maman est ici et dit qu'elle ne partira que quand elle m'emmènera passer quelques jours à Verchères. Elle est venue exprès pour me chercher. Le curé était ici aussi avec M. Malhiot. Je ne suis pas en état de sortir à présent, étant indisposée. J'ai encore une inflammation aux yeux, j'ai peine à t'écrire aujourd'hui ; j'ai pris médecine hier. Quand je serai capable d'aller à Verchères, je t'écrirai avant mon départ.

J'ai vu M. Cherrier hier au soir un instant. Il m'a dit que tu étais bien portant. Je n'ai pas eu grand détails sur les affaires ; j'espère le revoir et qu'il aura plus de loisir.

M. de Bleury est venu hier pour me voir, mais étant en médecine je n'ai pu le voir.

Je ne t'en dis pas plus au sujet des procédés des constitutionnels, car j'ai de la peine à écrire, et Théophile me dit que leurs procédés vont être publiés dans

---

150. La proclamation du gouverneur, qui rendait illégale et criminelle l'organisation des constitutionnels, n'empêcha pas leurs bruyantes manifestations de continuer.

leurs papiers. Je ne sais ce que va en dire le gouverneur. Les citoyens se fient qu'il va prendre des mesures pour faire mettre sa proclamation à effet, en déployant de pareils magistrats et faisant des semonces à ses officiers de la Couronne, qui les ont laissés agir comme s'il n'y avait pas d'ordres de donnés.

Ton papa est encore à Maska. M. Prince est ici aussi. Il est venu hier pour me voir et il a dit aujourd'hui au curé que, n'ayant pas pu me voir, il me faisait dire que les enfants étaient bien portants et qu'il en était bien content. Le curé te fait ses amitiés ainsi que maman, qui te fait dire qu'elle m'attend pour m'emmener. J'irai peut-être passer une semaine. C'est bien difficile pour moi de laisser les enfants ; si je puis avoir Théophile pour coucher ici, je n'emmènerai que la petite Azélie que je ne puis laisser et que je ne puis sevrer avant ton arrivée. Il faudra que je me cache et je ne puis la confier aux filles, elle a trop de connaissance. Mais cela [ne] me fatigue pas, il n'y a que le peu de sommeil qui m'échauffe.

Je viens d'apprendre une nouvelle, je ne sais si elle est fondée ou non ; je vais te citer mon auteur, qui ne te portera pas à y ajouter foi ; c'est le bedeau de Bonsecours qui dit la tenir de Mme de Montenach : que le gouverneur du Haut-Canada, Colborne, vient ici prendre le commandement des troupes, qu'elle est après faire meubler l'ancienne maison de M. Deschambault ; et le voisin entre à l'instant, qui me dit que son domestique irlandais vient de lui en dire autant. Si c'est le cas, les gazettes d'aujourd'hui en feront mention.

Adieu, toujours du courage, de la santé, en espérant un meilleur avenir, car c'est un triste règne à passer. Tout à toi, mon cher.

Ton épouse et amie affectionnée,

Julie Bruneau Papineau

[Amédée et Lactance]

Montréal, 29 janvier 1836

Mes chers enfants,

Je suis fâchée de n'avoir pu vous écrire par Charles. Je trouve une occasion aujourd'hui, j'en profite mais je ne puis le faire qu'à la hâte, me préparant à partir pour Verchères passer huit jours. Maman est venue la semaine dernière exprès pour me chercher et j'étais malade, et je ne voulais pas y aller cet hiver ; maman a insisté et elle a dit qu'elle attendrait que je fusse bien et elle est demeurée avec nous. J'emmène la petite Azélie et laisse Ézilda à son école, et Gustave à la maison avec sa Marguerite. Et Théophile viendra coucher à la maison. Ta tante Dessaulles m'a fait inviter à aller à Maska. Dis-lui que je la remercie pour cet hiver ; j'ai assez de peine à me décider à aller à Verchères, que c'est assez loin déjà, mais j'espère l'aller voir à la navigation.

Je suis affligée de voir que Lactance a de nouveau été malade ; j'espère que cela n'aura pas de suite et qu'il reprendra courage à l'étude. J'espère, mes chers enfants, que vous allez faire encore de nouveaux efforts pour nous donner toute la satisfaction que l'on attend de vous ; nous avons assez de tourments d'ailleurs. C'est la plus grande consolation que des parents puissent avoir que d'être contents de la conduite de leurs enfants. Quand nous aurions toutes les autres jouissances, l'on serait malheureux. Nous sommes assez tranquilles en ce moment ; mais sans assurances que cela va durer, l'on est toujours en crainte. On sait que nos ennemis continuent à s'assembler, à s'armer. Est-ce pour inspirer de la crainte ou vraiment faire du mal ? Il n'y a que le temps qui nous l'apprendra. Il faut toujours espérer que la Providence protégera les Canadas, il faut prier, je vous le recommande, mes chers enfants, surtout pour la conservation de votre père, car il est plus exposé que personne.

Toute la famille vous fait ses amitiés, même vous embrasse et dit qu'elle a eu du chagrin de ne pas vous avoir vus. Mon cher Lactance, prends courage, sers bien le bon Dieu, aime bien tes parents en faisant de ton mieux, eux qui t'aiment si tendrement et qui voudraient ton bonheur !

Votre mère affectionnée,

Julie Bruneau Papineau

Mes respects à M. Prince et aux messieurs de la maison.

L'honorable L.-J. Papineau
Orateur de la Chambre d'assemblée
Québec

Verchères, 1er février 1836

Cher ami,

Je suis fâchée de n'avoir pu t'écrire avant mon départ pour la campagne ; j'ai prié Théophile de le faire samedi, et aujourd'hui, lundi, je t'écris quelques lignes. Je viens d'apprendre à l'instant que c'est aujourd'hui jour de poste. Je suis ennuyée de n'avoir eu aucune nouvelle de toi la semaine dernière. J'ai été obligée de partir pour la campagne sans avoir reçu de lettres.

Par les gazettes, j'ai vu l'annonce d'un appel nominal avec les circonstances qui l'ont accompagné ; on parle beaucoup de la différence d'opinion de M. Debartzch d'avec la tienne, au sujet des subsides. M. Malhiot, ici, ne jure que d'après M. Debartzch et dit que, sans lui, il y aurait déjà rupture ouverte avec le gouvernement et la Chambre, que les membres influents de la Chambre sont d'une violence, qu'il n'y a pas à raisonner avec eux !

Je t'avais mandé que je laissais Ézilda chez sa tante, Mme Cherrier, et elle y a consenti de bonne grâce, et j'ai laissé Gustave avec Théophile à la maison. Je suis partie pour quelques jours. La petite Azélie est bien, elle a bien supporté le voyage. Maman et le curé se portent bien et te font leurs amitiés. Mme Plamondon est avec nous : elle est chétive, elle maigrit et a une grande faiblesse dans les jambes ; on espère que le voyage lui fera du bien.

Si tu vois quelques-uns de la famille Amiot ou Delagrave, dis-leur que Mme Plamondon se plaint de n'avoir pas de lettres d'eux depuis le jour de l'An, et surtout de Narcisse, qu'elle dit avoir à lui écrire au sujet de ses affaires.

Je ne sais si mon séjour à la campagne me sera agréable, mais il m'en a beaucoup coûté pour m'y décider. C'est pour te complaire et puis le plaisir de voir ma famille, mais aussi c'est un grand sacrifice d'en laisser une partie à Montréal, et puis la maison. Et puis les nouvelles qui vont devenir de plus en plus inquiétantes, on les a ici à des jours plus reculés.

J'ai écrit aux enfants à Maska, la semaine dernière ; j'en avais eu des nouvelles récentes par ton cher papa, qui était arrivé il y a huit jours. Il était bien portant et avait laissé la famille bien, excepté Lactance qui était encore chez sa tante, indisposé. Le Dr Boutillier[151] croit qu'il a des vers. Et puis Émery qui a toujours son mal d'estomac. Adieu, mon cher.

Je t'écrirai plus au long un autre jour, quand j'aurai reçu de tes lettres.

Ton épouse et amie sincère,

Julie Bruneau Papineau

151. Thomas Boutillier (1796-1850), député de Saint-Hyacinthe et médecin attaché au collège de Maska (Saint-Hyacinthe).

L.-J. Papineau

Verchères, 8 février 1836

Cher ami,

J'ai reçu l'intéressante lettre que tu m'as fait parvenir par la voie de M. Cherrier. Il a eu la complaisance de m'écrire et de mettre ta lettre sous enveloppe et de me dire que Mme Cherrier était dépositaire des cinquante piastres que tu le priais de me remettre et qu'elle gardera jusqu'à mon retour à Montréal, qui n'est pas encore fixé.

Ta lettre m'a un peu consolée : j'espère que la question des finances s'arrangera mieux que nous le présumions pour l'honneur de la Chambre. La conduite extravagante et si inattendue de Debartzch m'a affligée et surprise on ne peut plus, et surtout par rapport à toi : j'ai bien senti que tu n'avais pas besoin de ce surcroît d'embarras et de peines. Ta situation est déjà bien déplorable par la haine que te vouent nos ennemis, sans encore avoir la désapprobation de ceux avec qui tu travailles de concert, depuis deux ans surtout. Quant aux Québécois[152], rien ne me surprend de leur part ; je suis persuadée qu'ils ne sont dans la Chambre que pour faire leur avancement personnel, surtout ceux du Barreau, ils sont des hommes sans principes politiques et je serais bien fâchée de voir Vanfelson et Bédard juges[153], ils ne sont pas assez intègres et surtout, après une pareille intrigue, ils méritent punition. Ils le seront bien dans l'opinion publique et encore plus, notre grand conseiller qui ne faisait que commencer à avoir de l'influence et de la popularité parce qu'il marchait avec les masses ; leur projet est d'autant plus impolitique, qu'il n'y a jamais eu combinaisons de motifs plus puissants que, dans le moment, de les encourager à persister dans leur refus d'accorder les subsides sans avoir obtenu les conditions, la conduite des townships, celle du Haut-Canada, les communications de nos amis de Londres. En lisant tout cela, je me disais que rien ne pouvait venir plus à propos pour rassurer ceux qui étaient découragés, fortifier les tièdes et satisfaire ceux qui marchent d'un pas ferme et inébranlable dans la voie de la réforme, et leur persuader qu'ils ont raison, puisqu'ils pensent comme le plus grand nombre et travaillent pour le bonheur commun, au lieu de faire passer ses intérêts personnels sous le voile hypocrite de l'intérêt public, tandis qu'au contraire ils peuvent sacrifier impunément ses droits les plus sacrés : leur dernière démarche est infâme.

Juge avec quelle impatience j'attends le dénouement de toute cette intrigue ! J'espère que vous triompherez, les membres de Montréal l'emporteront. S'il arrive que cela ne se passe pas au Conseil[154], que vous adoptiez la manière que

152. Les habitants de la ville de Québec.

153. En février 1836, alors qu'Elzéar Bédard est nommé juge, George Vanfelson le remplace en Chambre à la tête des modérés.

154. Le Conseil législatif, la deuxième chambre du Parlement.

sir George Gipps t'a donnée, vous triompherez encore plus et cela sera bien singulier, et montrera qu'il y a bien de la légèreté et de l'inconséquence dans la commission, car tu dois te rappeler qu'au commencement de la session cela a été dit que si le Conseil ne passait pas les subsides, le gouverneur était autorisé de les sanctionner sur une demande de la Chambre et cela revient à ce que nous disions : que s'ils violent la Constitution sur un sujet, il s'ensuit qu'ils peuvent bien le faire sous d'autres. Et cela viendra bien à l'appui de nos demandes sur le Conseil et montrera à l'évidence que l'on peut bien marcher sans lui ; et puis, vous feriez bien d'en profiter pour demander plutôt son entière abolition. L'exemple de tous les jours nous montre que nous avons si peu d'hommes de confiance et éclairés que nous aurons assez de peine à former une bonne Chambre.

Tu dois avoir reçu la lettre de ta chère sœur ; elle m'a écrit et me dit qu'elle l'a fait pour toi aussi. Tu vois qu'elle a été très alarmée à notre sujet et te communique ses projets. Je ne puis te dire que je les approuve ou non, car je pense que cela va dépendre de la fin de la session. S'il n'y a aucune réforme à Montréal, il est certain qu'à ton retour nous serons dans le plus grand danger : c'est l'avis de tous nos amis. Si la même magistrature est au pouvoir, la corporation sans aucun pouvoir, il est impossible que l'on y puisse demeurer et j'approuverais fort le plan de notre chère sœur. Mais j'espère que vous allez forcer le gouverneur à agir ou bien il faut que les Canadiens se préparent à une guerre civile.

Théophile m'écrit que les enfants sont bien, et, ici, la petite est bien et je suis mieux : le repos, un peu de gaieté, les saignées, purgations que j'ai eues, tout cela ensemble fait que j'engraisse. Si cela peut continuer, je serai contente, cela me donnera plus de force à supporter toutes les épreuves auxquelles nous sommes soumis dans cette époque critique d'où dépend le sort du pays, et le nôtre en particulier. Ce que je trouve de pis à supporter, c'est le danger continuel où je te vois. Au moins, quand je te serai réunie, il me semble qu'ensemble nous courrons moins de risques.

Adieu, mon cher, écris-moi. Théophile m'envoie régulièrement les gazettes et surtout, dans ce moment intéressant, tu t'imagines bien que nous allons trouver les instants longs. Je ne communiquerai tes lettres qu'autant que tu le voudras, et la partie que tu voudras.

Ton amie et épouse,

Julie Bruneau Papineau

L.-J. Papineau

Verchères, 17 février 1836

Cher ami,

Je suis encore à Verchères : les grands froids et le mauvais état des chemins m'y retiennent bien plus longtemps que je ne le voudrais, ayant laissé les enfants à Montréal ; et ici, je ne voudrais pas y faire un long séjour : avec plusieurs enfants, ce serait gênant.

Le curé a un vicaire et voilà la neuvaine qui va commencer samedi ; il y viendra des prêtres étrangers. Je ne puis pourtant repartir que quand le temps sera plus doux et les chemins améliorés. On ne se fait pas d'idées de l'hiver à la campagne : je n'ai été qu'une fois à Contrecœur, ainsi, tu vois qu'il ne m'aurait pas été possible d'aller avec une enfant à Saint-Denis et encore moins par conséquent à Maska. Je ne puis sevrer la petite : il lui perce de grosses dents avant même d'avoir toutes celles de devant. Le docteur, ici, dit que je fais bien de ne pas la sevrer ; elle se porte assez bien et est toujours de plus en plus aimable. Elle marche à présent, seule, parle et pleure rarement : tout le monde ici la trouve charmante. Elle fait une grande partie de nos récréations, surtout son oncle, le curé, qui l'aime et qui en est aimé, et le vicaire aime beaucoup les enfants. C'est M. Deligny[155], fils du représentant [député] : elle l'appelle aussi « mon oncle ».

Ne sois pas inquiet des autres à Montréal. Théophile m'en donne souvent des nouvelles et m'assure qu'en cas de dangers de quelques troubles à Montréal, il m'enverrait les enfants avec Marguerite[156]. Dans un cas semblable, on ne regarde pas le trouble, même dans un presbytère. S'il n'y a pas de troubles, je retournerai à Montréal par un jour de beau temps et, là, j'attendrai tes ordres. Car le parti qu'il faudra prendre pour le moment de ton retour, je pense que cela pourra dépendre de toi, [de] la tournure que vont prendre nos affaires. Je suis très inquiète et dans une grande impatience d'avoir des nouvelles.

C'est ennuyeux à la campagne sous ce rapport : on [n']a la poste qu'une fois la semaine, elle arrive le mardi, en sorte que je ne reçois ta lettre qu'à la fin de la semaine, par occasion. Et j'envoie celle-ci par M. Malhiot, qui va en ville aujourd'hui, ayant manqué la poste le lundi : j'ai confondu le jour, et le curé était absent. Il faut envoyer les lettres à Montréal le lundi et on les reçoit de là, le mardi, par la voie directe de Québec. Il faudrait, pendant que je suis ici, que tu les mettes à la poste le samedi et les adresser au curé à Verchères ; je les recevrais le lundi par la voie de Sorel. Je te mentionne cela au cas que mon séjour ici se prolongeât, au cas de violences à Montréal que je n'appréhende pas, mais qui peut servir à te tranquilliser.

155. L'abbé Louis-Olivier Deligny, fils du Jacques Deligny, marchand, député, et de Françoise Bergevin, de Berthier-en-Haut (Berthierville).

156. Marguerite Douville-Desautels, fidèle servante des Papineau.

Cherrier, mon beau-frère, est passé ici, venant de Maska. Il dit que les gens de la Rivière Chambly sont bien montés et indisposés contre Debartzch. Et le curé a été à Saint-Denis vendredi dernier et on lui en a dit autant ; et en effet sa conduite est inexplicable.

J'attends ta lettre de cette semaine à grand hâte. J'espère que je ne serai pas désappointée, qu'elle arrive aujourd'hui à Montréal et que M. Malhiot me l'apportera demain : je m'ennuierai beaucoup si je n'en reçois pas. Nous sommes de plus en plus dans l'incertitude de ce qui va se passer par rapport aux bills de subsides et ensuite on ne peut prévoir quels effets vont s'ensuivre. J'en reviens toujours à dire que, si l'état de Montréal n'a pas changé, cela sera le temps du danger après la session ; mais on ne peut rien dire jusqu'à ce temps. Tu vois que nos campagnes se préparent et sont très disposées, mais il faut espérer que les réformes s'opéreront sans avoir recours à ces tristes moyens. Le Haut-Canada nous aide beaucoup et les autres colonies, car, pour la métropole, nous devons être de plus en plus convaincus de sa haine et de sa mauvaise foi à notre égard et qu'elle ne concédera qu'avec force ce qu'elle ne pourra retenir, quand elle verra épuisées toutes ces iniques manœuvres pour nous perdre et faire son profit et celui de ses créatures, aux dépens de notre bonheur et même de notre existence. Ainsi, nous sommes convaincus que nous n'avons de ressources qu'en nos propres forces. Il faut commencer par une ferme résistance aux réformes de constitution et, si on ne peut rien obtenir, il faudra inévitablement l'avoir par la violence : c'est le triste sort qui nous attend et je crains fort que l'on soit peut-être forcé d'adopter le dernier, car ils seront assez démoralisés pour attaquer, si les choses ne vont pas à leur goût au sujet des finances.

Toute la famille ici te fait des amitiés et est bien inquiète à ton sujet. Mme Plamondon a un peu de mieux, il n'y a que ses jambes qui sont faibles, elle a toujours beaucoup de peine à marcher et ne le fait presque pas.

Je n'ai pas eu de nouvelles de Montréal ni de Maska, cette semaine ; j'espère qu'ils sont tous bien.

Ton épouse et amie affectionnée,

Julie Bruneau Papineau

Montréal, 23 février 1836

Cher ami,

Je suis de retour de Verchères. J'en étais partie plus tôt que je ne pensais ; voyant toujours d'aussi grands froids, je ne pouvais me résoudre à me mettre en chemin avec la petite, mais, ayant appris que Marguerite était bien malade et les enfants commençant à s'ennuyer, je suis partie dimanche. Heureusement que le temps était bien doux. Maman voulait absolument me garder jusqu'à ce que l'on eût des nouvelles de Québec au sujet des subsides, mais il a fallu partir et c'est aussi bien. Voyant que cela se retarde de jour en jour, j'aurais trouvé le temps encore plus long, croyant avoir plus souvent des nouvelles en ville. Et, rendue ici, je vois que c'est la même lenteur.

J'ai trouvé ici une lettre de toi arrivée la veille, écrite le jeudi, qui n'est pas consolante. C'est désolant. Nos affaires prennent une tournure alarmante, surtout avec des hommes comme nous en avons. Ne t'ai-je pas dit, de tout temps, que je craignais que nous succomberions parce qu'ils savent bien que nous manquons d'hommes fermes et résolus d'avoir justice, et que rien ne les ferait dévier de la position qu'ils avaient prise ? C'est pourquoi ils s'appuient toujours sur leur cheval de bataille, disant qu'il n'y a qu'un parti de démagogues et que la majorité du pays se laissera opprimer plutôt que de combattre si longtemps, sans succès.

Ils sont incapables de persévérer avec énergie et surtout de sacrifier l'intérêt personnel pour celui de leur pays. Les étrangers, au contraire, seront tenaces et rien ne leur coûtera pour obtenir l'avantage sur nous ; c'est pourquoi le Haut-Canada obtiendra ce qu'il demande, car le gouvernement les craindra. S'ils n'obtiennent pas justice par les voies légitimes, ils l'obtiendront par la violence : l'administration est persuadée de cela et c'est même le cas ici avec les constitutionnels. On les craint parce que l'on est certain qu'ils iront jusqu'au bout et que les Canadiens sont incapables de lutter : j[e n]'ai presque plus d'espoir de succès. Tu ne connais pas les Canadiens. Je te l'ai dit de tout temps et j'en suis de plus en plus convaincue : à mesure qu'ils sont mis à l'épreuve, ils sont légers et pas hommes d'affaires, égoïstes, et par conséquent jaloux du succès même de leurs concitoyens, point d'esprit public ; ils sont grands parleurs et grands braves quand ils n'ont rien à craindre. Si on leur montre les grosses dents, ils sont tout à coup sans courage ; ils sont sans jugement quand ils croient toucher au moment d'avoir justice, à raison des démarches que nous prenons. Ils nous approuvent au commencement de la session, [alors] que l'on avait l'air de nous craindre et, par là, de nous concéder quelque chose. Vous aviez eu raison d'être fermes et d'avoir refusé de marcher et de procéder depuis trois ans ; aujourd'hui que l'on voit que vous avez été joués de nouveau et que l'on craint d'être maltraités, au lieu de redoubler de violence accompagnée de persévérance, on répète les mêmes sottises. « Nous savions bien et nous avions raison de dire que nous allions trop loin et trop vite, que nous en serions dupes », etc. Ce sont les propos de M. Jacques[157] et de bien d'autres misérables Canadiens. Puisque l'on en a un bon nombre, même dans la Chambre, que l'on doit regarder comme l'élite, puisqu'ils sont choisis de même au milieu du peuple comme représentant ses sentiments, que peut-on attendre du reste du pays, s'il faut emporter par la force ce que l'on est bien résolu de nous refuser autrement ? J'en suis de plus en plus persuadée et je n'ai malheureusement aucun espoir de succès, par la raison que nous sommes incapables de résister à tous les mauvais procédés que l'on est résolu d'employer à notre égard en Angleterre et ici. Et la réforme s'opérera en Europe et dans le Haut-Canada ; et dans ce petit coin, ici, vous serez opprimés parce que l'on est de pâte à l'être ; et ils nous connaissent mieux que nous nous connaissons nous-mêmes. Je n'ai jamais cru que cela fût par ignorance sur nos affaires, que nous tardions aussi longtemps à nous rendre justice, mais bien par une insigne mauvaise foi et désir de nous écraser. Je crois, au contraire, qu'ils [ne] connaissent que trop qu'ils peuvent réussir, puisque nous leur aidons à river nos chaînes.

J'attendais l'arrivée de la poste afin de savoir si j'aurais quelques nouvelles sur la question des subsides, mais en vain, je n'ai pas de lettres. M. Quesnel sort d'ici, qui me dit en avoir reçu une de M. Cherrier, qui lui dit que le sujet est remis à la semaine prochaine : c'est dépitant et ennuyeux à l'excès. Il dit que la nomination de Bédard produira un bon effet, d'abord parce que cela sera un intrigant de moins et puis que cela fera des mécontents qui, pour se venger, vont se réunir à vous : c'est pitoyable d'avoir à se féliciter et d'être obligés d'agir avec de pareils fripons pour faire et sauver le pays. C'est pourquoi sa cause est bien en danger parce que tous les jours de pareilles manœuvres peuvent réussir à diviser la Chambre [dans] des moments où elle devrait être d'airain. Dis-moi donc s'il est vrai que tu ne vois plus Debartzch et [ ] le gouverneur ; je n'en serais pas étonnée mais les rapports se contredisent là-dessus et, quand on me le demande, je réponds que je ne sais rien.

Toute la famille ici se porte bien, ton cher père, Toussaint, et les enfants ainsi que ceux de Maska. Charles est ici ; j'écrirai ce soir aux enfants. Il n'en est pas de même des autres de la famille.

Mme Blanchard[158] est accouchée avant-hier soir, après une longue et douloureuse maladie de trois jours. L'enfant a perdu la vie en venant au monde, c'était une petite fille ; ils sont bien attristés, la mère est tout doucement, donnant de l'inquiétude.

---

157. Jacques Viger, maire de Montréal, un modéré.

158. Sophie-Suzanne-Delphine Robitaille, épouse de François-Benjamin Blanchard, « marchand de fer » (Montréal, 18 mai 1835). Delphine, fille de Joseph Robitaille et d'Élisabeth Verreau, était cousine de Julie. La quincaillerie de F.-B. Blanchard était située au 112, rue Saint-Paul, vis-à-vis de celle de T.-S. Brown, son associé.

Philippe a eu son dernier enfant bien malade aussi, mais il est mieux. Mme Plamondon a un peu de mieux, elle est maigre et bien faible, surtout des jambes, elle ne peut marcher qu'avec peine et elle le fait bien peu : on craint toujours pour elle.

J'ai vu M. Roy qui m'a donné de tes nouvelles : il dit que tu es bien portant mais bien mécontent au sujet des affaires, mais cela n'empêche pas que tu n'aies des moments de gaieté ; que tu vas souper en ville et en reviens bien gai : tant mieux. Ici, la vie est la plus insipide et la plus ennuyeuse du monde. J'en suis lasse.

Ton amie et épouse,

Julie Bruneau Papineau

L'honorable L.-J. Papineau
Québec

Montréal, 2 mars 1836

Cher ami,

Je me suis bien réjouie de recevoir enfin une lettre lundi. Que je trouve le temps long et ennuyeux ! Et s'il faut que tu restes après les autres, j'aurai l'ennui et l'inquiétude bien pires encore. J'espère que tu ne monteras pas seul ; et ici même y arriveras-tu sans danger ? C'est ce que j'ignore et ce qui me tient dans la plus triste situation à imaginer. Il faut que le grand plaisir et le vif désir que l'on a de te voir revenir soit empoisonné à la crainte que les troubles et les violences ne recommencent. Et qui sera exposé si ce n'est toi ?

Tu me dis que je ne me suis pas consultée. Oui, j'en ai parlé à maman, au curé, et ils sont bien inquiets à ton sujet, mais on ne voyait pas quel parti prendre avant de voir la tournure ou l'aspect de la fin de la session ; ils voulaient me garder à Verchères. Ta bonne sœur nous fait les offres les plus amples et les plus obligeantes ; je lui ai répondu pour lui témoigner ma reconnaissance et lui ai dit que c'était difficile pour moi de me déterminer avant la fin de la session, que l'on verrait si les gens étaient déterminés à faire du bruit ; que je ne voulais pas me rendre là, sans savoir si tu passerais par là ; que si tu persistais à te rendre à Montréal et peut-être à y rester sans moi, que je préférais partager le danger avec toi que d'être toujours séparés comme nous l'étions, et de plus à présent, vivant dans une inquiétude mortelle, et qui est toujours pire quand on [n']est pas présent. Je persiste à demeurer avec toi, ici, à Maska, comme tu voudras, si cela n'était que pour un moment, n'importe l'endroit, fût-ce même à la Petite-

Nation. Mais on n'approuve pas ton plan pour cela dans un moment d'excitation semblable : c'est trop isolé, sous un point que, si tu y étais attaqué, tu y serais sans défense.

Quant à ton plan d'aller passer les hivers à Québec, je l'approuve parce qu'avec ce plan cela sera un prétexte et un motif de louer notre maison ici. Car c'est terrible de laisser une maison comme cela abandonnée, et qui nous coûte si cher, si l'on passe l'été à la campagne et qu'il faille encore que je passe l'hiver ici, seule dans une grande maison dont je n'habite pas la moitié, ce qui la rend ennuyeuse et froide à y souffrir beaucoup !

Si tu as espérance que les six mois de subsides passent, il sera possible que nous allions à Québec, sinon, si nous n'avons rien, il faudra bien aller à la campagne. Pour le moment, il faut toujours d'une manière ou d'une autre que nous pensions à louer notre maison. Ainsi, réponds-moi ce que tu en penses ; parles-en à Louis Viger et tu m'écriras si j'en dois conférer ici et avec qui.

Le Dr Nelson[159] m'a dit hier qu'il voulait t'en parler à Québec mais qu'il n'avait pu trouver un moment à t'entretenir en particulier, ainsi que de la correspondance du gouverneur avec M. O'Sullivan, au sujet des troubles des constitutionnels. Il dit qu'il voulait te conseiller de t'absenter une couple d'années de Montréal, que tu ne peux y avoir aucun agrément, quand bien même tu ne serais pas exposé aux dangers, ce qu'il ne peut dire, non plus qu'aucune autre personne pour le moment. Il disait que c'était bon de te retirer à la campagne, à Verchères par exemple, qu'ils seraient à proximité de se consulter avec toi et de communiquer facilement. Je ne sais s'il a de vaines frayeurs, on l'a accusé, cet hiver, lors des bruits, d'avoir eu grand peur, lui et Beaubien. Et son ami Peltier qui, dit-on, l'entretient dans cet état ! Il est vrai qu'il m'a cité cet ami comme étant de son avis, mais cela m'a peinée, moi, et m'a fait voir que ces gens-là cherchent leur sécurité avant tout.

Si c'était de dignes citoyens, ils devraient s'enorgueillir de te posséder et se préparer à te défendre, au cas que l'on eût l'infamie de t'attaquer, au lieu de chercher à te faire fuir et cacher pour les mettre à l'abri. Tes ennemis en profiteraient pour dire que tu es un lâche. Ils ont bien dit, pendant mon absence à la campagne, que j'étais décampée, que l'on ne savait ce que j'étais devenue ! Voilà les belles expressions dont on s'est servi à mon égard. Tu peux imaginer à quelles insultes tu seras exposé ! Mais enfin, il faut boire le calice jusqu'à la lie : nous sommes sacrifiés à des ingrats et des lâches, comme le sont les Canadiens. Je te l'ai dit et te le répète : j'ai moins de confiance en eux que jamais. Ainsi, il faut bien ne rien attendre d'eux et prendre le parti le plus sûr pour te soustraire à la rage de tes ennemis, sans attendre de secours de personne, pendant les deux années que tu as encore à lutter pour tâcher de rendre le bonheur à ton pays.

159. Le Dr Robert Nelson, patriote, de la rue Saint-Gabriel, à Montréal, près du palais de justice.

Qu'ils en profitent pendant ce temps sans égard et sans reconnaissance, parce qu'ils en sont incapables. Mais que tu obtiennes justice ou non, je te promets que je ferai tous mes efforts pour t'obliger de te retirer de la vie publique après ce Parlement-ci. Je te le répète, j'aimerais mieux le séjour de Québec, si toutefois tu touches les 500 louis, sans prendre maison, et en louant la tienne ici. Comme nous ne pouvons nous établir nulle part d'une manière stable dans ce moment de crise, s'il doit y avoir une autre session, cet été, nous serions tous rendus [épuisés]. Je veux me mettre en pension : nous aurions de bons motifs à alléguer : mon mauvais état de santé et l'incertitude du résultat des affaires, etc. Car cela n'est pas commode de se déranger tous les trois mois ; et cela nécessite des dépenses si nous allons à la campagne et qu'il y ait une session cet été ; et ensuite il faudra descendre cet automne. Réfléchis à tout cela pendant que tu es à Québec, où tu pourrais trouver à te mettre en pension pour cette année, et les enfants pourront aller à [l'école].

Enfin, je te mentionne tout cela au cas que tu oses me dire, à ton arrivée, si je te parlais de cela, que j'aurais dû t'en écrire pendant que tu es sur les lieux et à même de te consulter avec M. Louis Viger, que je regarde comme ton meilleur ami, ayant un jugement sain et ayant à cœur ton bonheur.

Ton père se porte bien ainsi que toute la famille ici. Les enfants ont grand hâte de te revoir. La petite a des dents qui lui percent. Je n'ai pas sorti depuis mon retour, je suis fatiguée du rhume et du mal de gorge et ne vois que peu de personnes. M. Quesnel est un de ceux qui me montrent le plus d'intérêt. Il dit qu'il t'a écrit, qu'il t'a offert sa maison de la campagne, enfin qu'il t'attend pour décider quel parti il faudra prendre.

Enfin, il faut donc attendre avec patience. Je n'aurais jamais cru que la session se terminerait avec si peu de bien, surtout avec la malheureuse division de Debartzch et autres. C'est affreux et pénible au-delà de ce que l'on peut exprimer.

Adieu. En attendant des jours plus heureux, qu'au moins nous puissions nous réunir ensemble, nous aurons plus de motifs de nous encourager à supporter les épreuves que nous avons eu à subir et que nous aurons peut-être encore. Cette année passée, nous n'avons pas été ensemble deux mois, je crois. Il faut prévoir la récidive pour cette année.

Ton amie et épouse,

Julie Bruneau Papineau

Mme Cherrier m'a remis l'argent que monsieur lui avait dit de me remettre ; je n'en ai pas encore eu besoin, j'en ai encore un peu.

L'honorable L.-J. Papineau
Québec

Montréal, 10 mars 1836

Cher ami,

J'ai enfin reçu une lettre, n'en ayant reçu de la semaine. Les gazettes si peu intéressantes, je me suis ennuyée à l'excès et, par surcroît de malheur, une grande peine m'attendait pour me faire tomber dans un état pire que celui de l'ennui. Cette chère cousine et bonne amie Delphine est accouchée il y a quinze jours. Je ne sais si je te l'avais annoncé ; elle a eu une couche terrible, l'enfant y a perdu la vie. Et, cependant, elle a eu du mieux pendant plusieurs jours. On a espéré de la sauver mais en vain. L'inflammation ne s'est manifestée qu'au bout de onze jours et enfin elle est décédée avant-hier matin. Ses obsèques se sont faites aujourd'hui : tu peux facilement imaginer quelle est la désolation du père et celle de son époux. Quelle cruelle séparation pour un couple aussi heureux[160] ! Tu es bien persuadé que cela m'affecte et me rend malade. Tu sais que j'y étais attachée comme à une sœur ; elle me rendait bien cela par la reconnaissance, les soins et les amitiés qu'elle nous témoignait ainsi qu'à nos enfants ; et ce bon oncle[161] à qui j'ai tant d'obligations, tu peux juger de la part que je dois prendre à sa peine, en sorte que j'ai été obligée d'être souvent auprès d'eux, ces jours-ci, ce qui fait que je n'ai pu t'écrire et que je ne le puis faire aujourd'hui aussi longuement que je l'aurais voulu.

M. Jacques Viger parle de sortir demain matin, mais il n'a qu'à retarder encore et, n'ayant pas de poste demain, je me hâte de la tenir prête à envoyer aujourd'hui, à 4 h. Je l'abrège et l'écris mal.

Tu me dis que tu ne peux rien décider au sujet du parti que nous devrons suivre, la tournure que prendront les affaires. Je n'en suis pas surprise ; ce que je t'en disais était seulement pour le cas que tu fusses obligé de rester à Québec après le manque de quorum. Alors, tu auras plus de loisir pour y penser. Au cas que tu te décides pour Québec, étant sur les lieux, tu peux voir à te procurer une pension, car, je te le répète, je ne veux pas prendre maison, comme il n'y a rien de stable dans notre situation.

Ne crains pas que je sois entrée dans le plan que te monte imprudemment Théophile. Je le lui avais seulement mentionné l'offre de ce monsieur comme un beau trait d'amitié, s'il était sincère comme il me le paraissait, et rien de plus. J'étais persuadée que tu ne pouvais ni ne devais l'accepter, pour les raisons que

160. Delphine Robitaille, épouse de François-Benjamin Blanchard, et cousine de Julie, mourut quelque temps après avoir accouché de sa première enfant mort-née. Voir la lettre du 23 février 1836.

161. Oncle Joseph Robitaille, père de Delphine.

tu allègues. Je ne puis rien déterminer que de concert avec toi, mais cette incertitude me fait encore plus ennuyer et me fatigue beaucoup.

Je viens de parcourir ce misérable *Canadien*. Je suis indignée de la conduite de ces fous de Québécois, c'est-à-dire contre M. l'éditeur[162] et ses amis de la minorité. Ils ont eu l'infamie d'intriguer, de diviser la Chambre. S'ils avaient eu la majorité, ils auraient perdu le pays et ils ne veulent pas souffrir la censure de leurs constituants. Ah ! ils la méritent et ils doivent l'avoir bien vertement ! Et la division et la querelle qu'ils font aux autres gazettes du parti libéral est inconséquente et fâcheuse au dernier degré ! Je crains que ces étourdis-là ne poussent les choses aux excès. On dit aujourd'hui ici qu'ils veulent élire John Neilson. Je ne peux croire qu'ils se portent à une telle conduite ! C'est désolant de faire des affaires avec les Canadiens et c'est ce qui me fait craindre que nous [ne] puissions avoir justice. Nos ennemis connaissent cela, c'est ce qui les enhardit à persévérer. Ils nous jugent incapables d'être unis et, en Angleterre, ils nous font encore plus de torts.

Toute la famille ici se porte bien et chez ton père. J'ai eu des nouvelles de Maska : les enfants sont bien portants. Adieu, l'heure me presse.

Tout à toi, ton épouse et amie,

Julie Bruneau Papineau

M. Amédée Papineau, étudiant
Au collège de Saint-Hyacinthe

Montréal, 11 mars 1836

Mes chers enfants,

Je n'ai pu trouver un moment pour vous écrire depuis mon retour de Verchères. Je le fais pour Québec. Cette semaine, la neuvaine et puis la mort de votre cousine, Delphine Blanchard, m'a bien occupée et bien affligée. Vous voyez, mes chers enfants, que la vie est toute remplie d'afflictions et qu'il n'y a que ceux qui font bien leurs devoirs envers Dieu et la société qui sont heureux : cela ne leur coûte pas de mourir. Elle était jeune et heureuse et elle a fait son sacrifice avec beaucoup de courage.

Je m'ennuie beaucoup. Il n'y a que les bonnes nouvelles que je reçois de vous, mes chers enfants, qui me procurent de la satisfaction : continuez à bien

162. Étienne Parent, de Québec, rédacteur du *Canadien,* s'éloignait du Parti patriote et de Papineau.

faire. Votre cher père a encore plus besoin de cette consolation au milieu de ses épreuves et de ses longues absences de sa famille.

J'envoie à mon cher Lactance le chapelet qu'il m'a fait demander ; j'y ai fait mettre des indulgences et il est monté en argent. Il coûte cher mais il est solide. J'espère qu'il en aura bien soin et ne s'exposera pas à le perdre.

Adieu, je pars pour la messe et l'occasion sera partie à mon retour.

Votre tendre mère,

J. B. Papineau

Montréal, 10 mai 1836

Mes chers enfants,

Votre père vous a écrit samedi par la poste, en réponse à vos lettres. Il y avait longtemps que nous avions eu de vos nouvelles. J'étais inquiète. Une mère l'est toujours, et souvent avec raison. Je l'ai été au sujet de vos indispositions de ce printemps, et je le suis de vos études. J'espère que Lactance nous fera honneur aux examens ; qu'il travaille en conséquence et toi, mon Amédée, ayant manqué du secours de maîtres, je ne sais comment tu t'en retireras : c'est un grand malheur et désappointement, surtout pour toi, qui en avais plus besoin que les autres ; mais ce serait encore pire si tu te décourageais. Il fallait redoubler de soins et d'application à l'étude et non former le fol projet de laisser là ton année, comme tu le disais dans ta lettre. Tu savais que nous devions aller bientôt vous rejoindre. Ainsi, mon cher, reprends courage et applique-toi de toutes tes forces à l'étude ainsi que mon cher Lactance : rien ne me ferait plus de peine, en arrivant là, de ne recevoir pas de bons témoignages de vos maîtres et je n'y ferai qu'un court séjour. Si j'ai le déplaisir de vous voir sans goût pour l'étude, je ne resterai pas pour les examens[163], si je suis pour y avoir du déplaisir. Je crains que vous ne priiez pas avec ferveur. Que Dieu vous fasse la grâce de bien remplir vos devoirs d'état et de ne pas abuser des talents qu'il vous a donnés et dont vous rendrez [un] compte bien sévère un jour. Je prie sans cesse de mon côté ; je crains tant de vous voir prendre une mauvaise route. Si vous n'avez pas le goût de l'étude, il est presque impossible que vous puissiez faire bien dans le monde. Et si je meurs en vous voyant en péril de vous perdre, quelle perspective pour une mère ! J'espère encore, il n'y a que cela qui nous soutient dans ce malheureux pays-ci.

163. Dans les collèges, les parents étaient invités à assister à certains examens de fin d'année.

J'aurais mille choses à vous dire et je n'en ai pas le temps. Souvent malade, toujours occupée, je profite de l'occasion de Louis pour vous écrire ce peu de lignes à la hâte, ce matin, au moment de son départ, n'ayant pu le faire hier.

Le chapelier n'a pas eu le temps de faire vos chapeaux ; cela sera pour une autre occasion. En attendant, fais agrandir le tien chez le chapelier de Maska - il le peut facilement - et le repasser, en sorte qu'il sera assez propre pour ménager ton neuf.

Adieu, mes chers enfants, écrivez plus souvent et dites-moi surtout si vous voulez sincèrement travailler tout de bon d'ici aux vacances. Vous en verrez les fruits bientôt.

Votre mère affectionnée,

Julie Bruneau Papineau

Montréal, 19 mai 1836

Cher Lactance,

Je n'ai qu'un instant à te donner pour t'écrire quelques lignes par M. Raymond[164] que j'ai eu le plaisir de voir hier. Il me dit qu'il est assez content de toi, que tu es assez appliqué à l'étude et à te corriger de tes promptitudes : rien ne peut me faire plus de plaisir, mon cher fils. Cela montre que tu as de la religion et de la raison ; que tu sais sentir la nécessité de travailler à devenir raisonnable et, par conséquent, en état de finir tes études avec fruits ; j'aurai grand plaisir à vous revoir.

J'espère qu'Amédée va reprendre courage et se déterminer à travailler fort d'ici aux vacances. Son maître dit qu'ils ont le temps de finir. Dis-lui qu'il m'écrive s'il prend courage.

Adieu, mes chers enfants, je n'ai pas le temps de vous en écrire plus long. Votre papa est à la Petite-Nation. Je suis avec tendresse,

Votre mère,

Julie Bruneau Papineau

Mes respects à M. Prince et aux autres messieurs de la maison. Fais repasser ton chapeau chez le chapelier, comme j'ai écrit à Amédée de le faire du sien, en

164. Joseph-Sabin Raymond, prêtre, professeur et directeur du collège de Saint-Hyacinthe.

attendant que je vous en envoie des neufs. J'ai la mesure d'Amédée dans sa lettre, mais je n'ai pas la tienne. Envoie-la-moi à la première occasion.

M. Lactance Papineau
Étudiant philosophe
Collège de Saint-Hyacinthe
faveur de L.-A. Dessaulles

Montréal, 7 décembre 1836

Mon cher fils,

Ta lettre m'a bien affligée en me confirmant dans les craintes que tu ne remplissais pas tes devoirs de chrétien d'abord, et ensuite celui de bon écolier. Le ton de tes lettres me confirmait dans mes doutes. Tu te plaignais des incommodités du collège et tu paraissais te déplaire ; je te le répète de nouveau, mon cher fils, tu ne seras jamais heureux nulle part quand tu n'auras pas le témoignage de ta conscience. Dans un âge aussi tendre que le tien, négliger la piété ! Que doit-on attendre de toi à ton entrée dans ce monde dangereux et quelles ressources auras-tu pour te garantir de tes passions ? Ah ! que cela me donne de l'inquiétude sur votre sort ! Je te conjure de réfléchir sur ton état, dans ce saint temps des Avents, et de te préparer à recevoir ton Sauveur à Noël, si on t'en trouve digne ! Et, pour cela, il faut travailler de bonne foi, et ensuite tu rempliras mieux tes devoirs d'écolier et tu seras digne de l'amitié de tes parents qui auront bien du plaisir à te voir aux Rois.

Je regrette beaucoup de ne t'avoir pas écrit plus souvent, mais je suis toujours si occupée et, ayant Amédée à la maison qui le fait de temps en temps, je t'ai écrit moins souvent. Je m'en fais des reproches. C'était de mon devoir de te rappeler de temps en temps tes devoirs : tu ne te serais peut-être laissé aller à la négligence et à l'indifférence. J'espère que Dieu me pardonnera ; je serai plus exacte à l'avenir.

Je suis pourtant certaine que tu ne manques pas de bons avis de la part de ton digne directeur, M. Prince, ainsi que du vertueux M. Raymond qui m'avait promis qu'il t'exhorterait de temps en temps à suivre les avis que je t'avais donnés. Prends donc pour modèles ces messieurs-là qui emploient si bien le temps de leur jeunesse. Ah ! qu'ils sont heureux et leurs parents aussi ! Remercie-les de ma part pour les soins qu'ils te portent et promets-leur de mieux profiter à l'avenir de leurs bons avis ; ils sont affligés de ta conduite, donne-leur donc de la consolation, c'est la meilleure récompense de leur sollicitude.

Tu me demandais si je voulais que tu prisses des leçons de musique ; non seulement je te le permets mais je le désire, tu le sais bien. Quant aux effets que tu me demandais, tu feras acheter cela à Maska, de la flanelle pour les gilets ; les deux qui sont trop petits, fais faire des manches neuves et élargir les corps. Marie, ta laveuse, est bien capable de les arranger et de te faire une couple de caleçons. Fais acheter du coton américain ou de la flanelle, si tu aimes mieux, et dis à Marie que je lui payerai cela à part.

Les enfants ici sont bien mais la petite Azélie m'a fait beaucoup veiller. J'ai le sang échauffé, en sorte que je souffre beaucoup d'une inflammation aux gencives depuis quinze jours.

Ton papa se porte bien et te fait ses amitiés. Il ne savait pas plus que moi si tu travaillais fort ; il s'en est informé à ton oncle Augustin et autres qui n'ont pas pu le dire. Je ne lui montrerai pas ta lettre à moins qu'il me le demande. J'attendrai qu'il ait de meilleures nouvelles à recevoir de toi. Comme je t'écris par ton cousin Louis, je lui donne en même temps la manière qu'il faudra arranger ton voyage aux Rois ; les enfants ont témoigné une grande joie à cette nouvelle. J'attends avec crainte, et pourtant mêlée d'espérance, de meilleures nouvelles de toi, mon cher fils, d'ici à ce temps.

Adieu, sois en santé et crois-moi pour la vie,

Ta mère affectionnée et amie,

Julie Bruneau Papineau

Madame Dessaulles
Saint-Hyacinthe
Politesse de M. J.-C. Prince, ptre, directeur

Montréal, 28 avril 1837

Chère sœur,

Je me propose depuis quelques jours de vous écrire et je n'ai pu le faire. Ma convalescence ayant été longue, je me trouve bien en arrière dans mes ouvrages du printemps.

Notre cher Louis[165] est bien raisonnable ; il ne paraît pas s'ennuyer, l'on se défiait à tort de lui. Vous voyez que, quand il prend un parti, il sait s'y soumettre

165. Louis-Antoine Dessaulles, fils de Rosalie Papineau (Mme Dessaulles) et, par conséquent, neveu de Julie Bruneau-Papineau.

avec constance. Cela doit nous faire augurer qu'il en sera ainsi dans les autres événements de sa vie. Il est jusqu'à présent tel que je l'ai toujours connu : bon et aimable, prévenant. Il ne nous donne aucun embarras, mais au contraire il nous amuse et nous est une bonne compagnie ; pourvu que de son côté, il nous trouve de même ; je crains qu'il ne se gêne ; j'aimerais qu'il ne se gênât en rien de ce que l'on peut lui procurer, au moins il n'a encore rien témoigné. Il se conforme en tout au régime de la maison.

Vous avez été désappointée dans vos projets de vous mettre en pension ; j'en suis fâchée, je vous approuvais fort et vous plains beaucoup d'être obligée de continuer vos nombreuses occupations qui ne vous laissent aucun repos et deviennent à la fin impossibles à supporter. Quant à moi, je sais que je n'en pourrais pas faire le quart, aussi je vous plains fort.

J'espère que vous êtes tous bien portants. Il y a longtemps que nous avons eu des lettres de Lactance et de notre chère petite Ézilda : je crains fort qu'elle ne soit pas raisonnable et qu'elle vous donne du trouble, et que de votre côté vous soyez trop indulgente, que sa bonne maîtresse aussi lui en passe un peu trop à l'école, qu'elle ne soit pas assez appliquée. Il faut qu'elle pense que le temps approche où maman ira elle-même pour voir ses progrès dans la sagesse et la science. J'aurai beaucoup de plaisir à l'aller voir, je m'en ennuie souvent ; mais aussi, si elle n'a pas tenu la promesse qu'elle m'a faite de n'être plus un petit enfant mais une petite fille raisonnable, selon son âge. On n'exige pas trop d'elle mais il faut absolument un changement. Elle était trop enfant pour son âge. À la première occasion favorable, je lui enverrai encore une robe et des tabliers. Si la robe que je lui envoie est trop courte, il y a un rempli que vous ferez défaire. Je vais faire faire les autres plus longues, celle-là était faite quand vous m'avez mentionné les défauts de l'autre que nous corrigerons aux autres. Je vous prie aussi de faire ôter la doublure ouatée de ses chapeaux. Alors, ils lui pourront servir de chapeaux du printemps, en attendant que je lui envoie ceux d'été.

Je vous réitère mes remerciements et excuses de vous donner tant de trouble malgré vos nombreuses occupations. Remerciez pour moi la chère Rosalie, Mlle Williams et ainsi que les D^lles^ Germain des soins qu'elles donnent à ma chère petite fille, sans oublier mon cher Casimir, qui, j'en suis sûre, contribue bien pour sa part à gâter sa petite cousine, lui qui est si bon, si complaisant.

M. Papineau se porte bien et il en a grand besoin ; vous devinez facilement que les dernières nouvelles politiques ne le mettent pas de trop bonne humeur et lui font faire de la bile. Il en a fait part un peu hier à M. Prince, que nous avons eu le plaisir de [ne] voir qu'un instant. Il avait à sa compagnie M. Drolet qui, me dit-on, est un fameux bureaucrate. Je ne le savais pas, hier, sans quoi j'aurais eu bien envie de rire. M. Prince a dit à M. Papineau que lord John

Russell[166] n'avait pas contribué à le modérer, qu'il allait lui envoyer le Dr Boutillier, qui était un peu découragé par ces nouvelles.

Adieu, chère sœur. Amitiés à toute la famille.

Votre sœur affectionnée,

Julie Bruneau Papineau

Ma chère Ézilda,

Il y a longtemps que maman ne t'a écrit. Elle a été malade ; elle est mieux à présent et elle vit en espérant d'avoir le plaisir de t'aller voir bientôt. Je m'ennuie de temps en temps de toi mais, comme c'est pour ton bien que l'on a consenti à t'éloigner, ma chère, j'espère que tu en fais autant de ton côté, quand il te vient des pensées d'ennui : chasse-les et étudie plus fort. J'espère, ma chère, que tu ne causeras pas de chagrins à maman quand elle ira te voir ; que je te trouverai plus raisonnable, plus appliquée. Tu te rappelles bien que je me démontais quelquefois de ma petite fille. J'espère qu'elle aura changé pour le mieux.

Ta petite Azélie est bien avancée pour son âge. Elle parle souvent de toi, et Gustave aussi. Il va à une école anglaise. Ils ont grand hâte de te revoir et t'embrassent de tout cœur, ainsi que papa, maman et le grand frère, Amédée.

Adieu, ma chère.

Ta tendre maman,

Julie Bruneau Papineau

Montréal, 28 avril 1837

Mon cher Lactance,

Il y a longtemps que je ne t'ai pas écrit ; tu sais que j'ai été malade. Je suis assez bien à présent. J'espère que le retour de la belle saison me rendra la santé ; l'hiver m'est tout à fait contraire.

166. La nouvelle que les dix résolutions Russell ont été votées aux Communes de Londres vient d'arriver au Bas-Canada. Ces résolutions niaient les pouvoirs de la Chambre d'assemblée en autorisant le gouvernement colonial à engager les dépenses gouvernementales sans son assentiment. Décriées par les patriotes, elles feront naître partout des assemblées de protestation.

J'ai eu de tes nouvelles hier par M. Prince qui nous a dit que tu étais bien portant. J'espère, mon cher, à présent que tu as eu le bonheur de faire tes Pâques, j'espère, mon cher, que tu [ne] seras pas si négligent à te préparer à recevoir ton Sauveur plus souvent. Si tu n'[en] avais le désir et le loisir pendant ton séjour au collège, cher enfant, que deviendrais-tu dans le monde où l'on pense généralement si peu à l'autre, quoique l'on soit au moment d'y passer à chaque instant, et plus tôt que plus tard.

J'espère que j'aurai le plaisir de vous aller voir dans le mois de mai ; je ne serai pas longtemps, alors j'y retournerai en juillet : au moins, ce sont les projets que je me plais à former, mais qui pourraient peut-être être changés. Ézilda n'aurait pas la patience de m'attendre jusqu'au mois de juillet. Voilà pourquoi (et je crains que cela la ferait ennuyer) j'irai faire une petite promenade au mois de mai, quand les chemins seront beaux pour les voitures d'été.

J'espère, mon cher, que tu travailles fort pour te faire honneur et à nous aussi, et que nous aurons du plaisir, si nous assistons aux examens : un philosophe est un homme de qui l'on doit plus attendre que des autres classes.

Adieu, mon cher, présente mes respects aux messieurs de la maison et écris-nous quand tu le peux : cela fait toujours plaisir.

Ta tendre mère,

Julie Bruneau Papineau

Montréal, 3 juin 1837

Mon cher Lactance,

Je suis bien aise d'avoir eu une lettre de toi. J'espère que tu travailles fort pour bien paraître aux examens. J'espère toujours faire mon voyage et me rendre quelques jours avant les examens. J'ai toujours eu des empêchements jusqu'à présent. C'est heureux que ta pauvre petite sœur soit venue me voir, sans cela je n'aurais pu y aller plus tôt.

Je suis mieux mais ton père est absent ; je ne sais quand il reviendra.

Parlons de tes effets. Tu demandes encore ton capot, que j'ai envoyé il y a longtemps par Louis, à son premier voyage ; demande-le chez ta tante : il doit y être. Je te ferai faire une veste, mais quant au surtout, je chercherai et me déciderai au retour de ton père. Cette étoffe que tu mentionnes, je ne la connais pas. On s'en informera et l'on décidera.

Mes respects à ces messieurs. Amitiés à toute la famille. Embrasse Ézilda pour moi. Adieu, mon cher fils.

Ta tendre mère,

Julie Bruneau Papineau

Montréal, 29 septembre 1837

Mon cher Lactance,

J'ai reçu avec plaisir ta lettre, hier, par ton cousin ; j'apprends par là que tu es bien et très occupé. J'espère, mon cher, que tu vas t'appliquer avec ardeur au commencement de l'année. Je conviens avec toi que c'est difficile pour toi d'entreprendre ta philosophie mais, enfin, il faut faire ton possible pour la faire de ton mieux. Tes maîtres verront bien si tu travailles et que tu fasses de ton mieux ; ils sauront bien t'en tenir compte et n'exigeront pas l'impossible, ni tes parents non plus. Tâche de pratiquer un peu de la musique, tu sais que cela me ferait plaisir.

Je t'envoie ton capot et ton *stock*[167] que j'ai fait arranger proprement. J'espère que tu ne le mettras que rarement cet hiver afin qu'il se trouve propre pour cet été. Je t'envoie aussi une de tes chemises neuves qui était restée ici. Tu l'enverras à la laveuse ; elle est sale, elle a attrapé des taches de suif et autres.

J'ai reçu une lettre hier de ton papa : il se porte bien et croit revenir la semaine prochaine. Tu verras, par les gazettes, l'issue de la session ; elle est telle que nous l'avions prévu. N'ayant point de nouvelles favorables d'Europe, la Chambre ne donnera pas les subsides et rien ne sera fait. C'est déplorable : le pays souffre et il est à craindre que cela ne continue longtemps.

Adieu, mon cher fils, sois obéissant et pieux ; ce sont des vertus bien nécessaires et surtout pour un écolier.

Ta mère affectionnée,

Julie Bruneau Papineau

167. *Stock* : plastron, col, cravate (Glossaire). Voir la lettre suivante.

M. Lactance Papineau
Étudiant au collège de Saint-Hyacinthe
faveur de M. Cadoret

Montréal, 17 octobre 1837

Mon cher Lactance,

Je suis satisfaite des nouvelles que tu me donnes au sujet de ta retraite et de ta préparation à communier à la Toussaint. Écris-moi, mon cher, dans le temps, si tu as ce bonheur ; ne sois pas inquiet au sujet de ce que tu me confies : j'en garde le secret et t'approuve fort. J'espère que, pour cette fois, tes commissions seront remplies. Ta tante a emporté le tout, excepté les claques et la pâte de jujube ; que je t'envoie par Cadoret, c'est ton stock vert que j'ai trouvé, tu le feras couvrir comme tu voudras, tu trouveras à Maska de l'étoffe du pays[168] ou du velours de coton. Vous allez avoir une belle année d'études à faire : tâche d'en profiter.

Adieu, mon cher, je suis pressée, j'ai tant d'occupations. Je t'écrirai plus au long un autre jour. Ton père t'embrasse ainsi que les enfants. Il doit aller à l'assemblée des cinq comtés[169] ainsi que ton cousin Louis qui ira de là à Maska. Peut-être ton père ira-t-il aussi, mais cela n'est pas certain, ne t'en flatte pas. Tu me feras dire par ton cousin ce que tu auras à me dire si tu ne peux écrire. Cela sera aussi [bien] puisque tu as tant de difficultés à le faire.

Pour la vie, ta mère affectionnée,

Julie Bruneau Papineau

Amédée te fait ses amitiés. Il est très occupé à l'étude et à la politique. Embrasse cette chère petite Ézilda, je n'ai pas le temps de lui écrire.

168. Pour boycotter les tissus importés, la mode était alors de se vêtir d'étoffe du pays.

169. La grande assemblée patriotique tenue à Saint-Charles, le 23 octobre 1837, appelée « Assemblée des six comtés », un sixième comté s'étant joint aux autres, le jour même.

Joseph Papineau[170], notaire
Montréal

Saint-Hyacinthe, 29 mars 1838

Mon cher monsieur,

Après les déplorables événements[171] qui se [sont] passés depuis notre séparation et les maladies que nous avons eues, il est heureux, comme vous me le dites, que Dieu nous ait sauvé la vie, puisque nous sommes encore utiles à nos chers enfants.

J'ai été bien aise que Mme Dessaulles ait pu vous aller voir. Vous aviez grand besoin de la voir, ne pouvant adoucir vos peines en communiquant avec nous ; cela aurait eu trop de dangers dans ce malheureux [temps]. Vous avez pu, au moins, avoir quelques détails par elle sur ce qui concernait une grande partie de la famille.

Je vous remercie du trouble que [vous] voulez bien prendre en vous occupant de mes papiers et affaires. Je conviens que M. Delagrave[172], voulant bien se charger d'être mon procureur, il faut l'accepter. Je connais son amitié et son zèle pour nos intérêts et je l'en remercie. Les bons amis sont encore plus rares dans les temps de malheur que dans l'état de prospérité, mais il faudra lui recommander beaucoup de discrétion. C'est son défaut de manquer de prudence et d'aimer à dire tout ce qu'il sait. De plus, il aura besoin quelques fois de consulter un avocat. Puisque Cherrier est chez lui maintenant, je préférerais qu'il le consultât de préférence à tout autre, autant que cela ne fatiguât pas ce dernier. À son défaut, il prendra son associé. On aura plus de peine à faire payer les gens, et cela serait bien mal de leur part : ils doivent savoir que j'en ai plus besoin maintenant, étant seule. Je veux parler de Paquin, Caty, Cooper, qui ont coutume de bien payer. Il y en a d'autres, tels que Clarke et Appleton, qui seront obligés d'être poursuivis. Dans les papiers de ce pauvre Philippe[173], il doit y en avoir qui constateront ce que ceux-là doivent. Il avait commencé des poursuites contre eux et d'autres. Il faudra retirer ces papiers-là et vous verrez par vous-même ce qui en est.

Ce que vous me dites à l'égard des censitaires, je ne m'attendais à rien recevoir d'eux, mais au moins il faut faire payer celui qui loue les moulins. J'ai trouvé son billet que je vous envoie ci-inclus.

À présent, parlons de la maison. Je ne suis pas d'avis de la louer, au contraire, j'y répugne infiniment pour plusieurs raisons. J'aime mieux attendre. Quant au

170. Joseph Papineau, beau-père de Julie.

171. L'insurrection qui a séparé la famille Papineau, Amédée et Louis-Joseph ayant traversé la frontière en clandestinité et vivant maintenant aux États-Unis.

172. François-Xavier Delagrave (1771-1843), époux de Geneviève Amiot.

173. Philippe Bruneau, avocat, frère de Julie, est décédé à Montréal en décembre 1837.

plan de la vendre, je l'aimerais mieux si l'on trouvait un prix raisonnable, mais, comme vous dites, je préfère avoir l'avis de M. P[apineau]. Maintenant que l'on peut communiquer avec Amédée, l'on pourra savoir s'il y consent et à quel prix. L'on pourrait faire cela et vendre à quelqu'un, sans que le gouvernement le sût. Une raison, entre plusieurs autres, que j'ai de ne pas la louer : si l'on parle de le faire, ils seront assez osés pour y mettre des obstacles et s'obstiner à la prendre pour y mettre des troupes, comme ils ont voulu le faire, l'hiver dernier. Puisque Cherrier, mon beau-frère, a reçu la défense de mettre le pied dans la maison, il vaut mieux ne pas remuer l'affaire de la maison pour le présent, et de faire remettre les clefs entre les mains de Delagrave. Leur demander permission de la louer serait reconnaître qu'ils y ont droit : c'est impossible. Si je ne touche pas l'argent dû, j'ai bien des effets que je pourrai vendre en partie, pour subsister. Si M. Denis Viger vendait sa propriété et qu'il voulait occuper la mienne, cela me plairait infiniment, et aux conditions qu'il voudrait et pour le temps qu'il voudrait. En ce cas, cela serait [mieux] de la voir fermée en été ; elle ne peut se gâter fermée et, d'ici l'automne, il surviendra peut-être des choses que l'on ne prévoit pas et qui feront regretter de vous être précipité. Ils n'oseront rien confisquer à présent : il faut que les procès se fassent avant. Nous pourrons encore nous écrire : je crois que vous ne pourrez pas laisser Montréal avant la navigation.

Les petits enfants se joignent à moi pour vous embrasser. La petite Azélie dit qu'elle voudrait bien voir son cher petit pépé qui l'aimait et puis qui voulait toujours la rendre bonne en lui donnant des *nananes*. À présent, elle convient qu'elle est maligne quelquefois.

Je vous prie de faire mes amitiés à la famille et de me croire pour la vie,
Votre fille affectionnée,

J. Bruneau Papineau

Louis-Joseph Papineau

[Saint-Hyacinthe], 1er mai 1838

Cher ami,

Je ne puis plus soutenir un état aussi cruel que celui de l'ennui, et de l'anxiété que j'éprouve de ne pouvoir avoir de vos nouvelles, et de vous faire parvenir des nôtres. Cela serait un adoucissement à nos maux. Tout se réunit pour augmenter nos malheurs : les autres fugitifs trouvent moyen de communiquer et nous ne pouvons y réussir ; après une aussi longue absence et n'avoir reçu qu'une seule lettre de toi, et celle de notre fils que tu m'annonçais et à laquelle j'ai répondu, et par la voie et à l'adresse qu'il m'avait indiquée, et j'apprends qu'il ne l'a pas reçue. Nous nous décidons à envoyer un exprès. S'il peut passer, vous serez bien satisfaits de le voir et nous, empressés et heureux de le voir revenir nous dire qu'il aura eu le bonheur de nous donner des nouvelles et de nous en apporter de vous.

Ah ! cher ami, à quelles terribles épreuves avons-nous été soumis réciproquement depuis le moment de notre inattendue et cruelle séparation ! jusqu'au temps où l'on a appris et pu croire avec quelque certitude que tu étais échappé à tous les dangers et soustrait de tomber au pouvoir de nos tyrans et de nos bourreaux ! Je n'aurais pu supporter un tel excès de malheur, j'aurais infailliblement succombé, je ne pouvais que gémir et verser des larmes ; le sommeil avait fui loin de moi, le peu de nourriture que je prenais, je ne pouvais la digérer, j'étais d'une grande faiblesse. Je voyais ma mère accablée de douleur, dévorée d'inquiétudes qu'elle feignait de me dissimuler en vain ; et [elle] changeait et maigrissait à vue d'œil, elle me dérobait en partie les mauvaises nouvelles ; et ainsi que le curé qui était encore plus affecté, et plus craintif et plus faible : à la fin, il a succombé, il a été bien malade.

Tous les jours nous apportaient des nouvelles affligeantes, entre autres l'arrestation de quelques fugitifs, pris et emmenés, liés et garrottés, et entrés dans la ville au milieu de leurs féroces ennemis, exposés aux huées et vociférations de la canaille étrangère, qui leur faisait voir des cordes et des échafauds ! On dit que c'était horrible de les voir et de les entendre.

Mais ce qui m'a le plus atterrée, c'est quand on a appris qu'ils s'étaient emparés du célèbre et malheureux Nelson[174] et qu'on lui faisait dire, à son arrivée à Montréal, qu'il t'avait laissé dans le bois, que vous aviez pris une route différente. Alors l'on craignait que tu pourrais éprouver le même sort. Il est impossible de décrire ce que j'éprouvai alors pour le sort de cette famille infortunée, qui méritait à juste titre toute notre estime et compassion. À la crainte que le même sort nous fût réservé, un froid mortel me saisit, je retombai plus malade et continuai à l'être jusqu'au temps où l'on pouvait croire que tu étais sauf.

Ah ! que de grâces nous avons à rendre à la Providence puisqu'elle nous a accordé la plus grande : celle de nous avoir conservé ta précieuse existence et ensuite celle de ce cher enfant qui a partagé tes périls. Les autres sacrifices sont faciles, comparés à ceux-là ; aussi je les ai faits avec résignation. À la volonté de Dieu ! je ne lui demande que de nous réunir.

Tu ne saurais croire ce que j'ai eu de pénible à souffrir de voir l'aspect de ce pays changé en un instant, métamorphosé pour ainsi dire ; le langage infâme

174. Le 11 décembre 1837, Wolfred Nelson, le héros de Saint-Denis, mort de fatigue, fut arrêté dans la forêt de Frost Village, dans le canton de Shefford, près de Stukely, alors qu'il tentait de gagner les États-Unis. Louis-Joseph Papineau, lui, avait réussi à traverser la frontière américaine bien avant cette date et s'était réfugié chez ses amis Porter, à Albany, N.Y.

de nos journaux ; ces nombreuses requêtes qui salissaient leurs pages, elles étaient toutes plus viles, plus lâches, plus mensongères les unes que les autres, mais toutes ensemble avaient le même but de vous traiter d'infâmes, de scélérats, de traîtres et d'ambitieux et de faire croire que vous étiez les agresseurs et les auteurs de tous nos malheurs ! Quand je voyais les mêmes hommes et enfin ce même peuple signer ces infamies, qui ont tout l'été proclamé hautement et publiquement qu'ils étaient décidés à maintenir leurs droits et qui, soudainement, changent de conduite et de langage ! Les uns, mus par la peur et la faiblesse, les autres par la haine et l'ambition, se réjouissaient de votre malheur ! Et enfin, la presque totalité réduite au silence et à la dégradation. Toutes les dépositions les plus dégoûtantes étaient faites et portées à nos tyrans de la part de Canadiens de nos campagnes ; vous n'auriez pu trouver un asile où reposer votre tête en sûreté ; on vous aurait livrés tous, sans exception, disant que vous étiez la cause de leur malheur, ainsi qu'on leur disait.

Combien donc vous avez dû trouver bonne la sympathie que vous avez éprouvée sur une terre étrangère, comparée à l'ingratitude d'une patrie ! Des hommes éclairés et indépendants comparés à des ignorants de nos droits et prétendant que vous aviez dépassé vos droits et usurpé sur le devoir que l'on doit à un souverain et que vous avez fait votre sort et le nôtre ! C'est là le langage des plus modérés, juge des autres qui te rejettent.

Aussitôt que j'ai su que tu étais en sûreté, j'ai fait tous mes efforts pour me rétablir et puis, de plus, on nous a bercés d'espérances, une partie de l'hiver : il n'y a rien de plus naturel à l'humanité, j'avais insensiblement du mieux.

Mon voyage et arrivée chez ta sœur n'a été qu'à la mi-janvier ; je me suis trouvée réunie à mes autres enfants et, peu à peu, j'ai pris des forces et de l'espérance. Quand ta lettre est venue nous apprendre que notre avenir est aussi incertain que notre situation présente, et rempli d'amertume, d'ennui, étant séparés les uns des autres sans en pouvoir calculer la prochaine réunion, cela m'a tout à fait découragée. Si nous n'avons rien à espérer de nos voisins, de l'autre côté, nous sommes certains d'être malheureux et persécutés de toute manière. Le renouvellement de la loi martiale, l'arrivée des troupes que l'on va disséminer dans les campagnes, je crains fort que nous n'ayons notre bonne part de vexations, comme nous en avons eu, une partie de l'hiver.

J'ai bien de la peine à écrire ces jours-ci ; j'ai été malade depuis trois semaines, ce qui m'a fait retomber dans ma première faiblesse. Nous avons fait prévenir ton cher papa ; il nous envoie une lettre au sujet de nos affaires. Il n'aime pas agir sans ton avis, s'il est possible. C'est pourquoi je ne te parlerai que peu d'affaires. Si tu peux recevoir sa lettre, hâte-toi d'y répondre et ensuite avise aux moyens de pouvoir correspondre plus souvent : c'est un état d'angoisse et sujet à de grands inconvénients de ne pouvoir nous écrire. Il faudra agir suivant les circonstances. Pour le moment, nous ne savons que faire, attendant toujours que notre sort soit décidé.

Les enfants sont bien portants. Ils sont heureux d'être encore dans un âge aussi tendre, ils ne peuvent sentir leur malheur que faiblement. La petite Azélie s'ennuie plus que les autres, elle parle souvent de toi ; quand elle est seule avec moi et qu'elle m'entend soupirer, elle dit : « Dieu ! que l'on a de la misère quand on est loin de son cher petit papa et de son petit Amédée ! Que je serai contente quand j'irai les voir ! Je m'ennuie, c'est terrible ! » Et c'est le cas, elle ne peut s'éloigner de moi et elle parle incessamment de la maison, et elle se rappelle bien des circonstances qu'elle n'oubliera jamais.

Adieu, cher ami, sois au moins en santé et courage, comme je tâcherai de l'être.

Ton épouse chérie et affectionnée,

J. B. Papineau

A[médée] Montigny[175]
Care of Judge Walworth
Saratoga Springs, N.Y.

[Saint-Hyacinthe], 1er mai 1838

Mon cher fils,

Je suis désolée d'apprendre que tu n'as pas reçu ma lettre en réponse à la tienne, que j'ai eu le plaisir de recevoir. Si tu m'avais dit par qui tu me l'envoyais et que tu m'eusses dit d'envoyer la réponse par la même voie, tu l'aurais reçue ; cependant, je suis étonnée qu'elle ne te soit pas parvenue à l'adresse de ce monsieur. On ne devait pas douter que cela eût rapport avec les fugitifs, mais il paraît que ce monsieur, par qui tu me l'as fait parvenir, communique facilement et fréquemment avec sa dame. Pourquoi ne prends-tu pas ce moyen ? Elle m'a fait dire d'écrire et de lui envoyer les lettres, qu'elle les ferait parvenir. Ainsi, je me suis dit : « Ils peuvent donc en faire autant ». Voilà pourquoi je n'ose m'y fier avant d'en avoir eu de vous. Je prends un autre moyen pour cette fois, sauf à y revenir si je ne réussis pas cette fois-ci.

Cher enfant, tu ne saurais croire quel mélange de surprise, d'attendrissement et de joie j'ai éprouvé en recevant pour la première fois de vos nouvelles, depuis notre douloureuse et inopinée séparation ! Tout s'est réuni pour ajouter à nos

175. Par souci d'authenticité, Amédée Papineau avait repris son patronyme d'origine. L'ancêtre Samuel Papineau, originaire de Montigny (Deux-Sèvres), en France, s'appelait « Papineau dit Montigny ».

maux de nouvelles plaies. Si l'on avait pu se les communiquer, cela aurait été un adoucissement et une consolation ! L'on avait des propos vagues et contradictoires les uns des autres. Il n'y a qu'après un laps de temps que l'on a pu croire raisonnablement que vous deviez être échappés et en sûreté, mais cela aurait été plus certain, si on avait pu le savoir par vous, comme on l'a espéré en vain. Je te dirai pourtant que j'avais grande confiance, c'était une faveur de plus de la part de notre Dieu, qui nous avait déjà délivrés et protégés d'une manière si sensible dans plus d'une occasion où les jours si précieux de celui que nous chérissons plus que nous-mêmes ont été exposés aux plus grands dangers. Il faut lui rendre grâces et être reconnaissant d'une telle faveur et le prier de continuer à nous protéger contre des ennemis si acharnés à le perdre, ainsi que notre pauvre pays.

Je désire prendre des forces et conserver une existence que je crois être nécessaire à ma famille et à mon époux, si je puis par mes soins et tendresse le dédommager des jours malheureux qu'il passe loin de nous. Il méritait un sort bien différent, après tous les sacrifices qu'il a faits pour l'amour de sa patrie ! Comme homme public, il a des droits au respect et à l'admiration et à la reconnaissance. Et, au contraire, il n'est payé que par la persécution de ses ennemis, la trahison de ses amis et l'abandon de ses principes et de sa personne par une grande partie de ses concitoyens. Ah ! cher fils, c'est cette ingratitude qui me fait le plus souffrir, car il est certain que l'on est plus souvent destiné au jouet et à l'inconstance de la fortune qu'à ses faveurs, mais, au moins, quand on est tombé dans le malheur et que l'on trouve des cœurs compatissants, quel allégement à nos maux ! C'est ce que vous avez trouvé en pays étranger, et que l'on ne trouve pas en notre patrie.

Combien j'ai trouvé ta lettre consolante, surtout sous le rapport que tu me fais de la famille où vous avez le bonheur de vous réunir, et même d'y séjourner quelque temps ! Je t'avais laissé le soin de reconnaître et de leur exprimer de vive voix ma plus vive reconnaissance, admiration, et l'étendue de l'amitié que je leur porte. Comment pourrais-je jamais assez reconnaître tout ce qu'ils ont fait pour vous, dans un moment de proscriptions et de malheur ? Ah ! c'est là que l'on sait apprécier de tels amis ! La sympathie et tous les procédés délicats et généreux vous ont été prodigués, et la nouvelle protection qui t'est offerte et acceptée chez ce M. W. me pénètre d'attendrissement et de satisfaction.

Je n'ai pas besoin de te dire que je m'attends que tu mettras à profit un si grand avantage, en prenant le parti de l'étude avec courage et persévérance. Tu sens qu'une bonne éducation est utile dans tous les événements de la vie et que tu te rendras serviable, attentif et aimable dans la famille qui a la générosité de t'accueillir comme un de ses membres.

Je voudrais bien faire une rencontre aussi heureuse pour ton frère Lactance. Nous l'avons ici externe pour éviter de payer une pension. Il est léger et peu appliqué. Il a grand besoin d'être guidé et surveillé. Il serait impossible de le livrer seul : loin de la famille, il ne courrait que le risque de se perdre, dans ce pays où les jeunes gens sont si mal élevés et si légers.

Ton cher cousin, ici, perd entièrement son temps, il m'afflige et m'étonne. Sa mère en a du chagrin et voudrait bien aussi le placer dans les États ; elle va en écrire, je crois.

Les enfants sont bien. La petite Ézilda va à l'école de Mlle Williams[176] le matin et, l'après-dîner, chez les sœurs ; et Gustave, chez Mlle H. Il a été bien sensible à ta lettre, il a bien pleuré. Ézilda est plus légère, quoique bien sensible. Gustave est demeuré fidèle à la non-consommation. Il est inflexible, il étonne tous ceux à qui on en parle et qui le voient se priver constamment. Rien ne peut le faire dévier. La petite Azélie est méchante, mais bien intéressante ; elle parle souvent de son cher petit papa et de son petit frère Amédée. « Ah ! dit-elle, quand donc les reverrai-je ? Je m'en ennuie et je suis bien sûre qu'ils s'ennuient de moi. » Et, ensuite, elle parle souvent de la maison. Elle a bien des moments d'ennui. Voilà la belle saison : cela fera diversion à son ennui, ainsi que les autres.

Pour moi, il ne peut y avoir de beaux jours. Le séjour de la campagne même ne nous laissera pas plus de liberté. Nous serons au milieu des baïonnettes et des espions. J'ai le projet de vous aller voir, je ne sais si j'y réussirai. Cela sera en mai. Au retour de l'exprès, je me déciderai. Et puis les événements, à l'arrivée du nouveau gouverneur, y seront pour beaucoup dans mes déterminations.

Je n'ai que le temps de signer celle-ci. Nous trouvons à l'instant une occasion sûre, ce qui nous exemptera d'envoyer un exprès. Prends tous les moyens de nous répondre.

Ta mère tendre et affectionnée,

J. B. P.

M. Amédée Montigny
Care of Judge Walworth,
Saratoga Springs, N.Y.

Montréal, 17 mai 1838

Mon cher fils,

Je ne puis m'expliquer comment il se fait que tu ne peux recevoir de mes nouvelles ; tu ne m'as écrit qu'une lettre et je l'ai reçue et je t'ai répondu par

176. Rhoda Ann Williams, institutrice, épousera Narcisse Guerout, « clerk missionary» à Rivière-du-Loup (Louiseville), dans le district de Trois-Rivières (Montréal, Christ Anglican Church, 23 janvier 1840).

la voie que tu m'avais indiquée et j'ai appris depuis, par la voie de M. Louis P[errault] à sa dame, que tu ne savais si j'avais reçu ta lettre ni, par conséquent, reçu celle que je t'ai écrite. Et depuis ce temps, je devais envoyer un exprès mais je ne l'ai pas fait parce qu'il s'est présenté une occasion que l'on a cru bien sûre. Je t'ai écrit et à ton père, et puis il y en avait une de pépé et deux de Lactance et l'occasion devait les remettre à M. Blanchard fils, qui était prié, par un billet de ta tante Dessaulles, de les acheminer au Dr P. qui devait te les faire parvenir. Et comme il y a trois semaines de cela, et n'ayant aucune nouvelle, pas même de ces personnes qui, nous pensions, seraient assez exactes de nous en accuser la réception, nous craignons fort qu'elles ne vous soient pas parvenues. C'est pourquoi je tente encore une fois : celle-ci, c'est M. Desmarteau qui s'en va voir le Dr B. C'est encore un homme à qui l'on peut se fier et, si elle ne te parvient, je serai tout à fait découragée et n'écrirai plus, ne sachant en quelles mains mes lettres sont tombées. Tout se réunit pour augmenter le poids de nos malheurs ; aussi, je ne puis plus supporter un état aussi cruel et dont on ne peut prévoir l'issue. J'avais projeté tout l'hiver de vous aller voir ce printemps. Il le faut surtout ne pouvant communiquer du tout. Il faudrait au contraire pouvoir le faire librement. L'état de nos affaires, et puis, bien plus que cela, l'inquiétude que me donne un état aussi alarmant de ne rien savoir sur le sort d'une personne qui nous intéresse autant ; il est impossible d'imaginer ce que l'on ressent d'ennui et d'inquiétude et les rapports absurdes et contradictoires que l'on fait circuler ; les communications en notre faveur sont tout à fait interceptées et l'on ne sait rien du tout sur ce qui nous concerne. L'on a reçu seulement cette petite biographie[177] que tu avais adressée à ton cousin.

Je ne te parlerai pas des lois passées par notre Conseil[178]. Vous les verrez dans les journaux et vous jugerez de notre perspective.

Aussitôt que j'aurai eu de vos nouvelles, mon projet est d'aller avec ta tante, j'espère, et M. Morison[179] qui nous accompagnera, ou autre. Tu peux bien croire que je ne me propose pas d'y aller seule : je me rendrai en ligne directe chez ces bons amis d'Albany et là, il sera facile de te faire prévenir. Si ta tante ne peut venir, il faudra que j'attende l'occasion de quelques personnes qui me conviennent, comme je sais qu'il y a plusieurs dames qui se proposent d'y aller.

J'ai été encore malade récemment. Je suis faible. Les enfants sont bien et parlent souvent de vous.

---

177. Courte biographie de Louis-Joseph Papineau, parue dans le *Saratoga Sentinel* du 27 mars 1838, d'après des notes fournies par E.-B. O'Callaghan.

178. En attendant l'arrivée du gouverneur Durham, c'est un militaire, John Colborne, qui, avec un Conseil, administre la colonie.

179. Donald George Morison, notaire à Saint-Hyacinthe, époux de Rosalie Papineau, fille de Denis-Benjamin Papineau et d'Angelle Cornud.

Je t'avais témoigné toute la reconnaissance et la sensibilité dont j'étais pénétrée pour toutes et chacune des personnes qui vous ont accueillis dans votre malheur, et protégés, et qui continuent de le faire. Ne manque pas de leur dire de ma part que je ne puis exprimer mais que je ressens bien tout ce que je leur dois, et les en remercie de ma part.

Tu me disais, dans ta lettre, que je trouverais des occasions pour t'envoyer les effets que je voudrais. Tu me mentionneras ceux que tu voudras avoir parmi les tiens. Quant aux hardes, je crois que tu en as fort peu en état d'être envoyées. Si tu m'écris par cette occasion, mentionne en détail ce que tu veux : je verrai si je pourrai te le porter ou non. Je ne veux pas aller en ville mais ta tante va y aller pour moi et verra où sont tes effets ; il n'y a rien de rassemblé : il y a une partie de nos effets chez plusieurs personnes. Je ne sais que faire : les vendre, cela va se sacrifier, rien ne se vend. Il n'y a pas d'argent. Ta tante fera pour le mieux avec pépé et je vous rendrai compte quand j'irai.

J'espère, mon cher, d'après la touchante et consolante lettre que tu m'as écrite, que les bons sentiments que tu y exprimes sont ceux d'un bon chrétien et que tu ne te bornes pas qu'à l'expression mais que tu en remplis les devoirs. Ah ! cher fils, il n'y a que cela qui t'aidera à supporter tes malheurs et, encore plus, qui les rendra méritoires pour l'autre vie qui est d'une bien plus grande valeur. Tu dois plus que jamais apprécier les avis et propos que j'ai eus souvent avec toi sur le néant et la brièveté du bonheur de celle-ci. Nous avons échappé à la mort et nous ne devons pas manquer de reconnaissance pour celui qui nous a préservés d'une manière spéciale et qui vous conserve encore, malgré la perversité des hommes. Il faut nous préparer à la rec[evoir] maintenant, quand il le voudra, et, si nous sommes bien préparés, nous serons bien plus heureux d'aller trouver un si bon père, quand on est obligé de vivre au milieu d'hommes si pervers.

Intéresse-toi, mon cher, pour trouver une situation à Lactance : je ne saurai qu'en faire aux vacances. Il aurait besoin de passer une couple d'années dans une université ou collège ; il est jeune et si léger ! Pour prendre une profession, il faudrait qu'il fût dans le monde et je crains qu'il n'y fût trop dissipé. Mais je sens bien que dans notre position, il faut faire comme l'on peut et non comme l'on veut. Toujours faut-il qu'il aille vous rejoindre, il ne peut rester ici, il y serait mal vu et personne pour le protéger. Pour le présent, Mme Dessaulles, ta tante, gardera les plus jeunes ; elle est bien dans l'embarras. Les gens ne paient pas et le seigneur Debartzch, qui lui doit, ne veut rien lui donner. Il n'est pas de bonne humeur. Et elle a des paiements à rencontrer et elle a été obligée de faire de plus grandes dépenses cette année.

Pépé a passé deux mois à Montréal ; il est reparti pour en haut, il doit revenir en juin.

Adieu, cher ami, cherche des moyens de nous faire parvenir des nouvelles. Tout à toi pour la vie, [ta] mère tendre et dévouée,

J. B. P.

LA PATRIOTE EXILÉE

[Lactance]

Saratoga, 11 juin 1838

Mon cher fils,

Je t'avais promis de t'écrire par ta tante ; je m'acquitte avec plaisir de ma promesse. Tu auras déjà appris, par une lettre de Louis à ta cousine Rosalie, que nous étions arrivés ici[1] en bonne santé, après un heureux voyage. Nous y avons trouvé ton frère heureux et étant réjoui de nous voir, mais nous avons été désappointés de n'y pas trouver celui que nous avions un mutuel empressement à rencontrer[2]. Amédée a écrit immédiatement et nous nous sommes décidés à aller passer le dimanche à Albany. [C']était le grand jour de la Pentecôte ; nous avons entendu la grand-messe, un beau chant et un excellent sermon et bien débité par un prêtre hollandais. Là, nous avons rencontré cet estimable monsieur chez qui Amédée et ton père ont séjourné si longtemps ; mais sa dame et sa fille étaient absentes : j'en ai été attristée, et lui autant que moi. Il a envoyé chercher un nombre de ses amis et il a fallu aller le lendemain chez un autre ami qui n'a pas voulu nous laisser dans l'hôtel où nous étions arrivés.

Je pensais bien que votre père ainsi que ton frère avaient de bons amis ici, mais il faut les voir et les entendre et éprouver soi-même pour pouvoir leur rendre toute la justice et toute la reconnaissance qu'on leur doit. Ils vous voient pour la première fois avec un plaisir, un intérêt, une sensibilité attendrissante ; ils ont une politesse si aisée et une amitié si vraie que l'on se trouve tout à fait à

1. Julie arriva à Saratoga, N.Y., le 1er juin 1838, en compagnie de sa fille Azélie, de sa belle-sœur, Mme Dessaulles, de son neveu Louis-Antoine Dessaulles, et de M. Delagrave.
2. Louis-Joseph Papineau était alors près de Pittsburgh. Il caressait le rêve depuis longtemps de faire de l'exploration minière. Aussi, il accompagnait un géologue employé par la Pennsylvanie et parcourait avec lui les Alléghanys, se faisant appeler M. Louis *(Lewis)*, voyageur français.

l'aise. Remarque que ce sont toutes des personnes de la meilleure condition dans la société, ayant de l'aisance, de bonnes manières, une éducation soignée et libérale, ce qui rend leur société des plus intéressantes et agréables, ayant de la gaieté dans la conversation. Ce qui nous a surpris : ils sont plus gais que les Anglais et soutiennent la conversation autant que les Français.

Ici, comme à Albany, nos amis se sont empressés à écrire à Philadelphie et, enfin, l'on est parvenu au bonheur de revoir celui qui nous est tous si cher et de lui être à la fin réunis[3]. Il est en bonne santé. Je n'entre dans aucun détail, dans une lettre, sur nos espérances et nos craintes. Ta tante te dira ce que nous nous proposons de faire, je m'occuperai de ce qui te concerne pendant le voyage et je t'écrirai à diverses reprises suivant les nouvelles que nous aurons de chez nous.

Nous avons eu le plaisir de revoir tout le long de la route, à différents endroits, des compatriotes ; et ici, il y en a un aussi qui a le même bonheur que ton frère, d'être dans la famille d'un autre juge de l'endroit, où il est comme l'enfant de la maison. Tu ne saurais imaginer les compliments que tous ces bons amis me font de ton cher père ; ils sont bien mérités pour celui-là. Mais ton frère, si tu voyais comme ils le chérissent, l'aiment et lui trouvent de qualités sans nombre ! Ils ont la bonté de dire qu'ils sont heureux de l'avoir et de le regarder comme un membre de la famille. Il n'y a dans le moment, à la maison, que leur demoiselle. Madame est allée au Détroit pour y voir une de ses filles qui y est établie, et le chancelier est à New York. Il a écrit à Amédée et à sa fille de nous bien traiter et bien soigner. Ainsi, nous sommes ici à l'aise et comme chez soi : l'endroit est charmant.

Je vais tous les matins aux sources y boire de l'eau que je ne trouve pas bonne mais moins mauvaise que je ne me l'étais imaginé ; j'aurai le courage d'en prendre ce qu'il faudra pour ma santé. Avant d'aller plus loin, je me propose d'aller dans tous les cas visiter New York, Philadelphie et même Washington. Ainsi, je ne retournerai au Canada qu'en juillet.

Tu ne saurais croire comme il m'en a coûté de vous laisser ! Je ne voulais pas vous le faire voir, crainte de vous affliger. J'aime beaucoup Saint-Hyacinthe et nous y avons de bons amis, au lieu qu'à Montréal nous en avons si peu et puis nous y avons éprouvé de si grands malheurs que je l'ai laissé avec empressement et n'ai nulle envie d'y retourner ; je me suis ennuyée et ne voulais pas le dire, mais, depuis que nous sommes réunis à mon cher ami, tu peux croire que la conversation ne tarit guère, nous avons peine à croire à notre bonheur. Il a échappé à tant de dangers et a souffert tant d'inquiétudes à notre sujet, et nous réciproquement, que nous jouissons avec enthousiasme de notre réunion après tant d'incertitude sur notre sort mutuel.

---

3. Après une marche forcée, Louis-Joseph Papineau retrouva Julie à Saratoga, vers minuit, le soir du 6 juin 1838.

J'espère que ma chère Ézilda et mon cher Gustave suivent les bons avis que je leur ai laissés, et toi, mon cher Lactance, de ton côté, j'espère que tu as bien soin de ton petit frère. Donne-moi des détails, dans ta première lettre, sur eux ; dis à Marguerite que je suis bien certaine qu'elle a bien soin des enfants, mais qu'elle ait soin aussi de sa santé, qu'elle ne s'ennuie pas trop ; et que je leur emporterai des présents comme je leur ai promis. J'envoie déjà quelque chose pour ta tante.

Fais mes amitiés à Mlle Williams et remercie-la des soins qu'elle prend de ta sœur, ainsi que les D^lles^ Germain ; mes respects à nos bons et intéressants voisins, ton bon ami, M. Deligny. Dis à Raymond qu'il fera bien de venir ici dans les vacances, qu'il en éprouverait grand bien ; et j'espère que nous aurions le plaisir de le rencontrer si j'y suis encore. Alors, comme je le crois, si tu écris, ta tante te dira quelle adresse.

Embrasse la chère Rosalie et les enfants, partout dans la famille. Va voir ta tante Augustin et dis-lui combien ton père et moi lui faisons des amitiés ; j'espère qu'elle a plus d'espérance que jamais. Mes amitiés à M. et Mme Thompson[4], Morison et à tous les parents et amis. Et toi, mon cher, j'espère que tu travailles fort à te préparer à tes examens. Adieu, mon ami, j'ai grand hâte que nous soyons tous réunis ; on ne jouit qu'à demi, ayant à souffrir votre absence.

Ta tendre mère et amie,

Julie Bruneau Papineau

Lactance

Saratoga, 11 août 1838

Cher fils,

J'ai reçu ta lettre hier par la poste : elle n'est pas datée. Je ne sais si elle est partie avant que ta tante Dessaulles [n']ait reçu celle que je lui écrivais par M. Leblanc. Je ne doute pas, mon cher, que tu ne trouves le temps long ; il en est de même de moi. Il n'y a pas un état plus désagréable que celui d'incertitude dans lequel nous sommes, et ton père ne veut prendre aucune détermination avant de voir son père avec qui il veut se consulter. Et il tarde à venir. Je ne sais s'il est revenu de la Petite-Nation ou non, et quand il se déterminera à venir.

4. Flavie Trudeau, nièce de Louis-Joseph Papineau, épouse de John Thompson, tailleur (Montréal, 16 juin 1823). John Thompson exerça son métier à Saint-Hyacinthe puis à Montréal ; patriote, il sera emprisonné deux fois.

C'est aussi ce qui me retient ici. L'on a écrit à Montréal et nous n'avons pas de réponse. Depuis que le jeune Porter est revenu, il est bien content de son voyage. J'avais dessein que tu fasses le voyage avec lui, sachant le grand désir que tu avais de venir nous joindre.

Comme je vous l'ai mandé, nous avons l'offre de M. et Mme Nancrède[5] de te prendre chez eux pour l'hiver. C'est le plus grand avantage que tu pouvais rencontrer pour le moment, car tu aurais appris à parler l'anglais et tu y serais bien sous tous les rapports. Ce sont d'excellents amis et, de plus, ils sont catholiques. C'est bien essentiel, à ton âge. Je n'aurais aucune inquiétude à ce sujet, mais je sens bien, comme ton père, que si l'on veut s'exempter par délicatesse d'accepter leur offre, on le fera ; aussi je [ne] voulais l'accepter que dans le cas où l'on serait forcé de le faire, et pour aussi peu de temps que possible, afin que tu ne perdes pas ton temps et que tu apprennes à parler l'anglais, ce que tu peux faire en très peu de temps. Si nous faisons des arrangements qui nous mettent à même de nous réunir ici en famille ou en Canada, alors il sera facile de te reprendre avec nous.

Voilà quel était mon plan par rapport à toi, je voulais te faire venir de suite, sachant combien tu devais t'ennuyer, mais ton père, voulant attendre la décision qu'il prendrait, voulait voir son père avant de te faire venir. Voilà ce que Louis aura dit à sa maman mais j'espère qu'il va se décider à te laisser venir avec pépé ou avec M. Delagrave, qui doit venir bientôt. Il faudra en ce cas que tu te rendes à Montréal ; tu auras du plaisir à y passer quelques jours dans la famille, et tu serais prêt à venir avec eux. J'espère que pépé nous écrira à son arrivée à Montréal.

Fais mes amitiés à toute la famille dans la Rivière Chambly. Dis à ma chère maman qu'elle m'écrive par toi, ainsi que Bruneau et mes oncles Robitaille à Montréal, si tu es encore à Maska quand tu recevras celle-ci. Embrasse pour moi ma chère sœur, la chère Rosalie et mes petits enfants. J'espère qu'ils auront fini leurs vacances quand j'irai en Canada et que nous serons encore une fois réunis pour quelques jours à Maska. Compliments chez Augustin et à tous les autres de la famille, et amis à la maison et au village. Dis à Marguerite que j'espère qu'elle sera tout à fait bien quand je la verrai, si elle est prudente.

Tout à toi pour la vie, ta tendre mère,

J. B. Papineau

5. Le Dr Joseph-G. Nancrède, de Philadelphie, ami d'enfance de Louis-Joseph Papineau, qui lui vint en aide lors de son exil aux États-Unis.

Madame Dessaulles
Saint-Hyacinthe
Bas-Canada

[Saratoga], 16 septembre 1838

Chère sœur,

J'attendais à vous écrire que M. Papineau se décidât à aller aux lignes pour vous rencontrer avec nos chers enfants. Et il ne se décide pas. Il voulait voir M. Bossange[6] et, à présent, il attend M. Cherrier. J'espère ensuite qu'il se décidera.

Je trouve qu'il est trop tard pour que j'entreprenne le voyage du Canada et je voudrais bien vous voir ainsi que mes chers enfants. C'est le sacrifice qui me coûte le plus dans nos malheurs, c'est d'être obligés de vivre encore tout l'hiver séparés d'une partie de notre famille. Ne trouvant pas à vendre de propriété pour le moment, il est impossible de prendre maison ici, il faut se mettre en pension. L'on ne peut non plus se décider à s'établir qu'en vendant quelques propriétés. Ainsi, il faut encore attendre avec patience. On ne pourra réunir nos enfants avec nous que ce printemps. Si nous n'avions pas le bonheur de vous avoir, je ne sais comment nous ferions. Il me serait impossible de m'en séparer si je n'avais pas la certitude qu'ils trouvent en vous la plus excellente des mères et qu'ils ont l'avantage de continuer leur éducation.

Le petit Gustave est encore trop jeune pour aller au collège : il faut qu'il continue à l'école de Mlle Williams. Il pourrait trouver dur d'être au collège et, puisqu'ils sont privés de leurs parents, il faut bien leur en passer un peu et être plus indulgents que je ne l'aurais été, si j'avais passé l'hiver avec eux. Et puis, s'il revient avec nous au printemps, l'hiver qu'il aurait passé au collège serait inutile. Enfin, l'on fera pour le mieux, quand on aura le plaisir de se voir. J'écrirai décidément par M. Cherrier et, s'il ne vient pas, par la poste, la semaine prochaine, quand nous pourrons nous rencontrer.

Il faut aussi que vous ayez la complaisance de réunir mes hardes qui sont à Verchères : chapeaux et tout ce que vous avez chez vous. Vous pourrez faire défaire mes chapeaux, excepté celui de velours noir : il est vieux et ne pourrait se refaire. Mais, les autres, je les ferai refaire, ici, à la mode de l'endroit. Et puis, c'est surtout par rapport à la commodité du transport, il faudrait de grandes boîtes, c'est trop d'embarras pour le voyage. Vous pouvez faire de même de ces coiffes et turbans que j'ai dans un panier chez vous, alors l'on pourra réunir tous mes effets, dans une valise, qui consistent dans mon manteau de velours, ma pelisse, des robes de soie et de *chalis*, mon manchon et pèlerine de pelleterie

6. Édouard Bossange, fils d'Hector Bossange, Français. Ce dernier, libraire à Montréal jusqu'en 1837, était retourné en France, mais son fils Édouard voyageait souvent entre Paris et Montréal, pour remplir les commandes d'Édouard-Raymond Fabre, libraire.

d'hermine blanche. Mon manchon de martre qui me vient de maman, elle le gardera, le sien a été mangé et elle désire avoir celui-là. Ainsi, elle peut le garder. M. Papineau ainsi que moi espérons que vous avez envoyé chercher les chaises ainsi que le sofa et quelques autres choses qui vous conviennent, avant que l'on fasse vendre. Les couverts de plats, par exemple, vous les vouliez ? Je vous les donne : il faut que vous les fassiez venir. Je garde mes tapis et les argenteries, on ne les vend pas.

Je voulais vous dire que, comme j'ai été plus longtemps que je ne pensais, Marguerite a peut-être besoin d'argent : qu'elle me fasse dire ce qu'elle en a besoin ; je lui en ferai donner, que je vous remettrai ; et puis, qu'elle se fasse mener à Montréal par son frère et qu'elle prenne un des matelas que je lui avais promis et puis, parmi la vaisselle dont on se servait journellement ainsi que d'autres bagatelles qui lui plairaient, car, si elle aime à se monter un petit ménage, qu'elle prenne plusieurs articles qu'elle trouvera à son goût. Cela ne pourrait se vendre qu'une bagatelle et, à elle, cela lui vaudra beaucoup plus. Je lui dois cela par les services qu'elle m'a rendus et puis l'attachement qu'elle nous porte et les soins qu'elle donne à mes enfants. Au moins [elle] fait aussi bien depuis mon absence comme elle me l'avait promis. [ ] vous me direz si vous pouvez la garder encore cet hiver, si elle ne gêne pas, si elle peut vous être de quelque utilité par rapport aux enfants. Alors, si elle veut rester, je lui paierai [de] modiques gages comme j'ai fait cet été. Si elle est [ ] qu'elle croit pouvoir gagner de forts gages, qu'elle veuille [aller] à Montréal, vous déciderez cela et me le direz puisqu'elle ne [peut] venir passer l'hiver avec nous, comme je le croyais, si les choses [ ] décidées. Enfin, il faut souffrir ce que l'on ne peut empêcher. J'ai bien de l'ennui de cet état d'indécision sur notre sort.

Mes amitiés et embrassements à mes enfants, aux vôtres, chez Augustin et à toute la famille et aux amis. Adieu, ma chère sœur et bonne amie.

Votre tendre sœur,

Julie Bruneau Papineau

Pour mes effets, je suppose que vous me les apporterez quand vous viendrez nous voir aux lignes. Vous pouvez les rassembler en attendant, ainsi que ceux de la petite. Il n'y a que peu de choses à elle.

Madame Dessaulles
Saint-Hyacinthe
Bas-Canada

Saratoga, 20 octobre 1838

Chère parente et amie,

Nous avons appris par des lettres de Montréal la vente de nos meubles ; la plus grande partie a été sacrifiée. Je suis bien aise que vous en ayez gardé quelque chose, c'est autant de sauvé du naufrage. Je suis bien contente de n'avoir pas laissé vendre mes tapis ni le piano, que je réserve pour les enfants. Quand vous en aurez besoin pour eux, vous l'enverrez chercher chez Bruneau, à qui je l'ai prêté en attendant. Nous avons donné des ordres pour arrêter la vente du peu qui reste, en leur recommandant de vous envoyer le tout. Marguerite avait dit que le tout était en bon ordre et l'on nous écrit que l'on ne peut se faire une idée comme tous ces effets étaient déjà endommagés et que, s'ils avaient passé l'hiver ainsi, ils n'auraient pas été en état d'être vendus du tout. Enfin, il faut se résoudre à faire tous ces sacrifices ; nous en avons fait de plus grands depuis un an et nous sommes destinés à en faire encore de plus grands, le reste de notre pénible carrière, qui est déjà terminée politiquement.

Comme citoyen et jouissant d'une honnête aisance, nous sommes bannis et, sur la terre d'exil, nous aurons encore à souffrir toutes sortes de privations et de misères, indispensables à l'état de pauvreté, mais, ce qui m'afflige le plus, c'est la privation de mes enfants et le sort qui les attend, si nos malheurs ainsi que ceux de notre pauvre pays vont de mal en pis.

Depuis que je me suis flattée du plaisir de vous voir, ainsi que la chère Rosalie et mes chers petits enfants, je m'ennuie à l'excès et les difficultés de nous revoir s'augmentent tous les jours, au point que je désespère tout à fait à présent, la saison est déjà si avancée.

Dans la lettre de votre frère, vous aurez vu une partie des raisons qui nous ont empêchés d'aller vous rencontrer, et de plus nous attendions de l'argent, et, quand nous le recevrons, il sera trop tard pour vous faire faire ce voyage. Il ne me reste plus que l'alternative d'aller passer l'hiver avec vous ; j'en avais bien le désir et il est bien augmenté par le malheur d'avoir manqué l'occasion de nous voir. Je ne peux me faire à l'idée de ne pas voir mes chers enfants. Si le malheur veut que j'en sois privée, dites-moi donc comment ils prennent cela, s'ils sont assez raisonnables. Cela m'aidera un peu à me consoler. Ils doivent être capables à présent de m'écrire ; qu'ils le fassent et, quand ils trouveront une occasion, ils me l'enverront. Qu'ils me disent ce qu'ils pensent et quels sont les progrès qu'ils font à leur école, pour nous donner un peu de consolation au milieu de nos peines et tourments.

Je suis bien contente que Marguerite ait pris aussi quelques effets ; elle aurait pu en prendre plus, ils mentionnent plusieurs petits lots qu'ils ont donnés pour rien, qui auraient pu être utiles à plusieurs dans la famille. L'on [n']avait rien mentionné de tout cela : je ne croyais pas que cela serait vendu, ainsi que la vaisselle dont on se servait tous les jours. Cela ne valait pas la peine. Enfin, il n'y a plus de remède ; ils ont cru faire pour le mieux, et puis nous sommes trop éloignés pour pouvoir entrer dans autant de détails. Vous saurez tout cela par Marguerite. Vous lui direz aussi que ce qu'elle me demandait par sa lettre de donner à sa sœur, je [le] lui donne. S'il y a d'autres choses qui ne servent pas aux enfants, qu'elle [les] lui donne aussi ; et à elle, vous lui donnerez de l'argent pour s'acheter un châle. Et si je ne vais pas en Canada, vous m'écrirez à son sujet.

Chère sœur, pendant que j'écris celle-ci, je reçois à l'instant la vôtre du 15 qui, comme toutes celles que nous recevons de vous, contient tous les sentiments d'amour, d'affection, de la plus tendre des sœurs, de la plus généreuse des amies. Je vous remercie du plus profond de mon cœur pour nous, et surtout pour mes chers enfants. Ce que vous me dites, qu'ils sont assez raisonnables, me console un peu ; je craignais qu'ils fussent inconsolables d'avoir manqué leur voyage. Cela ne serait pas étonnant, mais je les prie, par amitié pour nous, qu'ils fassent tous leurs efforts pour se consoler et bien contenter les chers parents avec qui ils ont le bonheur de vivre, puisqu'ils sont privés pour le moment de nous voir.

Quant à notre cher ami, il est bien certain qu'il ne peut aller en Canada pour le moment. Il faut voir un peu plus clair et prévoir comment les affaires tourneront. Cela décidera aussi mon départ ou non. Je pourrai peut-être vous en dire plus dans quelques jours. Je vous prie de prendre patience ; il en faut une forte dose, et il semble qu'à la force de souffrir l'on devrait s'y habituer, mais je crois que cela produit le contraire.

Depuis un mois, on attendait le fruit et les résultats qui devaient suivre les procédés des ministres qui ont terminé leur session sans rien faire pour le pays, et lord Durham[7] qui part là-dessus (fort heureusement encore !). Car vaut mieux qu'il n'y ait rien de fait que tout le mal qu'il se proposait de faire, et, malgré les plats mensonges qu'il débite dans ses réponses aux adresses qu'on lui présente, qu'il a fait mer et monde, qu'il a tout pacifié et qu'il rencontre des approbateurs de sa conduite dans toutes les colonies et même dans les États, sa conduite est en cela, comme dans tout le reste, inexplicable d'oser pour un homme d'État de sa réputation, oser mentir aussi publiquement et ne pas avoir l'air de comprendre que l'état du pays est pire qu'au moment de son arrivée. On s'attendait qu'il ferait bien des efforts pour le pacifier et maintenant on a l'assurance qu'au contraire il était décidé à nous anéantir. Quant à moi, il ne m'a pas trompée, sinon que je croyais qu'il serait un peu plus habile et qu'il serait plus longtemps

7. Lord Durham, gouverneur de la colonie en 1838.

à nous tourmenter, mais en cela il a été encore plus incapable qu'aucun de ses prédécesseurs. C'est tout ce qu'il nous fait de bien, de nous favoriser de son prompt départ.

Pour revenir à mes effets, l'on ne peut comprendre comment Louis a pu les envoyer à Saint-Jean sans nous en prévenir par une lettre ou autrement, comme vous lui aviez dit de profiter d'une bonne occasion, ou de les renvoyer chez vous. Je désire les avoir ; au cas que je n'aille pas à M., j'en ai grand besoin. L'on a écrit à M. D. à M. et nous n'avons pas de réponse et nous ne savons à qui nous adresser à Saint-Jean pour les avoir et les faire venir en sûreté. Répondez-nous au plus vite là-dessus. Vous adresserez à l'avenir vos lettres à Albany, aux soins de M. Porter[8], car nous allons y passer quelque temps et, si nous changeons d'endroit, je vous le manderai aussitôt.

J'ai hâte de pouvoir vous écrire ma détermination finale d'aller passer l'hiver avec vous ou non. Cela n'a pas dépendu de moi, mais au contraire cela me contrarie et me fait trouver le temps long et ennuyeux. Dites au cher Louis que les occasions deviennent rares et que l'on ne peut envoyer ses gazettes régulièrement. Nous en avons quatre ici ; aussitôt qu'il y aura une occasion, on [les] lui enverra.

Quant à tous ces bruits que l'on fait circuler, je crains bien qu'il [n']y en ait de bien fondés ; si nous en sommes informés, je vous les ferai parvenir par voie sûre. Vous devez être inquiète comme nous le sommes.

Il faut donc toujours dire ce cruel mot : « Au revoir », sans prévoir jusqu'à quel temps. Amitiés à tous nos parents et amis. La lettre à notre frère lui a été remise, j'espère. Elle était adressée aux soins de mon oncle Séraphin, de Saint-Denis. Amédée, Lactance, Azélie sont bien et font aussi amitiés à tous, et embrassements à leur chère Ézilda et Gustave, dont ils ressentent sensiblement l'absence. Prions et espérons le plaisir de nous réunir. Tout à vous pour la vie.

Votre chère sœur et bonne amie,

J. B. P.

8. James Porter, d'Albany, greffier à la chancellerie de l'État de New York, ami des Papineau depuis une dizaine d'années.

M. Amédée Papineau
Saratoga Springs
at Mrs Taylor

Albany, 24 octobre 1838

Mes chers enfants,

Nous sommes arrivés ici sans accident et sommes logés avec M. et Mme Cowen[9]. Le D^r^ O'Callaghan en était parti. Théophile y est encore, il est venu hier nous voir, je lui ai fait des reproches. Il m'a dit qu'il allait vous écrire hier soir. Je ne sais s'il l'a fait. Moi, j'ai attendu à ce matin au cas qu'il y eût des nouvelles, soit du Canada ou de New York.

Votre père a été à la poste et il n'y a rien pour nous ; c'est provocant, je ne sais quand et comment je recevrai mes effets. M. Porter n'est pas arrivé non plus, en sorte qu'il faut que j'attende son arrivée pour qu'il m'aide à chercher une situation pour toi, mon cher Lactance ; mais j'espère qu'en attendant tu prendras patience, comme il faut que j'en prenne, et que tu parleras l'anglais souvent et doucement, pour le bien prononcer. Tâchez, mes chers enfants, de faire de votre mieux ! C'est la seule consolation que je pourrai avoir, le reste de ma carrière, ici-bas.

Si votre oncle vous écrit, il ne pourra vous donner que peu de nouvelles au sujet de Desmarteau, etc., car il s'est [ ] des sociétés. Il paraît qu'ils attendent le grand N. pour décider les choses.

Nous sommes tous bien ici. Compliments chez M. Cowen, écrivez-moi si vous avez des nouvelles et soyez certains que quand je n'écrirai pas, c'est que je n'aurai rien de nouveau du Canada ni de New York. Sans quoi je ne manquerai pas de vous en informer aussitôt. Sans cela, il faut ménager le papier comme le reste. On n'achètera pas les bottes d'Amédée avant que nous ayons d'argent, quand la lettre de change sera transigée, c'est-à-dire à l'arrivée de M. Porter.

Je ne sais si celle-ci vous parviendra. Informez-vous au Dr D. à qui il faut que je les donne et à qui les adresser aux chars pour qu'elles vous parviennent ; qu'un aille à la poste et l'autre aux chars, tous les jours : cela fait que vous ne [le] manquerez pas s'il y a quelque chose. Adieu.

Votre mère affectionnée,

J. B. Papineau

9. Esek Cowen, juge de l'État de New York, aida Amédée Papineau lors de son séjour aux États-Unis.

MM. Amédée et Lactance Papineau
Saratoga Springs

Albany, [29] octobre 1838

Mes chers enfants,

Tout ce que nous apprenons chaque jour nous fait craindre de plus en plus qu'il y aura une invasion prochaine dans les Canadas, mais, si la nouvelle contenue dans le *Transcript* que je vous envoie est vraie, cela pourra nous donner un peu de confiance dans leurs forces.

Nous avons beaucoup d'inquiétude au sujet de nos amis de la Bermude[10]. Ils ont attendu longtemps Wolfred, mais, voyant qu'il n'arrive, ils font leurs préparatifs[11].

Nous trouvons que le Dr Davignon retarde beaucoup son voyage, et qu'il pourrait se trouver gêné et n'avoir pas le plaisir de voir sa famille. Le gouvernement anglais est averti et, d'un moment à l'autre, peut gêner les communications. Il devait partir demain dans le stage et se rendre le plus tôt. S'il ne le fait pas, il le regrettera. Dis-lui que nous avons appris plusieurs choses depuis son départ d'ici ; qu'il ferait bien de suivre nos avis ; je vous envoie un *Fantasque* et *Le Temps*.

J'ai fait écrire hier au Dr O'Callaghan pour la grammaire de Lactance. Et M. Porter qui va à New York ce soir chercher sa dame, qu'il n'avait pas emmenée avec lui, il doit ne revenir que samedi. Il a eu tant d'occupations à son arrivée, que ton père n'a pas voulu que je lui demande de l'ouvrage, ni à aider à procurer une situation pour Lactance qu'à son retour. Ils viennent loger ici avec nous chez les demoiselles Fitch ; j'aurai alors l'occasion de la voir.

Prenez patience et étudiez l'anglais, et puis faites les visites que je vous ai recommandées chez Mme Loomis[12] ; tu lui diras que nous sommes bien portants.

Amitiés à la famille Cowen et dis-leur que leur père et mère pensent retourner à Saratoga à la fin de la semaine. Amitiés chez le chancelier.

Votre mère affectionnée,

[J. Bruneau Papineau]

Dis au docteur que, d'après ce que nous avons appris, il pourra dire à Mme Dessaulles de ne pas perdre de temps à prendre ces précautions. L'attaque sera générale et aux mêmes jours, d'un bout à l'autre des provinces ; au moins

10. Les huit patriotes exilés aux Bermudes par Durham ont déjà appris l'illégalité de leur exil et se préparent à revenir aux États-Unis.
11. La deuxième insurrection, préparée des États-Unis, est prévue pour le 3 novembre 1838. Les patriotes réfugiés ont planifié l'évasion de Wolfred Nelson, en exil aux Bermudes.
12. M. et Mme Loomis, de Highland Hall, à Saratoga.

c'est leur plan, s'ils réussissent. Ils ont beaucoup plus de ressources qu'on pouvait le supposer. Gardez tout cela secret, excepté au docteur, pour le faire partir.

M. Amédée Papineau
Saratoga

Albany, 1er novembre 1838

Mes chers enfants,

Je ne veux pas laisser partir Mme Cowen sans vous écrire quelques lignes quoique je n'aie rien appris de nouveau depuis ma dernière qui, j'espère, vous est parvenue par M. Costigan[13] ; nous n'avons pas reçu de gazettes ni de lettres du Canada. Delagrave avait écrit, sur une des gazettes, qu'il nous avait écrit par une occasion. Et nous n'avons rien reçu, ni de Mme Dessaulles non plus ; enfin, il faut patienter. J'espère que le docteur nous enverra nos effets et des nouvelles.

Il paraît qu'en Canada, comme ici, l'on attend avec inquiétude et impatience Wolfred. Nous avons vu aujourd'hui un monsieur français de New York qui nous a dit qu'ils n'étaient pas arrivés, et M. Porter reviendra demain ou dimanche ; il apprendra peut-être du docteur ou de Mackenzie s'ils en ont eu des nouvelles. Dufort et Galt ainsi que Fréchette sont revenus de New York, mais nous ne les avons pas vus ; ils se sont tout de suite embarqués sur les bateaux qui vont à Troy.

M. Holmes, cultivateur de Chambly, est venu ici avec son fils qui était compagnon de classe de Lactance ; il va le mener à Georgetown, près de Washington, passer un an dans un collège. Il aurait bien désiré vous voir. Il nous a dit que les habitants étaient bien montés. Le gouvernement commence à s'alarmer, il prend des précautions.

Votre père a été à la chambre des nouvelles et y a trouvé des gazettes anglaises : je vous les envoie par Mme Cowen. J'écris ce soir et, s'il y a quelque chose de nouveau demain matin, je l'ajouterai. Allez aussi à la poste de Saratoga : il pourrait y avoir des lettres de Philadelphie et d'ailleurs, de personnes qui ne sont pas informées que nous sommes ici. Je vais t'envoyer de l'argent au cas qu'il y en eût et puis, pendant que nous avons une aussi bonne occasion, l'on vous envoie dix piastres. Adieu.

Votre mère,

J. B. P.

13. John Costigan, secrétaire des marguilliers de Saratoga, hébergeait le pasteur catholique. En 1839, il acheta en son nom un lot pour construire l'église Saint-Pierre de Saratoga.

M. Costigan
pour L.-J.-A[médée] Papineau
Saratoga Springs

Albany, 13 novembre [1838][14],

Nous avons eu hier le chancelier un instant et nous avons oublié de vous envoyer de l'argent. Comme l'on doit profiter des bonnes occasions pour le faire, si vous en connaissez, dans le cours de la semaine, mandez-le-nous. Rien de nouveau du Canada que ce que vous avez vu dans l'*Argus,* mais, par le steamboat de New York, Mackenzie nous écrit un mot à la hâte, pour nous annoncer l'heureuse arrivée de nos amis de la Bermude. J'espère que nous les verrons demain. Nous sommes très inquiets du Canada. Théophile est parti et nous a promis d'écrire. Il est parti de vendredi. Adieu.

Votre mère,

J. B. P.

M. A[médée] Papineau
at Mrs Taylor
Saratoga Springs

Albany, 19 novembre 1838

Chers enfants,

Je suis surprise et affligée de votre silence. Cela a l'air bien indifférent de la part de Lactance qui ne m'a pas écrit un mot depuis mon départ. Je n'ai pas le temps de vous parler de nos malheureuses et dernières tentatives d'insurrection. C'est Mlle Welland qui part à l'instant pour Saratoga qui vous remettra la présente avec dix piastres.

Nous avons eu le plaisir de voir le Dr Nelson et Bouchette[15]. Ils sont toujours remplis de courage. Ils veulent encore tenter tous les moyens mais votre père persiste toujours à dire que, sans le secours du gouvernement d'ici, il est impossible de ne rien faire. Vous avez les *Gazettes* de Mackenzie et peut-être des lettres de Davignon, alors vous en savez autant que nous. Nous n'avons aucune nouvelle

14. La première partie de cette lettre est de la main de Louis-Joseph Papineau, datée du 10 novembre 1838.
15. Le Dr Wolfred Nelson et Robert Shore Milnes Bouchette, deux patriotes amis qui sont de retour de leur exil aux Bermudes.

de nos parents et amis ; nous nous occupons, ces jours-ci, à chercher une situation pour Lactance ; je le ferai venir le plus tôt que je pourrai et toi, mon cher Amédée, tâche de bien étudier.

M. Porter m'a dit que, quand il aurait de l'ouvrage, il t'en enverrait mais qu'il n'en a pas pour le moment. Ils vont renvoyer un clerc, faute d'ouvrage.

Mme Laforge[16] est ici ; elle y passe quelques jours en attendant qu'elle s'en aille au sud, monsieur son époux étant obligé d'aller à Boston par affaires.

Toute la famille vous fait ses amitiés. Nous sommes assez bien portants malgré que nos chagrins et nos malheurs vont en empirant. Adieu.

Votre mère affectionnée,

Julie Bruneau Papineau

[De la main de Louis-Joseph Papineau] : J'ai vu nos amis de la Bermude. Ils sont les mêmes qu'ils ont toujours été. Tous les Canadiens sont de plus en plus maltraités mais, au milieu de pareils tourments, si les États-Unis n'entrent pas en guerre, il n'y a que ruines et désolation et proscription en masse pour le Canada.

Monsieur Amédée Papineau
Saratoga Springs

Albany, 21 novembre 1838

Mes chers enfants,

Nos malheurs vont toujours en augmentant. Cette dernière et infructueuse invasion a mis le pays dans un état affreux, la Cour martiale est instituée et Dieu sait quels en seront les résultats.

Ton oncle Théophile est revenu bien mécontent comme les autres, il va repartir ces jours-ci pour aller à Whitehall, chez un Canadien, là, qui y est établi : il lui a dit qu'il lui procurerait de l'ouvrage.

Vous dites que vous ne comprenez pas comment le pays ne s'est pas soulevé en masse ? Parce qu'ils n'avaient pas d'armes. On leur avait dit qu'on leur apporterait des armes et de l'argent et qu'ils viendraient avec une grande armée des États : on leur a fait mille contes. Je ne sais si le Haut-Canada n'est pas mieux organisé : on le craint, mais voilà déjà leur première tentative manquée et d'une manière cruelle : ils ont été hachés en pièces. Le Dr Wolfred est allé aux lignes et doit revenir à la fin de la semaine avec Bouchette et Gauvin. Des Rivières et

16. Elizabeth Townsend Porter, épouse de l'avocat Laforge, est fille de James Porter.

Viger sont encore à New York et les trois autres viennent du sud où ils sont tous embarqués, en arrivant de la Bermude, dans un petit bâtiment avec le bagage commun. Il faut qu'ils aient eu des vents contraires, car ils ne sont pas arrivés encore à New York ; les autres sont montés par terre, ils vont aviser s'il y a moyen de faire quelque chose pour notre malheureux pays. Ton père n'en voit aucun. Tu sais qu'il y a eu une grande assemblée à New York et puis une autre à Philadelphie : on dit qu'elle était très nombreuse. L'on verra si l'on aura pour résultats de l'argent.

Le gouvernement américain nous nuit ; l'autre nous écrase. C'est un état affreux et dont on ne peut prévoir la fin. Mais l'on [ne] peut douter, avec raison, [qu'elle] nous sera fatale. Il faut apprendre à souffrir et à se résigner si l'on peut. Mon cher Amédée, je me fie sur toi ; j'espère que tu travailles à te mettre en état de gagner ta vie.

Je répète à Lactance que l'on s'occupe avec M. Porter à lui trouver une situation, et aussitôt je le ferai demander mais j'espère, en attendant, qu'il ne perd pas son temps. Nous avons grand besoin que vous nous donniez de la satisfaction au milieu de nos malheurs.

M. Perrault est ici, il va faire venir sa famille. Il était à Québec quand les troubles ont commencé et il s'est sauvé par le chemin de Kennebec.

Dis à Mme Loomis que je lui fais mes compliments et que les gants ne sont pas à moi.

Votre mère affectionnée,

J. B. Papineau

Je t'envoie des mitaines à ton père dont il ne se sert pas dans les grands froids, tu les mettras par-dessus tes gants.

[De la main d'Amédée] : reçue vendredi 23 novembre 1838, anniversaire de la bataille de Saint-Denis.

Monsieur Lactance Papineau
Saratoga Springs

Albany, 26 novembre 1838

Chers enfants,

Je vous écris un mot par Mlle Cowen, qui part pour Troy et ne sera à Saratoga que demain, pour vous dire que Wolfred Nelson est revenu et est allé avec ton père à New York, voir les amis et les sympathiseurs. Ton père y est allé sans espoir mais l'autre est plein d'ardeur et d'espoir encore. Votre père craignait beaucoup que le président ne dît quelque chose contraire à nos intérêts, à l'ouverture du Congrès, mais il fait encore pis, puisqu'il émane une proclamation tout exprès : tu peux croire que ton père va être bien plus certain qu'il n'y a plus d'espoir pour les pauvres Canadiens ; car, a-t-il dit, le gouvernement anglais étant assuré que nous n'aurons aucun secours efficace de ce pays, il va en profiter pour l'écraser avec plus d'impunité. Cela était bien convenu entre Van Buren et les Anglais ; c'est pourquoi Durham et Colborne sont si impudents.

M. Porter est à New York, cela a retardé encore à trouver une occasion de placer Lactance. Je ne puis non plus avoir ta grammaire : il faut s'en procurer ici, je suppose, telles qu'elles sont.

Mlle Cowen entre à l'instant, il faut que je termine. J'oubliais de vous dire que les autres exilés sont passés ici, pour le nord, excepté Des Rivières qui cherche à se placer à New York. Mon oncle Théophile est encore ici et n'ira à Whitehall que cette semaine. M. Perrault est allé chercher sa famille et il vient hiverner ici.

Votre mère,

J. B. Papineau

M. Amédée Papineau
Saratoga Springs
politeness of Chancellor Walworth

Albany, mercredi, 5 décembre 1838

Mes chers enfants,

Je me proposais de vous écrire au long par le chancelier, qui ne devait partir que dans deux jours, et il vient m'annoncer qu'il part dans une heure. Je vous écris ce peu de mots pendant sa visite. Je vous envoie l'argent pour payer la pension de la semaine dernière, celle de cette semaine et celle de la semaine prochaine ; je n'ai pas le temps de vous écrire ce que votre père vous recommande.

M. Porter est arrivé de New York. Il est indisposé et ne sort que pour affaires pressées. Je n'ose le tourmenter pour trouver une situation pour Lactance. Je suis démontée de le voir perdre son temps ainsi, je lui envoie une grammaire et le prie de s'appliquer et de parler et traduire l'anglais continuellement.

Vous ne sauriez croire comme j'ai du chagrin et de l'ennui : pas un mot[17] du Canada. Je ne sais comment on fera demander le reste de l'argent de la vente de nos effets, et par qui ils pourront l'envoyer.

Beaudriau[18], ton ami, s'établit ici pour l'hiver et dit qu'il t'a écrit cette semaine ; et il pense que tu ne l'as pas reçue, il va t'écrire encore. Et ne manque pas de lui répondre. Je n'ai pas reçu ta lettre que tu avais envoyée à Schenectady, mais j'ai reçu le billet par le chancelier.

Adieu, il part.

Votre mère,

J. B. Papineau

Il me donne encore quelques minutes, je vais écrire de l'autre bord. Votre père est allé avec Wolfred N. jusqu'à Washington. Je ne sais si leur voyage sera utile à notre pauvre cause. Il n'en faut rien dire. Ainsi, tu vois que je ne peux pas lui faire part de tes projets. Tu verras le Dr D. bientôt.

Albany, 10 décembre 1838

Mon cher Amédée,

J'espère que tu as reçu ce que je t'ai envoyé, 15 piastres, par le chancelier, et que tu prendras des précautions pour ne pas en perdre ; et que tu marques régulièrement ce que tu dépenses.

Je n'ai pas reçu de lettres de votre père depuis son départ de New York. Je le pense à Washington depuis l'ouverture du Congrès mais je pense que, s'il y reste quelque temps, il m'écrira. Il est parti bien malgré lui et avec bien peu d'espérance ; son compagnon l'encourageait et l'a forcé, il faut le dire, à faire ce voyage et tu peux croire que, quand il a vu la proclamation à New York du président, cela ne l'a pas consolé. Je ne sais ce qu'il apprendra ni ce qu'il fera là, s'il n'a aucun espoir. Il va revenir bien vite, je pense.

Point de nouvelles importantes du Bas-Canada. Il y a une rumeur ici, ce soir, qu'il y a encore quelque chose du Haut-Canada que tu verras demain dans l'*Argus*[19], si c'est un peu fondé.

---

17. Après la deuxième insurrection de novembre 1838, les frontières avaient été fermées un certain temps, et il fallait un laissez-passser dûment signé pour les traverser.
18. Le Dr Joseph-Guillaume Beaudriau, trésorier des Fils de la Liberté en 1837, servit comme chirurgien dans son régiment. Exilé aux États-Unis.
19. Journal publié à Albany, N.Y.

J'attends avec impatience le Dr Davignon qui doit venir s'établir à Troy ; on aura peut-être des nouvelles par lui. Perrault n'est pas encore revenu de Burlington : il attend sa famille. Les papiers en langue française ont été tous supprimés ; on ne voit plus *Le Fantasque*[20] ; c'était tout ce que l'on avait d'amusement.

La Cour martiale va lentement, je pense qu'ils n'oseront pas faire d'exécutions avant d'avoir des nouvelles d'Angleterre, les droits de Colborne lui étant disputés, ici. On ne veut pas le reconnaître ni son Conseil légal. Le juge Panet[21] persévère à faire respecter la loi, je ne sais comment cela se terminera. On attend des nouvelles d'Angleterre cette semaine. Je crois qu'il y aura des exécutions en Haut[-Canada] ; les papiers d'aujourd'hui sont en deuil et disent que Von Schultz[22] va être bien vite exécuté. C'est Beaudriau qui m'a dit cela, ce soir. Il est surpris de ne pas recevoir de lettres de toi ; il dit t'avoir écrit trois fois : ne manque donc pas de le faire bien vite.

Ton oncle Théophile a eu la chance de trouver une situation à Troy ; il y est rendu depuis trois jours. Il va montrer le français ; il a douze écoliers à quatre piastres par mois et il va pensionner chez un jeune Canadien qui était marchand à Montréal, du nom de Ritchot, à raison de deux piastres et demie par semaine. Ainsi, tu vois qu'il a bien de la chance.

J'ai le plaisir de vous annoncer aussi que l'on a trouvé à placer Lactance, à la fin. M. Porter commençait à se décourager : plusieurs l'avaient refusé. À la fin, madame a pensé à aller trouver une de ses amies ici, c'est Mme Page, et puis ce soir Mme Page a été voir son mari, le colonel Page, qui lui a donné la réponse qu'il le prendrait pour l'hiver. Ils sont à l'aise et n'ont que deux petits enfants. Je crois qu'il est avocat, car M. Page[23] lui a dit qu'il pourrait le faire copier dans l'office, enfin lui rendre les petits services qui seront en son pouvoir. Madame parle le français [ ].

Réponds-moi et à ton ami B. par Lactance.

20. Journal patriotique et humoristique fondé par Napoléon Aubin à Québec.
21. Le juge Panet contesta la suspension de l'*habeas corpus* décrété par Colborne et son Conseil spécial.
22. Nils von Schultz, patriote du Haut-Canada, né en Finlande en 1807, a été pendu le 8 décembre 1838 au fort Henry près de Kingston, Ontario.
23. Le colonel Page [Lactance écrit « Paige »] était greffier à la Cour suprême. Il demeurait à Albany, State Street, près de la gare. Ne pas confondre avec Alonzo C. Paige, avocat, son frère, reporter en chancellerie et sénateur de New York.

Amédée Papineau
at Mrs Taylor
Saratoga Springs, N.Y.

Albany, 19 décembre 1838

Mon cher Amédée,

Je reçois à l'instant ta lettre par le chancelier et je m'empresse d'y répondre par la poste. Je ne sais si elle te parviendra. J'ai eu de la peine à déchiffrer ta lettre. Je vais y répondre de point en point.

Je ne sais ce que tu pourras demander dans un village. M. Porter dit que tu ne peux pas demander le même prix là que dans une ville. Ici, ils demandent 10 piastres par quartier, en ne donnant que trois leçons par semaine, d'une heure. Théophile m'a dit qu'il avait quatre piastres par mois en donnant une leçon tous les jours, d'une heure, mais tu sais que l'on ne peut pas trop se fier à ce qu'il dit. Ainsi, il ne faut pas se régler là-dessus. Beaudriau m'a dit, l'autre jour, qu'il donnerait des leçons à meilleur marché que cela ; et, malgré cela, il n'a encore trouvé que six écoliers pour lundi prochain. Tu vois, malgré qu'il est très actif, il a été demander lui-même ; il est allé aujourd'hui à Troy, je lui demanderai, demain matin, quel prix il charge et te le manderai. Il y a ici trois nouveaux maîtres français depuis trois mois.

Tu parles de venir à Albany. Tu peux bien croire, mon cher, que je le désire autant que toi, et que M. Porter a cherché autant pour toi qu'il l'a fait pour ton frère, mais en vain jusqu'à présent. C'est pourquoi je ne t'en avais pas parlé, au cas que l'on [n']eût pas de succès. Lactance n'est là que pour l'hiver ; et toi, pour transporter ton brevet, il faudrait trouver un avocat qui voulût te prendre chez lui et que tu ne fusses pas exposé à changer au printemps. Il n'y a pas ici de pension à moins de trois piastres. Beaudriau dit qu'il est bien mal nourri où il est et que, s'il gagne de l'argent, il payera plus cher afin d'être mieux. Ainsi, tu vois, mon cher, qu'il faut être raisonnable, et puis tâcher que tu passes l'hiver à Saratoga et puis ne pas laisser pour un incertain ; si l'on peut te trouver une bonne place, c'est différent. Nous parlerons de tout cela plus au long quand tu viendras nous voir. Au jour de l'An, tu viendras la veille.

Je ne vois pas que tu puisses demander plus de six piastres par quartier, en donnant trois leçons d'une heure par semaine, excepté s'il y en a qui veulent prendre des leçons tous les jours, alors tu leur demanderas trois piastres par mois. Et puis au maître d'école et à ses écoliers, tu leur montreras à son école ; alors les autres jeunes gens iront chez toi : tu leur montreras dans ta chambre. Ton hôtesse ne peut pas trouver à redire à cela. Si tu voulais avoir une autre chambre et qu'il fallût qu'elle la chauffât, alors elle aurait droit de te demander plus cher ; sans cela, elle ne peut pas t'empêcher d'emmener des amis dans ta chambre, que cela soit pour montrer le français, ou autrement. S'il y avait un salon chaud et qu'elle te permît de les recevoir, c'est bon ; sans cela, il faut bien que tu les aies dans ta chambre. Ne prétends pas qu'ils y trouvent à redire, ils savent bien que tu ne peux pas faire mieux. Aie le soin de te faire payer un mois d'avance, c'est l'usage ici, surtout chez le maître d'école. Les autres messieurs te payeront bien. Peut-être est-ce mieux de faire payer à la semaine. Consulte-toi chez le juge Cowen. Je trouverais que c'est mieux de les faire payer à la semaine, comme vous êtes obligés de payer votre pension à la semaine. Et ne prends pas plus d'écoliers que ta santé te le permet.

Je suis bien affligée, mon cher, que ta santé ne soit pas bonne, mais il ne faut pas t'inquiéter, mais prendre des précautions pour ne pas prendre de froid ; et puis pour cette autre incommodité, ce sont les hémorroïdes internes : il faut pour cela que tu boives de l'eau et de la mélasse. Cela est facile et il n'y a rien de meilleur. Cela n'est pas inquiétant du tout, mais cela fait souffrir et peut te faire maigrir. Je crois que cela vient en grosse partie de ce que tu veilles trop tard : il n'y a rien qui fasse plus de tort à un jeune homme faible comme toi, et surtout depuis ton voyage de Philadelphie. Tu as besoin de réparer cela par un bon régime, et puis c'est tout, tu n'as pas besoin de remèdes.

J'exige, mon cher, que tu te conformes à ce que je te prescris et tu te trouveras bien vite mieux. Il ne faut pas que les nouvelles occupations que l'on te propose altèrent ta santé, et surtout que cela ne prolonge pas tes veillées. Nous parlerons de tout cela plus à l'aise quand nous aurons le plaisir de nous revoir, ainsi que de tout ce qui concerne notre pauvre politique.

Je n'ai reçu aucune lettre de ton père depuis son départ de New York, que par la *Gazette* de Mackenzie, qui dit qu'il est à Washington. Non plus du Canada. Je n'ai pas vu une seule gazette, ni lettre de nos parents et amis, ni des lignes. Perrault[24] n'est pas encore de retour. Tu ne saurais croire comme je trouve le temps long et ennuyeux. Lactance vient me voir tous les jours ; il est heureux qu'il soit si bien placé. Pourvu qu'il en profite pour s'instruire, en ayant tout le loisir.

Je verrai aussi pour ton habillement. Je voulais te dire que pour le temps que tu seras ici, tu pourras mettre le surtout bleu de Lactance, car je crains que le tien ne soit trop malpropre ; et puis je verrai avec toi ce que l'on achètera. Je ne sais quand on trouvera une bonne occasion. Le chancelier reste ici jusqu'au jour de l'An. Ne manque donc pas, quand tu m'écris, de faire dire quelque chose à la famille Porter, à qui nous avons tant d'obligations et qui t'aime tant.

Si tu fais quelque arrangement avec tes écoliers, écris-moi par la poste. Je laisse le reste de la feuille à ton frère qui veut te dire quelques mots. Mes amitiés à la famille du chancelier, chez le juge Cowen, etc. Adieu, mon cher fils.

Ta tendre mère,

Julie Bruneau Papineau

---

24. Louis Perrault (1807-1866), imprimeur au *Vindicator,* réfugié aux États-Unis, il sert d'informateur et vient en aide aux patriotes ; ami de Duvernay.

Beaudriau dit qu'il va demander 10 piastres par quartier et se faire payer d'avance, et puis fixer les heures et les obliger de venir à l'heure ou bien ils perdront les leçons. Il est certain qu'il faut être strict. Mais je sais que, dans un village, tu n'auras pas ce prix. Fais pour le mieux, ce que je t'écris est pour t'aider.

[De la main de Lactance Papineau] : Cher frère,

Je n'ai qu'un instant pour t'écrire quelques lignes. Maman désirerait voir les *Estafettes*[25]. Tu pourrais aisément, ce me semble, en apporter les derniers numéros. J'ai lu le numéro qui suit la « Confession d'Hindenlang ». Si tu peux apporter les numéros qui suivent celui-là, jusqu'au dernier. Quant à ton almanach, tu l'auras quand tu viendras, à moins qu'on ne trouve une bonne [occasion] d'ici là. Le chancelier ne part que la semaine prochaine [ ] que je ne puis pas te dire grand-chose.

Mon oncle Théophile vient ici à midi. Beaudriau, qui est allé à Troy hier et en est revenu ce matin, dit que mon [oncle] Théophile n'a pas encore été payé.

Je suis chez le colonel Page depuis le lendemain soir de mon arrivée ici.

Tu peux dire à M. Clarke que son paquet est rendu à son adresse ; à Sidney Cowen, que j'ai donné sa lettre pour Ballston à une personne qui m'a paru bien respectable de l'endroit ; et sa lettre pour Albany a été portée par M. Porter lui-même.

Beaudriau te fait bien ses amitiés. [Il] va te préparer une réponse pour la première bonne occasion, et te conseille bien de faire payer tes élèves d'avance ; autrement, ils te joueront et ne se rendront que lorsqu'il leur plaira, à ton école. Sois strict. Maman veut te dire elle-même le prix que tu peux exiger. Quant à ta grammaire, etc., tu pourras tout avoir au jour de l'An ; je ne puis t'en dire plus long. Ainsi, adieu ; à la prochaine occasion !

Ton affectionné frère,

J. B. L. Papineau dit Montigny

[De la main de Julie Bruneau-Papineau] :

Si tu as des écoliers et que l'on puisse trouver une bonne occasion, je t'enverrai une grammaire avant que tu viennes. Tu peux, en attendant, les faire lire et décliner des noms sans grammaire. Ne parle pas de semaines, mais fais-toi au moins payer un mois d'avance, si tu ne peux pour le quartier. Et n'aie pas l'air indécis.

25. *L'Estafette,* journal de New York.

M. Amédée Papineau
At Mrs Taylor
Saratoga Springs

Albany, 16 janvier 1839

Mon cher fils,

Ce m'est toujours un sensible plaisir de recevoir de tes lettres, mais celle d'hier m'en a causé doublement, puisque tu m'annonces que tu as eu le bonheur de communier ; c'est une preuve que tu continues à être un bon chrétien. Tu ne peux me donner de plus grandes consolations au milieu de mes épreuves, et j'espère, mon cher, que tu as le bonheur de le ressentir dès à présent et que les peines et les privations auxquelles tu es soumis, aussi jeune et d'une manière aussi inattendue, te seront méritoires pour une meilleure vie et te donneront du courage à souffrir les malheurs inévitables dans celle-ci, puisque tu sais bien les rendre méritoires en conservant le précieux dépôt de la foi. Je te bénis de tout mon cœur et te souhaite et t'exhorte à continuer dans le bien : c'est une douce consolation pour une mère de n'avoir rien à reprocher à ses enfants, mais, au contraire, à avoir à leur indiquer à suivre la même conduite que par le passé.

Il faut espérer que la présente année sera accompagnée de moins de malheurs puisque nous la commençons en bonnes grâces avec celui qui peut tout et qui ne veut que notre bien, plus tôt ou plus tard. Cela n'est pas factice mais réel.

On n'en peut pas dire autant de ce qui nous arrive dans le cours de notre carrière ici. Ton cher père te dit la raison pour laquelle nous n'avons pas répondu à ta lettre, j'en étais affligée. C'est pour le moins que l'on puisse et que l'on doive s'entretenir par lettres. Puisque nous sommes obligés d'être séparés, j'espère que ce ne sera que peu de temps. Si nous pouvons continuer à avoir des nouvelles du Canada, nous ne manquerons pas de te les faire parvenir par la poste, quand il n'y aura pas d'occasions.

Écris une jolie lettre à ton pépé et à ta mémé à loisir et envoie-nous-les ; il se présentera des occasions d'un moment à l'autre. Cela leur fera plaisir ; parle-leur amicalement, et du malheur du pays en général, sans parler en détail de la politique. Tu es en état d'écrire de jolies lettres et tu leur feras bien plaisir pour leurs étrennes et tu leur dois cela particulièrement : tu es l'aîné, le filleul, etc. Ne t'inquiète pas de ta santé, mon cher, mais, en même temps, ne te fatigue point trop, tu fais très bien de te coucher à bonne heure : tu t'en trouveras mieux dans quelque temps.

Fais mes souhaits du jour de l'An à tous nos amis et continue à voir un peu de société : c'est bon et agréable pour former les jeunes gens, et les faire connaître et estimer. Adieu, en attendant d'autres nouvelles.

Tout à toi, ton affectionnée mère,

Julie Bruneau Papineau

M. Amédée Papineau
Saratoga Springs
favored by M. Costigan

Albany, 5 février 1839

Cher Amédée,

Je suis fâchée que vos messieurs de Saratoga ne soient pas un peu plus obligeants de nous avertir quand ils viennent ici : MM. Davison[26] et Warren sont restés ici trois jours et n'ont averti ni Mme Walworth, Cowen[27], ni moi non plus comme de raison. Et c'est toujours le cas : il en vient souvent et on [ne] l'apprend qu'après leur départ.

J'avais ramassé des gazettes et puis, de plus, nous avons reçu des lettres de ta tante Dessaulles et des enfants, que j'avais tant d'empressement de t'envoyer, et puis j'ai été forcée d'attendre le départ du juge Cowen, n'ayant pu en trouver qui fît le voyage plus tôt. C'est tout exprès pour nous contrarier.

J'ai envoyé ta lettre à ta mémé, enveloppée dans une que je lui écris par la poste, n'ayant pas d'occasion. Et l'autre, je l'enverrai à ton pépé dans une de celles de ton papa.

Il y a longtemps que j'ai eu autant de nouvelles à t'annoncer. M. Chartier[28] est ici, il est venu pour nous voir et avoir des nouvelles du Canada ; il ne pouvait plus y tenir, et il s'est si bien rencontré à trouver ici plusieurs Canadiens : MM. De Boucherville[29] et Ouimet, frère de l'avocat, qui s'en vont à la Louisiane, et les Drs Duchesnois et Gauvin[30] qui vont parcourir les États-Unis pour ramasser, par une souscription, de l'argent pour soulager les pauvres réfugiés sur les lignes. Et le jeune de Léry[31], que tu as connu au collège, s'en va en France. Quant à la souscription que l'on a mise en train, on a plus d'espérance qu'elle réussisse que toutes celles qui se sont faites précédemment.

Ton père a obtenu des lettres de recommandation du gouverneur Seward, chez qui il a dîné l'autre jour, et qui est très porté en faveur des Canadiens ; il a signé et souscrit 20 piastres ; le lieutenant-gouverneur Bradish, 20 piastres. Le gouverneur Marcy a signé, aussi le chancelier, des lettres de recommandation. On

26. Fils de Gideon M. Davison, imprimeur et libraire, John M. Davison devint greffier à la chancellerie et président des chemins de fer de Saratoga et de Whitehall.
27. Maria Ketchum Avery, épouse de Ruben Hyde Walworth ; Miss Berry, épouse de James Cowen, juge et ami de la famille Papineau.
28. Étienne Chartier (1798-1853), avocat de formation, curé patriote à Saint-Benoît, sujet à scandales, interdit par Mgr Lartigue, réfugié aux États-Unis.
29. Georges Boucher de Boucherville, qui écrira plus tard le roman *Une de perdue, deux de trouvées.*
30. Le Dr Eugène-Napoléon Duchesnois, de Varennes, et le Dr Henri-Alphonse Gauvin, de Montréal, ce dernier revenu d'exil de la Bermude.
31. Charles-Auguste Chaussegros de Léry, fils du patriote Louis-René, et camarade de classe d'Amédée Papineau.

ne connaît pas encore leur souscription, qui doit se faire aujourd'hui. M. Scott a souscrit aussi 20 piastres, et M. Corning[32] 50 piastres. Dis cela à ton patron et aux autres, et, si tu peux avoir quelque chose d'eux, tu me l'enverras, je le ferai parvenir à ces messieurs à leur retour. Nous allons faire donner au juge Cowen avant son départ. Il ne part pas aujourd'hui, mais je viens d'apprendre que M. Costigan part à midi. J'enverrai celle-ci par lui et une autre demain par le juge.

Tu dis que tu te démontes au sujet de tes écoliers parce qu'ils ne sont pas assidus ; mais, tant pis pour eux, tu dois te tenir toujours prêt à leur faire leur école à l'heure que tu leur as indiquée, et le jour et, s'ils y manquent, cela ne doit pas faire de différence et ils doivent te payer la même chose à la fin du mois. Ne manque pas de leur dire que ce n'est pas à la leçon que tu prétends leur faire l'école ; ils ne feraient aucun progrès non plus et cela les dégoûterait.

Ne t'inquiète pas, cher enfant, si tu ne peux pas suffire à tes dépenses, je t'enverrai de l'argent par Mme Cowen et, quand tu en auras besoin, tu m'en feras demander. Je me fie à toi, je sais que tu n'es dans le cas d'en dépenser que pour les plus urgents besoins.

Je vais avertir Beaudriau qui attendait une occasion pour te répondre à ta lettre qu'il nous a tous communiquée : elle nous a bien fait rire. Tous ces messieurs te font leurs amitiés. M. Chartier s'est décidé, à nos sollicitations, d'aller aux frontières porter ce qu'il a eu de souscriptions de faites hier, et voir le Dr Wolfred Nelson et lui dire plusieurs choses qui ont été résolues ici, et puis consoler les pauvres réfugiés en leur disant que l'on espère plus de secours pour eux de cette collecte ici. Le Dr W. N. insiste à ce que ton père aille en France et tous s'accordent à le demander. Il a reçu des requêtes, et puis Mackenzie[33], qui est passé ici samedi pour Rochester, en a dit autant. Il n'y a pas un second homme comme lui : imagine-toi qu'il voyage avec sa mère âgée de 89 ans, sa femme et dix enfants dont le dernier n'est âgé que de quinze jours. Il avait, avec sa presse, ses livres et tout son bagage et puis, malgré tout cela, il était gai, rempli de courage et d'espérance plus que jamais. Il dit que, sur les frontières, il y plus de sympathie et de détermination que jamais et que cela ira bien. Ne parle de cela à personne au cas que cela soit encore de ces prévisions toujours exaltées et qui, quand elles sont fausses, lui font tort.

Je t'écrirai demain au sujet du voyage de France, qui doit être secret. Adieu, mon cher fils, je suis pressée et t'écrirai demain sans faute.

Ta tendre mère,

Julie Bruneau Papineau

---

32. Erastus Corning, maire d'Albany (1834-1837).
33. William Lyon Mackenzie, chef de l'insurrection dans le Haut-Canada, publia une *Gazette* à New York puis à Rochester.

Je t'envoie les lettres du Canada et les gazettes que je ramasse depuis quinze jours. Cela ne sera pas de nouvelles fraîches mais, enfin, on fait comme l'on peut.

Monsieur Amédée Papineau
Saratoga Springs
favored by Judge Cowen

Albany, 6 février 1839

Mon cher fils,

Ce que je t'ai dit hier au sujet du voyage en France n'était que pour te prévenir, car il était déjà décidé et a encore été accéléré, parce que ton père a appris hier que le packet pour le Havre partait le 8 au lieu du 10, comme on le croyait, en sorte qu'il a fallu tout paqueter et il s'est embarqué hier soir dans le stage à 11 heures pour New York.

Ces jeunes Canadiens qui sont venus ici, comme je te l'ai mentionné, sont venus exprès et ils ont dit qu'aussitôt qu'ils auraient collecté une somme suffisante pour envoyer ton père en France [ils l'enverraient]. C'était le désir de tous. Depuis, le Dr W. N. lui a écrit aussi en le conjurant de le faire[34], et puis des requêtes de pauvres réfugiés ; enfin, il s'est décidé, mais n'a pas voulu prendre sur l'argent collecté. Il a demandé à ces Canadiens s'ils voulaient endosser chacun un billet ; qu'il aurait de l'argent à la banque et, en effet, ils ont tous les six donné leurs billets payables dans six mois, au lieu de trois que M. Corning a consenti, en sorte qu'ils disent qu'ils auront le temps de faire venir cet argent-là du Canada pour le temps. M. Chartier a donné le sien : ils sont prêts à faire tous les sacrifices. Perrault leur avait dit qu'il donnerait le sien aussi.

Enfin, voilà des démarches de prises. Auront-elles des résultats heureux pour avancer la cause de notre malheureux pays ? On n'en sait rien, mais il faut l'espérer pour nous aider à supporter tous les sacrifices que nous sommes obligés de faire chaque jour. Tu peux croire, mon cher fils, que cela en est un grand pour moi que celui-là. J'ai fait la femme forte pour ne pas le décourager et, s'il n'en avait pas été ainsi, il n'aurait pas consenti. Mais, maintenant, je vais m'en ressentir fortement, je me rappellerai souvent ce qu'il m'a dit : « Tu veux donc que j'y aille ? tu m'envoies malgré moi, je cours le risque de faire confisquer mes

34. « Permettez que je vous attire de nouveau l'attention sur le voyage de France. » C'est tout ce que Wolfred Nelson dit dans sa longue lettre à Papineau du 26 janvier 1839, écrite à Rouses Point, N.Y. Voir ANC, *Fonds Papineau,* vol. 3 : 3301- 3304.

propriétés », etc. Si, par malheur, il lui arrivait accident, tu peux croire quels reproches je me ferais : je serais incapable de les soutenir.

Mais, mon cher, je m'oublie, au lieu de te consoler, je ne fais que t'affliger par d'aussi tristes pensées. Mais, il faut au contraire espérer en celui qui peut tout, il t'a déjà protégé d'une manière si visible, il faut le prier qu'il en soit encore ainsi. Comme tu es bon chrétien, ne manque pas de faire une prière spéciale tous les jours, et nous en ferons autant ; et puis je te prie de demander à ton prêtre, quand tu le verras, de ma part et de la tienne, qu'il veuille bien joindre ses prières aux nôtres et surtout de se souvenir de lui au saint sacrifice de la sainte messe.

J'ai encore eu des nouvelles du Canada par le jeune Henri Cartier[35]. Il vient suivre les cours de médecine ; il va rester ici trois mois. Il a vu toute la famille à Saint-Denis et à Maska. Il nous a appris que ton oncle Augustin et les autres du même endroit étaient sortis de prison : Têtu, Pacaud. Il dit que c'est bien triste en Canada. Personne ne fait d'affaires dans les campagnes ; ils ont été pillés ; qu'ils vont avoir de la misère à hiverner ; enfin, c'est la désolation.

J'ai reçu une lettre de ton oncle et de tes cousines ; je te les envoie. J'espère que tu as reçu hier le paquet que je t'ai envoyé par M. Costigan ; quand tu auras une occasion, tu me renverras mes lettres.

Je t'envoie aujourd'hui la valise de papiers à ton papa. Mme Cowen m'a promis de te les laisser transporter chez eux ; ils la conserveront dans leur étude : elle sera en sûreté là [ ] en demandant aux messieurs du village de t'avertir quand ils viennent. De mon côté, j'enverrai à l'hôtel où ils se retirent, ainsi nous pourrons communiquer plus souvent : c'est la seule consolation que nous puissions avoir.

Je t'envoie aussi cinq piastres aujourd'hui et, si tu en as besoin de plus, écris-le-moi, je t'en enverrai par le chancelier. Amitiés à leur famille. On ne dit pas que ton père est allé là avant que les papiers l'annoncent. Malheureusement, cela ne sera pas long parce qu'étant obligé de prendre un passeport à N.Y. ce sera connu bien vite : il [ne] doit le prendre qu'une heure avant son départ.

Ta mère affectionnée,

Julie Bruneau Papineau

35. Le Dr Henri Cartier (1814-1864), de Saint-Denis, cousin de George-Étienne Cartier.

M. Amédée Papineau
Saratoga Springs N.Y.
favored by Mr Costigan

Albany, 22 février 1839

Mon cher fils,

M. Costigan vient de nous avertir qu'il part à midi et demi et je n'ai pas le temps de te dire que je suis un peu mieux mais encore faible ; j'ai été bien malade.

Nous avons appris hier la mort de la chère petite Frances. Dis à Mme Walworth qu'elle soit persuadée que je prends une grande part à son affliction. Dis-lui que, si je pouvais écrire l'anglais, je lui écrirais mais je te charge d'être mon interprète. Je m'attendais à avoir une lettre de toi ; écris-moi au plus tôt.

Informe-toi donc si tu pourrais avoir de la verge d'or, je ne sais pas s'il y en a dans les États ; ils l'appellent, je crois, *goldenrod*. Tu verras si, sous ce nom, c'est la vraie verge d'or : je serais bien aise qu'on pût m'en procurer[36].

Rien de consolant encore au sujet de nos affaires : il y a eu encore cinq de nos concitoyens de pendus : Hindenlang, de Lorimier, notaire, François Nicholas, P.-R. Narbonne et Amable Daunais[37]. Il y avait 5000 spectateurs. Ils ont été enterrés au cimetière, suivis des citoyens. Hindenlang a fait un speech aux spectateurs en français et il a conclu par dire qu'il mourrait pour la cause de la liberté et ils ont tous crié ensemble : « Vive la liberté ». Ce sont des lettres qui mentionnent cela. Le *Herald* dit qu'il n'y a qu'Hindenlang qui a dit cela et que la foule n'a pas répondu et qu'ils ont aussi bien fait parce que les loyaux ne l'auraient pas souffert. Souffrons et prions en attendant que Dieu nous délivre.

Adieu, mon cher. Remercie la famille Cowen de leurs offres que j'accepterai ce printemps : j'aurai grand besoin des eaux de Saratoga, je suis loin d'être bien.

Ta mère,

J. B. Papineau

Je n'ai aucune réponse à nos lettres que j'ai envoyées par différentes voies ; aussitôt que j'en aurai reçu, je te les enverrai.

M. Chartier est passé ici en se rendant à St. Albans, où il va résider comme secrétaire de la convention. Il dit qu'il doit y être pour l'intérêt de la religion aussi bien que celui de la liberté, car il n'y a que des protestants, les Nelson ou des jeunes Canadiens indifférents ou impies. Au cas qu'ils voulussent inclure des clauses indépendantes ou autres, il dit qu'il croit qu'il sera blâmé mais la pureté de ses motifs sera connue un jour. En effet, c'est fort heureux qu'il soit là.

---

36. En médecine populaire, la verge d'or, *solidago* ou *goldenrod,* est utilisée comme tisane.
37. Les cinq patriotes pendus à Montréal le 15 février 1839.

On ne reçoit plus *Le Canadien* ; tu penses qu'ils ne savent plus à qui l'adresser, ton père étant absent, et puis [vu] le décès de notre cher et intéressant ami. Sa dame et ses enfants ont une force extraordinaire qui surprend leurs amis.

Lactance et la petite sont bien. La petite a le rhume depuis hier ; j'espère que ce ne sera rien de conséquent. La famille Porter est assez bien.

[De la main d'Amédée] : reçue samedi matin 23 février 1839.

Exécution de Lorimier, Hindenlang. Manifestation de l'opinion publique. « La Révolution marche, elle ne s'arrêtera jamais. » Messire Chartier.

Mme Dessaulles
Saint-Hyacinthe, Bas-Canada

Albany, 1er mars 1839

Chère sœur,

J'ai reçu votre lettre écrite la veille de votre départ pour Montréal où vous deviez aller reconduire notre chère sœur Angelle[38] et je n'ai pu y répondre de suite pour cause de maladie, à la suite d'événements imprévus et malheureux qui, joints à tous nos autres maux, m'ont fait succomber ; j'ai été malade et je suis convalescente.

Je vous ai fait écrire par Lactance le départ de son père pour la France et le grand malheur que nous avons eu le surlendemain de son départ : la mort de notre commun ami, M. Porter.

Il a envoyé sa lettre par un ouvrier de Montréal nommé Bélinge. J'espère que vous l'aurez reçue. Vous verrez que la rumeur de son départ était fondée ; il s'est décidé promptement et, si je n'avais pas eu la petite avec moi, j'aurais fait le voyage. C'est peut-être pour le mieux par rapport à nos chers enfants, mais aussi ce m'a été un grand effort pour pouvoir faire encore ce nouveau sacrifice, après tant d'autres.

Notre séparation a été cruelle et surtout j'étais obligée de lui cacher ce qu'il m'en coûtait, car s'il m'eût vue désolée, il ne serait pas parti. Et, pour surcroît d'affliction après celle-là, je ne pouvais en avoir une plus grande que de perdre notre cher, aimable, excellent ami ; il nous était de plus en plus attaché, dévoué, toujours avec nous, et de nous le voir ravi, arraché d'au milieu de nous par une mort aussi prompte et aussi cruelle ! Il est tombé malade le soir et le matin, à sept heures, il n'était plus ; il a étouffé après quelques heures d'un grand mal de

38. Angelle Cornud, leur belle-sœur, épouse de D.-B. Papineau.

gorge ou plutôt de suffocation qu'ils ont cru devoir être le croup. Après coup, quand on a appelé le médecin la nuit, il n'a pas cru qu'il fût en danger, et il était trop tard quand il est venu la seconde fois. Jugez de la douleur de son épouse et de la nôtre.

Je ne puis vous exprimer ce que j'ai ressenti et puis, après deux ou trois jours de désolation, il m'a fallu succomber. J'ai été bien malade et ne suis que convalescente, et ne pourrai me rétablir que quand j'aurai des nouvelles que mon ami sera arrivé sain et sauf au Havre. L'inquiétude me tue et la petite Azélie a été encore malade ces jours-ci : elle avait un amas de glaires depuis son croup et elle a été prise par un mal et le râlement dans la gorge qui m'a tout de suite inquiétée, en sorte que le docteur a jugé à propos de la faire vomir et m'a assurée que ce n'était rien de sérieux. Mais elle a été si malade, elle a tant vomi de glaires et de bile, qu'elle est restée très faible toute la nuit et, le lendemain, elle a eu une grosse fièvre et [était] très agitée. Mais cela a disparu et elle est très bien ces jours-ci : elle court et est bien gaie.

Mes amis vous font dire, ainsi qu'à sa mémé, que vous ne soyez pas inquiètes et que, quoiqu'elle soit éloignée de ses bons parents, elle en a ici qui font tout en leur pouvoir pour les remplacer. En effet, je vous assure qu'aussitôt qu'elle est malade, tous les soins, les tendresses lui sont prodigués ; surtout les personnes de la maison et même [les gens] au dehors, ils la veillent la nuit, lui font compagnie le jour. Tout ce qui peut lui faire plaisir : bonbons, joujoux, ils [le] lui achètent et lui apportent. Aussi elle les aime et les caresse. En santé, elle est l'amusement de la maison ; ils disent qu'ils s'en ennuient tous quand elle ne va pas aux repas. Sous ce rapport, nous ne sommes pas à plaindre, surtout depuis le départ de M. Papineau, tous mes amis redoublent d'attention, mais enfin, chère sœur, il me serait bien plus doux d'être auprès de vous, de ma chère maman et de tous mes chers parents et amis.

Mais comment voulez-vous que je m'expose à faire un voyage d'hiver avec une enfant ; et puis exposée à avoir peut-être d'autres disgrâces, dans l'état dans lequel le pays est plongé, et qui sait ce qui arrivera d'ici au printemps ? Alors, si c'est tranquille, je me déciderai peut-être à y aller ; mais si je ne puis y aller, j'espère que vous viendrez me voir à l'ouverture de la navigation et des premiers chemins avec ma chère maman, ma chère Rosalie, et mes chers enfants. J'espère que, pour cette fois, ils ne manqueront pas leur voyage. Vous viendrez par le *Canal Boat* jusqu'à Albany au lieu du stage par Saratoga. C'est la voie qu'a prise votre papa quand il s'en est retourné. Comme cela, maman n'aurait aucune fatigue. Nous en parlerons plus tard et plus long.

Je suis bien aise que vous m'ayez rassurée sur l'état de santé de maman ; j'avais appris qu'elle avait été malade. Enfin, à tout prix, je suis bien décidée à vous revoir ce printemps ainsi que mes chers enfants. Il faudra que j'aille ou que vous veniez ; nous pourrions faire chacune la moitié du chemin. Nous nous rencontrerions aux lignes si le pays est tranquille.

Vous devez être persuadée que j'aurais le plus grand plaisir à aller à Saint-Hyacinthe. Je ne désire nullement voir Montréal mais, chez vous, j'aurais le plus grand plaisir d'y retourner. Je me rappelle avec plaisir ma petite chambre voisine de ma sœur bien aimable et bien aimée ; l'avantage d'avoir accès à notre petite chapelle où je trouvais de la consolation et y puisais des forces pour m'aider à supporter mes malheurs. La compagnie de dignes, vertueux et aimables amis que j'aime à me rappeler et au souvenir desquels je vous prie de me rappeler aussi. Je veux bien croire qu'ils ne m'oublient pas et surtout quand ils adressent leurs vœux au Très-Haut. À nos autres parents et amis du village, je fais aussi mes amitiés, et surtout à tous ceux de votre maison. Je pense que les D^lles^ Germain sont encore avec vous ; je crains que la santé de l'aînée ne s'est ressentie des troubles que vous avez éprouvés encore cette année, je sais qu'elle est faible.

J'espère que Mme Thompson (son mari en prison) est toujours courageuse. Si l'épreuve est plus longue qu'on ne pensait, il ne faut pas croire que l'on ne verra pas un terme à nos malheurs. La préservation miraculeuse de plusieurs de nos premiers citoyens de la main de leurs persécuteurs est déjà une grande faveur, et il faut croire que ce n'est pas en vain ! C'est que la Providence les réservait pour une meilleure fin et utile à leur pays. Il surviendra encore des événements qui changeront bien nos destinées.

J'ai toujours espéré, et à un point qui m'en a presque tenu lieu de conviction. Et, en effet, notre position était meilleure que l'an dernier, sans cette malheureuse expédition de l'automne dernier, qui vous a plongés pis que l'an passé, dans un sens, puisque cela a fait tant de victimes, et en voir, ce semble, ce ne laisse pas que d'avancer la cause, mais qui aurait avancé sans ces nouveaux malheurs. Néanmoins il faut se garder de blâmer ceux qui ont cru bien faire : les motifs qui les ont fait agir étaient louables, et ils ne sont que trop malheureux pour être censurés. Ils se sont dévoués et ont tout sacrifié à la cause de leur pays.

L'aspect d'une guerre entre les deux puissances est plus probable que jamais. J'espère que le Dr Wolfred Nelson (n'est-ce pas Robert ?) aura assez d'influence sur les réfugiés aux lignes pour les empêcher de commettre de ces horreurs qui répugnent à l'honneur, l'humanité et la vertu. Je sais qu'il fait son possible ; il ne faut pas faire à nos ennemis ce que nous leur reprochons avec tant de raison. Ils sont exaspérés ; on me dit que c'est très difficile de les contraindre et contenir. Ils n'ont que trop de sujets, les pauvres malheureux, mais enfin cela ne fait que rendre leur position pire. On a fait tout ce que l'on a pu pour soulager leur misère.

J'ai une occasion qui portera ces lettres-ci aux lignes à un ami qui vous les fera parvenir. J'en ai envoyé une à votre père, de son fils, qui doit lui être parvenue. Je vous prie de vous en informer quand vous lui écrirez, et de me le faire savoir. Je ne sais où il est mais je le pense à Montréal.

Je n'ai pas reçu l'argent que Benjamin a envoyé à M. Cherrier. Vous pouvez écrire qu'ils pourront l'envoyer par la voie de M. Perrault, à Burlington, et il me le fera parvenir. Et s'il veut l'envoyer en ligne directe à Albany, qu'il l'adresse à M. Erastus Corning, graveur. Vous saurez aussi, ma chère sœur, que pendant que le chancelier Walworth[39] était ici avec sa dame, depuis quelques jours, et à déplorer ensemble la perte de notre commun ami, on les a envoyé chercher en toute hâte, disant que leur petite fille était très mal. Ils sont partis aussitôt et sont arrivés chez eux. Et l'enfant est morte le surlendemain. C'était une belle petite fille âgée de cinq ans, jugez de la douleur. Je crois que vous ne l'avez pas connue : elle n'est venue à la maison qu'après votre départ.

M. Davison, que vous avez connu comme époux de Mlle [Sarah] Walworth, est nommé pour remplacer le pauvre M. Porter comme greffier de la cour de chancellerie. Ainsi ils vont venir résider à Albany.

Amédée est bien, ainsi qu'il me le mande hier par M. Sidney Cowen, qui est venu hier, et il dit que toute sa famille est bien. Lactance est bien et heureux d'être chez M. Page. Ils sont très aimables. Il a un fils de son premier mariage, âgé de 20 ans, mais il est chez son oncle à Schenectady ; et de sa seconde femme, il n'a qu'une petite fille de 4 ans. Ils sont riches et vivent comme chez M. Corning. Ils aiment beaucoup Lactance et la petite Azélie. Il y a bien du plaisir quand elle y va. Elle fait dire à tous ses parents et amis qu'elle a grand hâte de les revoir tous. Elle voudrait bien savoir si sa chère sœur Ézilda a grandi et si Gustave a l'air d'un petit homme à présent. Je veux savoir si son mal d'yeux est passé.

Ce que vous me demandez par rapport à Marguerite, vous vous arrangerez avec elle comme vous jugerez à propos. Comme on lui avait déjà offert d'aller en ville hiverner, si elle trouvait des avantages, qu'on ne voulait pas lui faire tort, vous avez répondu qu'elle voulait. Ainsi, je veux bien la payer mais je crois que vous trouverez raisonnable, ainsi qu'elle le doit, de la payer le même prix que vous donnez à vos filles ; et puis vous marquerez cela sur votre compte. Elle doit avoir eu des effets comme je désirais qu'elle fût indemnisée et j'espère que quand j'irai, je pourrai la contenter ; elle le mérite pour l'intérêt qu'elle nous a porté et le bon soin qu'elle prend des enfants. Je vous le répète : ce que vous ferez sera bien. À une telle distance, on ne peut le faire.

J'espère, dans votre prochaine, que vous me donnerez des nouvelles de toute la famille de Montréal, de mon pauvre oncle Joseph (Robitaille), de ma belle-sœur, Mme Bruneau (Philippe), de la pauvre Luce (Mme Cherrier) avec son nouvel enfant, et puis de la misère que je crains ; de M. Côme, de ses enfants, de la pauvre Mme Viger (D.-B.), quand sortira son époux ? Et le cher Louis, sa dame,

39. Ruben Hyde Walworth (1788-1867), grand juriste de l'État de New York, membre du Congrès, auteur de plus de 30 volumes sur les lois.

etc. Je ne finirais pas si je voulais vous demander tout ce que je désire de tout mon cœur de savoir de tous ceux qui nous intéressent. Delagrave est-il encore absent de Montréal et sa dame a-t-elle demeuré en ville tout l'hiver ? Je n'ai pu le savoir. Chez M. Donegani sont bien ? Et le vieil oncle (Ignace Robitaille) ?

Dites donc à mon cher frère Augustin qu'il m'écrive et me donne des nouvelles de Sophie, et détails sur sa santé, la sienne. On me dit qu'il avait été malade depuis sa sortie de prison, cela m'a inquiétée. Faites-leur mes amitiés et dites-leur que personne n'a pris plus de part à leurs souffrances que moi.

Votre sœur et amie dévouée,

Julie Bruneau Papineau

J'écris aussi à mon frère à Saint-Denis (Pierre Bruneau). J'ai retardé aussi à lui répondre pour la même cause. Adressez vos lettres à l'avenir à M. Erastus Corning ou à M. John Davison, clerk in Chancery, au cas qu'en mon nom elles ne peuvent parvenir ; et puis, quand avec des occasions qui vont aux lignes, à W. N. ; et s'ils viennent plus loin, à M. Perrault à Burlington, par la voie du Dr Davignon[40] aussi : sa famille communique avec lui facilement. Il m'a fait dire que vous pouviez envoyer ce que vous vouliez, qu'il me l'enverrait. Il est aux Fourches ; sa famille vous donnerait son adresse.

J'ai fait reproches au jeune Parent, frère de celui de Saint-Pie, qui est venu me voir : il est parti de chez vous il y a quelque temps et il ne vous a pas avertie. Il en arrive ici tous les jours de Montréal, des environs, et ils nous disent tous qu'ils passent sans être fouillés.

[De la main d'Amédée] : copiée 30 septembre 1891 et 1er [octobre].

Monsieur L.-J. Papineau
Aux soins de M. Hector Bossange, libraire
Quai Voltaire, Paris

Albany, 4 mars 1839

Mon cher époux et ami,

Je m'étais armée de tout mon courage pour ne pas te faire remarquer combien il m'en coûtait de sacrifices pour t'aider à te décider à faire ce voyage, que l'on a tous trouvé ensemble indispensable dans les malheureuses circons-

40. Le Dr Joseph-François Davignon (1807-1867), médecin de Saint-Jean-sur- Richelieu, patriote, réfugié à Sable Forks (appelé « Les Fourches »), N.Y.

tances où se trouve notre pauvre pays. Je savais qu'après ton départ mes forces m'abandonneraient et que je serais en proie à la douleur et à l'ennui, mais j'étais loin de m'attendre à éprouver le plus grand malheur qui nous menaçait, après celui de ton départ, et [que] tu auras sans doute appris par les journaux, avant que celle-ci te parvienne, et qui te fera soupçonner le retard que tu éprouves en ne recevant pas de lettres de moi, presque aussitôt ton arrivée à Paris, comme je te l'avais promis et que je n'aurais pas manqué de faire. Oui, cher ami, j'ai eu la vive douleur, le lendemain de ton départ, de voir notre incomparable ami, tomber malade, le soir, d'un grand mal de gorge que son médecin a traité de rien. Il lui a cependant administré un émétique et qui ne l'a pas soulagé. On l'a renvoyé chercher au milieu de la nuit : je le trouvais très mal, et lui connaissait sa situation. Il disait avec difficulté que c'était fini de lui. Elle ne le croyait pas, ni le médecin non plus. Et, à sept heures du matin, il a étouffé, c'était le croup. Il n'a pas été saigné, ni les mouches, enfin aucun traitement pour cette maladie. Ainsi, Dieu l'a voulu et il a fallu s'y soumettre ; mais c'était un trop grand choc pour ma sensibilité et les mille idées qui se sont emparées de mon imagination, que c'était le commencement de malheurs où je ne pouvais prévoir autre chose que de noirs pressentiments ! Ces terribles paroles que tu avais prononcées : « Tu veux donc m'envoyer absolument ! » et qui m'avaient affligée alors, retentirent à mes oreilles, mais avec bien plus de force et de terreur qu'alors. Je ne pouvais plus me maîtriser ; joint à la douleur de Mme Porter, de Fanny que je ne pouvais consoler. J'étais aussi désolée et bien plus faible qu'elles. J'étais si attachée à lui, je le voyais dévoué à ta personne et à tes intérêts, au-delà de ce que l'on peut attendre de ses plus proches parents même ; je me représentais ce redoublement de soins et d'attentions, le jour de ton départ. Oui, tu peux dire avec vérité qu'il t'a voué les derniers instants de son existence, et quand je me rappelais que tu m'avais confiée à ses bons soins et que, si tu n'avais pas eu ce bon ami, tu n'aurais pu te décider à me laisser ici sans protecteur, j'aurais fait faire un exprès pour te ramener mais je savais que c'était en vain, que tu serais embarqué. Ainsi, il m'a fallu faire de nécessité vertu.

J'ai eu un grand mal de gorge ; j'avais pris froid la nuit fatale qui a précédé son décès ; j'ai été quinze jours sans sommeil, sans prendre de nourriture (faut dire) en sorte que je suis devenue très faible et, pour comble de malheurs, la petite Azélie est tombée malade aussi, elle. Il paraît qu'elle avait conservé un amas de glaires depuis son croup ; j'ai été très alarmée, j'ai cru que c'était une autre attaque de cette cruelle maladie. Son petit docteur m'a dit que non ! Je me suis trouvée rassurée un peu, mais, voyant qu'elle n'avait pas de mieux, il a jugé à propos de la faire vomir et c'est étonnant ce qu'elle a rejeté de glaires et de bile. Elle a été bien malade pendant trois jours, d'une grande faiblesse accompagnée de fièvre, n'ayant aucun repos, ni jour ni même la nuit. J'ai été très inquiète et je n'avais pas la force de la soigner. Heureusement qu'elle se laissait soigner et veiller par les dames de la maison qui se sont montrées vraiment de vraies amies.

Depuis ces malheurs, elles ne m'ont pas abandonnée, même la nuit, il y en a toujours eu une à veiller dans notre chambre. Avec Mary, la fille de chambre, qui couche toujours dans ma chambre, je ne puis rester seule ; je suis trop faible et trop nerveuse. Jamais de ma vie je ne me suis aperçu combien j'ai le système nerveux affecté : cela me chagrine beaucoup, mais rassure-toi sur la santé de l'enfant. Elle est tout à fait rétablie et aussi forte que ci-devant.

Voilà-t-il assez de malheurs et de maladie pour me faire faire des réflexions et prendre la ferme résolution, si Dieu nous favorise du bonheur de nous réunir encore une fois dans ce monde de tourments en tous genres, le ferme propos (dis-je) de ne plus consentir à nous séparer ! Je l'ai écrit de ma main, mais je l'ai bien plus gravé en caractères ineffaçables dans ma volonté que je ne l'oublierai plus si l'occasion se présente.

Je ne recouvrerai pas la santé avant que j'aie appris ton arrivée au Havre et une lettre de toi qui m'en donnera l'assurance. Je calcule que tu dois être près d'arriver maintenant si tu as eu un passage ordinaire. Tous ces naufrages qui sont survenus encore, ce semble tout exprès pour ajouter à mes tourments. Il est rare qu'il y en ait et, autant à la fois, c'est une désolation ! Et il m'a été impossible de n'être pas encore plus alarmée, en entendant ces récits ; j'en étais effrayée à un point qui m'a rendue plus malade !

Encore un autre de nos amis qui est dans l'affliction : c'est le chancelier. On a envoyé un exprès les chercher ici en leur faisant dire que leur petite fille était bien malade. Et, en effet, quand ils sont arrivés à Saratoga, ta chère petite Fanny était sans connaissance et elle est morte le lendemain. « Ils sont désolés », m'écrit Amédée ; je n'en doute pas ; c'est le premier enfant qu'ils ont la douleur de perdre : c'est le commencement de leurs épreuves.

Le chancelier n'est pas revenu ; il a offert la place à notre ami, M. Flag, qui l'a refusée. On me dit que c'est qu'il a l'espérance d'une autre plus profitable, et puis ensuite il l'a offerte à M. Edward, membre du sénat, qui a aussi refusé, parce qu'il aurait fallu qu'il perdît sa place là, et son parti l'en a empêché, car, ayant encore une majorité démocrate, ils espèrent la conserver pour l'an prochain. Et, enfin, il a fini par la donner à son gendre, John Davison, et il est fort censuré. J'en suis fâchée, tu sais combien je l'estime. Madame ne viendra à Albany que ce printemps, elle ne peut laisser sa mère dans ce moment d'affliction. Il est ici, lui, mais je ne l'ai pas encore vu. Les sœurs de Mme Porter sont venues passer quinze jours avec elle et l'emmener avec elles, mais elle n'a pas voulu. Elle reste ici jusqu'au printemps, où elle espère que son fils aîné viendra, ainsi que M. et Mme Laforge. Alors, ils décideront ensemble ce qu'elle doit faire. Edward est avec elle et y doit rester d'ici ce temps. En ce cas, je vais rester ici aussi le temps qu'elle y demeurera.

Les D[lles] Fitch[41] sont remplies de complaisances pour moi et la petite, ainsi que les dames de la maison, et surtout Mme Clark. La petite l'aime tant qu'elle ne pouvait la perdre de vue un instant dans sa maladie, et nos amies aussi lui envoient tout ce qu'elle désire de douceurs et de jouets. Elle n'est pas à plaindre.

J'espère que les affaires du Maine vont avancer les nôtres[42]. Tu verras les papiers et puis le D[r] O'Callaghan va te tenir au courant des affaires d'ici et peut le faire mieux que moi sous tous les rapports.

Je ne sais s'il t'a écrit la décision et le parti qu'a pris notre ami, M. Chartier. Il est passé ici et m'a dit qu'il laissait sa cure avec le plus grand regret, mais qu'il considérait sa présence très nécessaire aux frontières, qu'il avait trouvé les gens exaspérés et puis, en réfléchissant qu'il n'y avait en tête de ce comité, qu'ils veulent organiser, que les deux Nelson, qui ne sont toujours pas considérés tout à fait canadiens, puisqu'ils ne le sont pas d'origine, et puis protestants. C'est raisonnable et juste, mais Robert, qui est si déraisonnable sur le compte du clergé, des maisons religieuses, et puis les autres, peu marquants et peu importants sous le rapport de la capacité, et puis aussi peu soucieux des intérêts religieux. Il dit que, s'ils veulent introduire des clauses imprudentes et trop violentes, il espère avoir un peu d'influence sur eux, puisque ce sont eux qui l'ont pressé, sollicité de venir les joindre. Ils n'ont pas voulu y admettre Côté[43]. Il dit qu'il est bien aise de cela, car il n'a aucun principe d'honneur : il peut se servir de tous les moyens pour faire des dupes, mensonges, intrigues ; et puis il parle d'une manière si violente et inconséquente que, malgré que les autres sont très violents, ils n'en veulent plus en entendre parler. M. Chartier en est satisfait. Il doit être nommé secrétaire et trésorier. Comme il dit : « Au moins, l'on pourra se rendre compte des argents. J'espère que l'on me croira au moins honnête homme, si l'on ne veut pas me reconnaître bon prêtre, parce que j'aime mon pays et que je veux le servir au moment où il a besoin du secours de tous ses concitoyens en état de le servir, et puis je crois servir la cause de la religion tout aussi bien et mieux que mes pauvres confrères, qui lui ont tant fait de tort en faisant une opposition aussi injuste au peuple et servant par là la cause de leurs persécuteurs. Je m'occupe peu de ce qu'ils vont dire de nouveau sur mon compte. La pureté de mes motifs me suffit et sera, j'espère, connue un jour. » Il dit qu'il pourra influencer aussi maître Duvernay dans son journal, mais j'en doute fort, ou ils se querelleront, car il dit qu'il lui répondra en signant son nom et donnant un démenti formel, s'il veut parler contre le clergé, et même ici, dans les États, il se ferait tort, car les Irlandais

41. Les demoiselles Fitch tenaient une belle maison de pension au 79, North Pearl Street, à Albany. Elles y avaient accueilli M. et Mme Papineau en 1838.

42. Pour faire avancer leur cause, les patriotes souhaitaient une guerre entre l'Angleterre et les États-Unis à propos des frontières entre le Maine et le Nouveau-Brunswick. Ils étaient certains que les Américains gagneraient cette guerre et envahiraient ensuite le Bas-Canada.

43. Le Dr C.-H.-O. Côté (1809-1851), patriote trop radical aux yeux de la majorité des réfugiés.

et même le peu d'Américains qui y souscriront, n'aimeront pas ces attaques. Ce serait tout à fait impolitique de sa part et cela ne corrigera pas les membres du clergé ; au contraire, cela les irriterait et ferait encore une malheureuse division entre nous, et du tort à notre cause. On doit avoir à cœur de maintenir ses lois, ses droits civils et religieux également intacts, si l'on veut poser une base de société heureuse et durable, autant que peut l'être un état de société, dans ce monde fragile et périssable, où il ne peut y avoir rien de parfait et de constant, mais au contraire sujet à toutes les vicissitudes humaines, et par conséquent périssable.

Duvernay est ici, il travaille à se procurer des souscripteurs, et puis il doit passer par Saratoga et Whitehall, et se rendre aux frontières. Il dit qu'il lui faut 600 ou 700 souscripteurs[44]. Je ne sais s'il pourra les avoir. Et puis, il commencera dans avril.

Tu verras que M. Bouchette, pour passer le temps de l'exil agréablement, a épousé une des filles de Berthelot, l'aînée[45]. Elle n'a rien, ni lui non plus ; ils vont vivre chez le père, à ce que m'écrit M. Perrault, qui m'a fait offrir de lui envoyer mes dépêches pour le Canada, qu'il les ferait parvenir parfois par de bonnes occasions, et même par la poste, car il dit qu'il communique régulièrement avec sa femme et qu'il n'y a aucune lettre de décachetée. Je lui ai envoyé ta lettre pour ton père, par M. Chartier, et il doit l'avoir fait parvenir. Pour celle-là, je lui ai fait dire de ne pas la confier à la poste : j'aimais mieux éprouver un peu de retard.

Ton père doit être à Montréal maintenant, car ta sœur m'écrit et me dit qu'elle a été à Saint-Denis avec Angelle pour y rencontrer ton père, qui ne veut pas aller jusqu'à Maska, car il dit qu'elle voudrait le garder et qu'il ne peut se décider à y aller résider, qu'il s'y ennuie à la mort et que, n'ayant pu vendre sa terre, Benjamin et Toussaint ont besoin de lui.

Angelle me fait dire que Benjamin fait son possible pour faire payer les habitants, qu'il exige la rente de l'année, et puis un acompte sur les arrérages. Il a envoyé de l'argent à Côme Cherrier, mais que je n'ai pas reçu ; et je l'ai écrit à ta sœur en réponse à sa lettre, et lui ai mentionné de l'envoyer à l'adresse de M. Corning. Elle m'écrit qu'elle part pour Montréal où elle va reconduire Angelle, que toute la famille est bien et que les petits enfants sont bien contents de leur voyage de Montréal, que Marguerite les a menés voir M. Quiblier, qui les a reçus à bras ouverts, les a caressés, embrassés et qu'il leur a donné de jolis livres et des images, et leur a dit qu'il allait aller les voir à Saint-Hyacinthe. À Verchères, ils n'ont fait qu'y coucher, car la petite Azélie Malhiot, qui est là pour aller à l'école, avait les fièvres. Et maman avait été malade et était encore bien faible. Marguerite a craint qu'ils ne les prennent, elle s'est sauvée, mais depuis ils

44. Ludger Duvernay s'apprête à lancer son journal, *Le Patriote Canadien,* à Burlington, Vt.

45. Aux États-Unis, R.-S.-M. Bouchette épousa en deuxièmes noces Caroline-Anne Berthelot, sa cousine.

ont eu nouvelle que maman et la petite étaient tout à fait rétablies, au point qu'elle a pu aller à Terrebonne se promener, voir Mme Masson. M. Masson veut être payé de Benjamin, me dit ta sœur. Elle dit que l'état des affaires est affreux, que les gens veulent être payés, et que personne ne paie, que les propriétés n'ont aucune valeur, que personne ne veut s'embarrasser de biens-fonds plus qu'ils n'en ont, que si cet état de choses dure encore un an ou deux, les familles les plus aisées seront réduites à la misère.

Tous les prisonniers de Maska ont été libérés, cela n'empêche pas qu'ils continuent à en prendre d'autres. Elle me nomme un notaire et un marchand des paroisses des environs qui ont été emmenés en prison et elle craint beaucoup, pour un d'entre eux, qu'il ne soit fort impliqué dans les derniers troubles.

J'espère qu'il n'y aura plus de ces meurtres sur les lignes, car, outre que c'est démoralisant, c'est qu'ils se feront prendre. Car sir John Colborne a envoyé des volontaires et de la cavalerie pour garder les lignes et il leur serait impossible de rien faire, et [ils] seraient en grand danger d'être pris et pendus de suite.

Je crois qu'il n'y aura rien de fait dans le Haut-Canada non plus. J'ai vu [en] outre Mackenzie, qui est venu ici croyant t'y rencontrer, quelques jours après ton départ. Il arrivait de Washington et il m'a dit que c'était faux qu'ils eussent les moyens tant en hommes qu'en argent, que nous avait dit notre Mackenzie ici, en passant. Il m'a dit qu'il y avait à peu près 1500 hommes qui avaient les moyens et le désir de faire une excursion mais qu'il espérait qu'ils ne le feraient pas car c'était tout à fait insuffisant et que ce ne ferait qu'attirer de nouveaux malheurs et faire des malheureuses victimes de plus. Et je vois dans la *Gazette* que Mackenzie lui-même les prie de ne pas dépenser leurs ressources en vain et d'attendre. Cela m'a surprise d'après ce qu'il avait dit ici.

Tu y verras aussi comme il annonce ton départ, mettant en tête : « Mission en France » et disant qu'il est à souhaiter que tu aies autant de succès que Franklin[46]. Mais ce qui est le comble de l'inconséquence et du ridicule même, c'est qu'il dit que c'est malheureux que tu n'aies pas été aussi explicite que M. Nelson sur le gouvernement que tu veux établir pour le Canada. Tu peux dire que c'est difficile de faire des affaires aussi importantes avec de pareils hommes et il y en a si peu d'autres dans notre pauvre et malheureux pays : c'est ce qui m'a toujours fait peine. Il continue : cela aurait aplani bien des difficultés et que tu pouvais le faire facilement ; que les townships craignent d'être vexés, c'est ce qui fait qu'ils nous sont opposés. Enfin, tu verras la *Gazette ;* je pense qu'ils doivent te l'envoyer.

J'attends une lettre du Havre, mais je vais trouver le temps long et puis ensuite j'espère que j'en recevrai souvent. Fais comme je me propose de le faire : d'écrire tous les jours. Tu peux le faire avant de te coucher et alors, à chaque

46. Benjamin Franklin, homme d'État américain, artisan du traité d'alliance avec la France (1778), lors de la guerre d'indépendance.

packet, ta lettre se trouvera remplie. Songe que c'est la seule consolation que nous aurons ici, les enfants et moi.

Amédée n'a pas réussi avec sa classe de français : ils l'ont tous laissé les uns après les autres. Ils ne veulent pas et d'autres sont partis de l'endroit : il en est fâché. Il dit qu'il voudrait gagner pour payer ses dépenses. J'espère que tu vas t'intéresser bien vite pour Lactance. M. Page part pour la campagne au commencement de mai, alors je pense qu'il faudra le pourvoir d'une autre place, si tu n'as pas d'espoir de le placer à Paris. Il vaut mieux le savoir tôt, et ensuite que tu nous donnes des instructions sur ce que tu veux qu'il fasse. Il a été bien chagrin de la mort de son cher protecteur. Je l'ai fait purger, il n'était pas bien.

J'aimerais que tu écrives une lettre à Mme Porter en anglais : elle y serait très sensible et il me semble qu'elle doit s'y attendre.

J'avais demandé à M. Chartier de m'écrire quand il y aura quelque chose d'important. Alors je te le manderai. M. Perrault dit qu'il t'a déjà écrit qu'il te mandait des choses importantes au sujet du comportement des volontaires à Beauharnois. Mme Dessaulles me demandait d'où venait ce bruit et cet avis dans les gazettes au sujet de ton départ ; s'il y avait quelque chose de fondé dans le rapport. Comme ils l'avaient souvent dit ci-devant, ils ne savaient qu'en penser, mais à présent c'est connu partout et puis l'on me dit que les Anglais avaient été envoyés par le gouvernement pour s'en assurer et ils l'ont dit de même à Troy. Je n'ai pas vu Théophile depuis, et quand même il me le dirait, je ne sais pas si l'on doit le croire ; leurs papiers n'en disent pas autant que je pensais qu'ils le feraient.

J'ai beaucoup à me louer du jeune Beaudriau : il se donne toutes les peines possibles ; il vient souvent, me recommande de ne pas me gêner de l'envoyer chercher la nuit si je me sens plus malade, et il m'envoie des remèdes pour me fortifier. Je lui ai dit de m'envoyer son compte mais il persiste à dire que non. J'ai eu bien de la chance de l'avoir. Mon mal de gorge m'a beaucoup inquiétée et il n'est pas encore passé, car je n'ai pas voulu prendre d'émétique : tu sais comme cela me rend malade, et étant ici en pension chez des étrangers, je n'aurais pas consenti à moins qu'il n'y eût aucun autre remède. Je suis si faible que je n'ai été purgée qu'une fois mais, si cela ne se passe pas tout à fait ces jours-ci, je serai obligée de me faire violence et de prendre encore cette médecine. J'éviterai l'opium et le calomel qui me sont si contraires.

J'espère, mon ami, que tu n'auras pas eu de trop gros vents. J'ai bien pensé que tu ne passais pas le temps plus agréablement que nous, surtout si tu as eu le mal de mer bien fort. Je pense que l'eau de Congress t'aura été agréable et utile ; tu avais tant de sujets de t'attrister, que si tu avais pu surmonter le mal de mer, ou pour parler plus correctement, éviter, alors tu aurais des sujets de distraction qui ne doivent pas manquer. À bord de ces packets, il y a toujours une bonne compagnie. Ton départ a été connu tout de suite et mis dans les papiers de New York, ton nom avec celui des autres passagers et le nom du vaisseau. Je savais que c'était impossible que ce ne fût pas ; il est impossible aux hommes d'être discrets, pourvu que cela ne nuise pas à tes négociations, c'est tout ce que l'on doit craindre.

Fais mes amitiés à la famille Bossange et dis-lui que ce n'est pas de ma faute si je ne suis pas allée voir leur beau pays et que je le regrette infiniment, mais que j'espère, au moins, qu'il s'intéressera, lui et d'autres amis, à nous faciliter notre rentrée dans le nôtre, tout triste et pauvre qu'il est. Au moins, l'on jouirait de la tranquillité et du bonheur de vivre en famille, et de faire du bien à d'autres bien plus malheureux que nous. Puisque nous ne sommes pas nés pour jouir des plaisirs et des avantages qu'eux, Européens, savourent à longs traits au centre des beaux-arts et de la belle nature, eux, peuvent dire qu'ils sont favorisés de la Providence et il me semble juste que, pour compensation, ils doivent être plus obligés de faire du bien aux infortunés. Ainsi, ils ont une belle occasion de se signaler. Qu'ils nous aident et ils auront la satisfaction d'avoir rendu la liberté et, par conséquent, un bonheur inconnu au Canada de tout temps, et nous pourrons alors nous visiter avec bien plus de plaisir et d'avantages.

Amédée a été bien affligé de ne t'avoir pas vu avant ton départ, mais il n'a pas manqué de m'encourager à faire ce sacrifice pour la patrie ; il dit qu'il est prêt à tous les faire et que, ce voyage-là, il l'approuve fort. Lactance aussi, seulement il regrette bien de n'avoir pu le faire. La petite Azélie a été bien surprise quand elle a su que tu étais parti pour la France et elle a dit qu'elle n'était pas contente, qu'elle voulait y aller elle aussi. Elle dit : « Vous savez bien que M. Bossange, qui m'appelle sa petite fillette, vous avait dit qu'il fallait m'emmener. » « Oui, lui ai-je dit, maman n'y allant pas, je ne pouvais pas non plus t'y envoyer sans maman. » « Eh bien, dit-elle, au moins j'espère qu'il ne sera pas longtemps (pourtant c'est bien loin) et qu'il m'apportera de beaux joujoux. Il doit y en avoir là bien plus beaux qu'ici. Dites-lui que je l'embrasse et je m'ennuie bien de lui. S'il avait été ici pour me soigner et vous aussi, on n'aurait pas autant de misères. »

Tous nos amis ici te font des amitiés ; il y en plusieurs de malades ; le climat a toujours été humide, pas de neige, c'est malsain. Il y a des maladies surtout sur les enfants et il en meurt beaucoup.

Le président a fait sortir sa proclamation : elle contient des sentiments pacifiques. Il dit qu'il voudrait bien que cette question fût décidée à l'amiable et qu'il espère encore qu'elle le sera, mais enfin, que si John Harvey persiste à envoyer des troupes et veut prétendre que les Anglais ont droit sur le terrain, il sera obligé de recourir au gouvernement général pour avoir de l'aide afin d'assister le Maine. Ainsi soit-il.

Adieu, mon cher, nous t'embrassons tous de tout notre cœur, la mère et les enfants.

Ton épouse affectionnée pour la vie,

Julie Bruneau Papineau

M. Amédée Papineau
Saratoga Springs, N.Y.
Faveur de M. Duvernay

Albany, 5 mars 1839

Mon cher Amédée,

Le chancelier est arrivé hier soir et je n'ai pas reçu de lettre de toi ; je n'ai [rien] de nouveau à te mander. Je t'envoie celle-ci par M. Duvernay ; il n'y a de nouvelles que celle du Maine. Tu en parleras avec lui et puis tu vois les gazettes : on ne peut rien dire de plus, les opinions ne font rien à l'affaire. Les uns croient que cela s'arrangera parce que Harvey va se retirer d'après ce que Fox lui écrit, et d'autres pensent que non. Mais il est certain que, s'il ne retire pas ses forces, il y aura bataille, car ce ne sera pas le Maine qui cédera. Attendons quelques jours et nous en saurons plus.

J'ai écrit ces jours-ci une longue lettre à ton père et je l'ai envoyée à New York pour qu'elle soit envoyée par le paquebot du 8.

Je n'ai pu le faire plus tôt, étant trop faible. J'espère que tu continues à te faire la barbe, je t'envoie un savon doux qui empêche que le rasoir ne fasse mal à la peau, pour t'engager à la faire assidûment. C'est ton père qui a laissé cela avant son départ. Il n'avait pris qu'une petite partie pour mettre dans sa petite boîte.

Aussitôt que j'aurai des nouvelles du Canada, je t'en ferai part.

Adieu, je suis bien pressée. La petite Azélie a été bien malade mais elle est mieux. Lactance n'est pas trop bien. Beaudriau et lui disent qu'ils ne t'écriront pas avant que tu leur répondes.

Ta mère affectionnée,

J. B. Papineau

M. Amédée Papineau
Saratoga Springs N.Y.
Favored by Mr Davison

Albany, 23 mars 1839

Mon cher fils,

Le chancelier est parti hier à la hâte. Je n'avais aucune idée qu'il dût partir si tôt. Tu as écrit une lettre à ton frère qui mérite d'être lue et même gardée. J'espère qu'il profitera des bons avis que tu lui donnes. Tu as besoin d'en écrire une aussi bien dictée et écrite que celle-là pour rétablir ta réputation à Saint-Hyacinthe. Tu sais que Louis te traite toujours d'original, ainsi tâche donc de leur persuader que tu as changé et que tu peux être raisonnable quand tu le veux. Tu feras bien de leur répondre de suite et joliment. Fais des amitiés à toute la famille et au collège.

Ne parle pas trop de politique, mais, en même temps, ne fais pas de mystère sur le départ de ton père et puis mentionne les raisons qui t'ont empêché d'écrire jusqu'à présent. Tu vois par la lettre de ta tante que je t'ai envoyée, hier, qu'elle est écrite plus tard que celle de ton cousin et même jusqu'à cette date, elle n'avait reçu aucune de mes lettres depuis le départ de ton père : une que j'ai fait écrire à Lactance et deux que j'ai écrites depuis, et que j'ai adressées à M. Perrault, à Burlington, pour les faire parvenir de la manière qu'il trouve la plus convenable. Je lui ai écrit depuis que j'ai reçu celle que je t'ai envoyée et je lui en envoie une à Mme Dessaulles en réponse à sa dernière, et le prie de prendre encore plus de précautions pour lui faire parvenir celle-là, lui mentionnant que les autres ne lui sont pas parvenues. Ainsi, j'espère qu'elle recevra celle-là, mais au cas, mentionne dans la tienne à Louis, qu'on ne les oublie pas et qu'on leur écrit souvent. Et envoie la tienne en ligne directe, tout simplement par la poste : peut-être parviendra-t-elle mieux comme cela, puisque la tienne est bien venue par cette voie.

Je n'ai rien de particulier à mentionner, car j'ai écrit avant-hier, excepté qu'un nommé Parent, jeune Canadien de Saint-Hyacinthe, qui est ici, travaille comme menuisier. Il est venu me dire qu'il voulait envoyer de l'argent à Mme Dessaulles en acompte de ce que son frère lui doit, celui qui a été en prison l'année dernière, et qui reste à Saint-Pie, au moulin, je crois. Il se nomme Pierre Parent[47]. Je lui ai répondu que je le recevrais et lui donnerais des reçus et que je le mentionnerais à ta tante dans mes lettres. Il a dit qu'il était content de cela, ainsi mentionne dans ta lettre qu'il m'a déjà donné quinze piastres. Il dit qu'il a engagé son frère à changer sa terre et qu'il lui a promis de l'aider. Il dit qu'en arrivant ici il a perdu son cheval et puis qu'il faut qu'il s'achète des outils et puis

47. Frère de Célestin Parent, 33 ans, menuisier et charpentier de Saint-Pie, qui avait été arrêté et emprisonné en même temps que Wolfred Nelson, en décembre 1837.

ensuite qu'il gagnera plus d'argent. C'est un bon garçon, il vient me voir de temps en temps. Mentionne tout cela, ça fera plaisir à sa famille.

Dis à Louis que tu m'as envoyé sa lettre et que je le remercie de son attention et que, si je vais en Canada, je profiterai de ses offres, que je lui écrirai quand et où il faudra venir me rencontrer pour aller en Canada. Remercie Mme Walworth pour l'eau[48] qu'elle m'a envoyée et dis-lui que je lui renvoie les bouteilles et la caisse. Ne manque pas de me renvoyer ma lettre immédiatement, cherche quelques bonnes occasions, car j'en ai besoin par rapport à ces chenilles qu'elle me demande. Je n'ai pas compris combien il lui en faut.

Fais mes amitiés à la famille Cowen. Je suis assez bien à présent. La famille Porter est assez bien et te fait ses amitiés. Mme Laforge voudrait bien te voir quand William et M. Laforge seront arrivés, tu viendras les voir alors. Tu devrais leur écrire une lettre en anglais, tu [ne] saurais croire quel plaisir cela leur ferait et tu leur dois cela. Cela te donnera un peu de travail, mais cela t'exerce dans l'anglais et ils ne manqueront pas d'indulgence pour les fautes que tu pourras faire. Sois assuré que ce serait bien de le faire. Tu m'obligeras de le faire. C'était bon de laisser passer les premiers temps, mais maintenant il est temps.

Tu sauras que l'imprimeur et l'éditeur de *L'Aurore* a été arrêté et mis en prison et la presse saisie. C'est ce pauvre Boucher[49]. Ainsi, il faut se résigner encore à ce contretemps. Ils ne veulent souffrir aucun papier en français et dans l'intérêt du pauvre peuple. Il y a encore des condamnations. Je ne sais s'ils seront exécutés ou non. Ne me demande pas de gazettes, je n'en reçois aucune ; si le D^r^ O'Callaghan m'en envoie d'Angleterre ou de France, comme il m'a promis de le faire, je te les enverrai. Si je reçois une lettre du Dr W. Nelson ou de M. Chartier, je te les enverrai aussi. Il paraît qu'ils n'ont pas pu parvenir à organiser leur comité encore, il y a toujours eu une grande division. Nelson, Chartier et plusieurs autres principaux ne veulent pas y admettre Côté, ni Malhiot, ni Consigny[50], et plusieurs autres extravagants de la sorte, en sorte qu'il devait y avoir une grande assemblée de tous les réfugiés pour élire les membres du comité la semaine dernière. Quand il y aura quelque chose de fait, ils m'écriront, m'a fait dire le Dr W. N. par le jeune Cartier à qui il a écrit.

Je t'envoie celle-ci par le jeune Davison, mais il y a encore des bouteilles de pleines de l'eau. Ainsi, je n'envoie pas aujourd'hui la caisse, comme je te le mentionnais hier soir ; ce sera pour une autre occasion.

Tu nous mentionneras en quel temps tu crois faire tes Pâques : nous aimerions à les faire le même jour pour tenir nos prières ensemble pour ton cher papa

48. L'eau « du Congrès » des sources de Saratoga avait des vertus thérapeutiques.
49. Jean-Philippe Boucher-Belleville, éditeur, et François Cinq-Mars, imprimeur de l'*Aurore des Canadas,* journal publié à Montréal.
50. Le Dr C.-H.-O. Côté, Édouard-Élisée Malhiot, le Dr Antoine-Pierre-Louis Consigny.

et le succès de sa mission. Les premières nouvelles d'Europe seront d'une grande intensité et puis successivement tout le temps de la session du Parlement.

Depuis que Mackenzie est à Rochester, les nouvelles de sa *Gazette* sont vieilles et ont moins d'intérêt. Il est toujours enthousiaste. Adieu, cher fils.

Ta mère affectionnée,

J. B. Papineau

M. L.-J. Papineau
Aux soins de M. Hector Bossange, libraire
Paris

Albany, 27 mars 1839

Cher ami,

Je [ne] t'ai écrit qu'une seule fois depuis ton départ parce que j'ai d'abord toujours été faible, longtemps malade et puis ensuite, ma lettre contenait à peu près toutes les nouvelles que je pouvais te donner alors ; et, depuis, je n'en ai pas beaucoup plus, seulement que je suis mieux et que la petite aussi, sauf l'ennui. J'attends à grand hâte de tes nouvelles ; jusqu'à ce temps, je ne puis prendre sur moi, je suis très inquiète, j'espère que ce ne sera pas long maintenant.

Après ton départ, j'ai fait écrire Lactance à ta chère sœur ton départ, c'est-à-dire après que cela avait été annoncé dans les papiers-nouvelles[51], et ensuite je lui ai écrit moi-même et en même temps pour lui annoncer le malheur que j'avais eu la douleur d'éprouver depuis ton départ : la perte de notre ami commun, ce cher M. Porter, cet excellent, cet incomparable ami que je ne cesse de regretter de plus en plus. Il me semble que je n'ai plus rien ici sur cette terre d'exil ; c'est heureux que sa famille ait autant de force et de courage, car il me serait impossible de les consoler ; il me semble qu'on ne peut assez le regretter et qu'on devrait le pleurer tous les jours, de l'avoir perdu aussi subitement et à la fleur de l'âge.

Revenons à ta sœur. Elle est demeurée, un mois après ton départ, le voyant annoncé dans les journaux, sans y ajouter foi, voyant que je ne lui avais écrit. La lettre de Lactance avait été envoyée par une occasion que l'on croyait sûre, et puis la mienne par la poste, le 1er mars, en sorte que Louis écrit à Amédée pour lui demander si c'était vrai que tu étais parti pour la France. Et puis le 11, ta sœur

51. Papiers-nouvelles : journaux. Calque de l'anglais *newspapers*.

m'écrit et se plaint de n'avoir reçu aucune lettre. Ensuite, Émery Papineau[52] écrit le 14 que Mme Dessaulles a enfin reçu, le même jour, ma lettre du 1er. Comme je l'avais envoyée à M. Perrault, je pense qu'il l'aura gardée quelques jours, espérant trouver une occasion, et qu'ensuite il l'aura mise à la poste.

Ta sœur me mentionnait qu'elle avait voyagé pendant trois semaines à Montréal où elle avait été reconduire Angelle, et puis à Saint-Martin, chez ta tante. Elle se portait bien ainsi que ton cousin, André Papineau. (Par parenthèse, tu verras peut-être les dernières sentences de la Cour martiale. Parmi les noms des condamnés, il y a un nommé André Papineau et les papiers de New York mentionnent que c'est ton parent. Je crains que tu [ne] puisses le penser. Voilà pourquoi je te mentionne que cela n'est pas : c'est un autre que je ne connais pas[53].)

Reprenons le voyage de ta sœur à Montréal. Une partie de la famille est bien ; ta tante Trudeau souffre d'un cancer dont elle se ressent depuis quatre ans et dont elle n'a jamais parlé. M. Donegani, malade et souffrant d'un rhumatisme qu'il a attrapé par la suite de sa détention dans les prisons ; Côme Cherrier, dans l'affliction au sujet de la perte de son enfant[54] : elle ne mentionne pas si c'est le petit garçon ou une des filles. Le pauvre M. [Denis-Benjamin] Viger, toujours dans les prisons ; sa dame n'a pu obtenir que deux fois la permission de le voir. Mme Dessaulles l'a obtenue pour elle, pour ton père et pour Angelle : il est dans une petite chambre grillée de 10 pieds de long sur 7 pieds de profondeur où ils ont été longtemps trois ; par conséquent, il ne peut prendre que peu ou point d'exercice. Sa santé ne paraît pas en souffrir beaucoup ; il est rempli de courage et de résignation, et de fermeté. J'ai versé quelques larmes d'attendrissement sur son sort, et son mérite me remplit d'admiration. Comme la conduite de nos tyrans excite de plus en plus mon indignation !

Elle est passée par Verchères. Ma chère maman était bien ainsi que le curé et mes sœurs, à Saint-Denis aussi, excepté qu'ils vieillissent. Mon oncle Séraphin n'a pas l'espoir des jeunes qui se bercent encore d'espoir peut-être chimérique. Ma tante Lecavelier voit peu, mais entend mieux, et se porte bien. Chez son frère, aussi ; il a été dernièrement à Saint-Hyacinthe.

Louis, dans sa lettre, dit que la police dans le village est assez nombreuse ; qu'il y en a d'établie dans chaque paroisse mais que, jusqu'à présent, ils n'ont pas à s'en plaindre ; que Gugy[55] se comporte bien, qu'il agit d'une manière juste et impartiale. Le capitaine Coleman est à la tête de celle de Saint-Hyacinthe et il

---

52. Émery Papineau (1819-1899), fils de Denis-Benjamin, neveu de Julie.
53. André Papineau-Montigny est un petit-cousin de Louis-Joseph Papineau. Fils de Joseph Papineau et de Catherine St-Jean, il est forgeron à Beauharnois et époux de Reine Madore (Saint-Benoît, 29 septembre 1823). Condamné à être pendu, il fut plutôt exilé en Australie jusqu'en 1845.
54. Côme-Ladislas Cherrier, fils de Côme-Séraphin Cherrier et de Mélanie Quesnel, est décédé à Montréal, le 26 février 1839, à l'âge d'un an.
55. B.-C.-A. Gugy, colonel de l'armée de Colborne.

disait à Louis : « Au cas que l'Angleterre voulût céder les Canadas aux États, croyez-vous que les Canadiens y consentiraient ? Je crois qu'il y aurait une forte opposition, je crois. » Il dit qu'il lui a répondu : « Ah ! tranquillisez-vous à ce sujet. Vos appréhensions sont bien mal fondées. Je vous assure, moi, que toute la population entière se réjouirait de changer de domination. » Il dit qu'il a paru un peu surpris et qu'ensuite il a dit : « Il est vrai qu'il n'y a personne qui aime ceux qui les maltraitent, qui les pillent et qui finissent par les pendre. » Vois comme ils sont ignorants de l'état et de la disposition du pays.

Il dit aussi que Gugy a sujet de se réjouir de sa situation, que ses appointements se montent à 2200 louis : c'est un gaspillage et un système militaire despotique. Ils paraissent découragés, ils craignent tous et n'espèrent que peu de bien.

Il y a une adresse des magistrats anglais à sir John pour lui demander de rayer de la liste tous les Canadiens sans exception. On n'a pas encore de réponse.

Ils sont toujours stricts pour n'accorder que le moins de passes possible. Le jeune Malhiot en a demandé une pour mener sa cousine, Mlle [Sophie] Nelson, voir son père, et on l'a refusé. Le gros conseiller, son père, tout loyal qu'il est, a voulu s'en plaindre et il a été très mal reçu : on l'a menacé de l'emprisonner, s'il n'était pas plus respectueux et soumis aux autorités ; c'est au moins ce que m'écrit ta sœur. Elle me dit aussi que le Conseil est en travail pour changer la tenure.

Il y a encore eu trois hommes de Saint-Césaire condamnés à être pendus : Guertin, qui a été économe au collège avant Desmarteau ; Bourdon, gendre de François Papineau, et Bousquet[56]. La Cour martiale a refusé d'entendre les témoins à décharge dans cette affaire. On pouvait prouver que Bourdon, loin de joindre les sympathisants, avait passé tout le temps de l'invasion chez son père, à Montréal.

J'espère que l'on saura bien vite ce que va décider l'Angleterre par rapport aux difficultés du Maine, s'il y aura guerre ou non.

Ah ! que le temps me paraît d'une longueur mortelle ! Je n'ai eu aucune nouvelle du Dr Wolfred ni de M. Chartier. Je pense que vous en avez ; tu en as eu, toi ? Je ne sais ce qu'ils font de bon. J'apprends aussi par ta sœur que ton père a reçu la lettre que tu lui écrivais la veille de ton départ ; mais il était remonté à la Petite-Nation, c'est là qu'il l'a reçue. Je ne sais quand il reviendra à Montréal.

Quelque temps après ton départ, Joseph Trudeau a envoyé une lettre de change de 130 piastres mais, comme à l'ordinaire, au nom de ce cher M. Porter et, comme c'était après son décès, elle s'est trouvée inutile ; on n'a pu réussir à la transiger. Alors, M. Roades, neveu de notre ami, a répondu à Trudeau et lui

56. François-Xavier Guertin, Louis Bourdon et Jean-Baptiste Bousquet seront exilés en Australie. Voir François-Maurice Lepailleur, *Journal d'un patriote exilé en Australie, 1839-1845*, Septentrion, 1996.

a dit d'en envoyer une autre en son nom, et j'ai ajouté quelques lignes ainsi que ma signature, et nous n'avons rien reçu depuis.

Je ne sais quand ton père descendra à Montréal ; il faut que j'envoie ton adresse en France à ta sœur ; elle me le demande et puis je lui dirai de l'envoyer à son papa. Elle ne me dit pas non plus si [Dontail] Lacroix garde la maison ou s'ils l'ont louée à d'autres, on ne sait rien. Je ne sais si, à l'ouverture de la navigation, on pourra communiquer plus facilement ; je l'espère.

Ta sœur me demande toujours d'aller en Canada ce printemps : j'ai grand envie de voir mes chers enfants, ainsi qu'elle et sa famille, et la mienne, mais je ne me risquerai pas à y aller sans avoir auparavant des nouvelles de toi, et puis ensuite d'Angleterre par rapport à nous et au sujet du Maine. Puisqu'il faut demander des passes, à présent, et que l'on est souvent refusé, que sera-ce s'il y a apparence de troubles ? Et surtout, moi, je n'en obtiendrais facilement ! Tu peux croire que ton voyage en France ne leur plaît guère. Voilà ce qui, je crois, serait le mieux, s'il n'y a rien de décidé : dans un mois, je pourrais aller aux lignes et là, ta sœur et mes enfants y viendraient. Elle dit que les enfants sont bien, elle espère qu'Ézilda fera sa première communion. Et Gustave grandit et grossit et persiste toujours avec la plus grande persévérance à ne pas consommer d'articles importés. Elle ne me dit pas s'il travaille fort.

Je reçois de temps en temps des nouvelles d'Amédée. Il est bien et toujours plein de courage. Il écrit une jolie lettre à Lactance. Lactance a grand hâte de savoir ce qu'il fera, et moi aussi. Si tu ne le rappelles pas auprès de toi, je ne sais où le placer ici. Il me semble à présent que je n'ai plus personne à qui communiquer et demander si l'on pourrait lui trouver une situation. Ces Américains sont si froids et si peu communicatifs. Il est très bien chez M. Page ; ils paraissent l'aimer beaucoup et il dit que c'est un excellent homme, mais jamais il ne lui demande ce qu'il va faire au printemps, sachant que tu es absent. Ce sont des gens avec qui l'on ne peut pas sympathiser : on ne sait jamais ce qu'ils pensent.

Ta sœur dit qu'en Canada l'on avait dit que tu étais passé en France pour aller donner des renseignements à M. Roebuck ; d'autres, que tu étais allé t'établir dans le sud de la France, et d'autres, auxquels elle n'ajoutait aucune foi, que tu t'étais sauvé dans la crainte d'être livré aux autorités anglaises ; ensuite que ton départ avait été contredit dans les papiers d'Albany, en sorte qu'elle était bien tourmentée. Maintenant elle le sait.

Les constitutionnels de Sorel ont coulé à fond le *Patriote canadien :* ils disent qu'ils ne veulent pas qu'il en navigue d'autres que ceux de la Compagnie ; je ne sais ce qu'ils feront des autres. Comme ils sont sûrs de l'impunité, ils peuvent tout faire.

M. Baby[57] a été passer quelques jours à Champlain avec sa dame : ils ont vu leur famille. Mme Selby y est venue aussi. Il dit qu'elle est patriote, mais à son

57. Charles-François-Xavier Baby (1794-1864), ingénieur et membre du Conseil législatif, époux de Marie-Clotilde Pinsonnault.

ordinaire, je pense. Elle dit que tous les Canadiens sans exception sont malheureux et méprisés. Elle lui a dit : « Est-ce que vous ne pouvez pas venir avec 10 000 hommes ? Les Canadas seraient bien vite indépendants. Vous ne vous faites pas d'idées de la disposition des gens : il faut qu'ils se battent. » Il me dit toutes ces choses et bien d'autres auxquelles je ne sais si l'on doit y ajouter foi. Il dit avoir vu beaucoup de Canadiens. Hommes et femmes sont décidés à se battre. Il y a même une femme, là, qui lui a dit qu'elle avait mis le feu à sa maison elle-même, quand elle les a vus venir. Elle dit qu'elle ne voulait pas que ce fût dit qu'elle avait peur d'eux, ni qu'ils profitassent de sa demeure.

Tu auras des nouvelles de tout ce qui se passe, mieux par le comité et le Dr O'Callaghan que par moi. Je ne suis pas à même de les savoir.

Je reçois une lettre d'Amédée aujourd'hui, par le chancelier : il se porte bien et est, comme moi, impatient d'avoir de tes nouvelles.

M. et Mme Davison sont ici ; ils pensionnent chez Mme Lockwood et, au mois de mai, ils prendront maison dans State Street plus haut que le Capitole. Ils ont laissé Mme Walworth mieux, la famille Cowen bien, et nos autres amis aussi. M. Ellsworth[58] est venu me voir deux fois depuis ton départ et m'a dit que ton fils s'occupait un peu plus de l'étude de sa profession, cette année.

Que penses-tu de l'affaire du Maine ? Il paraît certain qu'ils ne céderont pas le territoire ; qu'ils veulent en avoir l'entière possession. Que fera l'Angleterre ? Ici, ils ont l'espérance que cette dernière cédera et ils en seraient tous en général bien aise. Ils veulent éviter la guerre mais ils disent tous aussi qu'il ne faut pas céder et ils sont tous, dans ce cas, décidés à aider le Maine. Ainsi, il faut espérer qu'il y ait quelque chose de décidé cet hiver. Et aussi dans le Parlement anglais, se décidera-t-il quelque chose par rapport à nous ? Il n'y a que la résolution de nous laisser à nous-mêmes le soin de nous gouverner qui serait acceptée. Aucune condition pour rester avec ces tories du Canada au pouvoir ne serait acceptée. Il n'y a plus qu'à négocier ; c'est impossible, ils en ont trop fait.

J'espère que la France va venir à notre secours de quelque manière quelconque : si elle ne veut pas envoyer des forces, qu'elle nous prête de l'argent et amène quelques commandants. C'est tout ce qu'il nous faut. L'on trouvera des Américains plus que jamais à présent, depuis les troubles du Maine.

J'espère que tu vas faire tous les efforts, et aussi promptement que possible. Il faut voir aussi si, du côté de la Russie, on ne pourrait pas avoir de l'argent, si au cas la France ne voulait pas nous aider en rien - ce que j'ai peine à croire. Il ne faut pas que tu te bornes à ne voir que ceux qui [ne] seraient guère disposés, mais s'adresser aux plus violents partisans des principes démocratiques et qui aiment la liberté des peuples.

---

58. Ellsworth, avocat de Washington Street, à Saratoga, chez qui Amédée Papineau commença à étudier le droit, en mars 1838.

Tu vas bien rire de mes avis, mais qu'importe ! Si je ne sais m'exprimer, je sais sentir et tu sais bien ce que je veux dire, quoique je te l'indique bien imparfaitement et bien superficiellement. Je veux dire que souvent l'on manque de réussir auprès de quelques hommes, importants à la vérité, mais trop indifférents sur les affaires des peuples souffrants ; et que d'autres, avec moins de pouvoirs et plus de volonté, nous sont plus utiles.

Enfin, il faut attendre encore quelques jours et nous commencerons à avoir de tes premières nouvelles ; et puis, ensuite, elles seront de plus en plus intéressantes, surtout si elles nous sont favorables. Je crois que le désappointement sera grand si tu ne réussis pas, car l'esprit est grand et trop fondé généralement. S'il n'y a pas de succès, je ne sais à quel désespoir ils se livreront, car ils veulent à tout prix continuer à travailler, à devenir libres ; et, s'ils ne peuvent avoir assez d'aide, je crains qu'ils ne se livrent encore à de folles tentatives. Je n'ose y penser : ce serait le comble du malheur, à moins qu'une guerre se déclare entre les deux puissances.

Tous nos amis ici se portent bien. M. Flag va avoir la place de maître de poste qu'avait Van Rensselaer. M. Laforge n'est pas encore arrivé, ni le jeune Porter : ils sont attendus tous les jours et alors ils décideront si Mme Porter restera ici. S'ils partent et que je n'aille pas en Canada, j'irai alors à Saratoga. Adresse toujours tes lettres ici, en mon nom, recommandées à M. John Davison, clerk in Chancery. Cela évitera de payer une double lettre et puis il me les fera parvenir, n'importe où je serai.

Je n'ai pas besoin de te dire, mon cher, combien nous pensons à toi, tous ensemble, les enfants et moi. Nous élevons nos esprits et nos cœurs au Tout-Puissant pour la conservation et le bonheur de ton pays qui a encore tout son espoir en toi. Te dire combien nous nous ennuyons, tu le devines bien. Et l'espoir que nous avons encore, d'avoir le bonheur de nous revoir, est la seule consolation qui nous reste en pays étrangers. Et le plus tôt sera le mieux.

Fais nos amitiés à la famille Bossange, ainsi que celle de Mlle Azélie qui se rappelle toujours de M. Bossange. Elle n'est pas contente que tu ne l'aies pas emmenée en France, mais elle dit qu'elle espère au moins que tu lui apporteras de beaux joujoux ; qu'il doit y en avoir de beaux, là. Et moi, je ne te recommande rien ; j'attends le résultat de ta mission.

Présente aussi mes respects à M. Nancrède, quoique je n'aie pas l'avantage de le connaître, mais que j'estime par l'intérêt qu'il t'a porté dans tes malheurs et [parce] que j'espère qu'il continue à faire tout en son pouvoir pour t'aider dans ta mission importante. Je n'ai eu aucune nouvelle de sa famille depuis ton voyage là.

La famille Porter te fait ses amitiés ; et moi, je t'embrasse de tout mon cœur et les enfants de même, et sois assuré que je ne serai heureuse que quand nous serons réunis.

Ton épouse affectionnée pour la vie,

Julie Bruneau Papineau

M. Amédée Papineau
Saratoga Springs, N.Y.

Albany, 4 avril 1839

Mon cher Amédée,

Le juge Cowen m'a remis ta lettre et puis m'a dit qu'il resterait ici quelques jours, et puis, ce matin, allant déjeuner, j'ai su qu'il était parti. Tu peux croire que je n'étais pas de bonne humeur, mais j'espère que le chancelier n'est pas parti : je prépare celle-ci pour envoyer par lui.

Je suis mieux, ainsi que la petite et Lactance. Il doit t'écrire ce matin et apporter ici sa lettre, au cas que le chancelier parte à midi. Voilà pourquoi je ne t'écris que quelques lignes sur ce chiffon de papier, pour te dire que Mme Dessaulles a enfin reçu ma première lettre et celle que j'avais fait écrire à Lactance. Elle dit dans sa lettre qu'elle m'attend toujours. Je ne t'envoie pas sa lettre, car j'en ai besoin pour lui répondre, et puis, de plus, elle ne dit rien, excepté que toute la famille est bien portante. Et, hier, j'ai reçu une [lettre] de pépé, de la Petite-Nation, pour me dire qu'il a reçu celle que ton père lui a écrite avant son départ, et il dit que toute la famille là est bien portante, et c'est tout ; elle est bien courte. Je te la montrerai quand tu viendras ici. Je n'avais pas envoyé la tienne dedans, car, n'ayant pas d'occasion, ton père a dit qu'il valait mieux ne pas l'envoyer. Mais celle que tu as écrite à mémé, je l'ai envoyée enveloppée dans une des miennes et par la poste, et je ne puis pas savoir si maman les as reçues. Dans chaque lettre à ta tante, je [le] lui fais demander. Peut-être qu'à la fin on le saura. J'ai aussi écrit à Bruneau. Je conserve toutes tes lettres.

Nous avons fait nos pâques, Lactance et moi, dimanche. Le grand jour ! j'avais compris que ce serait ce jour-là que tu les ferais, mais c'est la même chose. Tu fais comme tu peux, là, mais ici nous avons été à même, ainsi on a préféré les faire un aussi beau jour.

Le D^r^ O'Callaghan m'a envoyé une gazette d'Angleterre, sur laquelle le rapport de Durham est tout au long, mais pas fini en entier ; c'est à continuer. Ainsi, je te l'envoie, tu le garderas et, quand j'aurai la suite et fin, je te l'enverrai aussi, et tous les autres papiers de là et de France qu'il m'a dit qu'il me procurerait, autant que possible.

William Porter est enfin arrivé, après un voyage d'un mois très fatigant. À présent, on attend M. Laforge. Aussitôt qu'ils seront tous ici et que l'on aura reçu des nouvelles de ton père, j'aimerais que tu viendrais faire un tour ici. Mais je pense que tu n'es pas habillé décemment pour pouvoir te montrer ici. Je voudrais que tu visitasses ces culottes de ton père que je t'ai envoyées : je suis sûre que tu peux les faire refaire et retourner pour toi, qu'elles te feront bien, par des femmes, celle de drap noir et celle d'été, soie et laine. Pour celle-là, je sais qu'elle t'en fera une propre, si l'autre ne peut pas. Celle-là avec des caleçons - et puis de plus elle est doublée - pourrait te servir dès à présent. Fais faire cela immédiatement, et je vais t'envoyer de quoi te faire faire une veste neuve et un surtout. Nous avons eu ici un très joli drap bien léger et à bon marché, car ces surtouts d'été, c'est de la folie d'en avoir, car les façons coûtent autant, et cela ne fait ni profit ni honneur. Ainsi, n'aie pas de fantaisie, ni de folles idées de t'habiller en gris, comme tu disais l'hiver dernier. C'est ce pauvre M. Porter qui m'avait trouvé ce drap-là. C'est par accident, car tu sais qu'ils sont très chers aux États. Je te l'enverrai aujourd'hui, si j'ai le temps, par le chancelier ; s'il ne part que demain, je l'enverrai pour le certain avec le velours pour le col. J'en ai fait faire un pour ton frère, son bleu était tout percé. Il ne paie ici, pour toutes les fournitures et façons, que cinq piastres. Ainsi tu te régleras là-dessus. S'ils [ne] te demandent qu'un écu de plus, cela ne vaudra pas la peine, mais si c'est bien plus cher, il faudra le faire faire quand tu viendras ; mais ce serait mieux que tu viendrais tout habillé. Pour la veste, fais-la tailler et ensuite faire par une femme, comme tes culottes. Réponds-moi à tout cela au plus vite.

Beaudriau dit qu'il va t'écrire et dit qu'il aimerait beaucoup à avoir un cachet et qu'il le conserverait longtemps en ta mémoire. On attend en grand hâte des nouvelles ; j'espère qu'ils vont recevoir ta lettre écrite à Dessaulles ; et puis ton frère a écrit à Émery, et moi, j'ai aussi écrit de nouveau. Je n'irai en Canada qu'après avoir eu des nouvelles de ton père, savoir s'il sera obligé de rester là tout l'été et si les nouvelles sont favorables de là et d'Angleterre, ce [dont] l'on ne peut pas se flatter. Il faudra que ta tante vienne avec les enfants, il faut bien se voir. Nous aviserons à cela quand on aura des nouvelles, d'ici à un mois.

Adieu, cher fils, j'espère que les communications vont être fréquentes maintenant.

Ta mère affectionnée,

J. B. Papineau

Ne fais pas tailler ton surtout trop court. Je t'envoie cinq piastres. Tourne la feuille et lis pour ce qui regarde le surtout.

Je pense à une autre manière que l'on pourrait s'y prendre pour ton surtout. Si ton tailleur veut te prendre beaucoup plus cher que le prix mentionné, ici, on le fait tailler par le tailleur et puis faire par un Noir ; et puis aussi par une femme, qui les fait aussi bien que les tailleurs. C'est pourquoi l'on paie moins cher. Ainsi, tu peux en faire autant. Si je t'envoie ton drap, fais-[le]-lui tailler et puis tu me l'enverras et je te le ferai faire ici. Tu le trouveras tout fait quand tu viendras, car, n'ayant pas tes mesures, on ne peut faire autrement. Si tu crois que votre tailleur est capable de le bien couper, demande à Mmes Walworth et Cowen, etc.

Le chancelier ne part qu'aujourd'hui, avec Mme Davison. J'ai eu le temps d'acheter ton patron de veste ; je te l'envoie aussi. Fais-la tailler et ensuite coudre par une femme, mais ne va pas la faire une veste croisée, fermée, mais ouverte pour l'été, un col rabattu, comme celle de Lactance. Prends bien garde de ne pas te conformer à mes avis, car j'aurais du chagrin de te voir faire gâter ces effets que j'ai tant de peine à vous procurer dans ces malheureuses circonstances.

Au cas que tu fasses faire ces effets, je t'envoie dix piastres au lieu de cinq. Je sais que tu marqueras exactement ce que tu dépenseras. Ici, Lactance paie trois quarts de piastre pour faire tailler son surtout. Donne ta culotte qui fait le mieux à la femme, afin qu'elle puisse tailler les tiennes dessus. Quand ce sont des vieilles que l'on fait refaire, tu ne peux les faire couper par un tailleur. Mme Cowen aura la complaisance de convenir avec elle pour le prix et de lui dire qu'elle peut bien les tailler sur une autre, aussi bien qu'un tailleur. Enfin, mon cher, fais pour le mieux. Et réponds-moi au plus vite.

Je ne t'envoie pas le col de velours pour ton surtout, parce que, si tu ne le fais pas faire à Saratoga, mais seulement tailler ici, la femme fournit le velours avec le reste des fournitures, et cela revient à meilleur marché que de l'acheter avec le drap. Mais, si tu le fais faire là, écris-moi-le et je te l'enverrai.

Adieu, mon cher. Lactance doit t'écrire mais il n'est pas encore arrivé et j'envoie celle-ci, et le paquet et l'argent, chez Mme Davison à l'instant.

Tout à toi, ta mère affectionnée,

J. B. Papineau

Monsieur L.-J. Papineau[59]
Aux soins de M. Hector Bossange, libraire
Paris
(Great Western)

Albany, 20 avril 1839

Cher ami,

Tu seras sans doute étonné d'apprendre qu'à la date de celle-ci je n'ai encore reçu aucune lettre de toi. Si je n'avais su, par les journaux qui sont venus par le *Great Western,* ton arrivée au Havre le 5 et à Paris, le 8, juge dans quelle anxiété et inquiétude j'aurais passé ces quinze derniers jours ! J'ai bien assez de l'ennui que j'éprouve et le mauvais état de ma santé à souffrir, et l'incertitude que j'aurais depuis ce temps sur ton sort m'aurait tuée. Fais en sorte d'écrire par la voie des

59. La première partie du manuscrit de cette lettre se trouve aux ANQM ; la deuxième partie est aux ANQQ.

bateaux à vapeur : c'est bien plus sûr quant au temps, surtout en été que les passages sont d'ordinaire bien longs.

Oui, je suis fâchée d'avoir à te dire que ma santé est bien mauvaise. Je ne puis me débarrasser de ce mal de gorge depuis deux mois, en sorte que cela me chagrine, m'effraie, et surtout la nuit, en sorte que je dors très peu et suis bien affaiblie, le système nerveux très affecté, en sorte que je passe mon temps bien misérablement. Si j'avais prévu tout cela, je ne me serais pas embarquée ainsi ; si je puis réchapper ce printemps, je serai peut-être mieux cet été. À la volonté de Dieu ! Je n'ai pas d'autre espoir.

La petite est mieux mais a eu deux autres attaques de cette cruelle maladie. Si je ne reçois pas bien vite des nouvelles de toi, et de bonnes au sujet de notre trop malheureux pays, je ne sais ce que nous deviendrons tous au milieu des maux qui nous accablent. On a toujours conservé un peu d'espoir, mais, si l'on a la certitude que nous n'avons rien à attendre que la consommation de notre ruine, c'est fini de nous. Car, ici, je suis de plus en plus dégoûtée des usages du pays et de leur politique. Tu verras, par la *Gazette* de Mackenzie, que le Dr O'Callaghan va sans doute t'envoyer, avec ses réflexions et son opinion, qui vaudront mieux que les miennes, mais quand bien même : tu as par-devant le fameux et inique rapport du fameux Durham, tu as là la preuve de ce qu'est M. Van Buren, et tous ses officiers. Peut-il être, après cela, considéré un homme d'État et à la tête d'un gouvernement comme celui-ci ? Il a agi comme un vil instrument du gouvernement anglais. Et ils ont ici si peu d'hommes d'État qu'il peut leur faire avaler tout cela. L'Angleterre les connaît bien et, s'ils venaient à nous anéantir et à amener une population nombreuse dans les deux Canadas, avec les améliorations qu'ils y feraient, ils seraient redoutables à ce pays et parviendraient à les faire trembler et mettre en danger leur liberté, s'ils ne se forment pas d'hommes plus fermes et éclairés que ceux qu'ils ont aujourd'hui. C'est en cela que je les trouve impolitiques, et, quand j'entends leur président dire que l'annexion des Canadas, loin d'être avantageuse aux États, leur serait plutôt nuisible, c'est étonnant ! Leur préjugé contre nous perce partout !

J'espère que la France aura plus de tact, de justice et de sympathie. Je dis que c'est son intérêt de nous aider, car elle pourra envoyer une grande émigration qui sera reçue à bras ouverts, et cela leur sera presque aussi avantageux que s'ils la possédaient encore comme colonie ; ensuite, en justice, ils le doivent, car ils doivent voir par le rapport de Durham quelles sont les vues de nos tyrans. Nous les connaissions, mais ils ne s'étaient pas démasqués ; les voilà à découvert. La France doit faire respecter son traité et nous aider à conserver nos lois, religion, et notre langue. Et, si le Parlement anglais agit d'après le rapport, ils sont en droit de nous aider. Il ne faut pas croire qu'il peut encore y avoir une conciliation, c'est impossible. Il faut que l'Angleterre nous cède ou nous nous battrons. Il le faut, le peuple le veut ; ils le feront en désespérés et sans fruit. Ils ne le peuvent autrement et ce sera notre ruine totale. Mais, enfin, puisqu'ils sont décidés à nous anéantir, il faut autant essayer à se défendre que de se laisser tuer sans défense. C'est trop évident. Ainsi, j'espère qu'avec de l'aide nous serions [sauvés] et nous nous débarrasserons de toute cette tyrannie. Nous devons sans doute, en troisième lieu, nous attendre à de la sympathie pour ceux qui sont nos frères et avec qui leurs descendants s'accorderont si bien. Si les Français nous aident, nous ferons en sorte de faire venir de l'immigration à force et, par ce moyen, nous nous débarrasserons de ces British et de ces Yankees, avec qui nous ne pourrons jamais vivre heureux et satisfaits et nous conserverons notre nationalité et notre langue.

Par conséquent, si nous pouvons nous passer du secours d'ici, j'en serai bien fière, car je suis de plus en plus persuadée de leur préjugé contre nous, et c'est ce qui fait que nous n'avons eu aucun secours, et de leur engouement pour tout ce qui est anglais et leur ingratitude envers la France, à qui ils doivent leur salut. Ils sont tous étonnés de l'accueil que te font les Parisiens et cela fait une grande sensation.

Ce matin, le correspondant du *Daily Advertiser* dit que tu es bien vu de tous les partis et que tu es l'homme du jour, et il ajoute : ce n'est pas étonnant qu'ils te flattent ainsi, qu'ils ont intérêt, qu'ils savent bien qu'il faut que les Canadas soient indépendants tôt ou tard, qu'ainsi c'est politique de leur part de se faire ami du chef. Voilà à peu près le sens, à ce que l'on me dit, je ne l'ai pas vu. Je ne vois pas les papiers du Canada mais tu les verras. Le docteur te les envoie. Je ne sais ce qu'ils vont dire. On communique difficilement en Canada : je n'ai pas reçu de lettres de ta sœur depuis que je t'ai écrit. J'en ai reçu une de Delagrave qui, enfin, est sorti de sa cachette, et il me dit qu'il t'a écrit au sujet de tes affaires. Il me dit aussi qu'il a eu des nouvelles de toute la famille à Saint-Hyacinthe et à Verchères, qu'ils sont bien.

Pauvre Côme Cherrier a eu la douleur de perdre sa chère petite Emma[60] et le dernier enfant [ ] c'était un garçon, l'espoir de M. Denis Viger. Le pauvre monsieur est encore en prison et McDonald, l'avocat, et puis tous les condamnés ; les autres sont sortis. Il émigre toujours des Canadiens et ce serait encore en plus grand nombre, mais ils craignent cela et n'accordent pas de passes. Il n'y a que ceux qui s'échappent par des endroits qui ne sont pas gardés, et, quand c'est su, on y met des gardes. Il n'y a aucun emploi pour les Canadiens. Ainsi, dans l'état qu'est le pays, il serait imprudent que j'y allasse. Je ne sais à quoi me déterminer pour voir mes enfants.

Aussitôt que la famille Porter sera partie d'Albany, je le laisserai aussi. M. Laforge est arrivé ainsi que son fils aîné. Ils te font tous leurs amitiés. Ils croient aller passer l'été à Auburn, en partie et puis dans la Pennsylvanie, et l'hiver au sud. M. Laforge est entré en marché d'acheter, mais n'a pas voulu conclure,

60. Emma Cherrier, fille de Côme-Séraphin Cherrier et de Mélanie Quesnel, est décédée à Montréal, le 28 mars 1839, à l'âge de quatre ans et demi.

car il voulait savoir si Mme Porter n'y avait pas d'objection, car ils sont décidés tous à ne plus se séparer. Le malheur qu'ils ont éprouvé d'avoir perdu celui qui leur était si cher sous tous les rapports, et à bon droit, les fait décider à ne plus se séparer, car tu sais que cette excellente famille n'a pas les feelings américains : ils sont seuls de leur espèce.

J'espère que tu ne négliges pas à chercher à placer Lactance, car, ici, je ne sais ce que j'en ferai. Il a eu du souci et du chagrin de n'être pas allé avec toi et, ne sachant quel sort l'attend, il est jeune, il a de la peine à supporter ces épreuves, sa santé en a souffert, il n'a pas été bien portant du tout. Amédée est assez bien et cherche dans toutes ses lettres à encourager son frère. Je vais aller à Saratoga en laissant ici, et puis là j'attendrai de tes nouvelles, et il n'y a que là-dessus que je pourrai me décider.

Si j'allais en Canada, je n'en pourrais revenir, car je suis certaine qu'ils ne m'accorderaient pas de passe : ils en refusent à d'autres qu'ils aiment moins à mortifier qu'ils n'en auraient à me le faire, surtout depuis ton voyage en France, mais, si ta sœur veut m'amener mes enfants et qu'elle ne veuille pas venir jusqu'ici, j'irai à Burlington les voir. Adresse tes lettres, à l'avenir, à Saratoga. Amédée me les fera parvenir où je serai : lui, sera toujours stable là. J'espère que tu ne seras pas longtemps en France, car ce serait bien pénible pour moi, et puis ensuite peu favorable au pays, car, le plus tôt que tu pourras nous donner de l'espoir, et ce qui serait encore mieux, de l'aide, c'est très important que l'on combine tout cela au plus tôt, car le pays est ruiné.

J'oubliais de te dire que ce correspondant de Paris dit que tu es à préparer une réfutation au rapport de Durham[61]. Je n'en suis pas surprise et je le crois, mais c'est pour te dire que tout ce que tu feras sera bien connu. Il est certain que ta présence là était des plus urgentes et des plus utiles, non pas pour négocier avec l'Angleterre, mais pour la forcer à nous céder, ou non, plus de rapports avec elle. Que je regrette toujours que tu n'y sois pas allé tout de suite après notre première insurrection ! Nous nous sommes malheureusement trop fiés sur ces États. Mais, enfin, il fallait que ce fût ainsi : il faut toujours être dupe de malheureuses et inutiles tentatives comme toutes celles qui ont été faites jusqu'à présent et qui ont plongé le pays dans la désolation et la ruine !

J'apprends qu'il est passé ici un jeune Lamothe[62], qui s'en va à Paris pour sa santé, me dit-on. Je suis fâchée de voir des Canadiens si peu attentifs : il me semble que, me sachant ici, et toi là, ils auraient dû me venir voir ou me le faire dire. Tes fils auraient profité de son occasion pour écrire, car la poste, c'est trop coûteux. Il est peut-être envoyé pour épier tes démarches par nos loyaux Cana-

61. Louis-Joseph Papineau, *Histoire de l'insurrection du Canada,* Paris, Revue du progrès, mai 1839 ; Burlington, imprimé par Ludger Duvernay, à l'imprimerie du *Patriote canadien,* juin 1839, 35 p. ; [Montréal], Éditions d'Orphée, 1963, 74 p.

62. Jules Lamothe, confrère d'Amédée Papineau, en philosophie, au collège de Saint-Hyacinthe.

diens, tels que Rocheblave[63] et les autres, car ils savent que l'on va encore faire mille contes bleus[64] en Canada et ils sont si fatigués de [ne] savoir à quoi s'en tenir, que je n'en serais pas surprise, car si ces loyaux-là savaient que l'on eût de l'espoir d'être indépendants, ils seraient bien vite changés : ils ne sont que peureux !

Je te suggère cette idée comme elle me vient et je n'en ferai part à personne, et tu en riras si tu veux. Comme je te connais si confiant en tout le monde, c'est bon de te mettre sur tes gardes. Je ne crois pas que l'on enverrait ce jeune homme pour sa santé aussi loin ; c'est coûteux, et puis tout le monde est assez gêné en Canada pour n'avoir pas de quoi dépenser inutilement. Je crois bien que ce n'est pas dangereux, et que tes démarches seront encore bien plus épiées par le gouvernement anglais et d'une manière plus dangereuse, pour toi, qu'[elles] ne pourraient l'être par ce jeune homme ; mais, enfin, tu en penseras ce que tu voudras.

Je te griffonne celle-ci, tout indisposée que je suis, pour ne pas manquer l'occasion du *Great Western*. Elle te parviendra bien plus vite que par la voie du Havre, car je n'avais rien de nouveau à te mander et j'attendais à en avoir reçu de toi avant d'écrire de nouveau. Il ne faut pas multiplier inutilement des lettres, aussi peu intéressantes que peuvent l'être les miennes : c'est trop coûteux, mais il ne me coûtera pas de payer les tiennes. Plus tu en écriras, mieux ce sera. J'aimerais aussi à aller aux lignes parce que j'aurais occasion d'y consulter le Dr Wolfred Nelson ou son frère, si je pouvais le voir.

La petite Azélie t'embrasse ainsi que les grands garçons, et tous ensemble nous nous ennuyons fort.

Fais mes amitiés à la famille Bossange et autres amis qui veulent bien s'intéresser à des malheureux, et dis-leur que je leur suis bien reconnaissante des attentions qu'ils auront pour toi ; mais que j'espère qu'ils ne borneront pas là leurs bienfaits. S'ils étaient à même d'entendre comme moi, tous les jours, de pauvres exilés qui viennent me conter les mille vexations qu'ils ont éprouvées - et surtout les femmes et les enfants - ils ne pourraient y être indifférents.

J'ai vu, ces jours-ci, un respectable habitant de Longueuil, nommé Trudeau, et puis le Dr Damour[65]. Le premier m'a conté comme sa famille a été traitée quand les troupes sont allées là ; il a vu sa femme[66] aux lignes, il y a quelques

63. Pierre de Rastel, sieur de Rocheblave, membre du Conseil spécial de Colborne.

64. Conte bleu : conte invraisemblable.

65. Le Dr Pierre Damour (1811-1839), médecin à Montréal, participa aux deux insurrections. En compagnie du Dr Beaudriau et du jeune Trudeau, il gagna la Louisiane, au printemps de 1839, où il est décédé des fièvres jaunes.

66. Édesse Fournier-Préfontaine, épouse de Narcisse Trudeau, menuisier puis marchand (Longueuil, 4 novembre 1833), fils de Louis Trudeau et de défunte Julienne Moquin. Narcisse Trudeau ira vivre un certain temps en Louisiane et au Texas.

jours. Il en vient souvent ainsi ; c'est impossible d'imaginer que, dans un âge civilisé, l'on permette de pareilles infamies sans vengeances.

Adieu donc, mon cher ami, je prie Dieu de te conserver. Tant que l'on aura le bonheur de t'avoir, l'on conservera toujours l'espoir que la Providence ne t'a pas conservé en vain, et je te prie de ne pas l'oublier. Elle a fait des miracles pour te préserver, j'en suis convaincue.

Ton épouse et bonne amie et dévouée pour la vie,

Julie Bruneau Papineau

Hector Bossange, écuyer
11, Quai Voltaire,
Paris, France
pour l'honorable M. Papineau
per steamer « Liverpool »

[Albany, 16 mai 1839]

Cher ami,

J'ai reçu hier ta troisième lettre avec celle incluse à Mme Porter. Elle y a été bien sensible et me prie de t'en remercier, persuadée comme elle que tu partages du fond du cœur sa perte et son malheur. Pour moi, je ne l'ai que trop ressenti, car ma santé en a beaucoup souffert au point que je suis d'une grande faiblesse.

J'ai fait écrire les enfants, il y a quelques jours, par une bonne occasion, car j'étais au lit et le suis encore la plus grande partie du temps. Ne voulant pas manquer le *Liverpool* pour te donner des nouvelles de ma santé et accuser la réception de ta lettre, et, sentant que je n'aurais pas assez de forces pour remplir une lettre, je prends une partie de celle-ci[67] pour te dire que j'ai été aussi diligente que toi, car à présent tu dois aussi avoir reçu ma troisième lettre, et nous en attendons une de toi par le packet du 24 [mai] et puis du 1er [juin]. Ainsi, loin de te complimenter sur ta diligence, nous nous sommes fort dépités de n'en recevoir que par le 8 [mai]. Les passages sont si longs que l'on sait les nouvelles par la voie des steams d'Angleterre quinze jours avant tes lettres.

Au milieu de tes grandes occupations, je te prie de faire ce que je t'ai déjà dit dans une précédente : que tu devrais écrire quelques lignes tous les soirs avant ton coucher, sur ce qui t'est arrivé ce jour-là de plus intéressant sur nos affaires,

67. Julie commence sa lettre au bas de celle du D^r^ O'Callaghan.

surtout, réservant les autres choses quand nous aurons le plaisir de nous revoir. De cette manière, ce serait une espèce de journal qui te sera même utile et, à chaque packet, l'on ne manquerait pas de recevoir une lettre qui nous est essentielle et même nécessaire. Et surtout ne manque pas d[e l]'envoyer par Liverpool, à chaque départ des bateaux à vapeur, car en été les passages seront plus longs.

Je vois que tu es toujours aussi peu décidé, à Paris, que tu l'étais ici au sujet de Lactance : cela m'afflige et lui aussi. Tu dois voir que je n'ai aucun protecteur ici pour lui maintenant ; c'est un jeune homme de talent, c'est malheureux de lui faire perdre son temps, je suis certaine qu'il se fera aimer où il ira. Il a de bons principes et s'il était sous la surveillance de quelques bons amis qui le garderaient, à la condition que, s'il ne suit pas leurs conseils et qu'il ne se comporte pas bien, [ils] nous le renverraient. Je crois qu'ainsi il n'y aurait pas autant de dangers et puis ce serait un grand avantage pour lui, car il a vraiment le goût de l'étude ; il a beaucoup profité pour son anglais et Mme Page m'a dit qu'il ne perdait pas de temps. Ils paraissent beaucoup l'aimer, mais ne lui font aucune offre. Ainsi, il faudra bien que je le retire de là aussitôt qu'ils vont aller à la campagne.

Quant à nos pauvres affaires politiques, ne te fie pas sur une guerre, ni ici, ni en Europe. J'approuve bien que tu prennes tous les moyens que tu prends pour forcer nos amis en Angleterre à nous accorder justice, avant que nos affaires soient devant le Parlement. Cela fera voir aussi en France que nous ne négligeons rien de tous les moyens légaux, avant de résister par les armes, mais je suis persuadée que nous n'obtiendrons rien. Et après que tu auras su quel est le bill qu'ils vont passer comme loi pour le pauvre Canada - et tu le sauras quand tu recevras celle-ci - cela doit décider définitivement le parti que tu dois prendre et pour lequel ta mission a eu lieu. Nous ne sommes pas, ni le pays non plus, en état d'attendre du temps et de la diplomatie européenne : le pays est prêt, les esprits sont exaltés, ils ont tous les yeux et les oreilles tendus sur ta mission. Cela a relevé leur courage et donné de la crainte à nos tyrans. Il faut que tu demandes des secours pécuniaires à quelques nuances de politiques que ce soient, du roi ou des ministres, ou des républicains ou des Russes même, n'importe. Si tu veux sauver le pays, il n'y a pas d'autres moyens. Et avec ceux-là nous seront bientôt libres ! Sois persuadé qu'il n'y en a pas d'autres. Le délai perdrait le pays, car ni toi ni bien d'autres, qui lui sont si nécessaires pour son bonheur, n'y seront plus. Et nous avons si peu d'hommes capables qu'une longue lutte nous anéantirait tout à fait. C'est l'avis de tous nos amis dans le pays et hors du pays. Ainsi, ils fondent tout leur espoir sur ta mission, car ils ne peuvent se persuader que l'on ne puisse pas se procurer de l'argent au moins et quelques commandants qui puissent, par leur capacité et le dévouement à la cause de l'humanité souffrante, nous aider à obtenir notre salut. On ne peut pas se persuader qu'il n'y ait plus d'âmes nobles et généreuses en France, ou bien où faudra-t-il en aller chercher ? Et puis, de plus, l'on doit s'y attendre en justice. Ainsi, après la décision du Parlement d'Angleterre, ne perds pas un instant à obtenir ce qu'il nous faut et puis écris quelque chose de positif, que le pays sache à quoi s'en tenir. Ils veulent avoir une décision sur leur sort. Ce n'est pas un pauvre peuple, dans la situation où il est et puis du caractère qu'il est, qui peut attendre plus longtemps. Ta mission est regardée comme la fin de la lutte : il faut vaincre ou périr, s'expatrier en grand nombre et puis les autres se soumettront. Ne crois pas que j'exagère, c'est le cas.

Adresse tes lettres à Amédée, à Saratoga. Aussitôt que je serai assez forte, je m'y rendrai. La famille Porter va dans la Pennsylvanie passer quelque temps ; ensuite, ils décideront ce qu'ils feront.

Amitiés à nos amis là, et ici ils en font autant. Tu ne me dis pas si tu as vu le roi et si M. Nancrède père t'est fort utile.

Tout à toi, mon cher ami, ton épouse,

J. B. Papineau

Tu peux au moins avoir de l'argent de M. Legros, banquier. Si tu ne peux pas, d'autres... Il en faut absolument.

Excuse la manière dont je m'exprime, car je n'ai ni les forces ni l'espace qu'il faut pour écrire sur un pareil sujet, mais tu me connais et tu sauras suppléer et excuser la manière que je le dis. Considère aussi, mon cher, que ta réputation est fort intéressée dans cette mission et que c'est le terme d'une longue carrière politique, qu'il faut tâcher qu'elle se termine pour le bonheur de ton pays et l'honneur de ton nom. Si l'on te refuse même (ce que l'on ne peut se persuader ici) de l'argent, il faudra que tu puisses le constater d'une manière satisfaisante en donnant les preuves des refus. Alors, tu auras fait ton devoir, le pays ne pourra pas t'accuser de son malheur et il faudra se fixer quelque part.

Adieu. C'est un mot qu'il me coûte de plus en plus à prononcer. Quand aurons-nous le bonheur de nous réunir pour ne plus nous séparer ? Il n'y a que Dieu qui le sait, encore faut-il s'y soumettre. Courage ! surtout point d'indécision. Il faut te décider promptement. Tes amis, là, ne peuvent te donner de bons avis, ils ne connaissent pas les circonstances. Si j'étais près de toi, ce serait mieux, mais cela ne se peut. C'est pourquoi je te mets en garde contre cela, ta mission doit être la plus courte que possible et, après la décision du Parlement, tout doit être décidé en France aussi.

Tu ne me dis pas non plus quand tu crois avoir fini la réfutation au rapport de lord Durham : c'est attendu avec hâte, cela est bon, ils verront au moins que ce n'est pas sans sujets que l'on se révolte. Une grande partie du [ ] reconnaît son tort. Ce rapport déplaît enfin à tous les partis, de toutes les nuances et de toutes les croyances.

L'honorable L.-J. Papineau
chez Bossange
11, Quai Voltaire
Paris, France
per packet to Havre of 1st June

Albany, 30 mai 1839

Cher ami,

J'ai reçu tes deux dernières lettres, celle envoyée par le paquebot du 16 et celle venue par le jeune M. Bossange. Et toi, tu dois à présent avoir reçu mes deux secondes lettres : la première du 1er avril et l'autre par le *Great Western*. Je n'ai pas cru devoir écrire à chaque packet, quoique je désire ardemment d'en recevoir de toi à chacun, car tu dois toujours avoir de quoi nous intéresser, au lieu qu'ici il n'y a rien de particulier. Et puis, de plus, j'ai été très souvent hors d'état de pouvoir le faire par cause de maladie. Quand M. Haquet est parti, j'étais au lit ; j'ai fait écrire tes fils pour ne pas manquer une aussi bonne occasion. Tu dois les avoir reçues maintenant ; et puis, ensuite, j'ai fait écrire le docteur par le *Liverpool* et ai mis moi-même quelques lignes dans cette lettre. J'espère que, si elle n'a pas été à temps pour cela, elle sera au moins partie par le packet du 24.

Oui, cher ami, notre situation est de plus en plus embarrassante.

Tes premières lettres nous ont causé une grande joie de te savoir sauf, à bon port et bien accueilli ; mais, depuis, toutes tes lettres ne nous donnent que peu d'espérances ; pour le pays, c'est désolant, c'est pourtant la seule ressource que nous ayons que de pouvoir avoir de l'argent et par là les moyens de secouer le joug de nos oppresseurs. Je vois que les gouvernements sont les mêmes partout : indifférents sur le sort du pauvre peuple, quand ils n'en sont pas les plus infâmes persécuteurs. Aussitôt que tu sauras ce qu'ils ont décidé sur notre sort en Angleterre, tu dois représenter cela aux Français, qui peuvent nous prêter de l'argent et avoir quelques commandants, et pas autre chose. Il n'y a pas d'autres moyens. Le peuple s'y attend et est décidé à se battre. Avec une armée de 10 000 hommes, on peut répondre du succès. On peut s'emparer de postes où tout le peuple vous joindra en masse.

Il faut que tu fasses cette réponse de lord Durham en pamphlet et le vendre. Cela t'aidera à subvenir aux dépenses de ton voyage.

Si l'Angleterre paraît pacifier et se jouer encore de nous, ce sera un plus mauvais système qu'un bill de coercition, car alors les Français auront un prétexte pour nous dire qu'il faut attendre et se contenter pour le moment de cela, et attendre les événements. Mais je t'assure que cela aura un bien mauvais effet dans le pays. Les Canadiens ne sont pas comme les Irlandais, habitués à l'esclavage dès leur naissance. Il sera impossible aux réfugiés de rentrer sans une pleine justice, car ils seraient en grand danger, et puis il n'y aura qu'une partie du peuple qui voudra se soumettre à ce système. J'en vois ici tous les jours qui viennent du Canada et des frontières et ils [disent] qu'ils ne céderont pas sans se venger. Il y en a de décidés à tout. « Les gros messieurs sont dans la consternation, écrit Perrault, ils n'osent écrire, ne veulent pas donner d'argent ni en envoyer, crainte de se compromettre ; mais, parmi le peuple, il y a beaucoup de courage. » Il se trame des complots. Le peuple se démoralise, il y a des projets d'assassinats, dit-on, dans le pays et sur les frontières, et tu peux t'attendre à entendre dire ou faire quelques coups de désespoir. Ils ne peuvent pardonner les exécutions. Je tremble en pensant quel nombre de persécutions cela va encore attirer sur le pays ; sous soupçon, on remplira encore les prisons, si c'est le cas. Comme cela commence à transpirer, j'aime à t'en prévenir et cela te fait voir qu'il est impossible que le pays reste dans cette situation. Je te dirai que je ne crois nullement qu'ils puissent réussir dans leur projet, mais je crains qu'il n'y ait des tentatives de faites.

M. [Eustache] Masson père et son fils, riche et respectable cultivateur de Beauharnois, et son neveu le Dr Masson, l'exilé de la Bermude, sont passés ici, allant à New York. Et le père Masson m'a confié cela : il paraissait croire qu'ils réussiraient en partie. Il dit que ce sont des âmes généreuses qui se sont dévouées à la mort pour venger leurs frères et leur pays, et faire voir à l'Angleterre qu'ils ne veulent pas se soumettre. Ils disent qu'après eux il y en aura d'autres qui se dévoueront à la mort pour se défaire de leurs tyrans, s'ils ne peuvent pas avoir leur indépendance. Tu peux croire que ce sont les grosses têtes qui sont désignées. Vois jusqu'où la tyrannie peut pousser un peuple aussi religieux, moral et bon qu'étaient nos Canadiens. Ils m'ont dit aussi que ton nom était toujours cher et en vénération aux Canadiens, et qu'ils fondaient tout leur espoir en toi et les Français.

Tu dis que le gouvernement peut te signifier de sortir du pays, mais il ne peut pas empêcher des banquiers de te prêter de l'argent et à des généraux volontaires de venir se promener en Amérique. Il faut que tu te décides bien vite à un parti ou un autre, avant l'automne.

Quant à Lactance, tu es aussi toujours à l'ordinaire indécis, et le jeune homme est malheureux ici, ne sachant que faire. J'ai écrit à Montréal de m'envoyer de l'argent et, s'ils m'en envoient, je le ferai partir par le *Great Western* ou par un des packets du Havre, suivant le temps où je recevrai les moyens de l'envoyer. Je lui recommande bien que c'est à condition qu'il demandera et cherchera quelqu'un qui le protégera, si la sympathie de tes amis là ne s'étend pas assez loin pour au moins protéger et avancer un de tes enfants, dans un pareil malheur. Ce sera peu de choses, il faudra qu'il cherche de lui-même et qu'il travaille : il doit toujours y avoir plus de moyens là qu'ici ; et puis il s'est mis cela en tête, il se déplaît ici et est déterminé à travailler. Mais il croit - et moi [aussi] - qu'il pourra faire son chemin ; il a des talents, du goût pour la culture, de l'esprit, de bons principes. Quand je l'enverrai, je te dirai - et lui ai dit aussi - que la personne qui voudra bien le protéger l'obligera à se comporter comme un joli garçon, studieux, sobre et sage, et qu'ils nous le renverront s'il ne veut pas se conformer à ces conditions.

J'ai reçu des nouvelles de la famille à Montréal ; ils sont en partie bien, excepté Mme Trudeau et Louis Viger, qui s'en vont tout doucement. Ton père doit arriver à Montréal ; j'espère qu'il va s'occuper d'affaires.

Je crains bien que la somme que tu as empruntée pour ton voyage ne soit pas remboursée au temps. Ceux qui l'ont endossée sont dispersés et tous sans ressources. Ils ne sont guère gentilshommes, je crains ; c'est dans la misère que l'on éprouve les gens. J'en parlerai à M. Corning avant de laisser Albany, et ensuite j'écrirai à Chartier, et puis j'espère voir quelqu'un de nos amis du Canada, si Delagrave ou ta sœur viennent en juin ou juillet.

Mais si ces événements, que je t'ai mentionnés, arrivent, je ne sais comment l'on pourra communiquer avec le Canada. Alors, j'intercéderai auprès de M. Corning. L'on a déjà des difficultés à passer et cela gêne les gens de voyager. À Saint-Jean, un homme de la police s'embarque sur le steamboat et vient jusque dans les États pour épier tout le monde ; les capitaines de bateaux s'en plaignent et disent qu'il ne voyage presque personne. Mais M. Jona[ ] souffre toutes ces insultes avec patience. Mme Nelson, qui venait joindre son époux, Wolfred Nelson, avec toute sa famille à Plattsburgh, où il a loué et s'établit pour le moment, a été détenue à Saint-Jean trois jours. On a tout visité son bagage et on a écrit à Montréal ; enfin on l'a laissée passer, mais on n'a pas voulu permettre à son fils[68] de passer, un jeune homme de 17 ans ! pour peiner le père sans doute. Je ne sais ce qu'il en sera. Ainsi, tu vois que je ne peux pas aller dans le pays.

Ta sœur me faisait demander sans cesse ; je vais la semaine prochaine à Swanton, chez Mme Natcher, maison privée, et j'irai chez le juge Cowen prendre les bains de pluie, que le docteur considère le seul remède à cette maladie nerveuse qui me fait souffrir, surtout dans la tête. Et puis, si la famille veut venir me voir, c'est bon. Je crois qu'ils préfèrent la plupart d'attendre ton retour ou d'autres décisions ; mais je voudrais au moins voir mes chers petits enfants. Je trouverai quelqu'un qui me les amènera, si leur chère tante ne peut pas venir, je les garderai jusqu'à ton retour. Je suis certaine que Mme Natcher ne me ferait pas payer pour la chère petite Ézilda, et Gustave peu de choses, avec Amédée. Ils ne peuvent venir qu'en juillet, car la chère petite Ézilda est [en] demi-pension au couvent pour faire sa première communion au commencement de juillet.

Mais je m'oublie de faire des projets ! Comment les voir se réaliser quand, tous les jours, nous arrive quelque événement plus ou moins malheureux ? Encore si j'avais, je ne dis pas le courage, mais la force et la santé pour les

68. Horace Nelson, fils de Wolfred Nelson et de Charlotte Noyelle de Fleurimont, né le 26 juin 1821.

supporter ! Eh bien, il faut se résigner à tout, on ne meurt qu'une fois et il le faut, c'est inévitable, plus tôt ou plus tard.

Amédée est décidé à continuer ses études, et moi je ne puis t'aller rejoindre, je ne serais pas en état de supporter la traversée, et ne le ferai que quand il faudra perdre tout espoir de rentrer dans notre pays. Et, alors, j'irais avec mes chers enfants pour ne plus revenir. Puisque je n'y ai pas été avec toi, je n'irai maintenant que de même.

Je pensais que tu aurais prié le jeune Bossange de venir me voir ici. C'est facile et il m'aurait été si agréable de faire sa connaissance et, en même temps, d'avoir des détails sur toi, bien plus complets que l'on ne peut les avoir par lettres. Je lui ai fait écrire par [le] D^r O'Callaghan et demander les papiers qu'il a apportés, mais je ne les ai pas encore reçus. Je ne sais ce que tu veux me dire au sujet d'un papier signé par toi, je ne l'ai pas reçu non plus.

Mme Porter te fait ses amitiés ; elle va ce soir à New York pour ses affaires, où M. et Mme Laforge et son fils William sont depuis quelque temps et la font demander. Il va m'en coûter de me séparer de cette incomparable famille. Notre cher ami n'a été enterré au cimetière qu'hier ; ils l'avaient toujours conservé dans une voûte où la famille allait le voir de temps en temps.

Reçois-tu les gazettes que l'on t'envoie ? On a envoyé aussi les Mackenzie depuis que tu les as demandées, et aujourd'hui on t'en envoie encore. Tu y verras l'arrestation de Viger et autres[69]. On ne sait ce qu'ils allaient faire, quelle espèce d'expédition, mais ils sont mal pris.

On attend à grand hâte ta réfutation à lord Durham. Dépêche-toi de la faire imprimer. On t'écrira par le *Great Western*. Envoie des gazettes à forces à Duvernay, il en [a] grand besoin pour son journal, qui ne paraît pas encore, mais qui va sortir.

Adieu donc. Encore une fois, quand aurons-nous le bonheur de nous réunir ? Il n'y a que Dieu qui le sait. Amitiés à nos amis et remerciements de ce qu'ils font pour toi.

Tout à toi pour la vie, ton épouse et amie,

Julie Bruneau Papineau

69. Bonaventure Viger et Célestin Beausoleil, arrêtés le 22 mai 1839, seront accusés du saccage des propriétés de Vosburgh, un loyaliste.

M. Papineau
aux soins de M. Hector Bossange, libraire
11, Quai Voltaire
Paris
via le Havre

Saratoga Springs, 24 juin 1839

Cher ami,

Je t'ai écrit par le packet du 1er et, depuis ce temps, je t'ai fait écrire par le docteur et Lactance par le packet à vapeur, comme je laissai Albany pour venir à Saratoga, où je suis depuis presque quinze jours. Et je n'ai pu prendre encore que quatre bains, il fait toujours froid et de la pluie, en sorte que je n'ai encore éprouvé aucun bien de mon séjour ici, je ne puis prendre aucun exercice et souvent il faut faire du feu, ce qui fait que j'ai presque constamment mes étourdissements et mon mal de tête qui m'empêchent de m'appliquer plus d'une heure ou deux, soit à coudre ou à écrire, et le plus souvent je ne puis rien faire et il me faut aller coucher. Juge si je dois m'ennuyer doublement ; je t'écrirais bien plus souvent si ce n'était pas cause de maladie, je serais inexcusable.

Toi aussi, tu as été longtemps sans nous écrire et, cette fois, depuis celle écrite par le jeune Bossange, du 8 avril, je n'en ai pas reçu d'autres que celle datée du 15 mai, et que j'ai reçue ici. Elle est encore de nature à nous affliger de plus en plus et nous avons été bien désappointés de ne pas recevoir la continuation de la réponse à Durham. La première partie est déjà publiée ici. Duvernay l'a publiée en français et M. Hennessy en anglais. O'Callaghan l'a traduite pour lui envoyer, ils en sont très satisfaits. Cela rehausse leur courage. On dit que les Canadiens, tant en dedans qu'en dehors du pays, sont remplis de confiance que ta mission aura un effet favorable. Ils seront encore une fois bien déçus et bien désespérés, et avec raison. On devait s'attendre à plus d'honneur, de valeur et de sympathie des Français. Ils sont donc aussi, eux, comme les Américains, dégénérés de leurs ancêtres en générosité et en valeur. Les hommes sont les mêmes partout quand ils sont au pouvoir.

Je n'hésite pas à t'envoyer Lactance ; j'espère qu'il trouvera à faire son chemin. Je remercie de toute l'étendue de mon cœur et de mes forces M. et Mme Bossange de ce qu'ils veulent bien le prendre chez eux, car je sais qu'il sera bien sous tous les rapports, et que je serais désolée de le savoir là son maître. J'espère qu'il leur sera soumis en tous leurs avis et qu'ils ne le gronderont qu'à condition qu'il leur causera aucun désagrément. Je l'ai bien prévenu et, quoiqu'il n'aime pas le commerce, il est bien décidé à s'y soumettre. S'il pouvait rester dans la famille Bossange et trouver quelques autres amis qui te fissent des offres pour l'aider à étudier la médecine, j'en serais aise, au cas qu'il puisse revenir au Canada ; sans cela, s'il se décide à ne plus revenir au pays, il est certain qu'il serait mieux dans le commerce. Enfin, tu décideras cela là. Il est juste que si M. Bossange est seul chargé de le soutenir, il faudra qu'il travaille pour lui, et c'est ce qui faut à un jeune homme, et surtout les enfants, c'est ce qu'il leur manque, l'amour du travail, et qu'il faut qu'ils acquièrent, maintenant qu'ils sont sans ressources.

Amédée est satisfait et bien décidé à continuer ses études ici et à s'y établir. Il faut renoncer à son cher pays. Ton cher père est ici, il ne pouvait nous donner une plus grande preuve de son attachement pour nous, et il y est venu seul. Il est bien portant, mieux qu'il n'était l'été dernier. Il dit qu'il n'a aucune autre incommodité que sa surdité, qui n'est pas plus forte que l'an dernier, au contraire, je pense, moindre. Il passe la semaine avec nous et il doit aller à Albany et peut-être à New York, conduire Lactance, et puis voir le fils de M. Bossange. Il dit que cela l'a engagé quand il a su qu'il était arrivé de France ; il espère avoir plus de détails sur toi. Il est bien content de ce que Lactance va avoir l'avantage d'être chez notre ami, et il dit qu'il serait fâcheux de n'en pas profiter. Il nous a apporté 500 piastres, et puis il me dit qu'il va t'écrire au sujet de nos affaires. Il est en marché de vendre le jardin, c'est à bas prix sans doute, mais enfin il faut sacrifier quelque chose ; la maison, on ne trouve pas et puis elle donne des rentes, au lieu que ces terrains n'en donnent pas. Ton père dit qu'il faut que tu tâches de vendre la seigneurie, et puis tâcher de t'établir en France. Il a une peur de te voir revenir au pays.

Quant à moi, je regrette beaucoup de t'avoir écouté et n'avoir pas résolu fermement de te suivre, ou de te retenir, car, à présent, je ne puis me décider à passer la mer, seule ; je suis si affaiblie et si nerveuse que je mourrais de peur, sans le mal de mer... Et puis ensuite, ton projet de laisser une partie de mes enfants me répugne infiniment plus encore, car il n'y a qu'avec ta chère sœur que j'ai pu me décider à les laisser. Et on peut avoir la douleur et le grand malheur de la perdre d'un moment à l'autre, car sur quoi peut-on compter dans ce monde périssable ? Alors, que deviendraient mes chers petits enfants ? cette chère petite Ézilda qui est si sensible ! Ils ne consentent à rester que parce qu'ils ont toujours espoir de se réunir à nous cette année. Oh ! mon Dieu ! à l'automne, il faut que tu te décides à tous nous réunir, ici ou en France. Si tu n'as plus d'espoir de rentrer au pays et que tu vendes ta seigneurie, alors je passerai en France avec mes petits enfants, pour n'en plus revenir. Ce n'est pas à nos âges et après tous les malheurs que nous avons éprouvés que nous devons hésiter et prolonger de plusieurs années notre incertain avenir. Aussitôt que le sort du Canada sera fixé par la marâtre et que tu ne puisses rien obtenir pour nous en délivrer, il faut que tu reviennes ou que tu me mandes avec mes enfants, avant l'automne. Je ne veux plus passer un second hiver, tous séparés les uns des autres : cela achève de me tuer. Je veux au moins donner le reste de ma faible existence à mon époux et à mes enfants, qui manquent depuis longtemps des soins d'une mère, au cas qu'elle leur manque plus tôt que plus tard.

Ta sœur ne peut m'amener mes enfants qu'à la fin de juillet. Ainsi, je n'irai à Plattsburgh que vers ce temps ; et là, j'attendrai que tu m'écrives, aussitôt que tu auras décidé où nous passerons l'hiver tous ensemble. L'Angleterre aura décidé de notre sort. S'il fallait passer en France, il faudrait que je fusse dans un des steam-packets, en août, car je ne veux pas aller en automne ou en hiver.

Toute la famille était assez bien, me dit ton père. Le pauvre Louis est bien affligé de la mort de son épouse ; ma tante Trudeau a un peu de mieux. M. Denis Viger est bien et supporte avec courage et fermeté sa captivité. Ils se préparent à exporter nos prisonniers. On ne demande plus de passes pour aller et revenir du Canada : il y a eu tant de plaintes de faites, au sujet de ceux qui examinent et interrogent à Saint-Jean, qu'il n'y avait plus de voyageurs. La compagnie du Rail Road a dit qu'ils n'avaient mené que quatre passagers en trois jours. Enfin, Colborne s'est fâché et a dit que, puisque l'on avait abusé des pouvoirs, il allait arrêter le tout. C'est ainsi jusqu'à nouvel ordre ; je suppose que ce sera un moyen aussi d'en mettre un bon nombre en prison, car ils auront des espions, et [il] suffit qu'il n'y ait plus de permission à demander, il y aura bien des imprudents qui se risqueront et ne manqueront pas d'être encagés. Neysmith, qui fait commerce à New York et ayant affaire à Montréal, a dit qu'il fallait autant qu'il risque à présent, comme plus tard, qu'il avait affaire. Et il y est allé et il a été emprisonné, et il y est encore depuis un mois[70]. Je ne sais quand il sortira.

Je m'occupe à faire communiquer en Canada à nos amis pour faire ramasser la somme que tu as empruntée pour ton voyage, car je crois que les inconséquents qui ont endossé les billets ne s'en occupent pas.

Tu dis que personne ne t'écrit ; tu leur avais dit que tu leur écrirais ce qu'il faudrait faire. Et, quant à eux, ils n'ont pu rien faire. Ils se sont querellés, divisés et ont fini par ne rien faire. Chartier est violent, inconséquent et facile à duper : il a été gagné par Robert le Diable[71], ils sont ensemble à St. Albans et puis Malhiot. Dr Wolfred, Bouchette et Perrault, et plusieurs autres, Duvernay, sont d'accord qu'il n'y a rien à faire sans argent, qu'il faut attendre. D'autres veulent, comme je te l'ai déjà mandé, faire des infamies, tout risquer pour se venger ; et il y en a déjà de pris et même en prison : Viger, Bonaventure, son frère[72], Beausoleil et d'autres. Lactance te dira cela plus au long. Il n'y a pas à savoir au juste l'état du pays : ils sont sous les baïonnettes, mais ils sont profondément mécontents et décidés s'ils ont les moyens de se débarrasser de leurs tyrans.

70. Jean-Siméon Neysmith, patriote et marchand à Montréal, au 136 de la rue Saint-Paul. Emprisonné parce qu'on trouva sur lui des papiers compromettants, il fut libéré après quinze jours. Il mourut de phtisie en août 1841, « ne voulant voir personne ni recevoir aucun des secours de la religion dans ses derniers moments ». ANQQ, P 417-7, Lettre d'Émery Papineau à son cousin Amédée, Saint-Hyacinthe, 25 août 1841.

71. Robert Nelson.

72. Hilarion Viger, frère de Bonaventure Viger.

Je te recommande aussi de faire faire connaissance à Lactance de prêtres respectables et de lui conseiller de les voir de temps en autres : ce sera un moyen de conserver ses principes, qui seront sa consolation dans ce monde, et son bonheur dans un meilleur.

Ton père est décidé, à son retour à Montréal, de donner sa procuration à Louis Viger et le prier de faire nos affaires, quand ton père sera absent. Il va conduire décidément Lactance à New York : il veut le voir embarquer. Ils décideront là, d'après ce qu'on lui conseillera, par quelle voie ils l'enverront. Ils ont des amis là, des lettres de recommandation ; ensuite, ton père verra à nos affaires à Montréal et pourra alors te dire à peu près le montant de rentes qu'il pourra nous envoyer.

Azélie est bien, ainsi que nos enfants en Canada ; j'ai grand hâte de les revoir, je m'ennuie beaucoup. Nous sommes si incertains sur le sort du pays et de nos affaires, et puis la réunion si difficile à effectuer ! Je me fais une idée affreuse de passer la mer, seule, sans toi ; mais, enfin, il faut encore attendre, et puis, s'il le faut, je le ferai. Peut-être serai-je plus forte dans un mois. Quand j'aurai vu ta sœur, je te donnerai plus de détails sur nos affaires et la famille. Amédée viendra avec moi à Plattsburgh et reviendra si j'y reste longtemps.

Amitiés à nos amis à Paris, toute la famille t'en fait mille et mille. Je viens d'apprendre que Mackenzie a eu son procès et a été trouvé coupable et condamné à 10 piastres d'amende et puis à 18 mois d'emprisonnement. C'est une infamie. C'est dégoûtant de voir des hommes ainsi traités. On n'éprouve que des persécutions partout, il faut en finir et puis essayer d'oublier, dans la retraite et en famille, les maux sans nombre que le peuple est condamné à souffrir dans tous les pays du monde. Ceux qui prennent leurs intérêts sont sacrifiés sans leur rendre la liberté. Ici, ils sont égoïstes et oublient déjà ce que leurs pères ont souffert, et leurs vertus à leur rendre la liberté. Et ils punissent leurs voisins pour les mêmes vertus.

Adieu, cher ami, je ne sais lequel des deux est plus à plaindre. Tout à toi pour la vie.

Ton épouse et amie,

Julie Bruneau Papineau

M. J.-B.-Lactance Papineau
City of New York

Saratoga Springs, 27 juin 1839

Cher fils,

Je reçois à l'instant ta lettre. Je suis contente de tout ce que tu as fait jusqu'à présent. Tu as eu beaucoup à faire. Sans doute je suis fâchée que tu aies à demander de l'argent d'ici. Tu sais bien que je ne t'ai donné que cela parce que ton pépé avait dit que, s'il en fallait plus, il t'en donnerait à New York ; mais, enfin, je vais t'en envoyer dans la lettre. Ton pépé ne m'en dit pas un mot. Tâche de le recevoir, que cela ne soit pas risqué, c'est tout ce qu'il faut. Je vais t'envoyer dans celle-ci un billet de 50 piastres. Et mande-moi que tu l'as reçu : c'est tout ce qu'il faut. Je suis persuadée que tu ne dépenseras que le plus strict nécessaire, d'après les recommandations que je t'ai faites et puis la situation où nous nous trouvons et que tu dois sentir aussi bien que moi.

Prends bien des informations pour passer par Londres, si c'est plus coûteux par le Havre, et si c'est beaucoup plus long aussi, afin que tu n'aies aucun regret ; et puis là, n'y fais qu'un court séjour, si M. Roebuck ou autres ne t'offrent pas leur maison. N'oublie pas d'avoir une lettre pour le jeune Bossange à Londres, si tu vas par là.

Si tu avais dit à ton pépé qu'il te fallait plus d'argent, je suis certaine qu'il t'en aurait donné ; mais, enfin, en cas qu'il n'en ait, c'est plus sûr ; seulement cela t'aurait évité de l'inquiétude.

Sois courageux, mon cher. J'espère que Dieu te protégera, puisque tu fais ce qu'il te commande pour être dans ses bonnes grâces. C'est tout ce que je désire, persuadée que personne ne peut être heureux sans être en état de grâce, même dans ce monde.

Écris-moi à New York et parle-moi de Duchesnois, de la famille Porter, etc. J'ai écrit à ta tante Dessaulles et t'ai recommandé aux prières de ton directeur, de tes condisciples et de tes parents. J'espère, mon cher, que tu ne t'ennuieras pas : en voyage, on a toujours des sujets de distraction, et puis tu es un homme, il faut t'habituer à avoir de la fermeté ; quand on a pris un parti que l'on croit bon, après mûre réflexion, il faut cheminer sans hésitation et puis t'égayer un peu. Je ferai de mon côté mon possible pour supporter toutes ces infortunes, et puis encore la douleur de nous séparer, puisqu'il le faut. Et puis une femme affaiblie par la maladie ne doit pas être en état de faire ce qu'un jeune homme comme toi peut [faire]. Encourage aussi ton papa, il en a besoin. Si j'étais certaine que tu pars courageux et content, je serais bien plus consolée, mais il faut faire tous deux de notre mieux, cher enfant. Adieu.

Ta tendre mère,

Julie Bruneau Papineau

[De la main d'Amédée] : Mon cher frère, maman remercie pépé de l'information qu'il lui donne au sujet de la traite, mais tu ne dis pas un mot de la lettre à M. Curtis. Je ne comprends pas ce que tu entends par *très cher,* en parlant de la poire. Ça ne vaut pas plus d'un écu ; peut-être est-ce à meilleur marché à New York ? Vois-y, et tu l'enverrais par pépé.

Si tu reçois cette lettre et les 50 $ qu'elle contient, billet de l'*Albany City Bank,* fais-nous-le savoir par lettre avant de t'embarquer, car si tu ne la recevais pas, il nous faudrait faire des démarches pour la retrouver.

J'espère, mon cher, que tu auras du courage et une heureuse traversée. Porte-toi bien et n'oublie jamais le compagnon de ton enfance, un frère qui t'a toujours aimé tendrement, et qui est peiné d'une séparation aussi cruelle, mais qui y voit ton bien et est prêt à faire ce sacrifice. Espérons, ayons confiance dans la justice de la cause pour laquelle nous souffrons. Dieu est juste et quand l'heure sera venue, il saura confondre nos oppresseurs et briser nos fers. Un jour viendra (et je ne le crois pas bien éloigné) qui nous verra tous réunis en famille dans notre ville natale, sur les bords du grand Saint-Laurent. Écris-moi souvent, j'en ferai de même. Adieu, adieu. *« Deus, Patria, Libertas ».*

Ton frère affectionné et dévoué,

L. Papineau dit Montigny

Maman croit que tu feras mieux de renoncer au voyage de Londres, s'il coûte plus de 100 $ pour la traversée, ou s'il coûte plus que la traversée au Havre.

Tu feras mieux de prendre des précautions, mais fais-le sans affectation, car c'est souvent par là qu'on attire l'attention des filous.

L.-J. Papineau
M. Hector Bossange, libraire
11, Quai Voltaire
Paris

Saratoga, 4 juillet 1839

Cher ami,

Amédée t'explique la raison qui va me décider peut-être à partir : c'est ta dernière lettre. Je vois qu'il faut se décider et si je ne puis être prête à partir avant l'automne, je ne sais si je pourrais me décider à le faire alors, et il faut que je parte par les steam-packets, car je serai si malade que ce sera bien assez long par cette voie-là, même si je puis y résister. C'est encore un grand sacrifice pour moi de me résoudre à y aller sans toi. Je n'ose y penser : cela me peine et me tourmente. Enfin, il faut passer par tous les tourments. Les chers enfants, je suppose, ne seront pas aussi malades que moi, mais ils auront comme moi la peur.

Je préférerais aller par le *British Queen* mais c'est si prompt que je crains que Mme Dessaulles n'ait pas le temps de m'amener mes enfants. Et alors je ne pourrais partir que par le *Great Western*. Si je ne puis partir par le *British Queen*[73], je t'écrirai au moins. Patience, courage et résignation : c'est tout ce que l'on peut avoir pour le moment.

Ma santé est un peu rétablie : les bains me fortifient et diminuent mes maux de tête. Je vais continuer encore quelques jours de plus à les prendre.

(Les enfants emporteront leurs hardes d'hiver. Quand je dis de ne rien leur faire de plus, qu'il n'y aura pas de temps, qu'ils apportent tout ce qu'ils ont de bon, et moi, je n'ai que ma robe, ma malle, le reste c'est peu de choses. Vous verrez et jugerez ce qu'il faut apporter. Vous passerez par Montréal ; vous y verrez votre père, il vous dira le reste ; il vous parlera de la valise d'Amédée.)

Excuse-moi donc, j'étais à écrire à ta sœur et puis j'ai laissé un instant, et puis me suis mise à écrire sur ta lettre croyant que c'était la sienne : voilà une de mes distractions impardonnables. Tu vas croire que j'ai l'esprit plus malade que le corps. Enfin, il faut que je termine pour envoyer celle-ci par le *Liverpool ;* il est l'heure de la poste. Azélie t'embrasse.

Ton épouse et amie affectionnée,

J. B. Papineau

---

73. Julie Papineau fit le voyage à bord du *British Queen,* un tout nouveau vapeur, le plus grand de la Transatlantic Steamship Company, qui venait de réaliser sa première traversée Portsmouth-New York. Elle quitta le port de New York pour celui de Portsmouth, le 1er août 1839, avec Ézilda, Gustave et Azélie, son neveu Louis-Antoine Dessaulles et la bonne Marguerite. Elle se rendit ensuite à Paris par le Havre.

L'EXILÉE À PARIS

M. L.-J.-A[médée] Papineau
Saratoga Springs, N.Y.
America

Paris, novembre 1839

Mon cher Amédée,

Nous avons reçu avant-hier ta lettre du 24 octobre. Elle nous a été bien consolante, en ce que nous étions inquiets depuis l'arrivée du jeune Lévesque, qui nous dit qu'il n'a pu te voir à Saratoga parce qu'on lui avait dit que tu étais parti pour aller au Nord. Et n'ayant pas reçu de lettres de toi par le dernier bateau à vapeur, cela nous inquiétait. Pourtant, je n'ai pas ajouté foi à ce rapport ; je sais que tu n'es pas ordinairement extravagant d'aller dépenser de l'argent et ton temps inutilement. Ce que tu nous dis au sujet de ton école de français nous a bien plu, car cela t'est utile sous tous les rapports.

Cher enfant, comme nos affaires se trouvent de plus en plus embarrassantes, tant publiques que privées, tu as besoin de faire tous les efforts pour te rendre capable de gagner ta vie ; sans néanmoins trop t'inquiéter. Tu feras bien de te consulter avec le chancelier et puis, ensuite, tu nous écriras ce qu'il te conseille, mais s'il y a de la chance que tu puisses être reçu là, nous préférons que tu restes à Saratoga. Ménage bien tes amis là : ils sont aussi bons que peut l'être aucun autre, je t'assure. Nous les trouvions froids et égoïstes mais, ici, c'est bien pis : tout est démonstration, mais ils n'ont rien fait pour le pays, ni pour ton père ; bien de l'accueil en arrivant mais, maintenant qu'on le voit ici avec sa famille, et que l'on doit faire savoir l'état de ses affaires, on ne lui fait aucune offre de services quelconques.

Et Lactance aura bien de la peine à étudier la médecine. Il s'y obstine malgré ton père, qui lui dit qu'il n'a pas les moyens de le soutenir. Mais il déteste le commerce. Il commence à suivre des cours gratis mais il ne peut prendre de degrés, parce qu'il faut payer. Il a bien du courage, il désire être un homme instruit, il travaille sans relâche, ne se permet aucune récréation, il ne sort que pour aller aux cours de médecine et puis il étudie jusqu'à onze heures du soir dans sa petite chambre. Il ne peut acheter de livres. Il a trouvé moyen d'en emprunter quelques-uns. Enfin, je ne sais s'il réussira ou non, mais il n'y aura pas de sa faute. Tout cela me fait bien de la peine. Le pauvre enfant me fait pitié ; si sa santé et son courage se soutiennent, il pourra peut-être surmonter les difficultés. Dieu le veuille, il n'y a que lui qui peut vous soutenir et vous donner les forces nécessaires pour supporter les malheurs qui fondent sur vous au moment où vous auriez besoin d'être aidés.

Si on n'avait pas eu le malheur de perdre ce cher M. Porter, vous ne seriez pas si à plaindre ; je n'aurais jamais laissé les États et vous seriez placés tous deux. En venant ici, je n'ai fait qu'empirer notre misère : les dépenses que nous avons faites, et puis il ne fait pas meilleur marché à vivre ici, et [on n'a] pas plus d'agrément, quand on n'a pas d'argent à dépenser. Il faut vivre isolés, et se borner au plus strict nécessaire.

Je m'ennuie plus qu'aux États, et les enfants aussi ; et la pauvre Marguerite, elle, s'ennuie, ne se porte pas bien et te remercie de ton bon souvenir. Elle te fait ses compliments, elle n'aime pas qu'on l'oublie.

Je t'écris celle-ci à la hâte par une occasion que M. Hoguet[1] nous procure demain et puis je t'écrirai plus au long, et à la famille en Canada, par M. Hoguet de New York qui partira dans trois semaines. Celle-ci est pour te mentionner que nous n'avons [pas] reçu ta dernière, et puis que ton père t'a écrit par le packet du 16.

Ma santé est assez bonne ainsi que celle des enfants. On leur fait l'école ici, ne pouvant leur payer des maîtres.

Quant à l'argent de M. Corning, c'est bien triste, mais enfin tu devrais lui écrire que l'on était prêt à vendre des propriétés pour le payer mais que la démarche du gouvernement, en dernier lieu, nous empêche de trouver personne qui puisse acheter ; que ce n'est qu'un retard ; qu'il ait égard et qu'il ait complaisance d'attendre, que nous en souffrons également mais que l'on espère que cela changera.

Continue à nous donner des nouvelles détaillées comme celles que tu nous donnes : tu ne saurais croire combien cela m'intéresse. Je ne sais rien ici même de ce qui se passe à Londres ou à Paris, et par conséquent en Canada, que par les journaux que tu nous envoies et tes lettres.

Écris à Théophile, fais-lui mes amitiés et dis-lui qu'il conserve bien sa situation. Fais-lui mes amitiés et dis-lui que je lui écrirai par la première occasion. Ne

1. *Hoguet & Fils,* marchands français de New York, Beaver Street. Henry L. Hoguet était, en 1839, secrétaire de la Société française de bienfaisance.

manque pas de donner de nos nouvelles de temps en temps en Canada à mémé, et puis aux États-Unis à nos bons amis, surtout à Mme Porter. Adieu, mon cher. Je suis pressée, une autre sera plus longue.

Ta mère affectionnée,

J. B. Papineau

L'évêque Hughes de New York est ici et ne doit y être que quelques jours. On ne l'a pas encore vu, l'on doit aller dîner chez M. Nancrède père, où l'on doit le rencontrer. Il va jusqu'à Rome.

Amitiés à Mme Nash[2] et répète-lui que je suis bien aise que tu sois chez elle. Sois toujours bon chrétien, c'est le principal.

M. Amédée Papineau
Saratoga Springs, N.Y.
America

Paris, 25 février 1840

Cher Amédée,

Nous sommes surpris et affligés de ne recevoir aucune nouvelle du Canada et surtout pas d'argent. Depuis le départ de Louis, nous n'avons reçu qu'une lettre de ta tante Dessaulles, du 9 janvier, et elle disait que M. Viger devait nous envoyer bientôt le montant de l'argenterie qu'elle a vendue, le tapis de 15 louis, mais elle ne dit pas qu'elle en enverra l'argent. C'est vrai que nous lui devons, il n'y a bien qu'elle qui se tourmente à notre égard. De toutes les lettres que nous avons écrites par Louis, personne ne nous a répondu.

Je t'assure que je regrette de plus en plus la folie que j'ai faite de venir ici. On est tous les jours à savoir quand nous aurons des secours, en sorte que l'on ne peut se donner le nécessaire ; même Lactance et les autres ne peuvent avoir de maîtres ; ils ont laissé et oublié leur musique. Je leur fais parler l'anglais malgré eux un peu, et ils écrivent un peu, comptent. Enfin, tu sais ce que c'est qu'une école de maison sans freins ni règles. Je n'ai jamais été plus découragée depuis notre exil, car je vois moins de remèdes à notre position, loin de vous tous. L'on a moins de ressources et puis les dépenses que nous avons faites nous gêneront

2. Hannah Payn, veuve de David Nash, tenait une maison de pension à Saratoga, où logèrent quelque temps Julie et sa fille Azélie, et aussi Amédée. Une demoiselle Nash alla apprendre le français chez Mme Dessaulles à Saint-Hyacinthe.

longtemps. J'avais bien raison d'être aussi affligée lors de mon départ. Mais tout ceci est entre nous, ne le dis à personne aux États, et en Canada non plus : on a toujours honte d'une si triste situation. Il faut laisser croire que l'on n'a pas sujet de regretter d'être venus ici : ce serait désagréable si l'on retourne comme je le veux, plus tôt que plus tard.

Nous avons écrit par le *Great Western,* et celle-ci doit partir par le *British Queen.* C'est M. Hoguet qui nous a offert de l'envoyer par un de ses amis, et lui doit partir dans le mois d'avril. Ainsi, tu ne pourras pas te plaindre de n'en pas recevoir de nous du moins. Les tiennes sont assez rares aussi. J'espère qu'à l'avenir tu nous écriras à chaque bateau à vapeur au moins, car les nouvelles nous viennent plus promptement.

Je suis bien satisfaite de ta conduite, mon cher, et des peines que tu prends pour nous donner des consolations. Aussi, ce sont bien les seules que j'ai reçues depuis que je suis ici. Ménage l'argent que tu as pendant que tu ne paies pension.

J'ai eu le plaisir de voir l'évêque de New York, à son arrivée à Paris. Je lui ai dit que tu m'écrivais au sujet de la bâtisse que vous aviez acquise pour servir au culte catholique. Il m'a dit qu'il en était bien content et puis il m'a dit du bien de toi. Je lui dirai à son retour de Rome que tu as remplacé M. Costigan et il s'occupera un peu plus, je crois, à vous faire desservir que par le passé : il ne savait pas que vous étiez si négligés. J'ai l'avantage ici d'être à même d'entendre de beaux et bons sermons à Saint-Sulpice, les offices sont solennels. De ce côté, c'est beaucoup mieux que je le pensais et il y a toujours beaucoup de monde ; il y a un grand nombre de confréries.

Lactance va voir de temps à autres Pinsonnault, O'Brien, Fitzpatrick, au collège.

Je te disais dans ma dernière de donner des nouvelles à Mme Porter, je ne lui écris pas, car je n'écris pas l'anglais. Je désire avoir de ses nouvelles ainsi que de celles de Mme Laforge : je pense souvent à elles avec attendrissement et reconnaissance. Je les aime autant que mes meilleures parentes et je m'en ennuie. Écris-leur que l'éloignement d'elles ne fait qu'augmenter mes regrets de la perte de notre cher ami, et combien je m'intéresse à leur sort. Qu'elles me donnent aussi des nouvelles de nos bons amis, M. et Mme Clark. Je désire qu'elles les aient auprès d'elles. Azélie et moi en parlons souvent. Dis-leur combien leur petite amie apprend bien et se fait aimer ici comme là ; mais qu'elle dit qu'elle n'aime aucune amie autant qu'elles et qu'elle retournera les voir.

Dis-moi, que fait William Porter ? Où est-il ? cet excellent jeune homme. À nos autres amis, rappelle-nous à leur souvenir. Tu ne me dis pas si Mme Selby passe l'hiver chez les D^lles^ Fitch, comme elle le devait ; si Mme Cowen va encore avec le juge, à présent que sa fille n'est plus à la maison ; si Mme Walworth se console[3],

3. De la mort de sa fille Frances, décédée le 19 février 1839 à Saratoga.

si sa santé est meilleure. Quand tu écris à ton père, tu parles d'affaires et c'est bien, mais destine une lettre pour moi et pour Lactance de temps en temps, où tu nous donneras plus de détails de nos parents au Canada et des amis aux États, surtout quand tu as des occasions. Dis-nous aussi si M. Neysmith est encore à New York. Si tu t'informes à lui ou à la maison Hoguet, tu auras souvent quelqu'un qui s'embarquera dans les bateaux à vapeur.

Nous recevons le journal de Duvernay que tu nous envoies : il est bien peu intéressant, je ne sais s'il se soutiendra.

Envoie-moi l'adresse de Théophile et fais-lui mes amitiés. Je lui écrirai aussitôt que j'aurai une occasion.

Tu verras par les journaux que le ministère a donné sa démission parce qu'ils ont eu le dessous dans la Chambre[4] au sujet de la dotation. On ne sait comment le roi va s'en tirer : il aura de la peine à en former un autre ; il est bien mécontent, comme il y a un grand parti mécontent de [ ]. Mais, malgré cela, je n'espère pas grand-chose.

En Angleterre, c'est de même : il y a un grand mécontentement et puis, malgré que tous les gouvernements sont menacés, ils durent encore trop longtemps pour le malheur des peuples. Et votre État du Maine ? On a encore de vagues espérances que cela deviendra sérieux, mais cela pourra bien encore se retarder longtemps. Enfin, on est condamné à souffrir, sans espoir d'en voir terminer la lutte que dans un avenir incertain : il n'y a pas un état plus pénible.

Lactance te charge de demander à Louis s'il a pu se procurer, comme il l'avait promis, des papiers et renseignements sur Hindenlang, et puis pour lui procurer son extrait de baptême. Nous attendons ses secours avant de louer un autre logement. Nous avons remis le nôtre et puis nous en cherchons un à bon marché, avec un petit jardin pour les enfants.

Adieu, mon cher, continue à te bien conduire, et avec courage, pour supporter nos communs malheurs. On t'embrasse de tout cœur. Amitiés à Mme Nash et à sa sœur.

Ta mère affectionnée,

Julie Bruneau Papineau

4. Avoir le dessous : être défait.

M. Amédée Papineau
Sources Saratoga, N.Y.
Soins obligeants de monsieur Forsans

Paris, 9 avril 1840

Mon cher Amédée,

Je ne sais comment il se fait que nous ayons si rarement des lettres de toi, au moins, puisque nous ne pouvons en avoir du Canada. Les tiennes ne peuvent manquer de nous parvenir, si tu les écrivais. Comme les packets ont été irréguliers et les Bossange longs, nous patientons en attendant le *Great Western* et le voilà de retour, et pas un mot de toi. Tu as reçu assurément celle que nous t'écrivions par lui. L'ami qui les a emportées est revenu par le même voyage et dit qu'il a mis ce paquet à la poste en arrivant à New York.

Nous espérons que tu auras mis de la prudence à envoyer nos lettres au Canada : puisqu'elles ne passent pas par la poste, tu dois chercher des occasions sûres. Et puis, si elles sont parvenues, je suppose que le temps a été trop court pour qu'ils aient pu nous répondre à temps pour le départ du *Great Western*. Mais il n'en a pas été ainsi pour toi : tu aurais dû répondre sans faute et adresser tes lettres sous enveloppe à New York, à M. Hoguet ou au jeune M. Bossange, car tu sais que, quand on écrit par cette voie, il faut les affranchir. Je t'avais recommandé de ne pas manquer cette voie, car alors on est certain à peu près du temps que l'on reçoit des nouvelles ; nous sommes désolés de n'avoir pas eu plus de nouvelles de l'hiver ; l'on ne sait à quoi attribuer un si grand abandon de la part de nos parents.

Cet argent que tu nous mentionnes, qui devait être envoyé par M. Louis Viger, n'arrive pas : c'est inconcevable. Ton papa est tout à fait affligé de cela. Nous sommes à bout de moyens. Pour cette fois, nous écrivons encore, et assurément que celles-ci parviendront, car nous les envoyons par M. Masson, notre ami et le tien, le jeune Wolfred. Il y en a une de ton père pour pépé, pour Louis Viger et pour toi. Et moi, j'écris à mémé, mon frère Bruneau, Mme Bruneau, veuve de ce cher Philippe, mon oncle Joseph, au vieux major et à Mme Masson. Tu vois que je suis diligente, et puis aujourd'hui je trouve une autre occasion qui va à Londres pour prendre passage aussi, dans le même bateau que M. Masson. C'est un jeune monsieur Forsans, qui est de Bordeaux et qui commerce au Canada. Il est arrivé l'automne dernier et il nous avait apporté des lettres ; et il a eu encore la complaisance de venir nous offrir ses services pour le Canada. Il est venu nous trouver ici, quoiqu'il [n'y] soit que pour peu de temps ; je dis « ici », car nous sommes rendus dans notre nouveau logis, depuis le départ de M. Masson, en sorte que ce monsieur a visité le logis afin de t'en donner la description. Il dit qu'il passera par Saratoga.

C'est un grand avantage que nous ayons pu trouver ce logement. J'espère que cela va distraire un peu ton père. Et les enfants sont tout à fait heureux et contents. Nous sommes au bout du faubourg Saint-Honoré et, derrière cette rue, il y a la rue Courcelles, numéro 10 bis. L'on entre dans un grand terrain bien ombragé et, au bout d'une assez longue avenue, notre petite maison est située sur une élévation d'où l'on découvre une grande partie de Paris, mais je pense que, quand les arbres seront ornés de leurs feuilles et fleurs, l'on ne verra plus la ville. Il y a beaucoup de lilas - tu sais comme j'aime ces fleurs - et puis, derrière la maison, un joli jardin. Le terrain peut avoir un arpent et demi d'étendue et puis les maisons qui nous avoisinent ont toutes de grands jardins. Tu vois que nous sommes ainsi situés à la campagne au milieu de Paris. Nos amis sont tous étonnés que nous ayons pu découvrir ce loyer. Le monsieur qui l'habitait depuis quatre ans, voulant s'en aller à Versailles, nous a cédé la fin de son bail. Il n'y a plus que neuf mois et il a fait le sacrifice de trois mois, qu'il a payés d'avance, en sorte que nous ne payerons que six mois pour neuf. Je ne sais si, après, nous aurons la chance et les moyens de le garder : c'est loué à raison de 1500 francs par an, mais nous ne payerons que 750 pour neuf mois. Et notre autre loyer, si petit, sans cour ni grenier, nous le payions 1100 francs par an. Nous n'y sommes restés que six mois. Tu vois comme celui-ci est bien meilleur marché, vu l'immense différence de la beauté et du profit que va nous donner le jardin ; et puis, de plus, nous sommes seuls. La maison a deux étages : trois pièces en bas et quatre chambres à coucher en haut. C'est suffisant. Nous sommes près d'une communauté de sœurs ; nous louons d'elles.

M. Chartier est arrivé ici, il y a trois semaines. Il est venu nous voir aussitôt et nous le voyons souvent. C'est vrai qu'il était induit en erreur, même au sujet de ton père, et il a dit franchement qu'il voulait s'enquérir, qu'il était peiné de tout cela. Il est homme à imagination ardente et facile à tromper, mais il est franc et honnête et aime son pays. Il dit qu'il ne croyait qu'en partie ce qu'on lui avait dit sur ton père, mais maintenant il est satisfait et doit écrire à ses amis. Tu penses, avec raison, que ton père ne lui a pas fait grand confiance, seulement relevé des absurdités. Il dit qu'ils allaient jusqu'à dire que ton père était méprisé ici, et il m'a dit qu'il voyait et entendait tout le contraire, depuis même le peu de temps qu'il était à Paris. Car, en effet, ton père est aimé, respecté et apprécié ici, plus même que dans son pays, car, ici, l'on est capable de le juger. Et, tous les jours, l'on voit des personnes distinguées qui cherchent à faire sa connaissance. La semaine dernière, il a dîné avec l'amiral Baudin[5] qui avait demandé à M. Ternaux[6]

5. Charles Baudin (1784-1854), vice-amiral plénipotentiaire de France qui avait participé à la conférence de Jalapa au Mexique (1839) et qui « avait recueilli les palmes de la victoire dans l'Amérique tropicale », ouvrira à Louis-Joseph Papineau les Archives de la Marine pour y faire des recherches.
6. Le général H. Ternaux-Compans, qui avait déjà fait un voyage au Bas-Canada et que Papineau avait connu, avait mis sa riche bibliothèque à sa disposition.

à le faire rencontrer avec lui. Si nous avions les moyens de nous habiller et de payer des voitures, nous pourrions aller en compagnie très souvent. Nous avons beaucoup d'amis tant français, anglais même et surtout américains. Ils nous sont tous très polis et nous invitent souvent, mais je sors rarement et je ne m'en soucie guère.

Lactance a une lieue à faire maintenant pour aller à son École de médecine ; il part le matin, suit deux cours et ne revient que le soir à cinq heures ; mais il dit qu'il préfère cela, qu'il passe par tous les beaux quartiers de la ville et que cet exercice lui fait du bien. Il voit souvent Peltier[7] et il a même étudié quelques fois chez lui parce que ce dernier avait des os qu'il avait achetés. Il ne le verra pas aussi souvent ici. Le jeune Lévesque[8] étudie bien et fort la médecine ; c'est un joli garçon, rempli de connaissances pour un jeune homme de son âge. Il vient nous voir souvent aussi. C'est toujours un grand plaisir pour nous de voir des compatriotes.

Donne nos nouvelles à nos amis américains et donne-m'en aussi d'eux. Salue les familles Walworth, Cowen, Porter, Dr O'Callaghan, ton oncle Théophile. On a écrit au docteur par Louis, et il ne nous a pas écrit. Et puis, qu'est devenu Neysmith ? Écris-nous-le. Dis-moi où est Mme Laforge. Leur as-tu écrit ? Écris-tu à ta mémé ? aux autres parents du Canada ? etc. L'on voudrait savoir un peu de tout et l'on ne sait rien. Tu ne réponds ni à Lactance ni à moi.

Les enfants t'embrassent de tout cœur, et nous aussi.

L'évêque de New York n'est pas encore de retour de Rome. M. Chartier cherche à obtenir de l'emploi, pour se soutenir pendant son séjour ici. Je ne sais s'il en obtiendra ; il a été bien reçu ici d'un curé qui s'occupe à le placer : il n'aura de réponse des grands vicaires que dans quelques jours.

Ton père a reçu une lettre de son ami, M. Nancrède, de Philadelphie : ils étaient bien portants.

L'affaire du Maine va lentement. Qu'en dis-tu ? Qu'en disent tes amis ?

J'irai ces jours-ci voir M. et Mme Hoguet. Ils doivent bientôt partir pour New York. Je t'écrirai encore par eux.

Amitiés à Mme Nash, j'espère que tu es dans ses bonnes grâces. Remercie-la, ainsi que sa bonne sœur, des soins qu'elles te donnent.

---

7. Hector Peltier, fils de Toussaint Peltier, avocat de Montréal, et d'Émilie Hérigault.

8. Louis-Guillaume Lévesque (1819-1856), condamné à mort puis banni, à la suite de l'insurrection de 1838, vécut à Paris jusqu'à l'amnistie, en changeant son nom en celui de « Ramsay d'Ailleboust ». Il est fils de Marc-Antoine-Louis Lévesque et de Charlotte-Mélanie Panet.

J'espère que tu continues ton école. Tu vas voir aussi de temps en temps Mme Loomis ? Êtes-vous bien arrangés dans votre église ? Tu as de quoi répondre à tout cela, si tu veux. Adieu, cher enfant.

Ta mère affectionnée,

Julie Bruneau Papineau

M. A. Montigny
At Mrs Nash
Washington Street
Saratoga Springs, State of New York, N.Y.
via London per *British Queen*

Paris, 26 juin 1840

Mon cher Amédée,

Je suis étonnée et chagrine de n'avoir eu de toi aucune réponse à nos lettres envoyées par M. Masson dans lesquelles je te recommandais de ne pas manquer d'écrire par les bateaux à vapeur, car alors on est certain d'avoir des nouvelles récentes au moins. Je pensais que tu nous écrirais par le *Great Western,* ne pouvant par celui-là en avoir du Canada. M. Masson ne serait pas arrivé assez à temps pour qu'ils pussent avoir le temps de répondre. Et, en effet, nous avons reçu une lettre de Louis Dessaulles, datée du 10 mai, dans laquelle il ne mentionne pas l'arrivée de M. Masson. Mais, ensuite, nous pensions en recevoir par le *British Queen.* Mais non, il n'y a que M. Donegani qui nous a écrit, qui dit que toute la famille était bien ; c'est toujours quelque chose de l'apprendre, mais c'est bien singulier qu'ils soient si négligents à nous écrire.

Le jeune Peltier a reçu une lettre, il y a déjà plusieurs jours, dans laquelle on lui mande que M. Denis Viger est sorti de prison sans caution. Est-ce le cas ou non ? Personne ne nous en informe de la famille. Et toi, je ne puis expliquer encore bien moins pourquoi tu as tant négligé de nous écrire, tout ce printemps, car toi, tu ne peux alléguer que tes lettres ne passent pas ; je te prie, encore une fois au moins, de ne pas manquer un seul packet à vapeur.

Nous avons reçu de l'argent depuis il y a un mois au moins et pas un mot de lettres avec. Ton père s'attendait de jour en jour à en recevoir. À la fin, il t'écrit par le *Great Western* qu'il a reçu cet argent et qu'il te charge de le faire dire au Canada. Et puis le jour qu'il a porté sa lettre, il était trop tard : elle n'a pu partir, elle est demeurée ici. C'est pourquoi je te charge de nouveau de le mander à la famille à Montréal et à Saint-Hyacinthe. Nous pensons bien que c'est M. Louis Viger qui l'a envoyé ; ils ont dû être un peu inquiets à leur tour. Au moins, ce n'est pas souvent que nous négligeons d'écrire et, cette fois même, c'est accidentel de s'être mépris du jour exact.

Nous en avons reçu une de notre bonne amie, Mme Porter, qui se plaint de ne pas avoir de nos nouvelles, et de toi qu'indirectement. J'en suis fâchée. Ne pouvant écrire l'anglais, cela est la cause que je ne puis communiquer directement avec elle : voilà pourquoi je t'avais dit de lui écrire de temps à autre et lui communiquer de nos nouvelles et, au lieu de cela, tu en attends du Canada par l'entremise de ses enfants. J'espère qu'à l'avenir tu feras mieux, mon cher. Tu lui dois cela sous tous les rapports. Tu le sais, des amis comme ceux-là sont trop rares dans le monde ; on doit bien prendre garde de les payer d'ingratitude. Dis-leur de ma part que je pense plus que jamais à eux et surtout à la mémoire de notre très cher ami, puisqu'il a fallu le perdre si tôt. Nous en parlons bien souvent et avec douleur.

Tu dois voir maintenant que tes calculs sur une prochaine guerre étaient faux ; tu apprendras peu à peu à ne fonder sur aucune apparence, aussi vite, des espérances flatteuses. Il faut connaître la mauvaise foi des gouvernements, et leur habileté à tenir les peuples en suspens, et les amuser par de vaines déclamations et promesses encore plus fausses, pour les soumettre et les faire supporter tout ce qu'on leur impose de tyrannie et de duperie. Les Anglais sont les plus habiles politiques de tous : ils trompent et dupent tour à tour et les Français et les Américains et ils éviteront la guerre encore.

Nous recevons les papiers que tu nous envoies. J'ai été longtemps malade du même mal de gorge que j'ai eu à Albany, mais je suis mieux. Nous nous plaisons toujours dans notre nouveau logis, et surtout les enfants. Ils élèvent des petits poulets et des lapins. Les petites vont à l'école l'après-midi, chez les sœurs. Ézilda y a repris sa musique et puis toutes les deux y apprennent à coudre ; et puis cela les retient de trop courir et de gambader. Ézilda a été confirmée la semaine dernière, avec les petites filles des sœurs avec qui elle a fait la retraite. Cela lui a bien fait, car elle avait fait sa première communion si jeune. Nous sommes heureux d'avoir ces dames pour voisines et puis nous avons aussi deux autres familles, qui occupent des pavillons dans les jardins voisins, qui nous ont fait visite à notre arrivée ici et qui nous sont tout à fait polies, nous invitent souvent : ce sont des familles anglaises. L'un est le général Baker, où j'ai rencontré, il y a quelques jours, cette lady Bulwer[9] dont nous avons lu le roman, l'an dernier, chez Mme Nash, et qui appartient à Mme Cowen. Tu diras à ces dames qu'elle m'a beaucoup plu, que je suis portée à la juger plus favorablement que je ne l'avais

9. Rosina Lytton Bulwer 1802-1882, baronne anglaise, qui écrivit plusieurs romans dont *Cheveley, or The man of honour,* Paris, Beaudry's European Library, 1839, 415 p.

fait après la lecture de son roman. Je regrette encore plus qu'elle l'ait écrit, depuis que je la connais, mais ici, en Europe, cela n'est pas du tout considéré comme en Amérique, et elle est plutôt approuvée que blâmée. Mais moi, je pense comme je pensais : qu'il eût mieux valu qu'elle ne l'eût pas écrit ; mais il est reconnu que c'est un méchant homme et dépravé en tout. Elle est très belle et bien aimable, gracieuse, remplie de dignité et en même [temps] d'aisance, de politesse recherchée, que l'on distingue souvent dans les personnes de haut rang, qui ont l'habitude de vivre dans les grands cercles. Et pourtant ses amies nous disent qu'ils ne la trouvent plus la même personne ; qu'elle est abattue et bien changée ; qu'elle était belle et brillante, pleine de gaieté et d'esprit ; qu'elle était l'admiration de la société partout où elle se trouvait. Elle est venue nous voir et nous a invités à souper chez elle. Elle part pour l'Italie.

Donne-nous des nouvelles de nos amis de ta congrégation, de ton école, enfin de tout ce qui peut nous intéresser. Sois surtout plus exact. Je ne puis expliquer comment tu as pu nous négliger ainsi. J'espère que tu seras plus exact à l'avenir.

M. Chartier est reparti hier, il s'embarque sur un vaisseau marchand pour New York et, de là, il va à sa mission de Vincennes[10]. Il était venu ici en partie pour savoir ce que faisait ton père, car il avait reçu de l'argent des Canadiens aux États pour cet effet. Mais le principal but de son voyage était de se faire rendre justice contre son évêque et, en cela, je crois qu'il n'avait pas réussi ; et enfin l'arrivée de la nouvelle de sa mort a mis fin à ses tentatives. Et il se décide à aller rejoindre son évêque de Vincennes qui lui a dit qu'à son retour d'Europe il l'emploierait. Il est bon chrétien et bon patriote ; il a fait une retraite ici et il est décidé à ne retourner en Canada que quand il y aura un changement.

Ton père écrit aujourd'hui à M. Donegani la triste nouvelle de la mort de son frère. Il est mort sans souffrance mais aussi sans aucune connaissance de sa situation[11].

M. Vital Têtu[12], marchand de Québec, est ici à Paris ; il va y passer quelques jours : il était porteur des pétitions contre l'Union. Il est revenu de Londres, persuadé de la mauvaise foi des Anglais à notre égard, et puisse-t-il en persuader ses amis de Québec ! Il dit que plusieurs membres de la Chambre des communes et même de la Chambre des lords pensent bien que cela ne peut concilier les choses et qu'ils ont voté, car ils ne savaient que faire, et qu'ils pensent bien que cela va amener plus vite la séparation et l'indépendance des Canadas. Il nous dit que nos habitants font beaucoup d'économies, qu'ils boivent moins de rhum, qu'ils font beaucoup d'étoffes de toile et qu'ils augmentent le nombre de leurs

10. Vincennes, en Indiana.
11. William Donegani est décédé dans un asile, près de Paris, à Vanves Hauts-de-Seine. Papineau lui fit élever un tombeau.
12. Vital Têtu, ancien député de Montmorency, près de Québec.

moutons, et que les marchands vendent une grande quantité d'étoffe du pays, que les ouvriers des villes s'en habillent et quelques messieurs. Tu peux croire que nous lui avons dit que cela était bien essentiel. Je n'étais pas encore parvenue à avoir des renseignements là-dessus.

Quant à l'amnistie et le rappel de nos pauvres exilés, il dit que cela va être laissé à la discrétion du gouverneur et nous pensons bien que le Stuart et les autres intrigueront pour l'empêcher, ou au moins pour faire des exceptions.

Toute la famille ici se porte bien et te font leurs amitiés et à tous nos amis. Dis à Mme Nash que Mme Dessaulles nous fait dire que sa demoiselle se fait aimer de tout le monde dans la maison et qu'elle est bien appliquée. Amitié à elle et à sa sœur.

Tout à toi pour la vie. Ta mère affectionnée,

Julie Bruneau Papineau

L.-J.-A. Papineau
Saratoga Springs, N.Y.

Paris, 28 février 1841

Mon cher fils,

Je ne saurais t'exprimer le vif plaisir avec lequel nous avons reçu et ouvert ta dernière lettre, attendue depuis longtemps, sachant qu'elle devait nous donner des nouvelles bonnes ou mauvaises au sujet de ton examen, auquel nous savions que tu te préparais. Nous étions souvent en esprit avec toi, cher enfant, et moi en particulier, je partageais bien tes craintes et te plaignais d'être si loin de nous, dans un moment où tu avais besoin de conseils et de bons amis. Mais toutes ces inquiétudes sont heureusement finies, et le contenu de ton intéressante lettre nous a rendus bien heureux. L'on ne pouvait s'attendre à un si beau et entier succès : tu as bien des raisons d'en être heureux et fier, nous le sommes bien aussi, mon cher, nous avons versé des larmes de joie et de tendresse, voyant que tu te conduis de manière à mériter de plus en plus notre affection. Et dans cette dernière circonstance, si importante pour toi et si intéressante pour tes bons parents, tu t'es conduit avec la prudence et l'intelligence d'un homme, tu as surpassé notre attente. Il faut que tu aies été bien diligent et studieux d'avoir pu te rendre digne d'être admis à la pratique de la loi, et de plus d'avoir continué ta classe de français. Tu reçois déjà la récompense de ta bonne conduite : ce doit être un encouragement à continuer à bien faire. C'est bien flatteur pour toi et pour nous de voir la sympathie et l'intérêt que l'on t'a portés, et les faveurs que tu as reçues. Nous en sommes bien reconnaissants à tous les bons amis qui ont eu la bienveillance de t'aider par leurs conseils et autres bons offices. Ne manque pas de [le] leur témoigner de notre part et de les en remercier.

Ton père doit écrire au chancelier et au juge Cowen, ces bons amis à qui nous avons tant d'obligations. C'est bien heureux que tu aies répondu à leur attente ; d'après l'intérêt qu'ils te portaient, tu aurais été bien chagrin de ne pas réussir, et pour plus d'un motif, comme tu le disais si bien, après tant de démarches privées et même publiques. Ton cas n'était pas un d'ordinaire ; aussi ton anxiété a été grande et ton contentement bien grand. Aussi nous le partageons bien sincèrement et faisons des voeux pour ton bonheur.

Parlons à présent de ton projet d'établissement. Tu verras, par une lettre que nous t'avons écrite il y a un mois, que nos vues étaient les mêmes que celles du chancelier et du juge Cowen : que tu devais faire en sorte de t'établir à New York. Et que nous étions tout à fait opposés à ton sujet d'aller à la Louisiane. Ainsi, nous attendons l'avis que tu nous donneras, un peu plus tôt ou un peu plus tard, là-dessus. Il vaut mieux attendre un peu à Saratoga ; tu pourras t'y employer en attendant que tu prennes des informations. J'approuve beaucoup le plan de t'associer : il ne peut y en avoir de meilleurs pour te former à la pratique et te faire connaître.

Mais je suis certaine que tu penses comme moi, qu'il va t'en coûter de laisser Saratoga, où tu as de bons amis et des pauvres compatriotes, à qui tu rendais de petits services et qui t'étaient attachés. Et la congrégation qui a aussi besoin de toi. Il n'y a point de catholiques influents là. La satisfaction que tu goûtais à remplir tes devoirs de bon chrétien envers ton créateur, dans le modeste temple que tu aidais à préparer, avec le digne pasteur, pour le saint sacrifice, était des moments de vrai bonheur, que je désire que tu te rappelles souvent, avec la persuasion que tu étais heureux alors ; et, tant que tu penseras et agiras ainsi, je te dis, mon cher, que tu seras aussi heureux que l'on peut l'être ici-bas. Crois-en l'expérience d'une mère pleine de tendresse pour toi et qui ne ressent que ton bonheur. La Providence te bénit et tes parents aussi : tes succès de ce jour sont déjà une récompense du peu de bien que tu as fait, et j'espère que tu emporteras l'estime des gens de bien et, si tu laisses ton paisible village pour aller séjourner dans cette bruyante capitale, que tu conserveras tes goûts purs et simples et qui ont fait ton bonheur jusqu'ici. Tu auras, là aussi, de bons amis. Mérite leur estime par ton application et ta vertu. L'évêque Hughes m'a fait bien des louanges de toi ; je suis certaine qu'il te verra avec plaisir. Nous en parlerons plus au long, si tu y vas résider.

Si tu écris à Mme Porter, dis-lui que j'ai eu de ses nouvelles par M. et Mme Corning qui sont venus à Paris, [n']y ont fait que passer trois ou quatre jours, et sont partis de suite pour l'Italie, promettant qu'à leur retour ils y resteraient trois semaines.

J'espère que tu as écrit au Canada. Je pense au plaisir qu'aura éprouvé ta bonne mémé en apprenant ces bonnes nouvelles de son cher Amédée.

Je pense bien que ces provocations entre les Anglais et les Américains n'auront pas plus de suite dans cette affaire que dans les autres. Il faut tout attendre du temps. Patience ! je désire retourner bientôt aux États-Unis, parce que je serai près de toi, près du Canada, que je pourrai y voir ou aller voir nos bons vieux parents. Mais je ne voudrais pas aller vivre au Canada avant son indépendance.

Nous recevons les *Canadiens*[13], nous y voyons de belles choses ! C'est pitoyable d'entendre et de voir leur ineptie. Ils n'ont pas un homme d'énergie. C'est une bien pénible perspective pour notre malheureux pays : s'il demeure longtemps sous le joug, ils seront tout à fait dégénérés. Ce sont de pénibles réflexions, mais qui sont vraies. Et où y a-t-il de l'énergie et de la vertu patriotique dans ce siècle ? Je ne la vois nulle part mise en pratique ; l'égoïsme est à l'ordre du jour. Il faut attendre voir où cela conduira ; en attendant, faisons notre devoir, résignons-nous. Nous n'avons pas de reproches à nous faire : nous souffrons pour une bonne cause et avec courage, encouragés par ton exemple.

Tes frères et sœurs voudraient t'écrire pour t'exprimer aussi leur joie, mais ils ne le feront que quand ils auront une occasion ; en attendant, ils t'embrassent de tout leur cœur, et la bonne Marguerite, qui dit que tu es le meilleur de la famille, elle est toujours bien sensible à ton souvenir.

J'écrirai au Canada par le prochain bateau à vapeur, à ce pauvre oncle Joseph, dont tu me parles peu dans ta relation au Canada, et au vieux major qui m'a écrit par M. Forsans.

Ton père se porte bien et a été bien satisfait de son cher fils, mais je ne sais s'il t'écrira par ce packet, car il n'a pas encore commencé celle du chancelier, ni du juge, qu'il avait dit qu'il écrivait au moment de contentement où il était en recevant la tienne. Mais sa répugnance à écrire des lettres vient arrêter ces bonnes résolutions.

Je finis ma lettre ce matin [1er mars] et je dis que ton père a enfin écrit à M. Walworth et à toi. J'en suis bien aise. Ma santé est meilleure, c'est-à-dire que je n'ai plus de maux de gorge, mais bien souvent des maux de tête. Les enfants sont tous bien portants et t'aiment tendrement. Ils disent : « Maintenant que notre cher petit Amédée est devenu un homme, et si important, il faut s'habituer à ne le plus appeler *Petit frère, Petit Médoche,* mais, disent-ils, n'importe le nom, sous tous, il a nos meilleures amitiés, c'est le meilleur de la famille, il faut l'aimer et l'imiter. »

---

13. Le journal *Le Canadien* de Québec.

Lactance voulait aussi t'écrire, mais je lui ai dit de ne le faire que pour le 10, par le *British Queen,* afin que tu reçoives encore des lettres sous peu ; c'est mieux que de les recevoir toutes ensemble, et ensuite d'être longtemps à s'en passer.

Fais bien des amitiés au Canada, aux États, à tous les parents et amis. Je t'embrasse et t'aime de tout mon cœur, mon cher ami et bon fils.

Ta mère affectionnée pour la vie,

Julie Bruneau Papineau

M. Amédée Papineau, avocat
New York

Paris, 1er juillet 1841

Cher fils,

J'ajoute quelques lignes à celles de ton père pour te dire que je prends part à tes tourments et inquiétudes bien vivement : si nos parents du Canada avaient des entrailles de mère, ils t'auraient épargné ces désagréments[14]. J'espère qu'ils auront enfin fait des efforts, en voyant que tu as enfin réussi à te fixer à New York. Ils ne peuvent plus retarder. Il faut te contenter de l'avantage que tu as pour le présent et espérer que tu réussiras à gagner bientôt de quoi subvenir à tes premiers besoins. Je n'ai pas de peine à croire ce que tu nous dis, que tu désires être indépendant, car il est bien pénible d'attendre des secours d'autrui. Mais, avec une profession et des goûts sages et modérés comme ceux que tu as, j'espère que tu seras bientôt en état de te passer des secours d'autrui. Néanmoins, n'aie pas trop d'inquiétude et, si tu ne gagnes pas assez, nous trouverons moyen de t'aider, si, comme je l'espère, tu continues à te bien conduire. Tes moeurs et surtout tes principes religieux me font espérer que tu seras aussi sage à New York qu'ailleurs. Défie-toi surtout de faire des connaissances de jeunes gens : tu auras assez d'amis respectables (à part de tes occupations) à visiter pour tes récréations.

Comme ton père te le recommande, vois l'évêque Hughes, je te conseille de le prendre pour ton directeur, je te charge de lui présenter mes respects et de lui demander sa protection, surtout ses bons avis pour ta conduite spirituelle.

Oui, je te le répète, cher enfant, je suis moins soucieuse de te voir réussir à gagner de l'argent que de te voir persévérer dans le bien ; mais, comme l'un

14. Amédée Papineau attendait de l'argent de Louis Viger, de Montréal, pour s'établir comme jeune avocat à New York.

n'empêche pas l'autre, je veux bien que tu essaies ton métier d'avocat, pourvu que tu y sois honnête homme. Défie-toi des Français, car à New York c'est souvent la lie du peuple qui y est et, comme tu es jeune et sans expérience, ils pourraient te faire travailler sans te payer. Et surtout ne fais pas d'avance de frais. Tu ne courras pas de risque de ce côté-là de sitôt, car tu ne seras pas assez en fonds de quelque temps.

Je t'écrirai plus au long quand je te saurai fixé. Amitiés à tous nos amis, en particulier à la famille Porter : je voudrais bien vivre près d'elle. Tu me diras qui va le remplacer à Saratoga comme syndic, etc. ; et chez Mlles Welland.

Nous attendons avec impatience ta prochaine lettre ; tu ne nous as écrit que rarement depuis l'hiver. J'espère qu'à New York tu nous écriras tous les quinze jours, au lieu de tous les mois. Écris plusieurs jours d'avance afin que ta lettre se trouve prête à chaque départ, comme tu vas être plus occupé, car tu sais qu'il n'y a que toi qui correspondes avec nous. Car, en Canada, c'est si rare que nous avons ce plaisir ! Mais ne leur en fais plus de reproches, car cela les fatigue sans les corriger. Laissons-les libres.

Ta tendre et chère mère,

Julie Bruneau Papineau

M. L.-J.-A. Papineau
Saratoga Springs
État de New York
Amérique

Paris, 13 juillet 1841

Mon cher Amédée,

Nous recevons à l'instant ta lettre qui nous afflige beaucoup ; depuis ta dernière, je n'ai cessé d'être inquiète et désolée, mais je conservais l'espérance que l'on t'aurait tiré d'embarras avant ce temps-ci. Tu peux facilement t'imaginer, si celle-ci me fait verser de larmes, cher enfant, tu as de grandes épreuves, et bien jeune ; ce qui me désole, c'est que je suis si éloignée de toi ! Prends courage : je sens bien que tu dois trouver cela bien sensible, car tu t'étais donné tant de peines pour te préparer à te faire recevoir. Tu es sage et ménager, et tu étais au moment de gagner ta vie avec un peu d'aide ; et cette aide, tu ne peux l'avoir !

Tu trouves cela bien dur, comme je le trouve dur aussi, avec des biens-fonds, de ne pouvoir trouver à emprunter une modique somme et puis, ensuite, de mettre en vente quelques terrains. Enfin, si tu avais l'espoir d'une réponse, je t'approuve d'aller en Canada. Il faut que tu aies choqué M. Viger. Je ne sais que penser.

Notre sort est de plus en plus précaire ; je regrette de plus en plus de m'être laissé gagner à venir ici, où nous vivons séparés de toi, où tout est cher. L'on se prive, l'on n'a que le plus strict nécessaire pour la vie ; il n'y a que notre loyer qui est peu cher. Mais nous avions considéré l'avantage qu'il y avait d'avoir ce grand terrain où les enfants jouent, prennent de l'exercice et y jouissent d'une bonne santé. Sans cela, ils ne sortiraient que rarement, car je ne sors presque pas. Ma santé est si mauvaise ! Et la pauvre Marguerite aussi est souvent malade et nous sommes assez occupées, quand nous pouvons travailler, que nous n'avons pas de loisirs pour promener les enfants. Et, ensuite, un plus grand avantage que je trouvais ici, c'était de pouvoir envoyer les petites à l'école chez ces dames religieuses, qui les enseignent pour le modique prix de cinq francs par mois, la musique même, qui se paye toujours à part et coûte très cher à Paris, en sorte qu'il m'était impossible de leur faire enseigner sans cet avantage, ni même de les envoyer à aucune autre école.

Mais, voyant que nous ne savons rien sur l'état de nos affaires, ton père est inquiet, agité. Il avait pris la détermination de changer de loyer cet automne ; c'était trop pénible de le laisser pendant l'été, après avoir travaillé à son jardin si fort. Il le fait seul, sans aide : il le regrettera autant que nous. Je crois que c'était bon à sa santé et cela lui donnait de la distraction, mais enfin il faut encore ce petit sacrifice. Nous étions à la recherche d'un logement dans le quartier. Si j'en trouve un à bon marché, j'espère que ces dames continueront à garder les petites, si nous sommes près, car elles ne prennent pas d'externes. Elles ne les ont prises que parce que nous étions sur leur établissement.

L'hiver a été si froid que cela a augmenté notre dépense ; aussi le bois est si cher ! Et, malgré cela, nous avons souffert du froid, car nous ne chauffions qu'un poêle. Nous avons acheté bien peu de hardes : je raccommode et nous usons ce que nous avions. Ainsi, nous ne voyons pas d'autres moyens d'économiser encore plus que sur le loyer.

Nous y étions décidés, et ta lettre que nous recevons aujourd'hui m'en démontre encore plus la nécessité. Nous serons obligés de nous loger à un quatrième et à l'étroit probablement. J'écrirai au juste quand cela sera déterminé. Je vais trouver le temps long et pénible d'ici que j'aie appris comment tu pourras te sortir d'embarras. Tout ce que nous avions de consolation ici était de recevoir de tes lettres, car aucun autre ne nous écrit, et puis tes deux dernières m'ont tant affligée ! Je supportais courageusement de te voir éloigné de moi parce que je savais que tu n'étais pas malheureux, et que tu avais l'espoir, sans lequel l'on ne peut exister ! Je ne pouvais prévoir que tu serais soumis à nouveau à de telles épreuves. Tu ne l'avais pas mérité. Et c'est ce qui me désole le plus. Et l'on aurait dû y avoir égard. Cela va bien plus t'affermir dans ton ferme propos de faire tout en ton pouvoir pour te mettre en état de gagner ta vie, car il n'y a ni parents ni amis qui viennent à votre secours quand on est dans l'indigence : nous en avons bien tristement fait l'expérience, mais je te le rappelle, nous avons bien empiré notre position par cette malheureuse séparation.

Si Mme Dessaulles ne vient pas, je ferai tout en mon pouvoir pour m'en retourner le plus tôt possible. S'il survenait une guerre, ce serait encore plus difficile de communiquer et de nous faire parvenir nos modiques revenus ; nous serions encore plus inquiets. Je le suis déjà plus que je ne puis le supporter.

Nous apprenons que M. Fabre ne viendra pas. Alors, si ta tante se décide à venir, il y a une autre bonne occasion, celle de M. Joly : il doit revenir à la fin d'août ou en septembre. Mais à quoi sert de s'en flatter ! il n'y a que ton père qui a l'air d'y compter : il sera bien chagriné si elle ne vient pas.

Les enfants sont bien, et Gustave a fait sa première communion et a été confirmé. Je crois te l'avoir écrit dans ma dernière, mais au cas, je te l'écris de nouveau.

Le pauvre Lactance étudie fort, il ne se donne pas un moment de récréation : sa santé en souffre, il n'est pas fort. Il aura des vacances en septembre. Il faudra le soigner un peu.

Après avoir eu un printemps précoce et chaud, nous avons eu tout le mois de juin froid et pluvieux. Et même temps aujourd'hui, 13 juillet.

La pauvre Marguerite est bien affligée de la mort de sa sœur, c'était sa sœur bien-aimée. Mais, en même temps, elle est bien indignée de la conduite de sa famille à l'égard de son butin et de ses meubles. Elle dit qu'elle ne peut croire qu'ils soient aussi simples que de dire de pareilles platitudes ; elle dit que le peu qu'elle a, c'est nous qui [le] lui avons donné et que ce serait ridicule que cela pût nous être quelque chose, que c'est bon et utile pour une pauvre fille comme elle, et qu'elle veut les garder jusqu'à son retour, qu'elle prie Mme Dessaulles d'en avoir soin jusqu'à nouvel ordre. Elle regrette de ne pouvoir écrire elle-même, mais elle pense que sa famille croira bien ce qu'elle fait dire et que je dois être censée son interprète s'il [y] avait des difficultés, ce dont elle ne peut se persuader, elle qui est si honnête ! Tu écriras cela à ta tante Dessaulles et ne manque pas de lui répondre ce qu'elle en mentionnera ; elle te fait ses amitiés et est toujours bien sensible que tu fasses mention d'elle dans toutes tes lettres.

Amitiés à nos amis des États-Unis, à Mme Nash surtout. Remercie-la des soins qu'elle t'a donnés. Elle doit être surprise que tu aies l'air d'un pauvre enfant abandonné. Qu'elle ne soit pas inquiète de sa dette.

Tu ne me dis pas pourquoi M. et Mme Laforge vont au Canada. Tu mentionnes que ta lettre doit venir par la voie Cunard et elle est venue par la voie du Havre. Nous la recevons à un mois de date.

Adieu, mon cher, du courage. Tu en as besoin.

Ta tendre mère,

J. B. Papineau

[De la main de Lactance] : Relativement au *Manuel de service militaire*, j'ai à te dire que papa s'est opposé à ce que je te l'envoie par M. Joly. J'espère le faire par [Adolphe] Pinsonnault, ecclésiastique, qui va partir d'ici prochainement pour le Canada. Rappelle-toi cependant ce que je t'en ai déjà écrit : ce n'est pas un ouvrage complet. Si tu voulais mieux, dis-le-moi. Papa va s'occuper d'un ouvrage français d'économie politique.

Papa et maman te recommandent surtout de ne pas te laisser gagner à rester au Canada (dans le cas où tu serais forcé d'y aller) pour aller mourir de faim à la Petite-Nation et perdre tout ton avenir ; dans le cas d'une guerre, te faire jeter en prison, être toujours dépendant de la famille et malheureux sous tous les rapports !

Tu ferais peut-être mieux de te confier pour une dernière fois à la générosité de quelques-uns de tes protecteurs étrangers (le juge M. Ellsworth) qu'à la capricieuse insensibilité de nos généreux parents et compatriotes. Au moins, quand les 40 piastres de ma tante Dessaulles te seront parvenues, tu n'auras plus à supporter les tourments de la délicatesse délaissée. Le jeune Bossange t'aurait prêté 750 $.

[Amédée Papineau
New York]

Paris, 27 octobre 1841

Mon cher fils,

Que je suis satisfaite que tu aies pu faire le voyage sur le sol natal ! J'étais loin de prévoir que tu le projetais et notre surprise aurait été plus grande en recevant le peu de lignes que tu nous a écrites, chez M. Donegani, si M. Fabre n'eût pas déjà écrit en septembre à M. Bossange : « M. Amédée Papineau est ici depuis quelque temps. » Nous n'avons pas ajouté foi à cela, mais nous avons dit : « Il faut que ce soit erreur de nom. » Nous pensions qu'il voulait dire Émery. Mais trois semaines après, le jeune Bonacina de Montréal est venu à Paris et a dit à Peltier que tu étais en Canada ; joint à cela que nous ne recevions pas de lettres, nous avons conclu que c'était probable. J'approuvai les motifs qui t'ont porté à ne pas nous en donner avis ; mais, ensuite, voyant que tu n'étais pas inquiété, tu aurais dû, ce me semble, nous écrire là, par chaque packet à vapeur, par la voie de M. Fabre ou autres.

Que tes lettres nous auraient été consolantes ! que de détails et de nouvelles à nous donner, dont tu ne pourras te ressouvenir aussi bien, pour nous en faire part ! Et l'ennui que nous éprouvons de n'en recevoir de personne autre ! Ici, l'on s'étonne toujours que l'on reçoive si peu ; c'est une situation bien pénible pour nous qu'une apparence d'oubli et d'indifférence, comme celle que l'on met à communiquer avec nous. C'est une erreur de croire que les moyens de correspondre soient difficiles. S'il y a eu des lettres d'interceptées, ce ne peut être qu'en Canada, et à présent il ne peut plus y avoir de cela. Tâche donc de nous écrire souvent ! Dans chacune de tes lettres, tu trouveras de nouveau quelque chose du Canada à nous communiquer : il est impossible que tu puisses nous dire la moindre partie de ce qui nous importe tant à savoir, dans une ou deux et même plusieurs lettres.

Ainsi, pour nous dédommager de l'ennui et la privation des jouissances que tu as éprouvées au sein de la patrie et des parents et amis, fais-nous part de ce que l'on y dit, l'on y pense, l'on y fait, qui est le plus ou moins patriote, le plus ou moins égoïste, et puis ensuite des détails sur tous les bons parents et amis, s'il y en a encore. J'en doute. Au moins, le nombre en est petit. Enfin, je n'ai pas besoin d'entrer dans plus de détails : tu sais et comprends tout ce que je voudrais savoir. Ainsi, écris à chaque packet, tant que tu auras quelque chose à nous raconter de ton voyage. Par ce moyen, nous pourrons te suivre, de la pensée au moins. Ainsi, j'attends à chaque packet. Ne me trompe pas ; tu ne saurais croire combien cela nous chagrine quand on est désappointé.

Quant à toi, tu seras longtemps à en recevoir, car nous n'avons pas écrit, dans l'attente d'en recevoir pour y répondre. Et puis nous n'avons pas les mêmes raisons d'écrire souvent, car l'on a peu à te dire, notre vie est si monotone et si peu intéressante que, s'il y avait quelque chose de nouveau ou d'intéressant, nous t'écririons plus souvent.

Je suis fâchée que tu n'aies pas dit à Mme Nash de t'envoyer tes lettres en Canada. Il aurait été bon que tu eusses reçu celle que ton père t'écrivait et moi, celle que j'écrivais à ma chère maman. J'espère au moins que tu m'auras apporté des lettres ; j'espère aussi que tu auras eu la politesse d'aller rendre visite à M. Fabre et Louis Perrault, en premier lieu parce qu'ils sont de bons patriotes, et puis, de plus, par égard à M. Bossange. Il a été bien mécontent contre Louis Dessaulles qui n'a pas daigné aller lui donner des nouvelles de lui et de sa famille, à son retour au Canada. M. Fabre ne manque jamais, dans ses lettres, de mentionner des nouvelles de la famille, quand il en sait, surtout de ton pépé. Quand il est à Montréal, il n'y a que par lui que nous en savons de là ; et de M. Donegani, quand il écrit au sujet de ses affaires. Réponds-moi à cela, donne-moi aussi des nouvelles un peu en détail de la famille de M. Roy, afin que je puisse en écrire à Mme Rankin[15], qui se plaint aussi qu'on l'a négligée.

Le jeune Lévesque aussi, un compatriote qui a tant souffert, et qui se comporte bien ici, ne reçoit aucune lettre de sa famille : il trouve cela bien dur. Nous ne savons à quoi attribuer une telle indifférence, c'est peu consolant.

J'avais oublié de t'écrire de continuer à te tenir les cheveux courts, la barbe bien faite. Si tu les as laissés longs et que tu aies été ainsi au Canada, tes parents t'auront trouvé fort original, et surtout mémé, qui désire tant que son Amédée soit presque parfait. T'a-t-elle trouvé plus grand qu'elle n'imaginait ? enfin, en un mot, joli garçon ? comme elle avait prédit que tu le deviendrais en grandissant, mais par-dessus tout, bon sujet qui puisse la consoler des inquiétudes que tu lui as causées. Réponds-moi à tout cela. Des détails sur la pauvre Mme Philippe et ses enfants, oncle Joseph, tes cousines Elmire, Cordélie. Si je trouve une occasion, je leur écrirai ; si les autres m'écrivent, je leur répondrai.

Je ne pourrai t'écrire au sujet de la politique ici, je n'ai pas de place. L'on est encore incertain s'il y aura guerre ou non. Aussitôt que les Chambres seront siégeant, on en saura plus et l'on t'écrira. Cela changera bien l'aspect des affaires, même aux États et au Canada, et partout, mais c'est bien incertain.

Pour le présent, tous les enfants sont bien et moi, chétive. L'ennui et l'inquiétude me fatiguent : j'ai toujours mes maux de tête, de gorge, je suis au régime, je suis maigre.

Marguerite te fait ses amitiés et est toujours bien sensible à ton bon souvenir. Elle dit que tu es le plus parfait de la famille, et Gustave comme de raison. Amitiés aux amis des États-Unis. Adieu, mon cher.

Ta tendre mère,

J. B. Papineau

15. Charlotte-Lucie Lusignan-Rankin, fille de Charles-Alexandre Lucignani dit Lusignan, chirurgien, et d'Euphrosine Boucher. Épouse du Dr George Campbell Rankin, chirurgien de Montréal (Montréal, Christ Church, 8 octobre 1825), Mme Rankin se liera d'amitié avec la famille Papineau à Paris.

L.-J.-A. Papineau, Esquire, Advocate
New York
Via Liverpool et le steamer *Acadia*

Paris, 23 rue Monceau, 16 novembre 1841

Mon cher fils,

Il y a longtemps que je ne t'ai écrit parce que ton père le fait pour nous et qu'il s'en acquitte mieux sous tous les rapports, mais je le fais de temps à autre, car je sais que cela te fait plaisir aussi de recevoir quelques lignes tracées d'une mère qui te chérit tendrement et regrette de plus en plus d'être forcée de rester séparée de toi aussi longtemps, dans des moments d'épreuves comme ceux que tu éprouves pour commencer à gagner les premiers besoins de la vie, même sans savoir si tu pourras parvenir à faire plus. Mais, prends courage, cher enfant, n'aie pas trop d'inquiétude, cela viendra, sois assuré que nous trouverons moyen de t'aider. Il le faut, car nous sommes persuadés que tu es sage, économe, que tu fais ton possible, mais il faut du temps et de la persévérance. Je ne crois pas que l'on gagne à essayer si tôt à changer ses plans ; et surtout quand on a une profession, il est plus honorable de la suivre. Je crains que, malgré ta philosophie, l'envie ou plutôt la maladie du pays commence à s'emparer de toi, et que les dollars te semblent plus nécessaires qu'ils ne te paraissaient dans ton modeste état de Saratoga ; mais un avocat de New York peut bien penser différemment, n'est-ce pas ? Oui, il en faut, mais il faut aussi ne se pas désespérer si tôt : c'est assez pénible pour toi d'être éloigné de nous sans avoir encore, de plus, autant d'inquiétude, comme tu en as.

Il n'y a rien de stable dans notre situation, nous avons peu de ressources pour le moment, mais ayant conservé nos propriétés, elles ne peuvent manquer d'augmenter de valeur. Si nous pouvons seulement vivre encore un petit nombre d'années de privations, j'espère que nous pourrons vous aider. J'ai tant de confiance dans la Providence, qui nous a tant protégés d'une manière si visible, dans le temps où les hommes nous ont persécutés d'une manière si atroce, que j'ai acquis de plus en plus la conviction qu'il n'y a pas d'autres de qui nous devons espérer protection, dans ce monde. Continue à la mériter par ta bonne conduite, et surtout en remplissant tes devoirs de bon catholique, [ce] qui t'a déjà rendu aussi fort et courageux au milieu de tes épreuves.

Tu ne m'as pas dit si tu avais pris Mgr Hughes pour ton directeur, ou si tu as préféré en prendre un plus près de ta résidence. Tu me diras aussi si tu as besoin de hardes, de linge : tu es obligé de te tenir plus proprement qu'à Saratoga, mais je crois que cela sera plus avantageux que tu écrives à ta tante Dessaulles pour du linge, si tu en as besoin, et même aussi pour du drap ; si tu as besoin d'habillements, tu n'aurais qu'à les faire faire. Je te mentionne cela, car je crois que tout est plus cher à New York. Tu me manderas ce que tu en penses.

Je suis satisfaite que tu sois où tu es. Que d'inquiétudes n'aurais-je pas eues, si tu étais allé à la Nouvelle-Orléans ! quand chaque gazette nous aurait apporté les rapports des ravages occasionnés par les fièvres. Ah ! cher enfant, sois assuré que je suis plus opposée que jamais à tous ces projets de tout sacrifier pour faire de l'argent. Nous ne sommes pas de ce siècle sous ce rapport : l'égoïsme et l'ambition l'emportent sur tout sentiment de parenté et d'amitié, mais nos cœurs et notre croyance ne peuvent se façonner à cette manière de voir les choses. Et nous n'en serons pas pis. Puissions-nous seulement nous réunir encore en famille, tu verras que nous aurons encore d'heureux jours sans grande fortune. Je la dédaigne quand je vois que, pour l'acquérir, il faut tout sacrifier.

Si tu savais combien l'on travaille, ici, dans toutes les conditions de la société, c'est étonnant, l'on ne peut s'en faire d'idée ; tu en as un petit exemple dans ce jeune Bossange : tu vois qu'aussi jeune il ne se permet pas seulement le plaisir d'aller visiter le Canada et sa famille. Mais à nous, cela paraît inconcevable. Eh bien ! il fera comme son père, qui est un mercenaire, qui ne se permet aucune récréation, qui vous voit, en passant, un ami qui échange quelques mots, et pendant ce temps l'on s'aperçoit que son esprit est ailleurs, occupé de spéculations. Et, dans toutes les professions, c'est ainsi : il est impossible de ne pas devenir égoïste. Quant à nous, gardons un milieu, soyons modérés dans nos désirs et nous serons plus heureux. La vie est trop courte pour la passer ainsi sans songer à l'autre, où il faudra rendre compte du bien que l'on aura fait et non des richesses que l'on aura acquises. Ainsi, faisons du bien à nos semblables, et que l'égoïsme ne soit, pas plus que par le passé, notre partage. Voilà un long sermon, mais avoue que tu es bien heureux de n'en pas recevoir souvent, et qu'en conséquence il faudra le recevoir de bonne grâce.

Tes lettres sont toujours bien intéressantes, et c'est avec le plus grand empressement que nous les attendons, d'autant plus que ce sont les seules que nous recevons. Tu as vu combien de lettres nous avons écrites par monseigneur, et à chaque occasion nous en faisons autant ; et presque toutes demeurent sans réponse. Mais je te prie de ne plus leur en faire de reproches : c'est les fatiguer sans les corriger. Ainsi, je suis résolue de n'écrire qu'à ma chère maman et à toi ; et puis les autres qui m'écrivent, je ne manquerai pas de leur répondre, mais je crains bien de n'être pas à la peine.

La pauvre Marguerite est bien affligée depuis la mort de sa sœur, et trouve bien dur de n'avoir aucune nouvelle depuis, de son beau-frère, de l'enfant, de ses effets.

Tu t'affliges, et nous aussi, de notre détermination de demeurer ici encore deux ans, mais aussi nous disons cela parce que nous espérons toujours ta tante au printemps. Si elle ne vient pas, nous abrégerons probablement le temps de notre départ. Mais cela ne sera pas avec le projet de retourner au Canada. Nous sommes tous bien éloignés de vouloir y retourner dans l'état d'asservissement où il est tombé. Je désire vivre et établir mes enfants aux États-Unis. J'aimerai à être près de notre malheureuse patrie, y pouvoir visiter nos bons parents et amis, dont le nombre diminue tous les jours. Les jeunes gens ne nous seront plus rien : eux aussi deviennent indifférents, ambitieux, aimant le luxe et, dès lors, adieu aux liens d'affection ! Il y a bien peu de personnes qui s'intéressent à nous. Pourquoi voudrais-tu y retourner ? L'on ne peut y faire aucun bien. Ainsi nous sommes libres. Devenons sujets libres. Achève tes deux années pour devenir sujet américain ; c'est le désir de ton père, ainsi que le mien, que tu continues à essayer ta profession à New York. Surtout cherche un associé.

Je finis, pour laisser ce petit espace à ton père. Lactance te remercie de ta bonne lettre et y répondra ; j'attends aussi la mienne. Que je m'afflige au sujet de cette pauvre Mme Laforge[16] ! Dis-lui mille choses de ma part et à la famille. Je désire tant être près d'elle ! Je pleure notre cher M. Porter, comme eux. Dis-[le-]leur de ma part, et donne-moi des nouvelles d'elle à chaque lettre.

Ta mère affectionnée,

Julie Bruneau Papineau

M. Amédée Papineau
New York

Paris, 21 mars 1842

Mon cher fils,

Je craignais ne pouvoir t'écrire par cette occasion quoiqu'il y ait longtemps que je ne l'aie fait, parce que j'ai eu peu de temps à moi et, à présent que les offices d'église, auxquels j'assiste fréquemment en Carême, absorbent le peu de loisir qui me reste. J'aime le temps de Carême ici : c'est à regret que je le vois terminer ; c'est une grande jouissance pour moi d'entendre ces éloquents et savants prédicateurs, entre autres, M. de Ravignan, M. Cocquereau du Guerry, etc. Tu ne me dis pas si vous avez de fameux prédicateurs à New York ; vous en aurez quand vous aurez une église française.

Ton père n'aura pas le temps de t'écrire, car il écrit à plusieurs personnes, mais Lactance le fait. Et puis, il ne faut pas tous le faire ensemble puisque tu vas avoir pour la première fois le plaisir de lire celle que t'adresseront les plus jeunes de la famille. Il y a longtemps qu'ils le désiraient et je leur répondais qu'il fallait

16. Le mariage d'Elizabeth T. Porter avec l'avocat Laforge se changera bientôt en divorce.

qu'ils le fissent d'eux-mêmes. Ils ont à la fin essayé et sont tout fiers et contents ; ils ont plus de peine à apprendre à écrire que d'autres enfants : c'est un défaut de famille, je crois. Il est vrai qu'ils ont été ici un an sans écrire ; les petites le font à l'école depuis dix-huit mois et Gustave ne le fait qu'à la maison, sans maître, et ce n'est pas aisé, mais tu verras, par sa lettre, qu'il profite de ses lectures. Son père et moi avons été surpris quand il nous a lu sa lettre.

J'envoie aussi une lettre de Marguerite pour son beau-frère. Envoie-la par une occasion sûre : elle voudrait bien qu'elle lui parvînt.

Je ne sais si tu écris quelquefois à ma chère maman ; fais-le, tu sais quel plaisir elle a à en recevoir de son Amédée !

Je partage bien ton ennui, mon cher, et je m'afflige avec toi du peu de succès que tu as jusqu'à maintenant obtenu dans ta profession, mais il faut encore tenter la chance, surtout de trouver un associé. Le chancelier t'en trouvera peut-être encore, sinon à New York, peut-être à Albany. Cela peut se trouver d'un moment à l'autre. Ton père t'a répondu au long à ce sujet ; je désire que cela puisse te tranquilliser. C'est pénible que tu sois ainsi indécis, mais j'espère que des jours plus heureux luiront pour toi. Courage et persévérance !

De tout cœur ta tendre mère,

J. B. Papineau

DEUX ANS DE SÉPARATION

M. Louis-Joseph Papineau
Paris
Politesse de M. Joly de Lotbinière[1]

Verchères, lundi, 8 août 1843

Cher ami,

Je t'ai écrit de Saratoga et puis de Saint-Hyacinthe. Je t'ai adressé quelques lignes, dans une lettre qu'Amédée t'écrivait. Je suis arrivée ici avant-hier et j'apprends en arrivant, par Gustave, qui vient de Montréal, que M. Joly part pour Paris jeudi prochain. Je ne voudrais pas manquer une aussi bonne occasion sans t'adresser quelques lignes. Amédée t'écrit de Montréal et je lui ai recommandé de te donner tous les renseignements possibles sur nos affaires, c'est-à-dire tout ce qu'il a pu en apprendre de Louis Viger et de son oncle Benjamin. Ce dernier lui a dit qu'il fallait qu'il fût à la Petite-Nation de temps à autre pour se mettre au fait des affaires.

Louis Viger est venu à Saint-Hyacinthe afin d'aviser avec ta sœur si elle devait laisser sa maison de suite, mais il n'insiste pas à la lui faire laisser sur les raisons qu'elle lui a données. Elle dit que ses provisions sont faites pour cette année et qu'elle ne pourrait rien vendre de tout ce qu'elle a, que tout se donnerait. Elle lui a montré ses comptes de dépenses et il les a trouvés modérés. Ainsi, il paraît qu'elle gardera encore sa maison pour l'hiver et alors je passerai mon temps en partie ici, et l'autre chez elle. Mais M. Viger dit qu'il ne veut pas que j'y sois sans

1. Les Papineau avaient fréquenté le seigneur Joly de Lotbinière à Paris. Gaspard-Pierre-Gustave Joly, marchand, époux de Julie-Christine Chartier de Lotbinière, avait quitté sa seigneurie au moment des insurrections de 1837-1838 et était revenu après l'accalmie.

payer une pension. Il m'a accueillie avec beaucoup de plaisir. Il a été bien gai, bien aimable et fait des caresses aux enfants. Il est toujours bel homme mais trop replet. Il doit partir pour Québec bientôt et ensuite pour les États-Unis, où il va conduire son neveu, le jeune Turgeon, au collège des Jésuites. Il dit que, si le Parlement ne s'assemble pas trop tôt après son arrivée, il reviendra à Maska.

J'ai vu une partie de ta famille là : Benjamin, Augustin (ce dernier est beaucoup mieux, ainsi que sa femme), Toussaint, qui est venu de Saint-Luc ; M. Denis Viger est aussi venu et puis Côme Cherrier devait venir me voir, mais je suis ici, je ne sais pas s'il y viendra.

Il y a un grand nombre de personnes qui me font dire qu'elles doivent venir me voir aussitôt mon arrivée à Verchères. Je suis arrivée à Saint-Denis le soir et n'en suis repartie que le lendemain après-midi. Ma tante Séraphin est bien changée, maigrie, vieillie : elle ne peut se consoler. Ma tante Lecavelier est bien faible et a beaucoup de peine à s'exprimer mais elle n'est pas aussi changée que je le présumais. Elle ne voit pas : ses yeux sont fixes. On m'a annoncée, elle a été contente de me revoir ; elle m'a serré la main tout le temps de ma visite ; elle m'a parlé sensément, m'a exprimé un grand désir de te revoir. J'ai aussi revu ma pauvre belle-sœur[2] : elle a du mieux mais je ne puis croire qu'elle puisse recouvrer. Elle terminera ses jours vers l'automne, je crains.

Je n'ai pas besoin de te dire que tous ces bons parents te désirent vivement, qu'ils s'informent en détail de toi et te font mille amitiés ainsi qu'à Lactance. J'ai retrouvé ma chère maman très bien, un peu vieillie, et [avec] plus de difficulté à marcher, le curé et mes sœurs. Bien que l'on me trouve amaigrie, les uns me disent vieillie ; d'autres, rajeunie ; et ici, l'on me trouve la même. Sous le rapport de ma santé, je suis mieux : je n'ai plus mes maux de tête. Il est vrai qu'il fait très chaud depuis quelques jours ; il a fait froid tout le mois de juin et une grande partie de juillet. Tout est en retard, mais les grains ont belle apparence. Si les gelées ne viennent pas trop à bonne heure, il y aura belle récolte, excepté le blé ; l'on en sème moins mais encore trop, puisque la mouche a encore fait son apparition où il y a du blé.

Le pays est pauvre. Tout le monde se plaint, il n'y a plus d'argent chez les paysans ; les gens de profession travaillent à crédit et les commerçants font banqueroute les uns après les autres !

Sous le rapport politique, c'est un moment où l'on ne sait qu'en dire : on est dans l'attente de la réunion de la législature à la fin de septembre. Le gouverneur est toujours demeuré à Kingston depuis son arrivée. Il n'a pas encore paru à Montréal.

Le bateau à vapeur vient ici de Montréal deux fois la semaine. C'est demain qu'il viendra. J'aurai peut-être d'autres nouvelles à te mander mais je ne le

2. Josèphe Bédard, épouse de Pierre Bruneau, marchand à Saint-Denis-sur-Richelieu.

pourrai, car il faut que ma lettre parte ce soir : M. Joly part jeudi et je n'aurai d'autre poste que vendredi, mais, s'il y a des nouvelles, ce monsieur pourra te les communiquer.

Gustave et les petites sont bien : ils voulaient t'écrire mais ils n'en ont pas le temps ; ils s'ennuient de toi et t'embrassent de tout cœur.

Je passerai quinze jours ici et puis je retournerai à Maska afin de préparer Gustave pour son entrée au collège. Je me trouve heureuse au sein de la famille mais ce n'est pas sans mélange. Ton absence met obstacle à l'expansion de la joie. Ma chère maman a beaucoup pleuré en partant de [ ].

Fais nos amitiés à tous nos amis si tu es à Paris. Je n'ai pas eu de lettres de toi ni de Lactance, depuis mon arrivée, mais, par une lettre écrite à M. Fabre, j'ai appris que tu étais parti de Paris, le 1er juillet, pour aller à la campagne. J'espère que Lactance m'écrira au moins. Marguerite a resté à Montréal depuis son arrivée et elle va venir ici ces jours-ci. J'apprends que le Dr Painchaud (ami de Lactance) est à Varennes, qu'il y fait bien. Il doit venir me voir à mon arrivée, a-t-il dit au curé.

Fais bien des amitiés à Mme Kock[3], dis-lui que la famille l'aime déjà, d'après le récit que nous faisons de ses bontés. Dis aussi, de ma part, à Mme Bossange, que je la remercie, ainsi que la famille, de toutes les bontés qu'elle a eues pour nous ainsi que M. Bossange, M. et Mme Guillemot[4], et d'autres, ces bonnes dames de Saint-Joseph.

Adieu, cher ami, nous t'embrassons ainsi que Lactance.

Ton épouse et amie,

Julie Bruneau Papineau

M. Amédée Papineau
Montréal

Verchères, 21 août 1843

Mon cher Amédée,

Je te trace ce peu de lignes par ce cher Onésime pour te dire que maman a été fort indisposée, mais elle est mieux depuis hier. S'il fait beau demain, je partirai[5] pour Saint-Denis et de là, à Saint-Hyacinthe.

---

3. Anne-Barbe Hessels, de Bâle, épouse de Conrad Kock qui avait été exécuté sous la Terreur.
4. Jeanne-Elvire Lacoste, parente âgée des Porter, épouse de Philippe-Eugène Guillemot.
5. Dans le manuscrit : « je *ne* partirai ».

Je suis attristée de n'avoir eu aucune lettre de France depuis mon arrivée ici. Si tu en reçois de Lactance, tu m'en feras part. Tu aurais dû écrire aussi par chaque steamboat pour nous tenir au courant de ce qui se passe à Montréal. Personne de la famille du docteur n'a écrit au curé, quoiqu'ils lui avaient dit qu'ils le feraient : c'est bien négligent.

J'espère que tu es rendu dans ta pension[6], que tu prendras la bonne habitude de te lever à bonne heure et trouveras le temps d'étudier et de remplir quelques devoirs sociaux que tu es appelé à remplir par rapport à ton nom, comme je te l'ai dit, et que tous les parents et amis disent comme moi.

Tu dois penser que j'ai de l'inquiétude et du souci et que cela me fait ennuyer : il n'y a que le plaisir de voir la famille qui me dédommage. Luce Cherrier, ma sœur, m'a dit que M. Viger avait vendu deux de nos terrains la semaine dernière ; elle n'a pu me dire à quel prix, je ne sais s'il t'en aura parlé.

Que dit-on de la prochaine session ? Sera-t-elle longue ? Y sera-t-il fait quelque chose ? Quant à moi, je n'en augure rien de bien efficace. Ils n'ont pas eu de réponse au sujet de l'amnistie[7] ; si c'était le cas, il en transpirerait quelque chose. Il faudra attendre encore longtemps si les événements en Europe ne les forcent à nous ménager.

Tu m'écriras maintenant à Saint-Hyacinthe. Fais mes amitiés à la famille, et puis je n'ai pas le temps d'écrire à Mme Bruneau mais je te prie de l'aller voir et de la remercier de ma part de m'avoir envoyé ce cher Onésime. Dis-lui que je le trouve aussi beau que je l'avais laissé et puis bien aimable : sa physionomie franche et ouverte me plaît beaucoup, et puis ses réponses sont celles d'un enfant sensé et spirituel. Je suis fâchée de ne le voir que si peu de temps.

J'espère que tu verras ces dames de temps en temps et mon cher oncle Joseph. Dis-lui qu'il m'écrive de temps en temps. Il me donnera des nouvelles de toute la famille et de tout ce qui se passe.

Toute la famille ici te fait des amitiés. Tu me diras si tu as reçu des nouvelles des États, à ton retour à Montréal[8]. Je n'ai eu aucune nouvelle des Porter ; je ne sais s'ils ont reçu ce que je leur ai envoyé.

Je termine, car j'ai mal à la tête et puis le petit va partir dans une heure. Ta mémé te fait ses compliments et le curé, et tes tantes. Elles disent toutes qu'elles t'ont trouvé bien plus joli garçon qu'il y a trois ans[9] ; c'est un cri unanime que tu étais affreux dans ton accoutrement. Ainsi, continue à te tailler les cheveux quand ils seront longs, et tu seras bien.

---

6. Après un séjour à la villa Rosa, chez les Donegani, Amédée Papineau entra en pension chez le Dr Gregory, n° 61, grande rue Saint-Laurent, une famille américaine.
7. L'amnistie que l'on doit accorder aux patriotes exilés, entre autres ceux qui sont encore en Australie.
8. Amédée s'en va pour quelque temps à la Petite-Nation.
9. Lors de son « pèlerinage en Canada », en 1840.

Adieu, mon cher, donne-moi de tes nouvelles et sois courageux comme par le passé au milieu de nos épreuves. Il n'y a que la Providence qui sait quand elles se termineront.

Ta mère,

Julie Bruneau Papineau

M. Amédée Papineau
Montréal

Montréal, 6 septembre 1843

Cher Amédée,

Je t'écris ce peu de lignes à la hâte pour te dire que, n'ayant reçu ta lettre qu'après plusieurs jours après son arrivée d'Europe, j'ai été bien affligée de ce retard, n'ayant eu aucune nouvelle de France depuis mon arrivée, et puis aussi cela m'a mise dans l'impossibilité de répondre par ce packet ; je ne sais si tu l'as fait, sinon ton père sera mécontent. C'est bien étonnant que ma lettre écrite à Saratoga, aussitôt après mon arrivée là, ne lui était pas parvenue le 1er d'août, elle aura été perdue.

J'ai ensuite écrit ici et puis à Verchères par M. Joly, il n'y a que ce dernier packet par lequel je n'ai pu le faire par ta faute. Je ne manquerai pas de le faire au prochain. Louis dit que c'est mieux d'envoyer par Québec. Tu demanderas à M. Fabre si c'est mieux et moins coûteux.

J'espère que tu es de retour de la Petite-Nation. Tu seras aussi étonné que moi d'apprendre le mariage de M. Viger. Tu vois qu'il était temps d'arriver au pays, car nos affaires seront encore plus négligées par lui à l'avenir que par le passé. Ainsi, tâche de t'y rendre un peu au fait, s'il est possible, avec des gens aussi peu communicatifs : il ne m'a rien envoyé, ni écrit un mot, et il part pour les États et puis, de là, il montera à Kingston pour le temps de la session. Mme Dessaulles lui a écrit de Saint-Denis de m'envoyer de l'argent pour la pension du collège quand j'aurai besoin. Je suppose qu'il aura laissé à M. Côme Cherrier le pouvoir de me procurer de l'argent ainsi qu'à toi. Je ne sais comment il a arrangé cela.

Il y a des gens ici qui font déjà revenir ton père sur ce dernier procédé des cours, mais je crois qu'il faudra autre chose pour le décider à revenir. Dis donc à M. Viger ou à Côme ou à M. Fabre qu'ils lui écrivent ce qu'ils pensent de cela, et puis s'il y a apparence qu'il y aura amnistie ou non. À présent que tu es ici dans le pays, si ces personnes-là ne lui écrivent pas, au moins prends des informations d'elles, et puis ensuite tiens ton père au courant de ce qui se passe surtout au moment que le Parlement s'ouvrira. Tiens un journal de ce qui se passera pour lui envoyer par chaque steamer. Réponds-moi par Louis et donne-moi toutes les nouvelles qui se débitent à Montréal et ailleurs.

Je m'ennuie de n'avoir pas eu de lettres de ton père ni de Lactance. Gustave va rentrer au collège demain soir. Il a été dissipé à l'excès toutes ses vacances. Je ne sais s'il fera mieux au collège : j'en doute fort. Il entre en syntaxe[10] d'après l'avis de M. Desaulniers et il dit qu'il sera toujours aisé de le faire monter une classe plus haute s'il est fort.

Fais mes amitiés à toute la famille. Les petites filles font bien leurs leçons ; je puis les conduire un peu, malgré les sujets de distractions qu'elles ont ici.

Adieu, écris-moi à chaque fois qu'il y a des occasions mais fais-le d'une manière lisible, car je n'ai pu déchiffrer toute la tienne et avec bien de la peine : il y a encore des mots que je ne puis lire. Tout à toi.

Ta mère affectionnée,

J. B. Papineau

M. Louis-Joseph Papineau
Aux soins obligeants de M. Bossange
11, Quai Voltaire
Paris, France

Saint-Hyacinthe, 16 septembre 1843

Mon cher ami,

Je suis étonnée et affligée d'apprendre par ta lettre à Amédée que tu n'avais pas reçu ma première, écrite à Saratoga aussitôt mon arrivée et envoyée à New York pour être remise à bord du *Great Western,* pensant que ce serait rendu trois jours plus tôt que par la voie d'Halifax, et puis j'ai aussi écrit par le packet suivant conjointement avec Amédée, ici à Maska, et depuis à Verchères par M. Joly : celle-là assurément te parviendra. Ainsi, j'étais sans reproches jusque-là mais le dernier packet, je l'ai manqué. Mais il n'y a pas de ma faute : je n'ai appris son arrivée que plusieurs jours après. M. Amédée, ayant reçu ta lettre au moment de son départ pour la Petite-Nation, l'a emportée là et ensuite m'en a envoyé des lambeaux d'extraits que j'ai eu peine à déchiffrer et il est la cause que je n'ai pu

10. Non pas en syntaxe, mais en versification. Voir plus loin.

te répondre par ce packet, à cause du délai : ce sont les seules lignes que j'ai eues de toi et pas du tout de Lactance pendant ton absence de Paris. Ainsi, je crois que je ne suis pas du tout en défaut mais bien vous, messieurs. J'espère qu'à l'avenir j'en recevrai plus souvent. Cela m'a fait ennuyer malgré l'amitié et la tendresse que nous témoignent tous nos bons parents, le plaisir si vif qu'ils ont tous éprouvé de nous revoir, et puis le beau temps que nous avons eu, fait que le séjour de la campagne est agréable ; jusqu'à présent, les nuits mêmes ont été chaudes, ce qui fait que ma santé s'est améliorée : je ne ressens plus de maux de tête. J'appréhende les mauvais temps mais, si je suis bien alors, je pourrai me flatter d'être guérie.

Le jardin de ta sœur est splendide : il est rempli des plus belles fleurs. Elle me dit souvent : « Hélas ! pourquoi mon cher frère n'est-il pas ici ? Lui et moi à jardiner, nous serions au milieu de nos jouissances. » Elle a bien du courage de parler ainsi, menacée comme elle est d'en être dépossédée. Je ne sais comment sont leurs affaires et elle ne le sait pas elle-même, c'est-à-dire qu'elle connaît qu'ils sont endettés follement par son fils, mais elle ne sait pas comment ils s'en retireront : il ne lui communique rien et il continue à faire ses affaires avec le misérable Debartzch. Il y va toutes les semaines et puis aussi à Montréal. Tout le monde le blâme et Debartzch a encore plus la censure de chercher à ruiner ce jeune homme, les D^lles^ l'ont aussi joué, elles ne s'en cachent pas. La seconde, Caroline, va épouser le jeune Monk que nous avons vu à Paris. L'hiver dernier, Louis Viger lui a dit vertement ce qu'il en pensait et puis, moi, j'ai dit à ta sœur ce que j'avais entendu dire et ce que j'en pensais. Elle m'a répondu qu'il n'en voulait rien croire et qu'il continuait à se confier à M. Debartzch. Je lui ai demandé si elle t'avait consulté sur ses affaires ; elle m'a dit que non. Elle veut le laisser faire et puis est résignée à tout ce qu'il en arrivera. Il n'y a pas de mère plus faible pour ses enfants. Casimir, son fils, n'ira plus à Québec, il est entré au collège de Saint-Hyacinthe avec Gustave, hier. C'est en versification qu'il commence et son maître dit que, s'il est fort, il pourra monter dans une plus haute classe, mais je crois qu'il aura assez de peine à se maintenir là : il n'a pas du tout étudié depuis son arrivée de Paris.

Si Amédée t'a écrit, il t'aura fait part du double mariage qui a eu lieu chez ton frère, Benjamin. C'est pour cela qu'il est allé là. C'est celui de son fils aîné avec Mlle Marchesseau et celui de Louise, sa troisième fille, avec M. St-Julien[11]. Mais moi, j'en ai un autre à t'annoncer qui te surprendra encore plus : celui de

11. Le 5 septembre 1843, à Montebello, on célèbre un double mariage, celui d'un fils et d'une fille de Denis-Benjamin Papineau et d'Angelle Cornud. Clémence Marchessault, née à Saint-Antoine-sur-Richelieu, épouse Joseph-Nicolas-Benjamin Papineau ; Édouard St-Julien, de l'Orignal, épouse Marie-Louise Papineau.

ton cousin Louis Viger avec la belle veuve de St-Ours de l'Assomption[12] : c'est un mariage qui a surpris tout le monde, quoique bien assorti. Ils partent aussitôt pour les États où il va conduire son neveu, le jeune Turgeon, à Georgetown et puis, de là, il se rendra à Kingston pour la session. Ensuite, il ira demeurer à l'Assomption : madame le préfère. Il l'a mise à son choix. Ainsi, tu vois que j'ai bien raison quand je dis que les vieux sont pires que les jeunes : il n'était pas pressé de se marier jeune, mais il a eu bien de la peine à demeurer veuf maintenant qu'il approche la soixantaine. Il est vrai qu'il aura de bonnes raisons à débiter qu'il fallait qu'il eût une femme pour le soigner de ses douleurs, de sa goutte, etc.

M. Denis Viger est venu me voir : je l'ai trouvé bien et puis aussi M. Côme Cherrier et sa dame. Lui est mieux, et elle, bien, très engraissée ; elle ne pouvait se lasser de dire combien j'étais changée, amaigrie, qu'il lui semblait que ma tête était transportée sur un autre corps ; qu'elle m'enviait d'être aussi leste et dégagée.

Je ne sais si quelqu'un de tes amis t'aura informé des procédés qui ont eu lieu pour anéantir ces infâmes accusations de l'ex-procureur général, Ogden. Cela a donné ici de la satisfaction. Tu verras les journaux. Les papiers anglais disent que puisque Papineau, O'Callaghan et Brown sont amnistiés, il y aurait cruauté de ne pas pardonner aux déportés et qu'il ne peut plus y avoir d'objection à une amnistie générale, etc. Il y a bien des gens qui te font revenir de suite, depuis ces nouvelles. Je ne sais ce que tu en penseras et puis ce que la Chambre va faire.

Le Dr Kimber qui a été en grand danger est beaucoup mieux : on le croit en voie de convalescence. Il est nommé au Conseil législatif avec M. Denis Viger et quelques autres. Ainsi, il va y avoir des élections à faire.

Je remets à demain, jour de poste, à finir ma lettre, espérant peut-être que le packet est arrivé. J'espère pour cette fois que j'aurai une lettre.

Je reprends ma lettre bien attristée : M. Morison arrive de Montréal. Il a vu M. Fabre qui lui a dit qu'il avait reçu les lettres ; qu'il n'y en avait pas pour moi ni pour Amédée malgré que le jeune Bossange soit arrivé par ce packet. C'était une raison de plus d'attendre des lettres. Si tu ne peux trouver un moment de loisir, tu devrais au moins me faire écrire par Lactance. Si ce n'est pas pour lui un plaisir, c'est au moins un devoir.

Ta tante Lecavelier[13] est décédée la semaine dernière. Ton frère Augustin et ta sœur et tante Benjamin sont allés au service ; et de Montréal, il n'y est venu

---

12. Le cousin de Papineau, Louis-Michel Viger, alors député de Nicolet, veuf depuis 1839 d'Hermine Turgeon, épouse en secondes noces Aurélie Faribault (l'Assomption, 10 septembre 1843), fille du notaire Joseph-Édouard Faribault et veuve de Charles-Auguste Deschaillons de St-Ours.

13. Le 31 août 1843, est décédée à Saint-Denis-sur-Richelieu, Marie-Anne Cherrier, veuve de Toussaint Lecavelier, âgée de 92 ans. Elle était la tante de Louis-Joseph Papineau.

que M. Denis Viger. Ma tante Séraphin est chétive, ma belle-sœur, Mme Bruneau, de même : c'est étonnant qu'elle existe encore. Augustin et sa femme et ta sœur sont mieux cette année et tous ces bons parents te désirent et te font mille amitiés. Les enfants et moi faisons dire à nos amis que nous pensons à eux. Les petites te prient de voir ces bonnes dames de Saint-Joseph et de les remercier de nouveau pour toutes les bontés qu'elles ont eues pour elles. Gustave dit qu'il va écrire à son ami Georges [Perrault]. Dis à Mme Bossange que je te charge d'être mon interprète auprès d'elle ainsi que Lactance.

Je ne comprends pas ce que tu dis au sujet de ton ménage. Est-ce aussi ce que Mme Kock devait prendre, qu'il a fallu donner au-dessous de sa valeur ? Quant au reste, je m'y attendais bien.

Tout à toi pour la vie, ton épouse et amie,

J. B. Papineau

Marguerite est ici ; elle est bien.

M. Amédée Papineau
Montréal

Saint-Hyacinthe, dimanche, 17 septembre 1843

Mon cher Amédée,

Je suis aussi étonnée qu'affligée du contenu de ta dernière lettre ; je suis restée stupéfaite, saisie, je ne pouvais en croire mes yeux ne voulant pas le communiquer à Mme Dessaulles. Elle a bien assez de ses chagrins ; j'ai fait bonne contenance jusqu'au moment de mon coucher, mais il m'a été impossible de dormir ni de chasser loin de moi ces étranges procédés de la part de M. Louis Viger et si peu mérités de ma part et encore moins de la tienne. Je me suis sentie tout à coup malade ; un tremblement universel s'est emparé de moi ; j'ai cru que j'allais avoir une attaque de nerfs ; je n'ai jamais éprouvé un mal semblable ; j'ai eu peine à me traîner jusqu'à la chambre de Marguerite pour l'éveiller et elle m'a frotté les membres, m'a fait prendre de l'éther et il n'y a que vers le jour que je me suis sentie un peu mieux. J'ai toujours été malade depuis, au point que mon oncle m'a trouvée changée. Aujourd'hui, il fait chaud, je suis mieux et je fais tous mes efforts pour surmonter cette peine. Je ne sais qui a pu inventer et débiter de pareils propos sur moi, moi qui prends tant de précautions de ne pas parler de politique et je suis certaine que je n'ai pas prononcé le nom en question depuis mon arrivée et bien moins, à plus fortes raisons, ces folles et inconséquentes paroles pour ne pas dire impertinentes, de parvenus. C'est une injure envers moi bien manifeste, tout à fait contre mes principes, et contre toute notre famille. Il faut me croire une folle et une étourdie. Y a-t-il des nobles dans la famille de ton père ou de la mienne plus que dans celle de ces individus en question ? N'est-ce pas leur mérite ou leurs talents qui les ont élevés dans l'esprit de leurs compatriotes ? Et puis, c'est ce que j'ai toujours prisé de tout temps. N'y aurait-il pas bêtise et contradiction ridicule de dire de pareilles choses ? Il faut que ces personnes qui me font tenir de pareils propos soient bien méchantes et bien inconséquentes. Je ne vois rien qui ait pu les avoir provoqués. Tu ne me donnes pas assez de détails là-dessus. Est-ce qu'il a pu te citer quelqu'un ? Il n'y a que M. Fabre qui m'en a parlé, et encore c'est en Europe. Je sais ce que ce monsieur m'en a dit mais je ne puis croire qu'il m'ait faire dire de pareilles choses. Parle-lui de ma part et prie-le de se tenir sur ses gardes, comme un bon ami de ton père, qu'il y a tant de précautions à prendre, que l'on dénature tout ce que l'on peut dire et que je suis bien triste de ce qui s'est passé et encore plus pour toi, cher enfant. J'aurais préféré qu'il m'écrivît cela : j'aurais pu lui répondre aisément. Je te le répète : je suis innocente de tout ce dont on m'accuse et M. Viger n'a aucun droit de me traiter avec autant de mépris. Ma conduite passée devait être un garant de ma conduite présente ; je n'ai jamais passé pour une folle et une inconséquente, et ce n'est pas après avoir vieilli dans le malheur et les privations en tous genres, et l'expérience que j'ai acquise, que je ferais de pareilles folies. Je prends toutes les précautions, je me prive d'aller à Montréal, je vois le moins de monde que possible et, malgré cela, je suis calomniée. Tout ce que je puis faire, c'est que je veux que M. Viger sache que je ne suis pas ce qu'il pense. Je ne te dis pas de lui écrire toi-même, mais je veux que M. Cherrier lui écrive. Dis-lui cela de ma part ; si tu ne le fais pas, je le ferai, moi. Je trouve qu'il a été injuste envers moi et cruel envers toi, c'est ainsi que je le ressens et une mère ne peut l'envisager autrement : tu ne mérites pas cela. Si tu as resté aux États-Unis, c'est par l'ordre exprès de ton père, si tu en es revenu, c'est contre son avis et un peu contre le mien aussi : je savais que, par rapport à toi, tu n'aurais aucune protection, que tu serais exposé à des désagréments. Mais enfin, mon cher, prends courage, tu es nécessaire ici par rapport aux affaires de ton père. Ce que nous prévoyions est arrivé : que M. Viger ne pourrait peut-être pas gérer longtemps les affaires de ton père, et c'est en effet le cas au moment même de notre arrivée. Quant à mon arrivée dans le pays, il devrait respecter mes motifs et ne pas m'en faire de reproches : c'est assez de sacrifices que j'ai faits pour y venir, et d'ennuis et d'inquiétudes que j'ai sous plusieurs rapports, sans venir m'abreuver de nouveaux chagrins et mépris. Je ne serai tranquillisée un peu [que] quand je saurai qu'il sera informé de ce que je te dis, mais jamais je n'oublierai qu'il a pu me croire une femme aussi inconséquente ; c'est bien peu généreux de sa part, lui qui est heureux de traiter ainsi des malheureux ; il doit savoir que tu n'as pas eu une jeunesse heureuse et que la perspective qu'il te fait entrevoir est bien désolante et que c'était bien mal à propos de te donner tous ces chagrins. Ta bonne conduite depuis nos malheurs devait lui être une garantie que tu ne ferais pas de folies et puis, si nos affaires sont mauvaises, ce n'est ni de ma faute ni de la tienne ; je ne sais ce qu'il a pu te dire de plus ; tu me laisses plus à penser que je ne puis ; je ne sais ce que tu veux me dire mais tu sais que je mets ma confiance dans la Providence qui ne nous a pas abandonnés pendant que les hommes nous ont persécutés. Et, ainsi, j'arriverai à la fin de ma vie dans cet abandon à l'espérance d'une meilleure vie.

Quant à toi, tu connais ton sort maintenant : étudie tranquillement, ne demande plus rien à personne jusqu'à nouvel ordre ; mets-toi au fait des affaires de ton père quand il lui plaira de te les remettre. Tu n'as pas besoin de me recommander de ménager : j'y suis bien habituée et ne sois pas non plus inquiet de ta sœur, elle est mieux avec sa mère qu'avec aucune autre personne ; elle est heureuse et ne voudrait pas se séparer de moi. Elle est sans prétention et n'est pas mortifiée. Je reste ici et je payerai pension et, quand j'irai à Verchères, je payerai aussi : c'est arrangé avec M. Viger. Ne sois pas inquiet de cela et prends courage. Je suis plus chagrine de tout cela par rapport à toi qu'à moi. Réponds-moi par Cadoret[14]. Adieu je t'embrasse.

Ta mère tendre,

J. B. Papineau

Saint-Hyacinthe, 23 septembre 1843

Mon cher fils,

J'ai reçu ta lettre envoyée par M. Cadoret. Je suis satisfaite d'apprendre que tu as eu une autre conversation avec M. Viger qui t'a un peu consolé de celle de la veille, mais je suis bien surprise qu'un homme puisse se servir de semblables expressions envers des parents. Il devait savoir qu'elles nous feraient beaucoup de peine ; tu as beau dire qu'elles ne t'ont pas fait autant de peine qu'à moi, tu veux bien me le dire pour me consoler, car j'ai relu ta lettre et j'y vois bien que tu étais bien affecté et tu devais l'être. Toujours est-il que ta dernière me fait voir que tu n'es pas demeuré longtemps sous ces pénibles réflexions et je m'en

14. François Cadoret, marchand à Saint-Hyacinthe, époux de Marie-Louise Plamondon (Saint-Hyacinthe, 25 juin 1839), fille de Michel Plamondon et de Marguerite Jeannotte.

réjouis, car, je te le répète, j'étais plus sensible à ces duretés pour l'amour de toi que pour moi-même. Quant à moi, je n'oublierai pas de longtemps le chagrin que cela m'a occasionné et je serai plus gênée que par le passé avec ce monsieur. Je ne veux lui rien demander. Je serai bien aise qu'il te remette nos affaires : tu pourras bien les conduire.

Je t'écris celle-ci pour te dire que je n'écrirai pas à ton père par ce packet : je l'ai fait par le dernier et puis, puisqu'il faut que tu lui parles d'affaires, je lui écrirai par le suivant.

Tu me demandes mon opinion au sujet de son retour : c'est une chose si délicate pour nous, je ne veux pas m'exposer à avoir des reproches de lui par la suite, je le laisse libre de faire ce qu'il voudra. Je ne veux pas répondre des conséquences, il me semble que tu dois te borner à lui rendre compte de tout ce que l'on dit et de tout ce que l'on fait à cet égard. Dis-lui ce que tu m'écris : que M. Viger diffère d'opinion avec ses amis. Et puis, ensuite, je crois que tu devrais écrire à ton père qu'il demande à M. Viger pourquoi il diffère d'avis avec la plupart de ses amis, et puis encore - ce que je trouve singulier - pourquoi ces messieurs qui désirent tant ton père ne lui écrivent-ils pas eux-mêmes ? Je crois qu'il y a quelque machination là-dessous. Ainsi, il faut tout attendre du temps, c'est bien que tu écrives à ton père tout ce que tu sais, tout ce que l'on dit, et puis, quand le Parlement siégera, s'il fait quelque chose de satisfaisant, les amis de ton père doivent lui écrire ce qu'ils en pensent. Ce n'est pas ce que tu lui écriras qui le décidera à prendre aucun parti décisif, ni moi non plus, et je suis, de plus, décidée à le laisser libre là-dessus.

Je suis bien aise que tu sois satisfait de ta correspondance des États-Unis : cela contribuera à te tenir en bonne humeur et, par conséquent, ce sera un chagrin de moins, qui n'est pas le moindre dans un jeune homme. Je te souhaite du succès pour l'avenir. Tu ne doutes pas que j'y prendrai une bonne part : cela ne peut être indifférent au cœur d'une mère.

Je suis bien aise que tu aies eu le plaisir de voir le chancelier et sa dame, je ne doute nullement que tu auras fait tout ce que tu devais pour les amuser ; les auras-tu conduits dans la famille Donegani ? Tu m'en écriras par le porteur de celle-ci, M. Buckley. Je suis fâchée de ne pouvoir avoir le plaisir de les voir[15].

Parlons maintenant de Gustave. Tu écriras à son père que j'ai parlé au directeur et à son maître et ils m'ont dit que, s'il montait en belles-lettres, il serait faible, qu'ils étaient d'avis de le laisser en versification, qu'il était peu habitué à faire des thèmes et puis les grammaires grecque et anglaise qu'il lui fallait commencer, c'était bien assez et puis Gustave, lui, allègue pour principale raison, c'est qu'ils ont un excellent maître sous tous les rapports. Ainsi, il est décidé à peu près qu'il restera dans cette classe. Néanmoins, quand M. Raymond viendra, nous le

15. Le chancelier Walworth et sa dame, de Saratoga, arrivèrent à Montréal, venant de Niagara, accompagnant des nouveaux mariés. Ils ne passèrent que deux jours à Montréal.

consulterons. De plus, tu sais que ce n'est pas de ma faute s'il n'a pas fait plus à Paris. Ainsi, il n'est plus temps d'exiger que l'enfant fasse plus. Si ton père avait voulu, il aurait pu entrer en belles-lettres et y être fort. À présent, il ne peut exiger plus ; ses maîtres sont très contents de lui ; il a fait un devoir d'amplification[16] qui lui a mérité des éloges, il est le septième de sa classe pour la première semaine. Ils sont 24 et de bien bons écoliers. Casimir Dessaulles est de la même classe et fait bien : ils sont second et troisième pour l'amplification. Les petites font bien leurs écoles ici ; elles font des progrès dans leur musique. Rosalie les enseigne bien.

La famille ici est bien. Écris tout cela à ton père, je ne sais si je recevrai une lettre. Si j'en reçois, je te la communiquerai le plus tôt possible. Mes amitiés à toute la famille. Dis à Émery que je suis bien aise de te voir avec lui et que j'aurai bien du plaisir à le voir aussi. Tout à toi. J'écris à la hâte.

Ta mère affectionnée,

J. B. Papineau

L'honorable Louis-Joseph Papineau
Paris

Saint-Hyacinthe, mardi, 29 septembre 1843

Mon cher ami,

Je reçois à l'instant tes deux lettres et je n'ai que trois heures à y répondre par la poste, encore je ne sais si elle arrivera à temps pour le départ de la malle qui sera jeudi. J'avais écrit à Amédée de t'écrire par ce packet-ci, et il me répond qu'il ne le fera pas et que c'est mieux que ce soit moi, sans réfléchir que je [n'] aurais peut-être pas le temps, par rapport au départ de la malle, jeudi, et tu vas peut-être être encore sans lettre par sa faute.

Je suis bien attristée, mon cher, de tout ce que tu me dis au sujet de ton embarras de finances ; tu n'avais pas besoin de ce surcroît de chagrins ; la conduite de cette Mme Kock est inexplicable, et ta délicatesse extrême, j'espère que, si tu te trouves à bout d'argent, tu devras lui en emprunter. J'espère que M. Viger va t'en envoyer promptement. Amédée dit qu'il lui a écrit ; je te conjure de ne pas te faire souffrir, ni Lactance, pour la dernière année que vous passerez à Paris. N'en augmente pas le déboire ni fatiguer sa santé par une mauvaise nourriture ni le faire souffrir du froid. Cela pourra vous rendre malades et puis nuire à ses

16. À l'époque, le mot était synonyme de dissertation.

études. Nous t'enverrons des secours, je me priverai, ici je n'ai besoin de rien et les enfants, de peu.

Tu déplores toujours mon départ et je ne le regrette, moi, que parce qu'il a fallu nous séparer et certainement qu'il n'y avait rien de plus pénible. Et je le ressens fortement ainsi que les enfants par l'ennui que nous éprouvons de ton absence, mais il y avait impérieuse nécessité pour nos affaires et j'en suis plus convaincue que jamais depuis mon retour. Amédée doit te l'avoir écrit. Et lui aussi est content d'être au pays et tu vois aussi que, sous le rapport politique, les choses avancent : tu as appris les démarches qui ont été prises ici pour ton retour, tout le monde te désire et dit hautement qu'ils ont besoin de toi et ils ont cru que, sur ces nouvelles, tu reviendrais. Amédée m'écrit que tout le monde pense ainsi que M. Morin, Fabre, etc., qu'il n'y a que Louis Viger qui diffère ; alors j'ai répondu qu'il fallait écrire à ce dernier, de te donner les raisons qui font qu'il diffère d'opinion avec les autres. Je lui dis aussi de te tenir au courant des affaires du Parlement et d'avoir l'opinion de tes amis pour te les communiquer. Il n'y a que le ministre des Colonies qui ne veut pas accorder l'amnistie et, ici, le gouverneur et le ministère disent qu'ils ont tout fait pour l'obtenir et ainsi l'on va voir ce que le Parlement fera sur la réponse de l'adresse[17]. Sur toutes les affaires en Chambre, ils ont peine à avoir une majorité ; ils sentent que c'est un corps sans tête, sans un homme qui ait une influence suffisante par rapport au Haut-Canada. Sur le sujet du choix du siège du gouvernement[18], il y aura des divisions sans nombre et ensuite ils se divisent sur d'autres sujets. Je te le répète : tout le monde te désire et t'attend même, mais, enfin, tu te décideras d'après ce que Louis Viger t'écrira.

J'espère que tu as reçu les lettres envoyées par M. Joly. Tu apprendras bien des détails sur la famille ; je ne pourrai t'en donner que peu par celle-ci, car je n'aurai pas de place. Je te dirai que toute la famille est bien, excepté ma pauvre belle-sœur, Mme Bruneau, qui est toujours dans le même état. Je suis ici pour l'hiver avec les petites, et Gustave au collège, il est entré en versification ; il a un excellent maître et il s'y plaît. D'après l'avis de M. le directeur et de son maître, ils me disent que je ferai mieux de le laisser dans cette classe mais, quand M. Raymond arrivera, nous en aviserons encore de nouveau ; sois sans inquiétude de ce côté-là.

Les petites font bien leur école à la maison ; elles font des progrès dans leur musique ; elles t'écriront s'il y a des occasions. Leur santé est bonne, la mienne, meilleure.

Je ne sais si les mauvais temps d'automne me rendront malade, j'espère que non. Il n'y a que la peine qui pourra produire cet effet plus que le climat. Je te

17. LaFontaine avait présenté à la reine une adresse demandant l'amnistie des patriotes exilés.
18. En 1840, les conservateurs avaient consenti à l'Union à condition que le siège du gouvernement restât dans le Haut-Canada.

le répète, ta lettre me fait de la peine, car je prévois que tu vas ajouter à l'ennui des privations même nécessaires par tes délicatesses outrées. L'on a beaucoup d'espoir que tes arrérages vont être votés. À présent, ainsi, ne te cause donc pas plus de tourments qu'il ne faut. Tu vois bien qu'il te faudra emprunter avant que l'on ait écrit à Kingston ; ce ne sera pas par ce packet que tu pourras en recevoir.

Dessaulles entre à l'instant, il me dit qu'il part une occasion pour Montréal, il va t'écrire aussi et il espère que les lettres se rendront à temps.

J'irai cet hiver revoir ma chère maman. Elle est bien portante mais elle dit que sa joie n'est qu'à demi de ne pas te revoir : c'est le dire de toute la famille et des amis.

Je ne suis pas allée à Montréal, je ne sais pas si j'irai cet hiver.

M. Fabre a été bien bon et complaisant pour moi, tu feras bien de lui écrire, cela lui fera plaisir : c'est un bon ami. Je ne [sais] pourquoi M. Masson ne t'a pas répondu, il dit à plusieurs de nos amis qu'il va venir me voir avec Mme Masson. S'il y vient, je saurai ce qui en est.

Amédée répondra aux autres parties de tes lettres, ce que je ne pourrais. Les récoltes sont excellentes par tout le pays. Avec des goûts de modération, le pays peut se réparer, c'est étonnant de voir comme l'on peut vivre à bas prix. Tout ce qui est nécessaire à la vie et à l'habit commun est abondant et à grand marché. Si les affaires politiques continuent à se rétablir, nous aurons encore plus de bonheur ici que partout ailleurs pour des Canadiens, mais, après le Canada, je préfère les États-Unis sous presque tous les cas. Il est destiné à être longtemps heureux pour les masses, ce que...

Je suis obligée de fermer, l'occasion part. Adieu, mon cher, je t'embrasse. Et ce cher Lactance, ne le fais pas souffrir, ni toi non plus.

Ton épouse affectionnée,

J. B. Papineau

M. Amédée Papineau
Montréal

Saint-Hyacinthe, 29 septembre 1843

Mon cher fils,

J'ai donc enfin reçu, pour la première fois depuis mon arrivée, des lettres de ton père, et encore après une longue attente, ma joie a été bien tempérée pour ne pas dire détruite par l'état de gêne où se trouvent encore une fois ton père et ton frère. Cela m'a fait verser des larmes amères. Connaissant la délicatesse outrée de ton père, il se fera souffrir et le pauvre Lactance encore plus. Dessaulles me voyant ainsi affligée me dit qu'il t'avait dit de répondre, que pour moi il serait trop tard, alors j'étais encore plus désolée en pensant que tu n'écrivais pas, ni moi non plus, et que ton père ne recevrait ni secours ni nouvelles. J'avais pris la précaution de t'écrire d'avance, car je sais qu'il est trop tard, d'ici, quand l'on reçoit tes lettres, pour y répondre. Ainsi, à l'avenir, comprends qu'il faut que tu écrives sans faute à chaque packet et, moi, j'écrirai autant que possible. Après un pourparler, Louis se décida à envoyer un exprès, mais, après avoir pris des informations, il apprit que le beau-frère de Mlle Germain partait et alors j'écrivis à ton père et Louis aussi. Il me suggéra l'idée de donner le peu d'argent que j'avais ici, après avoir payé la moitié de la pension de Gustave, et lui a mis 50 piastres, ce qui fait en tout 60 piastres qu'il a envoyées à M. Fabre, pour que ce dernier écrive à M. Bossange de remettre cette somme à ton père, en attendant que M. Viger lui fasse parvenir de l'argent, mais il ne faut pas le lui écrire. Nous lui dirons plus tard quand j'aurai besoin et il ne faut pas moins le presser, non pas toi, mais Louis va à Kingston et va le presser. Cela m'a un peu tranquillisée et je te le mande, car je pense que cela produira chez toi le même effet.

Quant à Gustave, M. Raymond va venir et il consultera en commun avec les autres et cela m'aidera encore plus à convaincre ton père, et toi, si c'est possible, de l'avancer.

Je déplore avec toi que le voyage du chancelier ait été si court et par un mauvais temps. J'espère que nous les reverrons dans des temps plus heureux et, si tu vas au printemps à Saratoga, alors il n'y aura plus de mystère pour l'affaire en question, car tu ne pourras y aller que du consentement des parents et alors une partie des difficultés seront aplanies et, si ton père revient, cela contribuera à les décider. En attendant, sois sage et patient, et continue à étudier fort. Je t'envoie trois des livres que tu as demandés sur la liste. Ils disent qu'ils n'en ont pu trouver d'autres. Ainsi, après la retraite, je tâcherai de faire faire un catalogue exact de ce qui en reste de cette bibliothèque pour l'envoyer à ton père au prochain packet et, toi, ne manque pas de lui procurer ce qu'il te demande pour M. Ternaux [-Compans] et cet autre ami.

Dessaulles dit qu'il s'intéressera aussi pour toi, c'est-à-dire pour tâcher de te faciliter les moyens d'être admis à pratiquer au Barreau, qu'il s'en occupera à Kingston, mais, pendant qu'il y sera, tu feras bien de lui écrire pour lui en rafraîchir la mémoire : il a un cœur excellent mais il est léger, distrait et, de plus, il a tant de tourments au sujet de ses affaires qu'il pourrait oublier cela. Vois M. Fabre de temps en temps, nous lui avons des obligations et il pourra encore nous être utile.

Mon oncle Ignace a parti plus tôt que nous le pensions, ce qui fait que je n'ai pas écrit à Mme Donegani mais remercie-la de ma part pour les politesses qu'elle a eues pour toi et Gustave, et dis-lui que j'irai les voir cet hiver. Tu iras voir Rosalie de temps en temps pendant son séjour à Montréal au cas que Louis ne soit que peu de temps à Montréal. Je lui ai donné un extrait de la partie de la lettre de ton père demandant copie de quelque chose dans les journaux de la Chambre d'assemblée : il fera en sorte de se le procurer, etc. Si tu pouvais avoir accès à ces journaux toi-même, ce serait mieux, car il n'aura peut-être pas le temps. Tu pourrais avoir ces renseignements de Jacques Viger, si Dessaulles ne te les apporte pas et puis réponds à ton père là-dessus par le prochain packet.

Je suis bien aise du retour de M. Raymond : il nous donnera des détails sur ton père et Lactance plus que l'on ne peut en avoir par lettre. À mon bon oncle Joseph, dis-lui qu'il m'écrive quand Rosalie reviendra. Et puis, chez MM. Bruneau et Bédard, des amitiés. Mme B. m'avait promis de venir me voir à Saint-Hyacinthe et elle laisse avancer la saison.

Je ne te réponds pas au sujet de la Petite-Nation, car je t'ai déjà dit qu'il fallait attendre ton père, que l'on ne pouvait rien décider avant ce temps, excepté de percevoir tout ce que l'on pourra recevoir et les faire payer. Il faut pour cela que tu y ailles aux premières glaces. Je sais que ton oncle Benjamin ne fait rien pour nous, il est indolent pour lui-même et tu dois suivre une autre marche et ne le pas écouter. Retire tout ce que tu pourras et nous saurons qu'en faire l'été prochain.

M. [ ] de Montréal est ici, Mme Dessaulles et moi avons été lui faire visite ce matin au sortir du sermon de la retraite par le père [Félix] Martin, car nous avons eu la permission d'y assister et j'en suis bien : ce sont les seuls sermons que j'ai eu du plaisir à entendre depuis mon retour. Ordinairement, c'est M. Crevier ou son vicaire qui est aussi pitoyable.

Adieu, je termine, écris-moi souvent et surtout pendant la session. Amitiés à Émery, ton bon compagnon.

Ta mère affectionnée,

Julie Bruneau Papineau

M. Amédée Papineau
Montréal

Saint-Hyacinthe, 14 octobre 1843

Mon cher Amédée,

J'apprends que M. Cadoret part demain matin, je réponds à ta lettre reçue hier soir par M. Morison. Je commence celle-ci par te gronder de ce que tu n'écris pas à ton père après être convenu quinze jours d'avance avec moi que tu le ferais et je me suis fiée à cela. Je n'ai pas écrit non plus. J'espère au moins que tu auras envoyé celle que Dessaulles t'a remise. Je ne me fierai plus à cela : j'écrirai à chaque packet d'ici, c'est pourquoi je garde ma lettre.

Je ne te conseille pas de parler de nouveau à M. Viger de cette affaire ; tu sais comme il est entier et absolu et puisqu'il le dit, laissons cette affaire de côté : cela doit être suffisant pour te faire comprendre qu'il se fâcherait si tu insistais davantage, pour le peu de temps que nous aurons affaire avec [lui], il ne faut pas s'exposer à avoir du désagrément de nouveau : cela m'a causé assez de peine. J'ai été bien souffrante d'un mal de dents et une fluxion pendant huit jours et je ne suis pas encore bien.

Une des principales raisons pour lesquelles je voulais que tu écrives, c'était pour dire à ton père de ne pas refuser à Lactance ce qui lui est nécessaire afin de ne pas lui faire manquer de retirer tout le profit qu'il doit, pour le dernier hiver, et tout cela est manqué. Voilà deux packets de suite que nous ne lui écrivons pas. J'attends en grand hâte Louis, ce soir. Je ne sais ce qu'il a écrit à ton père mais je ne crois pas qu'il le décide à revenir avant qu'il ne voie quelque chose d'efficace d'opéré dans le pays.

Mon oncle Joseph m'a écrit qu'il y avait une occasion pour Paris. Est-ce qu'il ne t'en a pas prévenu ? Les petits ont écrit à leur papa. Gustave est ici, indisposé ; il dit qu'il va t'écrire quelques lignes dans celle-ci. En attendant, je n'ai rien de plus à te mander. Amitiés à toute la famille. Réponds-moi par Cadoret. Je vais faire mon possible pour avoir un catalogue de la bibliothèque telle qu'elle est. Adieu.

Ta tendre mère,

Julie Bruneau Papineau

[De la main de Gustave] : Mon cher frère,

Maman m'ayant laissé un espace dans la présente, pour t'adresser ces quelques lignes, j'en profite. Je suis chez notre bonne tante Dessaulles depuis ce matin pour cause d'indisposition, mais elle ne durera pas, je l'espère. Le docteur m'a donné une prise de rhubarbe qui m'a fait déjà beaucoup de bien, en chassant la bile.

Aussitôt que je le pourrai, je retournerai au collège poursuivre mes études. Je suis en versification ; tu aurais préféré sans doute que j'entrasse en belles-lettres ? mais plusieurs raisons m'en ont empêché. D'abord parce que sur le grec et les thèmes, j'aurais été faible ; puis, ensuite, parce que nous avons un si bon maître de classe, M. [Norbert] Lavallée, que ça m'aurait peiné de le changer pour un autre, et puis mes maîtres, et M. Desaulniers en particulier, m'ayant examiné, furent d'avis que j'entrasse en versification, vu que je serais faible en belles-lettres cette année, au lieu que j'y serai fort l'année prochaine, en retardant d'un an. Voilà ce qui a décidé maman, conjointement avec ma tante, pour la versification.

Adieu, cher frère ; le plus tôt possible j'écrirai à notre cher papa. Respects et amitiés à toute la famille.

Ton frère affectionné,

P. G. Papineau

M. Amédée Papineau
Montréal

Saint-Hyacinthe, 22 octobre 1843

Mon cher Amédée,

Tu avais raison de le dire que la lettre de Lactance me serait un nouveau sujet de chagrin ajouté à tant d'autres mais, enfin, que puis-je te conseiller ? Je l'ai communiquée à ta bonne tante hier soir et nous avons pleuré ensemble, connaissant notre impuissance à le soulager dans ce moment. Ce matin, nous l'avons communiquée à Louis et il est de notre avis : que nous n'avons aucun espoir auprès des MM. Viger. Si M. Denis Viger était à Montréal, passe ; l'on pourrait s'y hasarder, mais éloigné comme cela, il n'est pas aisé de donner des raisons aux objections qu'il ne manquerait pas de te faire. Je crois que tes démarches nous feraient encore plus de tort dans l'esprit de ces personnes et encore sans aucun résultat pour ton emprunt. Il faut donc, si tu es résolu d'emprunter, chercher parmi des étrangers. Louis me dit qu'il va à Montréal demain et qu'il te verra et avisera à quelques moyens.

Quant à ton autre plan de lui conseiller de revenir, surtout si ton cousin, Théophile Bruneau, voulait te protéger, [ce] serait le mieux à mon avis. Mais je ne crois pas que cela le rendit heureux, avec ses idées de rester à Paris et de beaucoup apprendre avant de songer à se faire recevoir. Je crains bien, avec son caractère, qu'il ne soit jamais heureux. C'est pourquoi je n'ose lui donner aucun conseil, car il m'a fait déjà assez de reproches. Je ne veux pas dire pour cela que tu n'as pas raison de faire tout en ton pouvoir pour l'aider ; j'approuve bien le contenu de ta lettre, surtout la partie qui a rapport à l'avantage qu'il aurait. Oui, mon cher fils, je dois te le répéter : plus on avance dans la vie, plus on est convaincu de cette vérité, plus l'on a de forces à mépriser tous les faux biens de cette vie d'exil. Il n'y a personne de plus sensible que je le suis, la première impression de peine m'abat au point de me rendre malade et il n'y a que mes sentiments religieux qui me relèvent.

Gustave n'a été ici que deux jours et il est retourné. Casimir me dit qu'il travaille bien, qu'il conserve ses places. C'est une forte classe que la sienne. Ces messieurs m'ont dit qu'il y avait de forts écoliers et puis beaucoup plus âgés que lui. Ils trouvent que, s'il se maintient là, c'est très bien et puis, comme je te l'ai déjà dit, il ne faut pas s'attendre à plus, puisqu'il s'applique et qu'il travaille, ce que ton père ne lui a jamais fait faire. C'est de sa faute et non celle de l'enfant. Il faut, à présent, en subir les conséquences ; ce serait injuste à présent d'exiger l'impossible.

Je suis mieux et je me ménage ; je n'ai pas écrit à ton père mon indisposition : c'est inutile au loin, comme cela ne donne que de l'inquiétude, il vaut mieux ne [la] lui pas mentionner. Je t'en préviens afin que tu dises toujours que je suis bien. Je ne crois pas que ton père revienne avant que quelqu'un des membres [ne] le lui écrive pour le demander, car Louis lui a écrit qu'après que la question du siège du gouvernement serait décidée on le demanderait d'une manière quasi officielle. Ainsi, tu vois d'après cela qu'il ne reviendra tout au plus tôt qu'alors. Et cela même aura-t-il lieu ? et quand ? Il faut attendre patiemment.

Fais mes amitiés à tous nos amis et sois poli et attentif : cela plaît beaucoup dans un jeune homme, surtout à présent qu'il y en a si peu de ce calibre.

Tout à toi, ta mère,

J. B. Papineau

P.S. Il fait un temps affreux. Si cela empêche Louis de partir, j'enverrai celle-ci par la poste aujourd'hui et puis prépare tes lettres pour le prochain packet à ton père et à Lactance. ; tu n'auras plus qu'à y ajouter quelque chose en réponse aux lettres que ton cousin te rapportera. Si tu peux envoyer quelque chose à Lactance en acompte de ce qu'il demande, ce sera aussi bien pour le présent, car son père lui donnera quelque chose aussi, quand il aura reçu ce qu'on lui envoie. Je l'en ai prié dans ma dernière et puis ce que tu lui enverras peut lui parvenir par la voie de quelqu'un des jeunes Canadiens qui sont à Paris, sans que ton père n'en ait connaissance : une dizaine de louis seraient suffisants pour le présent si tu ne peux faire autrement. Adieu.

L'honorable L.-J. Papineau
34, rue de Rivoli
Paris

Saint-Hyacinthe, 23 octobre 1843

Mon cher ami,

J'ai reçu ta dernière lettre, avant l'arrivée de M. Raymond, qui est demeuré quelques jours à New York ; et puis, enfin, celles venues par lui. Ta bonne sœur t'en remercie ainsi que moi. Écris-lui aussi quelquefois : cela lui fait tant de plaisir et puis l'on ne peut jamais assez reconnaître tout ce que cette digne femme sait faire pour ses parents et ses amis, ainsi que sa bonne famille. Ainsi, tu peux penser, à plus forte raison, ce qu'elle a fait pour moi et pour nos enfants, puisqu'elle te chérit, toi, son frère par excellence, qu'elle a aimé de tout temps ; et, depuis tes malheurs, elle a encore redoublé, s'il est possible, son affection et sa tendresse.

Ses enfants aussi sont bons et aimables. Ce cher Louis, qui a tant d'inquiétude pour ses affaires, et malgré cela, quand je lui ai fait part de ta lettre, il s'est empressé de te secourir et il se donne la peine d'enseigner les petites. Il les fait écrire, compter, et puis le devoir latin d'Ézilda, régulièrement, quand il est ici ; et puis il est poli et attentif. Il n'a eu que le malheur de commencer des entreprises dans un temps où la gêne était générale, les habitants ne leur payant pas de rentes ; et puis ils étaient chargés d'intérêts qu'il fallait payer. Et de plus, ce misérable Debartzch, qui l'a poussé à tout cela, je ne sais jusqu'à quel point. Toute l'indignation retombe sur lui dans l'esprit public. Est-ce justice ou non ? Il n'est pas étonnant que Louis, qui était jeune et qui a vu que cet individu était parvenu et devenu riche, a eu confiance en lui et a suivi ses conseils ; et puis il était seul, isolé, car les MM. Viger ne sont pas des hommes avec qui il soit possible à un jeune homme de se communiquer. Ils sont peu aimés dans la famille et tout à fait impopulaires dans le pays en général. Ta sœur m'a dit elle-même que c'était bien un peu de leur faute, s'il a fallu que son fils se retirât chez Rasco, et puis, avec son bon cœur, il a pu être entraîné à quelques dépenses, qu'il nie pourtant. Il est vrai qu'il a eu le tort de se cautionner aussi pour quelqu'un imprudemment, mais tout cela partait d'un bon principe, bien excusable dans un jeune homme, qui avait vu toute sa famille ainsi généreuse et dévouée à tous les malheureux : son père et sa mère ont toujours agi ainsi. Il faut espérer qu'ils en recevront la récompense dans une meilleure vie. S'il peut effectuer cette vente, j'espère qu'il pourra sortir d'embarras, et être plus circonspect et plus prudent à l'avenir. Il n'a aucun vice et de l'esprit et des talents : il pourra encore réparer ce mal.

Cette chère Rosalie est aussi bonne et aimable : elle a fait des progrès dans son éducation. Elle est bonne musicienne et aime les lectures solides, elle est remplie d'amitié pour ses cousines et leur donne des leçons de musique : elles font des progrès. Azélie l'étonne : elle apprend des pièces de musique qu'elle lui donne, en trois leçons. Ézilda aussi, mais on ne la mentionne pas parce que l'on s'attend à ce qu'elle le soit pour son âge, mais elle a le mérite de l'application. Ensuite, je leur fais les autres leçons de géographie, grammaire, etc. Tu vois par là qu'elles ne perdront rien en n'allant pas à l'école cet hiver : dis cela à Lactance qui m'avait si fort recommandé de ne les pas négliger. Je le leur dis souvent aussi, surtout à Azélie, qui aime si fort son petit Lactance, qu'il faut que son cher frère les trouve bien avancées à son retour.

Casimir Papineau[19] fait très bien au collège et est bien bon et complaisant pour Gustave, qui lui aussi fait bien. Ils sont dans la même classe qui se compose de 24 écoliers, très forts et beaucoup plus âgés que Gustave ; et il est septième depuis la rentrée, et, dans les amplifications, il est troisième ; et la dernière [fois], il a été premier. Il n'y a que ses thèmes qui l'empêchent d'être des premiers. Et puis ils ne commencent le grec que dans cette classe. Ainsi, il espère que l'an prochain il pourra être fort en belles-lettres. Et puis, de plus, ils aiment beaucoup leur maître qui leur dit qu'il espère qu'il leur fera la classe plus haute aussi, l'an prochain. Tout cela fait qu'il est satisfait. C'est bien heureux. S'il peut continuer à travailler comme il a commencé, ce sera bien heureux, car il ne savait pas ce que c'était de travailler.

Tes autres neveux, Casimir et Auguste Papineau[20], sont tout ce que l'on peut désirer de mieux : ils sont de beaux grands garçons et surtout bons, vertueux, remplis de talents, appliqués et sages au-delà de ce que j'ai jamais vu de jeunes gens. Ils sont étonnants.

J'avais oublié de te mentionner, dans mes dernières lettres, je crois, que Mme Laforge m'avait écrit et qu'elle me remerciait des cadeaux que je leur avais apportés, qu'ils étaient charmants et bien adaptés. Je leur écrirai ce que tu me mentionnais, dans ta dernière, du projet bien arrêté de les aller voir à ton retour en Amérique, n'importe où elles seront. Je ne sais si cette chère Mme Laforge est parvenue à obtenir son divorce[21]. Son oncle[22] doit le savoir. Tu ne me parles pas de lui. Le vois-tu souvent ?

Je n'ai vu M. Raymond qu'un instant : il n'a pu me parler de toi et de Lactance qu'un instant. Et il part pour Québec, pour aller voir sa mère. Il n'y a qu'à son retour que je pourrai avoir quelques détails sur vous.

Quand celle-ci te parviendra, tu auras reçu des fonds, ce qui va te tranquilliser un peu sous ce rapport, et surtout ce pauvre Lactance. Nous t'avons envoyé

19. Julie veut parler ici de Casimir Dessaulles, qui est dans la même classe que Gustave, à Saint-Hyacinthe.
20. Casimir et Auguste Papineau, fils de Denis-Benjamin Papineau et d'Angelle Cornud.
21. Élizabeth Porter, ci-devant Mme Laforge, épousera un M. Beach en avril 1850.
22. M. Throop, oncle d'Élizabeth Porter (Mme Laforge), ci-devant gouverneur de New York, et ex-ambassadeur à Naples, est alors à Paris.

plus que tu ne demandais, afin que tu puisses donner à ton fils ce qu'il lui faut, afin qu'il ne perde pas son dernier hiver, mais au contraire qu'il puisse le rendre aussi fructueux que possible ; c'est de la dernière importance, pour lui et pour nous, que ces pauvres enfants puissent être bientôt en état de gagner leur vie et se rendre indépendants de nouvelles circonstances comme celles qui ont abreuvé leurs jeunes années. Dieu m'est témoin qu'il y a bien plus de peine chez moi pour eux que pour moi, de toutes les douleurs que j'éprouve de notre état de gêne qui nous empêche de leur aider efficacement à s'établir. Mais, à présent que nos affaires commencent à se débrouiller, il faut faire tous nos efforts pour aider ces deux aînés.

Mais, pour le moment, il s'agit surtout de Lactance : donne-lui des maîtres et puis habille-le chaudement, fais arranger ton manteau pour lui et prends celui de Donegani pour toi. Un manteau à part de son paletot sera commode : qu'il le fasse faire à sa taille. Et puis il lui faut une robe de chambre ouatée, et autres choses dont il doit avoir besoin, ainsi que toi. Je te prie de n'avoir pas autant d'inquiétude et de te tourmenter plus qu'il ne faut. N'avons-nous pas eu assez de malheurs sans nous en donner par l'appréhension de ceux qui [ne] nous atteindront pas ?

Ici, tout le monde est gai et s'amuse en famille, ménage plus que par le passé, mais, dans ce pays, il y a abondance de tout ce qui est nécessaire, c'est à vil prix. Ils n'ont pas de misère réelle ; l'on ne souffre ni de la faim, ni de la soif, ni du froid ; à peu d'exceptions près, tout le monde est aisé, comparativement à l'Europe. C'est le luxe qui les fait crier ; sans ce besoin factice, ils seraient heureux. Il faudra de l'éducation et puis, après cela, le pays se relèvera aisément de ses malheurs, avec de l'industrie et de l'économie, que l'on ne connaît pas dans le pays.

Marguerite est ici. Ta sœur a marié une de ses filles et elle l'a gardée à sa place. Elle s'ennuie beaucoup et voudrait bien être encore à Paris.

Dis à toutes mes amies que je ne leur écris pas parce que je ne pourrais pas si bien leur exprimer ma reconnaissance et l'amitié que je leur voue pour toujours, comme tu peux si bien le faire toi-même et que je te charge à chacune de mes lettres de faire. Dis à Mme Kock que son nom est béni dans toute la famille et que tous ensemble nous la prions de recevoir nos sincères remerciements et notre constante amitié et reconnaissance. Gustave surtout et les petites t'embrassent et pensent souvent à toutes ces bontés qui leur ont fait passer d'heureux moments, qu'ils n'oublieront jamais ; ainsi que Mme Dowling : c'est une excellente amie que j'aime beaucoup. Je lui souhaite du bonheur, elle le mérite.

Adieu, ton épouse affectionnée,

Julie Bruneau Papineau

Saint-Hyacinthe, 6 novembre 1843

Mon cher Amédée,

Pourquoi ne m'as-tu pas répondu par Louis et depuis par M. Cadoret ? J'espère que tu le feras par celui-ci. Je suis bien aise que tu aies l'espoir d'envoyer à Lactance ce qu'il t'a demandé par le prochain packet. Il est bien à regretter qu'il n'y en ait qu'un par mois à présent, c'est pourquoi je t'écris ce peu de lignes pour te dire qu'il faut que tu écrives aussi par les packets à voile. En hiver, il y en a qui ont de courts passages et, moi, je n'écrirai que par les bateaux à vapeur, n'ayant que peu de choses importantes à écrire, mais toi, pour le tenir au courant des affaires, écris par chaque packet. Quant à l'envoi que tu fais à ton frère, je me suis rappelée depuis le retour de Louis de ce que disait le jeune Dubois à Paris, que son frère lui envoyait son argent et qu'il ne perdait rien dessus. C'est malheureux de perdre sur une petite somme. Consulte son frère, M. Dubois, et il pourra peut-être lui faire parvenir par le jeune Dubois à Paris et qui est ami de Lactance, et, par ce moyen, ton père n'en aurait pas connaissance. Enfin, je te suggère ce moyen, si tu en as d'autres aussi bien, fais comme tu voudras par la voie de quelques autres, afin que cela ne vienne pas à la connaissance de ton père : c'est le principal afin d'éviter des désagréments à ton frère.

Je suis assez bien portante ainsi que les petites, mais Gustave a été malade de nouveau ; il a été ici huit jours avec une grosse fièvre et vomissements. Je craignais que cela ne fût les fièvres, mais heureusement que cela n'a pas eu de suite et, après avoir été purgé, il est bien et retourné au collège depuis huit jours.

Que dis-tu de la saison ? N'est-ce pas épouvantable qu'un pareil climat ! Il fait déjà un froid d'hiver depuis la fin d'octobre. Tu iras voir mon oncle Joseph et tu le remercieras de sa bonne lettre reçue pendant que je souffrais de ma fluxion et puis tu lui diras que Mme Dessaulles lui a répondu à ma place et puis elle a mis sur l'adresse son nom de baptême en abrégé par un I et Louis ayant remis cette lettre à Rosalie chez Mme Donegani, mon oncle Ignace a cru que c'était pour lui, l'a ouverte et gardée. Ainsi, explique-lui la méprise et fais-lui bien nos amitiés et dis-lui que nous l'invitons à nous venir voir. Je ne lui écris pas par cette occasion, car je te charge de lui communiquer cette partie de la lettre qui le concerne. Sa filleule[23] l'embrasse et fait des progrès dans ses études. Amitiés à qui de droit. Adieu mon cher fils.

Ta mère affectionnée,

J. B. Papineau

23. Azélie, filleule de Joseph Robitaille.

M. Amédée Papineau
Montréal

Saint-Hyacinthe, mardi, 15 novembre 1843

Mon cher fils,

J'accuse réception de ta dernière par Cadoret et je commence aussi par te dire que j'avais oublié de te dire que j'avais reçu celle que tu m'avais envoyée de ton père et de Lactance. Elle n'avait rien de bien important et je te dirai que j'en ai reçu deux depuis par le dernier packet à mon adresse à Saint-Hyacinthe : une de ton père et une de Lactance. Elles n'ont rien d'important. Lactance ne fait aucune de ses plaintes amères parce qu'il sait que cela me peinerait sans résultat pour lui. Avec toi, c'est différent parce qu'il espérait qu'il pourrait y remédier. Dans celle de ton père, il ne me parle que de nos amis, des occupations qu'il a à Paris, c'est-à-dire qu'elles se bornent à aller au bureau de la Marine depuis dix heures du matin jusqu'à quatre et puis il emploie le reste à visiter ses amis. Il était de belle humeur ; il badine sur M. Louis Viger au sujet de son mariage en répondant sur ce que je lui en avais dit. Il ne parle pas du tout d'affaires dans celle-ci. Seulement au sujet du *nolle prosequi*[24], je vais te copier ce qu'il en dit, car je ne t'envoie pas la lettre, car je veux l'emporter à Verchères où je dois aller sous peu de jours avec ta tante et seulement pour une couple de jours.

« Je suis réjoui du *nolle prosequi* parce qu'il est venu spontanément : j'en sais gré à mes amis et veux bien que, par la voie de Viger, on les remercie. Mais j'attends les travaux de la session pour juger jusqu'où ils peuvent et veulent faire le bien. C'est cela qui influera sur mes futures déterminations. Je veux surtout et avant tout l'amnistie pour les pauvres déportés et une bonne loi de jurés. » Voilà tout ce qu'il en dit mais on voit, au ton de badinage de sa lettre, qu'il en était très content et j'espère que l'on vive de son argent. Et puis la lettre de Dessaulles l'aura tout à fait contenté ainsi que Lactance. Cela me tranquillise un peu à leur sujet.

Ainsi, quant à toi, cher enfant, il faut aussi que tu prennes courage à l'arrivée de ton père. Il pourra, par son influence, au moins s'il ne peut te faire recevoir, il te procurera quelque emploi qui te dédommagera pendant ta cléricature. Nous n'avons plus que de l'espérance. Pourquoi donc te tourmenter ? Tu tombes sans t'en apercevoir dans le même abattement que tu reprochais à ton père. Aie du courage !

Gustave m'inquiète. Il aura bien de la peine à passer l'hiver au collège, il est toujours malade, il est changé et beaucoup maigri. Il est encore ici cette semaine, il prend du froid, il a eu de la fièvre, mal aux oreilles, ce qu'il n'a jamais eu avant

24. *Nolle prosequi* : du latin, « ne pas vouloir poursuivre », expression utilisée en droit pour signifier que la Couronne retire ses poursuites.

ce temps. Je ferai pourtant tout en mon pouvoir pour qu'il reste pensionnaire. Externe, il ne ferait rien. Il n'est pas assez vêtu, il ne veut ni ne peut porter des gilets ni caleçons de flanelle ; il faut lui acheter des gilets et caleçons de coton tricoté, coton jaune et fort. Il n'y a rien de cela ici. Il faut que tu lui en achètes : chez Boudreau, tu trouveras cela. Tu les demanderas pour un enfant de 14 ans. Ils connaîtront la grandeur qu'il faut, tâche de les avoir qui ferment en bas en rétréci, au lieu de s'attacher avec des cordons : il est si gauche à s'habiller et si long qu'il faut éviter de lui donner de l'embarras. Il ne prend pas le temps de s'habiller chaudement, et il prend du froid. Achète-lui-en deux gilets et deux caleçons. Et puis je pensais aussi, pour épargner, qu'il pourrait se passer de robe de nuit en laine ; mais non, Casimir dit qu'il se découvre la nuit et qu'il est obligé de se lever pour le couvrir. Ainsi, il lui faut une robe de nuit chaude. Je suis allée hier dans les magasins : il n'y a que de la flanelle rouge et claire et commune, qu'ils vendent cher. Il faut que tu m'achètes du *berghomson* gris. Tu dois te rappeler celle que vous aviez au collège, c'est large et épais, ou bien de la flanelle double. M. Boudreau te dira ce qu'il faut. Si c'est grande largeur, ce sera quatre shillings ; étroites, deux. Si c'est large, prends-en deux verges et demie ; étroite, il en faut cinq verges. Ainsi, mon cher, cela va te donner de l'embarras, mais il faut que tu t'y habitues, car c'est nécessaire quand on est gêné comme nous le sommes. J'en chargerais bien Louis, il le ferait avec plaisir, mais il est si occupé de ses affaires qu'il oublie à chaque voyage la moitié des commissions qu'on lui donne dans la famille. Et puis il ne vise jamais à l'économie et il pourrait m'acheter cela en grand. Copie ce que je te demande et dis à M. Boudreau que je me repose sur lui pour m'envoyer cela. Il faut qu'il ait cela pour retourner au collège. Si tu n'as pas d'argent, tu m'enverras le compte par Louis avec les effets ; je payerai à son autre voyage. Mais si tu peux le faire, c'est mieux que de me défaire de ce que j'ai d'argent, car je suis décidée à n'en plus demander à M. Viger, pour moi, ni pour mes enfants, avant le retour de ton père.

Je regrette beaucoup de n'avoir pas écrit à ton papa par le dernier packet. L'on a vu cela sur *La Minerve*, il n'était plus temps. J'espère au moins que tu l'auras fait. Étant sur les lieux, il est plus facile de savoir au juste s'il y en a deux ou un par mois. J'écrirai sous peu et j'enverrai pour le prochain packet.

Je t'envoie deux lettres de Gustave afin que tu les envoies, une à ton père et l'autre pour le petit Perrault. Son père paiera volontiers le port à moins qu'il n'y eût une occasion sûre. Tu sais que souvent les lettres se perdent par occasion.

Je t'envoie le catalogue[25] de ton père. Ta tante Dessaulles dit que ce serait fatigant au collège de demander encore à le réviser. Elle dit que c'est Émery qui l'a fait et bien exact, il y a deux ans. Ainsi, il ne peut pas y avoir tant de manques depuis ce temps. Je te l'envoie et tu l'enverras ainsi à ton père s'il y a occasion,

25. Catalogue : liste des livres de la bibliothèque de Louis-Joseph Papineau.

par la voie de M. Fabre, à qui tu présenteras mes saluts et amitiés. Vois-le de temps en temps et quelquefois sa dame et dame Perrault[26], mère d'Ovide, à qui tu dois une visite de condoléances, après la mort de son fils, le docteur. Dis-lui que je prends part à sa peine. Amitiés aux parents et amis. Adieu.

Ta mère affectionnée,

J. B. Papineau

L'honorable L.-J. Papineau
34, rue de Rivoli
Paris

Saint-Hyacinthe, 24 novembre [1843]

Mon cher ami,

J'ai reçu ta dernière lettre, avec celle de Lactance, avec infiniment de plaisir. Tu paraissais être un peu de meilleure humeur, et puis le cher Lactance, en excuse et explication des lettres qu'il avait écrites, et il avait raison : c'était moi qui étais dans mon tort. Il est vrai de dire qu'au temps où je fermais cette lettre je n'avais encore reçu aucune de vos lettres. Et depuis je les ai toutes reçues. Et Amédée, qui en recevait de Lactance, ne me le disait pas : voilà le tout expliqué.

Et puis maintenant, voilà que je recevrai, aussi moi, des réprimandes pour avoir manqué d'écrire par le dernier packet ; et il n'y a pas de ma faute non plus : l'on m'avait dit qu'il n'y aurait plus de bateaux à vapeur qu'une fois le mois. Et puis ici, à la campagne, j'ai vu l'annonce contraire, la semaine suivante, et il était trop tard. J'espérais qu'Amédée aurait écrit, lui qui était sur les lieux, à la source des informations, mais il ne l'a pas fait, me dit Dessaulles, qui arrive de Montréal. Il dit qu'il n'avait rien de nouveau à te mander.

Ce qui me console un peu, c'est que vous n'avez plus autant d'inquiétude, à présent que vous devez avoir reçu des fonds et puis plusieurs lettres : une de Dessaulles, une de moi et deux des petites, qui devaient être envoyées par une occasion, et qui ont été envoyées par la poste, par un malentendu. Et puis j'en ai envoyé deux de Gustave à Amédée, afin qu'il les envoie par une occasion ; il

26. Euphrosine Lamontagne, épouse de Julien Perrault. Ce dernier exploitait un service de diligences entre Montréal et Québec. Leurs enfants sont Louis Perrault, imprimeur ; Charles-Ovide, député, mort à la bataille de Saint-Denis en 1837 ; Joseph-Adolphe, médecin décédé en 1843 ; et Luce, épouse d'Édouard-Raymond Fabre, libraire.

y en a une pour son papa et l'autre pour son ami Georges Perrault. Vois-le en attendant et fais-lui les excuses de ton fils de n'avoir pas écrit plus tôt.

[Louis-Guillaume] Lévesque vient d'arriver à Montréal. Il a essuyé un rude passage. Il est descendu en bateau à vapeur jusqu'à Berthier avec Dessaulles et plusieurs de ses amis qui le conduisaient à Berthier. Il était bien. Il a remis la lettre de Lactance pour son ami de collège. À propos, ces messieurs font dire à Lactance qu'ils lui ont répondu exactement à ses lettres, reçues par moi et par M. Raymond. Ce dernier est bien ; revenu de Québec, il va être stable et nous aurons le plaisir de le voir quelquefois, et nous pourrons causer un peu de Paris, ce que nous n'avons pu [faire] jusqu'à présent.

Je n'ai rien de nouveau à te mentionner au sujet de la politique, que tu ne saches par les journaux et puis les lettres d'Amédée. Tout est encore dans le mystère au sujet de l'amnistie. L'on dit que toute la difficulté est maintenant sur la manière de l'accorder, c'est-à-dire que les ministres, ici, veulent que l'Angleterre non seulement permette le retour des déportés, mais les ramène à leurs frais et dépens, et qu'il n'y a que là-dessus qu'il existe des difficultés qu'ils espèrent surmonter.

Quant à toi, tout le monde désire ton retour, et moi plus que tout autre, et les chers enfants et tes bons parents. Mais je te laisse libre, ne voulant pas m'exposer à aucun reproche. Je m'ennuie beaucoup de toi et ne suis et ne peux être heureuse avant ton retour. Néanmoins, je suis de plus en plus persuadée que j'ai bien fait de revenir : sous le rapport de ma santé, j'y ai beaucoup gagné. Je suis bien, je ne sais si je dois l'attribuer au voyage et à mon séjour à Saratoga, ou au changement de régime. Je ne sais ; mais, enfin, il est certain que je suis bien, je n'ai plus mes maux de tête, je dors bien, digère bien, je n'ai eu aucune attaque de mon mal de gorge, et pourtant le climat est terrible, comme tu le verras par les journaux, mais je prends des précautions et j'ai tout le loisir de me soigner. La maison [est] chaude et grande : quand je ne puis sortir, je marche et fais le tour des appartements à plusieurs reprises ; je mange un peu de viande à dîner et point le soir, et cela me va bien, je digère bien.

Messieurs les Parisiens s'engraisseraient ici à manger des poulets à 15 sols le couple, des perdrix à 20 sols le couple ; canard à 12 ; dindes à quatre francs, le couple bien entendu ; mouton à 15 sols le quartier ; le boeuf à deux, trois, quatre sols la livre, et ainsi du reste ; les lièvres que tu aimes tant : 15 sols le couple. Et puis le bois en abondance : il y a ici 100 cordes de bois, rendues pour la consommation de l'hiver. Ta sœur me dit toujours : « Ne craignez pas de chauffer, c'est ce qui nous coûte le moins ». Et puis il y a une vieille qui allume les poêles à cinq heures du matin. Marguerite dit qu'elle souffre autant de la chaleur, comme elle souffrait du froid à Paris ; et pourtant elle le regrette beaucoup. Et les enfants disent qu'à l'approche du jour de l'An elles penseront souvent à tout ce qu'elles ont vu de beau et de bon, mais cependant, si leur papa était de retour, cela les consolerait aisément de tout ce qu'elles ont laissé.

Nous recevons des journaux français et puis nous faisons des lectures. Nous lisons maintenant les *Mémoires* de Mme la duchesse d'Abrantès[27], qui m'intéressent beaucoup et m'amusent. C'est ta sœur ou la nièce Rosalie qui lit haut, et nous causons.

J'ai eu des nouvelles récentes de ma chère maman. Elle est bien et attend avec hâte les neiges afin de me voir. J'y dois aller avec ta sœur. À Saint-Denis, tous la même chose : Mme Bruneau est désenflée[28], mais faible. Ici, tout le monde est bien, excepté Gustave qui est souvent indisposé. Il a passé plusieurs jours à la maison, il a peine à se faire au régime du collège et au climat. Il ne peut prendre les soins que nous prenons. J'espère qu'il s'y fera.

Amitiés à tous nos amis. Réponds-moi si tu as été voir les bonnes dames religieuses de ma part, et de celle des petites. Adieu, nous vous embrassons.

Ton épouse affectionnée,

Julie Bruneau Papineau

P.S. Louis s'attend à une réponse de toi ; et je te prie de ne pas parler de ses affaires dans mes lettres. Je m'aperçois que cela ne lui fait pas plaisir, et puis, de plus, je suis gênée de les communiquer à la famille. Il préfère que tu correspondes avec lui-même ou avec sa mère à ce sujet. Mais au fond sa mère connaît peu ses transactions. Elle sait qu'il a l'espoir de vendre et elle y consent, sachant qu'il n'y a pas d'autres ressources pour les tirer d'embarras.

Le Dr Kimber est toujours en grand danger. Il est tout à fait condamné, l'on s'attend à sa mort prochainement. Les autres de la famille, à Montréal, sont bien. Après de grands froids, nous avons un grand dégel : ils pourront labourer, c'est fort heureux, car il n'y en avait pas eu du tout de fait.

M. Amédée Papineau
Montréal

Saint-Hyacinthe, 26 novembre 1843

Mon cher Amédée,

Je ne suis pas de ton avis au sujet du grand coffre, car je ne [le] laissais là qu'en cas que nous fussions obligés de demeurer aux États ; puisque vous décidez

27. Laure Saint-Martin-Permont (1784-1838), épouse du général Junot, duc d'Abrantès. La duchesse d'Abrantès écrivit ses *Mémoires* à l'époque de l'Empire et de la Restauration.
28. Mme Bruneau, belle-sœur de Julie, souffrait d'hydropisie.

que nous devions revenir au pays, le plus tôt ce coffre sera visité sera le mieux au cas que l'humidité de la mer ou les mites ne se soient introduites dans les effets : il est prudent de le visiter et ce n'est pas du tout mon intention de le faire revenir ici ; si je l'ai fait demander par la voie de M. Donegani, c'était précisément parce que je voulais qu'il fût rendu à Montréal où il doit être. C'est là ou à la Petite-Nation que j'en aurai besoin. Il n'y a que quelques effets dont j'ai un pressant besoin : pour voyager, mon manteau de drap, un à la petite, et puis tous les effets des enfants qu'ils veulent avoir, s'il est possible, quand tu viendras, ou quelques autres avant toi. Voilà pourquoi je t'envoie la clef par M. Marchesseau, et puis tu aviseras pour le mieux à le faire venir. Je trouve que c'est mieux de le faire de suite par le chemin de fer et le bateau à vapeur, c'est moins coûteux, si toutefois il traverse encore. Sinon, écris au moins au jeune Delagrave à Saint-Jean et prie-le de s'informer du montant des frais de transport afin de le lui envoyer et de le retirer de la douane. Que diraient-ils là si nous n'en prenions connaissance ? Si le steamboat traverse, il est bien mieux que tu y ailles toi-même. Ce coffre est immense, cela peut donner des soupçons et puis il y a des livres, et en leur expliquant que ce sont des livres à notre usage, comme les autres effets, c'est bien mieux. Et puis, comme je te dis, si tu le retires, tu m'enverras mes manteaux dont j'ai besoin et d'autres bagatelles aux enfants, à la première bonne occasion de marchands. Si Cadoret fait venir des marchandises, l'on pourrait envoyer une caisse. Enfin, nous aviserons à cela après. Fais pour le mieux, consulte-toi avec M. Donegani.

Louis t'a répondu au sujet de cette lettre qui te tourmentait tant. Comme elle n'était pas si agréable, voyant que nous sommes dans l'impossibilité de payer ces comptes au Dr Nelson[29], je lui ai répondu de suite, et depuis je n'en ai pas eu de réponse, d'où je conclus qu'il attendra. Je n'en ai pas non plus écrit à ton père.

À quoi bon ? sinon à le tourmenter sans résultat.

Gustave est mieux, je l'ai gardé externe cette semaine : il va au collège et puis ici il continue à se soigner. J'espère qu'il sera en état de rentrer pensionnaire la semaine prochaine.

M. Desaulniers est bien malade depuis deux jours, et la tante Dessaulles aussi, indisposée depuis deux jours. J'espère que cela n'aura pas de suite ; nous la soignons.

J'espère que ma lettre sera rendue à temps pour le départ de la malle. Écris-moi s'il y aura un autre départ pour le milieu du mois, ou s'il [n']y en aura que tous les mois à l'avenir pour l'hiver. S'il n'y a pas d'occasion à Montréal, pour les lettres de Gustave, remets-les à M. Fabre, qui les enverra au jeune Bossange

29. Les Papineau devaient 100 $ au Dr Robert Nelson « pour soins professionnels de 1831 à 1837 ». Cette somme sera payée au Dr Nelson, maintenant à New York. Voir le *Journal* d'Amédée, 17 novembre 1844.

à New York qui, lui, s'il n'en a pas, pourra les envoyer par un packet ordinaire sous enveloppe à son père, et elles se rendront en sûreté.

Amitiés à toute la famille, ne sois pas inquiet de mes lettres, elles ne se perdront pas à Saint-Hyacinthe, et je t'ai donné les raisons que j'avais de les montrer à ma chère maman. Il ne faut pas penser qu'à soi.

Je te remercie des effets que tu m'as achetés : ils sont très bien et bons. Cela t'accoutume à faire des achats. Et puis ici, il est impossible de se procurer de semblables articles. Tu le vois par la peine que tu as eue, même à Montréal. Adieu, j'ai hâte que les chemins deviennent bons, c'est un temps fort ennuyeux et puis malsain.

Ta mère affectionnée,

Julie Bruneau Papineau

P. S. Fais mes amitiés et remerciements à Émery. Dis-lui que j'ai grand hâte de le revoir. Il n'y a presque [que] lui que je n'ai pas vu de la famille. Benjamin doit descendre cet hiver avec sa dame, quand leur père reviendra à la maison. Écris donc à ton oncle Benjamin s'ils ont en contemplation[30] un bon bill de jurés. C'est bien la chose la plus essentielle pour la tranquillité du pays. Qu'ils n'aient pas le malheur de terminer la session sans cela. Pas d'amnistie, ni de ce bill, serait laisser le pays en danger. Et qui peut répondre de l'avenir le plus prochain ? Même un changement de gouverneur seulement peut faire revenir le temps passé. C'est sérieux et le public en est bien inquiet. C'est au commencement d'une session et non à la fin qu'il faudrait risquer une telle mesure si essentielle. Et qui sait s'il n'y aura pas des intrigues pour faire abréger la session ? Il y a déjà assez de membres à Kingston[31] malgré eux et qui n'y resteront que le moins possible. Et ils sont assez confiants pour laisser en arrière des choses les plus importantes.

30. Avoir en contemplation : avoir en vue.
31. Depuis 1841, Kingston est le siège du gouvernement de l'Union ; le Parlement siégera ensuite à Montréal de 1844 à 1849.

M. Amédée Papineau
Montréal

Saint-Hyacinthe, 3 décembre 1843

Mon cher Amédée,

Je suis bien aise que tu aies enfin ce coffre. Visite-le et puis laisse-le là, chez M. Donegani, jusqu'à mon voyage de Montréal.

Je suis bien fâchée que ma lettre à ton père ne soit pas rendue à temps. Cela fait deux packets de manqués et tu ne me dis pas si tu as écrit, toi ; au moins, cela adoucirait mon inquiétude ; réponds-moi au plus tôt et je te réitère ma recommandation d'écrire, toi, à chaque packet, car tu vois ce qui arrive quand on est loin. Tu peux donner de nos nouvelles : tu en as assez de moi et puis, quant à ton autre attaque contre moi au sujet du passage de cette lettre, il est faux que je l'aie donnée à lire à Louis. Je ne me rappelle que deux fois que je lui ai donné à copier des extraits ; et en ma présence ; s'il a jeté les yeux plus bas, c'est indiscret de sa part. Je sais qu'il est toujours inquiet de savoir ce que dit ton père au sujet de leurs affaires : c'est ce qui lui aura fait faire cette indiscrétion. Il n'y a pas de sens commun que je vais leur communiquer de telles choses. Il m'a été bien pénible de ne pouvoir montrer aucune de mes lettres par rapport à cela. J'ai écrit à ton père de t'écrire seul à ce sujet et de ne pas parler de leurs affaires dans mes lettres et de le faire à lui-même, Dessaulles. Je crois que c'est parce qu'il s'est aperçu que je faisais mystère de mes lettres qu'il a pu chercher à les voir et c'est plutôt pour cela ; c'est en te les portant à Montréal peut-être, je ne sais comment. Enfin, cela m'a bien surprise ainsi que tes propos. Je te renvoie la tienne par le jeune [Edmund] Starnes. C'est bien le moins que je garde les miennes et, si je ne puis les conserver, je n'aurai personne à me contrôler.

Gustave est bien et est rentré au collège. Les petites sont bien. Mme Bruneau de Saint-Denis est bien faible : je pense qu'elle tire à sa fin ; j'attends la neige pour aller la voir ainsi que ma chère maman. Amitiés à tous nos parents, je suis pressée, l'occasion part à l'instant. Adieu.

Ta mère,

J. B. Papineau

M. Amédée Papineau
Montréal

Saint-Hyacinthe, 11 décembre 1843

Mon cher fils,

Louis me dit à l'instant qu'il envoie un exprès en ville qui part sous une heure. Je n'ai donc le temps que de tracer ces peu de lignes en réponse à la tienne venue par M. Starnes. Je vois par ce que tu me dis que tu n'avais pas écrit à ton père par le packet précédent ; ainsi, il aura été longtemps sans lettres et il en recevra deux ensemble : tu vois qu'il faut éviter cela à l'avenir en ne manquant jamais un seul packet.

Les dernières nouvelles vont bien l'affliger et le décourager et puis probablement retardera son retour, surtout si l'on ne lui vote pas ses arrérages, comme il est bien probable qu'ils n'y penseront pas. À présent que ces procédés contre lui sont abolis, il n'y aurait pas eu difficultés de le faire. Il me semble qu'en votant la liste civile cela pouvait se faire ; il n'y a que par un vote de la Chambre qu'il acceptera. En as-tu parlé à ton oncle Benjamin ? N'en écris pas aux Viger mais M. Fabre pourrait peut-être écrire à ses amis ; dis-lui qu'il ne faut pas que cela paraisse venir de nous, car ton père en serait bien mécontent : tu connais son extrême délicatesse poussée à l'excès par rapport à l'intérêt de sa famille. C'est par rapport à cela que je désire qu'il soit fait des démarches, si c'est possible, sans nous compromettre. C'est le temps le plus critique pour nous, car il est impossible de trouver à vendre nos propriétés. Et comment payer nos dettes et nous établir, ici ou aux États ? C'est bien embarrassant : avec ces arrérages, nous aurions pu attendre l'occasion de vendre sans trop sacrifier ; sans cela, si nos créanciers nous poursuivent, il faudra sacrifier. Ainsi, tout cela n'est pas riant.

Louis avait écrit à ton père avec trop d'assurance qu'il toucherait cela et puis il sera encore une fois déçu et inquiet, ne sachant à quoi se décider.

Je te prie de m'écrire s'il y a des occasions prochainement pour la France. L'on me dit que M. [Jean-Louis] Beaudry, marchand, et puis M. Masson aussi doivent y aller. Quand tu le sauras, il faut que tu nous préviennes d'avance, car les enfants écriront. Gustave a écrit sa lettre du jour de l'An, je te l'envoie et les petites écriront sous peu ; celle de Gustave devait partir par M. Hudon et l'on me dit qu'il ne part pas : si tu peux trouver quelqu'un qui s'embarque le 16, tu l'enverras. Louis écrit en Angleterre et c'est pour cela qu'il envoie un exprès, pour que sa lettre se rende à temps.

Je suppose que personne à Kingston n'a écrit à ton père. Écris à ton oncle Benjamin qu'il lui écrive ; à présent qu'il sera chez lui, il le devrait pour le premier packet de janvier.

Quant à ce que tu me demandes par rapport à tes sœurs, je ne sais que t'en dire : tu ne peux acheter que quelque chose de peu de valeur. Fais comme tu pourras ; tu pourrais acheter un joli livre à la cousine Rosalie ou autre chose, car elle te finit un porte-montre qu'elle avait commencé et qu'elle veut te présenter quand tu viendras. Tu feras comme si je ne t'en avais pas soufflé mot.

Il faut que tu m'envoies les chansons qu'il y a dans le coffre ou que tu les apportes quand tu viendras, car Rosalie voudrait les avoir et les enfants veulent avoir leurs autres effets, quand il sera possible. Et puis je ne suis pas surprise que le petit manteau ne s'y trouve pas ; j'avais l'idée que je l'avais donné à Paris. C'était les enfants qui l'obstinaient. Ainsi, ne t'en inquiète pas ; je crains de ne pouvoir aller à Verchères ; il n'y a qu'un peu de neige et puis elle s'arrête ce soir, et il fait bien doux.

Mme Bruneau de Saint-Denis est bien faible, l'on craint qu'elle ne tire à sa fin. C'est aussi pourquoi je voulais faire ce voyage. Ce pauvre frère me fait demander si je ne puis le faire cette semaine ; je ne le ferai qu'après ton voyage ici : temps où je devais y retourner pour y passer un mois et puis, ensuite, aller à Montréal. Mais à quoi bon faire des projets qu'il faut souvent abandonner aussitôt formés, petits ou grands ! L'on devrait vivre au jour le jour, s'il était possible, mais c'est un mal qui nous a devancé, et qui nous suivra, que celui de se flatter qu'il y a un bonheur à atteindre dans ce monde tandis que l'expérience de tous les jours nous démontre le contraire.

Adieu, fais mes amitiés à tous nos parents et amis et reçois les nôtres en attendant le plaisir de te voir. Ton frère Gustave travaille bien, me dit son maître, et les sœurs de même.

Ta mère affectionnée,

J. B. Papineau

L'honorable L.-J. Papineau
34, rue de Rivoli
Paris

Saint-Denis, 18 décembre [1843]

Mon cher ami,

Je suis venue aux premières neiges, avec ta sœur, pour voir ma bonne maman à Verchères ; et puis nous sommes reparties après deux jours de séjour, voyant le mauvais temps, et sommes ici retenues par un grand abat de neige et de froid, ce qui me fait craindre que je ne sois rendue à temps pour t'écrire pour le prochain packet. Je me décide à le faire ici. J'ai laissé toute la famille à Verchères bien, et ici, chez ma tante, elle est assez bien, mais toujours bien affligée, et t'aimant toujours comme par le passé, et me charge de te le dire ; ma pauvre belle-sœur toujours s'affaiblissant, et nous sommes toujours étonnés qu'elle vive encore aussi longtemps.

Celle-ci te parviendra au temps où l'on est habitué à se faire des souhaits pour une meilleure année que celle qui vient de s'écouler. Et puis c'est ainsi que s'écoule notre misérable existence sur cette terre : toujours en espérance d'un meilleur avenir et toujours déçue. Et l'expérience ne nous corrige pas.

Tu auras appris, au départ de l'autre packet, la résignation du ministère[32]. Et puis, par celui-ci, tu apprendras le refus de l'amnistie. Tu vois toute l'étendue du mal que nous fait constamment le ministère colonial. Tout allait bien, les tories même étaient modérés, tous les partis étaient fatigués de la lutte ; et nous avions lieu d'espérer que nous aurions le temps de passer quelques lois qui mettraient le pays en sûreté. Et des instructions sont venues ; et tout cela est arrêté. Je ne sais si quelques-uns des membres t'écriront ce qu'ils peuvent te communiquer, je ne sais, pour te donner des informations que tu devras communiquer à M. Roebuck. Je saurai cela par Amédée, qui doit venir aux Rois à Saint-Hyacinthe. Tous ceux que je vois, depuis cette nouvelle, disent que cela ne te regarde pas, que tu peux revenir sans rien demander. Je saurai ce qu'en pensent tes amis, et les Viger surtout.

Mais ce que je crois nécessaire, et c'est le dernier effort que tu dois faire pendant que tu es en Europe : d'écrire à M. Roebuck que tout le mal vient de ce Stanley. Est-ce que l'on ne pourrait pas demander son déplacement ? En demandant ses correspondances avec le gouverneur, l'on verrait qui aurait tort. Je suis certaine que personne n'aura connaissance de ce qui nous arrive dans ce moment, excepté dans les bureaux de Stanley. Est-ce que l'on ne pourrait trouver moyen de savoir si Robert Peel y a part ? Alors, si l'on est certain que cela vient du ministère, il faudra tout abandonner. Mais avant de revenir en Amérique, je voudrais bien - et je crois que cela ferait beaucoup de bien - que tu communiques de nouveau avec M. Roebuck, afin qu'il fasse ses efforts pour savoir si ces instructions et ce refus de l'amnistie viennent de sir Robert Peel ou de Stanley. Et alors l'on saura à quoi s'en tenir, car ici l'on est si ignorant de ce qui se passe à notre égard, qu'ils croient que la reine et les Communes s'occupent de nous. Et il n'y aurait que ce moyen de les détromper. Et puis après que M. Roebuck t'aura répondu ce que tu dois faire, tu te décideras finalement à revenir aux États. L'on n'aura plus rien à te demander et puis le pays verra plus clair, qu'il n'a plus rien à espérer, si ces mesures viennent du ministère. Mais on laisse faire Stanley dans l'ombre : il faut savoir s'il agit seul. Voilà mon humble opinion, que j[e n]'ai communiquée à personne, car je ne parle jamais politique.

---

32. Le ministère (gouvernement) LaFontaine-Baldwin.

Tu en concluras comme de coutume, que c'est inutile et que cela n'aura aucun résultat, mais, si tu reviens sans avoir fait aucune démarche, tu le regretteras, car ceci est la fin du jeu. Ils n'ont jamais voulu se prononcer sur le refus de l'amnistie, ni osé la donner avec des exceptions, qui les auraient couverts de ridicule et d'infamie. Et, ainsi, ils s'en retirent en la refusant et imposant, à ceux qui y veulent rentrer, à pétitionner. Alors il n'y a plus de mesure à garder, il faut que le pays sache si cela vient du ministère ou non. Et si cela ne vient que du Bureau colonial : est-ce que le ministère ne doit pas s'enquérir pourquoi l'on a donné de pareilles instructions ? Mais, pour cela, il faut que tu le suggères à M. Roebuck, car je doute fort qu'il y ait un seul homme ici qui y pense. Et alors tu pourras montrer à ton pays que tu as fait un dernier effort pour connaître le sort qu'on lui réserve et, si tu apprends que c'est contre lui qu'est dirigée l'exception, que l'on craint ta rentrée dans le pays, tu reviendras aux États-Unis avec honneur, disant que tu as souffert en silence la solution du problème, et que l'on exile du pays ceux que l'on sait lui être dévoués et ayant son entière confiance.

Il n'y a pas même jusqu'aux Anglais qui ne désiraient ton retour. Ils auraient presque tous voté pour toi à Québec et à Montréal. Il n'y a personne ici qui ait la confiance générale ; il y a des divisions et tout va mal parce qu'à chaque nouvel événement chacun pense et n'ose le faire ouvertement. L'on souffrait en patience, attendant ton retour. Ils disaient tous : « Il faudrait que Papineau fût ici. » Ainsi, fais ce que tu voudras, mais je crois de mon devoir de te dire ce que j'en pense.

Amitiés et souhaits du jour de l'An à tous nos amis. À Lactance, dis-lui que je voulais lui écrire, mais je ne le puis que par occasion, c'est si coûteux. Amédée doit m'informer s'il y en a, mais je manquerai celle de ce packet, car j'en recevrai avis trop tard, par rapport à mon absence.

Les enfants et moi nous ennuyons beaucoup de vous. Il faut finir en vous embrassant au commencement de la nouvelle année.

Ton épouse affectionnée,

Julie Bruneau Papineau

M. Amédée Papineau
Montréal

Saint-Hyacinthe, 20 décembre 1843

Mon cher Amédée,

J'étais absente lors de l'arrivée de ta lettre et de celle de ton père que tu m'envoyais, je ne suis arrivée qu'à midi et je n'ai eu que l'après-dîner à écrire ; ainsi, nos dépêches ne seront pas aussi complètes que si nous eussions eu plus de temps.

Je suis bien fâchée de n'avoir pas vu M. Joseph Roy avant son départ, que de choses j'aurais eu à lui dire ! Dis-lui que je me repose sur lui pour ce qu'il faut dire sur l'état du pays à ton père qui sera si heureux de le voir ! Ta tante n'a pas le temps d'écrire : en arrivant, elle a eu trop à faire et quant à ce que tu me dis, de faire tout en mon pouvoir pour faire revenir ton père, je le fais mais je sais que ce n'est ni toi ni moi qui le ferons consentir. Si, comme tu me le dis, les Viger lui écrivent, il les croira plutôt qu'aucun autre puisqu'ils y ont été opposés jusqu'à présent. Est-ce à toi-même que M. Louis Viger a dit qu'il fallait que ton père revînt ? Et puis, à présent que M. Denis Viger est au ministère, écris-lui d'écrire à ton père ou au moins de te dire ce qu'il faut lui écrire. Et Côme Cherrier est-il aussi de cet avis ? Vois-le et dis-lui qu'il fasse dire par M. Roy ce qu'il pense par rapport à cela. Voilà des personnes qui pourront le décider, et non toi ni moi.

Je suis bien aise de voir M. Viger au ministère[33], au moins il pourra donner de bons conseils au gouverneur au lieu de le laisser isolé ou au pouvoir de nos ennemis.

Il fallait envoyer un exprès porter ces lettres ; Louis dit qu'il va y aller lui-même.

Tu me demandes encore ce qu'il faut apporter aux fillettes en fait d'habillements : je ne puis rien te conseiller, car d'un moment à l'autre, nous serons en deuil ; cette pauvre Mme Bruneau[34] ne peut durer longtemps. Apporte-leur ce que tu voudras à ton goût et suivant tes moyens. Il faut que tu fasses une caisse de tous les effets qui leur appartiennent dans le coffre : jouets et livres, etc. Elles veulent avoir tout cela ainsi que Gustave. Envoies-en une partie par Dessaulles, et les chansons.

Fais mes compliments chez M. Donegani et remercie-les, pour moi, du présent qu'ils m'ont envoyé d'un quart de pommes et d'un quart d'huîtres. Fais aussi mes amitiés à mes oncles, les Robitaille ; j'espère qu'ils ont profité de ces bonnes occasions pour écrire à M. Papineau : cela lui fera tant de plaisir ! En

33. Le ministère Viger-Draper (1844-1847).

34. Josèphe Bédard, épouse de Pierre Bruneau, est décédée le 22 décembre 1843, à Saint-Denis-sur-Richelieu, âgée de 59 ans.

faisant tes visites du jour de l'An, fais mes compliments à tous nos parents et amis et dis-leur que je leur fais, à tous, mes souhaits de la nouvelle année ; et à nos voyageurs, souhaits d'un heureux voyage. Adieu, cher fils.

Ta mère affectionnée,

Julie Bruneau Papineau

L'honorable Louis-Joseph Papineau,
34, rue de Rivoli
Paris

Saint-Hyacinthe, 20 décembre 1843

Mon cher ami,

Je t'écrivais hier à Saint-Denis, et au moment où je finissais ma lettre, Louis est arrivé de chez lui, m'apportant une lettre de toi datée [de] Paris, 14 novembre, accusant réception de ma lettre et de celles des petites, et de l'envoi de fonds. Amédée a décacheté ma lettre et l'a lue avant de me l'envoyer. Ainsi, il écrira à M. Viger qui t'avait envoyé ces fonds. Il m'annonce aussi le départ d'un bon nombre de nos amis pour Paris qui te surprendront agréablement et je n'ai qu'aujourd'hui pour te répondre.

Nous sommes revenus ce matin de Saint-Denis et je me remets à t'écrire de nouveau et les petites n'auront que peu d'heures pour mettre à profit les bons avis ; ces dames voudront bien excuser leurs lettres : il faut envoyer un exprès en ville demain pour envoyer ces dépêches à nos amis qui partent le lendemain. Voilà ce que c'est d'être éloigné ; nous aurions pu écrire plusieurs lettres si nous eussions été informés plus tôt. Ma lettre d'hier étant écrite, je te l'envoie toujours quoique presque inutile, puisque les informations que je reçois aujourd'hui sont de nature à changer ou modifier mon opinion. Il est bien clair, d'après ce que m'écrit Amédée, qu'il faut que tu reviennes le plus tôt possible. Tout le monde est d'accord que tu n'as pas besoin de l'amnistie et que tout le monde te désire, et [ils] disent qu'ils ont besoin de toi. Quant à moi, je n'aurais pas insisté, crainte de nos proches, mais, si les Viger se joignent aux autres, il paraît clair qu'il faut que tu y consentes, car eux y avaient toujours été opposés jusqu'à présent. Et s'ils te demandent, c'est que tu es nécessaire et que tu peux y revenir avec honneur et avantage pour toi et ton pays. Si tu laissais manquer cette occasion de revenir puisque l'on te demande, et il est bien important pour tes affaires, autant que ta famille, [qui] serait ruinée par une plus longue absence.

Louis Viger va aller demeurer à l'Assomption et puis il va remettre tes affaires à Amédée. Tu ne peux avoir de meilleures informations sur l'état du pays que celles que te donnera notre bon ami, M. Joseph Roy. Je suis bien privée de n'avoir pas le plaisir de le voir ainsi que M. Masson avant leur départ. Je ne sais s'il te parlera de ta lettre et pourquoi il n'y a pas répondu. Je réponds à Amédée qu'il doit écrire à M. Denis Viger, qui est à présent au ministère, pour savoir ce qu'il faut t'en dire. Je suis d'avis que tu dois toujours voir M. Roebuck avant de revenir, s'il est possible. Enfin, il est inutile que je continue plus longtemps sur ce chapitre, car Amédée me dit qu'il t'en écrit bien au long et puis je te réfère à M. Roy pour le reste.

Il va ramener Mme Rankin ; ainsi, tu pourras m'envoyer par elle des fleurs artificielles, si tu ne veux les apporter toi-même et puis un toupet de cheveux semblables aux miens, chez mon perruquier : je t'envoie dans ma lettre un échantillon pour la couleur des cheveux ; il connaît la hauteur du mien et puis dis-lui qu'il faut que les cheveux soient longs et bien égaux, mais la raie en soie et non en *net*, et puis la recette pour les nettoyer, et si l'on est content de celui-là, l'on en fera demander d'autres. Et puis aussi tu m'enverras une boîte de poudre à dents de chez mon dentiste. Tu sais le nom du perruquier, Sellerin, faubourg Saint-Honoré. J'espère que ce sera toi qui apporteras cela et puis mon horloge et autres effets, livres. Tu les enverras par le Havre à New York.

Ma santé continue à s'améliorer ; j'ai bien supporté le voyage par un froid de 15 degrés ; j'espère que cela va continuer.

C'est Gustave qui a le plus de peine à s'acclimater au collège surtout.

J'espère qu'au jour de l'An tu répareras auprès de mes amies les péchés d'omission de noms, en faisant des visites aux laides et dévotes même, par complaisance pour moi, comme tu le fais aux belles en revanche, par plaisir. Je ne te pardonne pas d'oublier M. Perrault et dis-le-lui de ma part ; et puis la pauvre Mme Guillaume et le cher petit George ; nous ne l'oublions pas, nous en parlons à nos amis. Et chez Mme Joly[35], tu ne peux trop bien dire combien je pense à elle et que les moments que j'ai passés près d'elle étaient les plus agréables que j'ai passés à Paris ; la bonne mère, combien je l'aime !

Les enfants, à l'approche du jour de l'An, pensent souvent combien elles désireraient aller passer la soirée avec les enfants de Mme Joly, si bons et si aimables, et jouer à la loterie. Dis-leur que les enfants et moi leur faisons les souhaits de la nouvelle année. Tu en feras autant chez tous nos autres amis à qui tu sais ce qu'il faut [dire] ; chez Mme Kock en particulier. En lisant les *Mémoires* de Mme d'Abrantès, elle parle de Mme Lallemand qu'elle a bien connue ; je regrette de ne l'avoir pas reçue quand je l'ai vue à Paris ; je lui en aurais parlé. Je ne sais si tu auras occasion de la voir, mais, si tu la vois, dis-lui qu'elle parle

35. Julie-Christine Chartier de Lotbinière.

d'elle d'une manière bien avantageuse et que cela m'a fait plaisir. Comme cela répand un grand intérêt sur nos lectures, de voyager ! J'ai aussi lu un article dans un pamphlet sur lady Bulwer, bien correct, par une dame américaine, qui l'a connue à Paris. Je reconnais beaucoup de rues, de maisons, de personnes dont elle fait mention et qui maintenant m'intéressent parce que je les connais.

Les petites écrivent mais elles le font à la hâte et Azélie ne pourra avoir le temps d'écrire à son papa ; elle me prie de mettre quelques lignes pour elle ; qu'elle embrasse papa et le cher petit Lactance ; qu'elle s'applique à ses études pour leur plaire et qu'elle s'ennuie d'eux et voudrait bien les revoir. Elle dit qu'elle est bien heureuse de n'être pas malade, n'ayant pas son bon petit médecin de Paris pour la soigner. Et Marguerite s'ennuie beaucoup de M. Papineau - elle ne cesse de le dire - et aussi de Paris.

Ton épouse affectionnée,

Julie Bruneau Papineau

L'échantillon de cheveu dans l'autre.

Louis-Joseph Amédée Papineau
Montréal

Saint-Hyacinthe, 23 février 1844

Mon cher fils,

Je suis surprise de n'avoir eu aucune lettre de toi depuis ton voyage à Saint-Hyacinthe. Jusqu'à ces jours-ci, il m'a été impossible d'écrire : j'ai été constamment malade et bien faible. Je ne sais si le mieux que j'éprouve ces jours-ci continuera. Gustave aussi est bien mieux mais il est faible.

J'écris à ton père par ce packet : j'espère que tu n'y manques pas non plus. J'ai grand hâte de recevoir ses lettres ; ne manque pas de me les envoyer aussitôt par la poste, s'il n'y a pas d'occasions. Si mon mieux se soutient, j'ai dessein d'aller à Verchères sous peu et de là, aller à Montréal avant la glace rompue et de m'y dégrader[36] pour le printemps puisque je n'ai pu y aller de l'hiver, mais pour cela il me faut une robe de soie noire, et ici, je la ferai faire à meilleur marché. Comme tu ne m'as pas envoyé d'argent, tu m'en fourniras pour l'achat de ma robe. Consulte-toi avec Rosalie et elle l'achètera : il faut que ce soit une

36. Dégrader a le sens de « perdre son temps » à cause d'un empêchement à continuer un voyage. Julie lui donne ici le sens de « passer le temps ».

bonne soie, forte et large, si elle peut en trouver. Je n'aime pas le gros de Naples, il me faut de la levantine[37] ou autre soie d'un beau noir. Rosalie sait ce qu'il en faut : si elle est étroite, il en faut 14 verges, et si elle est large, il en faut moins suivant la longueur ; et s'il y a de la guipure en crêpe, elle pourra en acheter pour garnir le corsage. Tu lui diras qu'elle se rappelle que je lui ai demandé une verge de *net* de soie et puis un modèle de chapeau et du velours pour le faire, ou satin, suivant la mode.

Fais bien mes amitiés à la famille Donegani et puis à nos autres amis. J'ai été bien aise de voir M. Viger et puis M. Morin ; il va prendre le thé ici, ce soir, avec sa dame et puis la famille Cartier et les messieurs du collège.

Adieu, envoie-moi ce que je te demande par Rosalie et sois moins paresseux à m'écrire.

Tout à toi, ta mère affectionnée,

Julie Bruneau Papineau

P. S. L'on m'a adressé deux gazettes d'Albany qui m'annoncent la mort et les funérailles de notre bon ami, le juge Cowen. Je ne sais si l'on t'en a adressé ; au cas que non, je te les enverrai par Dessaulles. Ne manque pas d'écrire de ma part et de la tienne à Mme Cowen et à M. Sidney, combien je prends part à leur douleur et que je suis malade et faible. Ce serait bien ingrat de ta part de négliger ce devoir. Et dis à la mère de mentionner à Mme Weed, sa fille également, la part que nous prenons à leur juste douleur. Fais cela au plus tôt et écris-moi que tu l'as fait.

M. Lactance Papineau
34, rue de Rivoli
Paris

Montréal, 10 avril 184[4]

Mon cher Lactance,

J'ai écrit à ton père par le bateau du 1er. J'étais déjà ici et y serai d'ici à la navigation, et alors je retournerai à Verchères ; en vous attendant, j'espère que vos prochaines lettres m'annonceront le temps de votre départ. Tu ne saurais croire combien les deux dernières lettres de ton père m'ont affligée, car je le vois aussi

37. Levantine : étoffe de soie unie.

indécis et irrésolu, au parti qu'il doit prendre immédiatement, depuis que les difficultés sont aplanies, pour lui permettre sa rentrée au pays, au moins pour y pouvoir arranger ses affaires personnelles et privées.

Voilà encore une année écoulée depuis qu'il s'est opposé à mon départ ; et les affaires publiques, que l'on croyait alors au moment d'une solution d'une manière décisive, sont encore changées mais non terminées. Est-il possible, est-il sensé de faire dépendre notre sort et celui de nos enfants plus longtemps sur une pareille incertitude ? Non, c'est impossible. C'est l'opinion générale, ici, que ton père aurait fait un grand bien s'il eût été ici, mais quand bien même, ton père ne l'envisage pas de même ! Il lui sera bien plus aisé de juger par lui-même s'il peut opérer le bien en sondant le gouverneur[38] ; et voyant jusqu'à quel point il veut, il peut faire le bien, et alors lui dire franchement qu'il ne veut pas rentrer dans la vie publique. Et de même envers ses compatriotes, à qui il est en droit de dire : « Je ne veux plus de la vie publique à moins que je ne puisse faire du bien, et les circonstances sont telles que je ne vois rien d'effectif à faire. Je suis pauvre et ma famille a droit d'attendre de moi que je travaille à réparer leurs malheurs. » Surtout s'il va en Angleterre, avant de venir ici, il saura encore mieux à quoi s'en tenir.

M. Louis Viger est venu en ville et il m'a dit qu'il attendait ton père ce printemps et qu'il désirait le voir avant tout autre ; qu'il était important qu'il le vît ; qu'il fallait lui écrire son arrivée aux États. Et puis, M. Denis Viger est bien surpris et affligé de ce qu'il ne soit pas venu de suite, d'après ce qu'il lui a fait dire par son frère Benjamin, et puis par Amédée. Enfin, M. Côme Cherrier m'a dit : « Je ne suis pas surpris que Papineau ne puisse se former une idée de l'état du pays ; il est en effet impossible, quand bien même on lui écrirait ; ce qui est déjà difficile à faire par lettre, et puis, de plus, d'un jour à l'autre, il faudrait rectifier ce que l'on aurait écrit, vu les circonstances. » S'il y avait eu ici quelqu'un en qui le public eût confiance, l'on aurait réussi et forcé à avoir le gouvernement responsable comme nous l'entendons, mais nous manquons d'hommes, et ainsi, tu vois toujours que c'est le moment que ton père doit revenir et puis il jugera les choses par lui-même. Tous les partis invoquent son nom.

M. Quiblier est venu pour me voir et j'étais sortie. Il a dit à Mme Plamondon qu'il fallait que M. Papineau revînt, que l'on avait grand besoin de lui, et puis le juge Rolland m'en disait autant l'autre jour ; et c'est ainsi dans tous les rangs et dans toutes les nuances. Il ne pourra pas dire, au moins, qu'il n'est pas désiré ni attendu et c'est déjà beaucoup. Ensuite ce qu'il pourra faire, ou ce qu'il jugera à propos de faire, sera pour lui seul : personne autre ne l'y pourra forcer. Ainsi, mon cher, fais tout en ton pouvoir pour le décider et puis, toi, reviens aussi. Tu continueras à te former ici par l'étude et la pratique, peu à peu.

38. Charles Metcalfe.

Je ne suis pas bien portante et je m'ennuie beaucoup de ton père, et le grand sacrifice que j'ai fait de le laisser et la prolongation de son absence me désolent au point que je manque de courage. Je l'ai fait dans l'intérêt de ma famille pour qui je me suis toujours dévouée et que je considère comme le premier de nos devoirs, mais vous ne sauriez croire ce qu'il m'en a coûté, ni lui non plus. Je suis approuvée de la famille mais ils voient bien ce que j'ai eu à souffrir et ce qu'il me faut encore d'épreuves avant de nous voir réunis et tranquilles avec un chez-soi. Il devra revenir par l'Angleterre et toi, avec l'avis de M. Bossange, tu arrangeras les effets pour les mener par le Havre.

Amédée est si occupé à son recensement qu'il ne peut t'écrire et qu'il me charge de te mander quelque chose au sujet de tes livres.

J'écrirai à ton père par le bateau à vapeur. Je t'envoie celle-ci par voie ordinaire. Toute la famille est bien portante ; Gustave, mieux. J'ai reçu ta lettre pour lui, celle de ton père pour moi, et celle pour Dessaulles : je les ai envoyées de suite. Il va en classe mais il est encore chez sa tante.

Voici ce qu'Amédée te recommande : de faire relier tes livres en France et, en les paquetant dans tes valises, de mettre les vieux dessus et, en débarquant à New York, de te nommer et dire que tu es étudiant en médecine et que c'est une bibliothèque à ton usage et non pour le commerce. Et si l'on te faisait plus de difficultés, tu devras aller chez M. Tillou, n° 58 Wall St., et lui demanderais de t'accompagner chez le collecteur qui te déchargerait assurément. Et puis, à Saint-Jean, faire bonne contenance et dire que tu n'as aucun objet de commerce. Tu vois qu'il est toujours de précaution, Amédée. Quant à moi, je n'ai eu aucune de mes malles d'ouvertes, ni à Boston ni à Saint-Jean ; l'on m'a dit que l'on s'en fiait à moi : ainsi, si tu payes de ta bonne mine, il en sera ainsi. Il dit aussi qu'il a vendu à M. Donegani les lunettes de son frère, et, moi, j'ajoute que j'espère que tu n'en achèteras pas ; achète plutôt une lorgnette. Amédée a déjà les yeux perdus avec ses lunettes. Il dit aussi qu'il ira parler au Dr Bruneau[39] de tes livres. N'oublie pas les petits articles qu'il t'a demandés dans ses dernières lettres.

Nous attendons M. Masson le 7 ou 8 mai. Ton père devrait bien revenir avec lui, mais je n'ose m'en flatter. Je suis destinée à être déçue dans toutes mes espérances, même les plus légitimes ; je ne sais jusqu'à quand et à quel point je pourrai les supporter. Il n'y a que la Providence qui le sait et qui en décidera.

Il faudra qu'il tire sur M. Viger s'il a besoin d'argent. Il [le] lui a fait dire par Amédée, cet hiver, m'a-t-il dit.

Je vous embrasse tous deux, ainsi que les enfants. Adieu, mon cher fils.

Tout à toi, ta mère affectionnée,

Julie Bruneau Papineau

---

39. Le Dr Bruneau est fils de François Bruneau, marchand, et de Marie-Thérèse Leblanc. Il demeurait à Montréal, au n° 7 de la rue Sainte-Hélène.

M. Lactance Papineau
34, rue de Rivoli
Paris

Montréal, 12 mai 1844

Mon cher Lactance,

Amédée n'ayant pas le temps de te répondre par ce packet, parce qu'il n'a pas fini son recensement, il m'a apporté ces lignes écrites à la hâte, et qu'il me prie de te transcrire. Je le fais avant de commencer la mienne.

Dans une des dernières de maman, j'ai déjà répondu à la plupart des questions sur les douanes, etc. J'ajoute : Dessaulles ou moi te rencontrerons probablement à Saint-Jean, et peut-être à N.Y., et t'aiderons par conséquent. Au reste, fais comme je t'ai déjà dit pour les douanes, en débarquant à N.Y. ; tâche de te loger chez M. Catlin, n° 25, Pearl St., coin de Whitehall St. Tu lui diras que tu viens lui demander logis de la part de ton frère, son ancien pensionnaire. Et écris-moi aussitôt par la malle la plus prochaine. Tu trouveras James Porter au n° 28, Leonard St., son frère William au n° 32, Attorney St., Rodolphe Des Rivières, n° 72, Water St., Robillard, n° 19 Maiden Lane. L'un de ces quatre amis te guidera à bonne pension, où tu payeras 1 $ par jour, si tu ne peux te loger chez Catlin. Si je ne vais pas au-devant de toi, tu demanderas à William Porter de te remettre les papiers que je lui ai laissés en soin. Tu trouveras à Albany le Dr O'Callaghan, au coin de Lydins et Green St.

J'ai étudié l'économie dans Jean-Baptiste Say[40] *et je te conseille fort de t'acheter à Paris les effets suivants, qui te coûteront ici le double, et seront moins beaux et moins bons : un habit de toilette, drap noir, 100 ou 110 francs ; gilet de satin uni, 25 fr ; pantalon satin, laine, noir, 45 ; les habits de toilette te sont nécessaires ici et te dureront plusieurs années. Des habits communs, tu les auras ici. Encore un chapeau, 10 ; une ou deux paires de bottes fines, 20 fr la paire ; quelques gants noirs et couleur paille.*

Le Dr Bruneau te fait dire d'apporter des ouvrages élémentaires (les plus modernes et célèbres, de préférence) et quelques-uns sur des maladies spéciales, tels que ceux que tu mentionnais : Mackenzie[41]*, sur les yeux ; Hope*[42]*, sur le cœur ; mais il ne peut te spécifier un choix. Il dit que tu ferais bien et que c'est même nécessaire que tu apportes une trousse ou boîte, composée surtout des instruments rares, car, pour les communs, on se les peut procurer ici. Mais, à cause des prix, je te conseille t'acheter autant que tu pourras à Paris. C'est toujours meilleur marché qu'ici.*

---

40. Jean-Baptiste Say, *Traité d'économie politique,* traduit en anglais à Philadelphie, 1836.
41. William Mackenzie (1791-1868), *Traité pratique des maladies des yeux,* Paris, B. Dusillon, 1844, 734 p., traduction de *A practical treatise on the diseases of the eye.*
42. James Hope (1801-1841), *A treatise on the diseases of the heart and great vessels : comprising a new view of the physiology of the heart's action according to which the physical signs are explained,* Londres, W. Kidd, 1832, 612 p.

J'ai laissé la plupart de mes livres à Saratoga, chez le juge Cowen, et ne suis pas encore décidé à les faire venir cet été. Nous verrons. À Saratoga, tu logeras chez Mme Nash et tu auras soin d'y voir tous nos amis.

Depuis quelques semaines, je vois une annonce dans le Courier des États-Unis. *Tu te consulteras avec M. Bossange, qui te dira si ce nouvel établissement mérite confiance.*

Paquebots d'Anvers à N.Y. : 1er juin, 15 juin, 1er juillet, 15 juillet. Prix du passage, de Paris à N.Y., y compris la place de la diligence de Paris à Anvers, trajet en 22 heures ; départ par jour par les chemins de fer de Lille à Valenciennes, première chambre, 450 francs avec nourriture ! S'adresser à Paris, à M. A. Chateauneuf, jeune agent des bateaux à vapeur, no 8, boulevard Montmartre. Consulte-toi et vois ce que cela vaut. Fais-nous savoir d'avance, par voie des pyroscaphes, la date précise de ton départ de Paris.

Ici se terminent les réponses de ton frère et il me faut commencer la mienne, en réponse à vos dernières, venues au moment de mon départ pour l'Assomption. M. Viger venait me chercher pour la troisième fois : il a bien fallu y aller. Je ne voudrais pas le mécontenter, car nous dépendons de lui absolument.

Ainsi, après avoir lu vos lettres, qui à présent sont plutôt des lettres de deuil que de consolation, il m'a fallu partir après avoir bien pleuré et, ainsi en larmes, je suis embarquée en bateau à vapeur jusqu'à Saint-Sulpice, où sa voiture nous attendait, et j'y ai passé huit jours. Ils ont été aimables et bons pour moi, et la petite on ne peut pas plus, c'est une excellente personne. Ils sont heureux on ne peut pas plus. Ainsi, il m'a fallu contenir mes souffrances physiques et morales, mais je n'ai pu me garantir, malgré tous mes efforts. Et j'ai été souffrante des douleurs d'entrailles et d'estomac. Les deux derniers jours, j'étais un peu mieux et je suis arrivée ici.

Et, en arrivant, j'ai trouvé une lettre de la chère Rosalie Dessaulles qui m'annonçait l'affreuse nouvelle que le cher Gustave avait encore eu une nouvelle rechute. Ainsi, je n'ai pas besoin de te dire en quel état je me suis trouvée. Deux jours après, j'en ai reçu une de lui-même. Le cher enfant dit qu'il est mieux et, pour la quatrième fois, en état de convalescence ; et il ajoute qu'il ne sait si cela continuera, qu'il est découragé, ennuyé à l'excès, que le docteur dit qu'aussitôt qu'il fera beau et qu'il sera en état de sortir il faut qu'il fasse une petite promenade. Ainsi, il doit venir à Verchères avec Marguerite. Je m'y rendrai mardi pour y demeurer quelque temps.

Je suis forcée de rester ici parce qu'il me faut écrire, et puis voir M. Masson qui est parti pour Terrebonne, en arrivant, d'où il ne doit revenir que lundi. Je sais qu'il n'aura rien de plus consolant à me dire que vos lettres, mais enfin, il est convenable que je le voie.

Je te blâme beaucoup de ne lui avoir pas demandé ce qu'il te fallait pour t'acheter les effets nécessaires et que tu dois apporter. Je lui aurais fait rembourser cela ici en arrivant. Ce n'était pas une si grande faveur, et qui pût blesser ta délicatesse. Tu as fait comme ton père que tu blâmes, et tu en souffriras l'inquiétude et le retard que cela va t'occasionner ! Dans le mois de mai, tu aurais eu un plus court passage ! Cher enfant, que cela te serve encore de leçon ! Il faut absolument que tu t'aides, que tu agisses. Tu dois en voir de plus en plus la nécessité, non seulement pour toi, mais même pour tes chères petites sœurs, à qui tu seras peut-être bientôt obligé d'être utile, car tu dois être persuadé que si [le] cher petit Gustave succombe à un aussi funeste accident, je ne pourrai surmonter un pareil coup et que je le suivrai plus tôt ou un peu plus tard, car la vie des femmes est alimentée par les douleurs. C'est ce qui m'a soutenue jusqu'à présent ; mais il est impossible que je puisse soutenir des chocs plus douloureux que tous ceux que j'ai éprouvés par le passé. Et ceux-ci sont d'une nature plus sensible et plus poignante qu'aucun, car ils sont en grande partie volontaires de notre part. Mais Dieu est témoin que ce que j'ai fait n'a été qu'en vue du bien de ma famille. Et, si cela retourne contre elle, ce sera une fatalité que l'on ne pouvait prévoir. Car, pour moi, il y a longtemps que je sais que je n'ai que des peines en tous genres à souffrir jusqu'à la fin. Je voulais seulement alléger les vôtres.

Mais la conduite de ton père, qui m'est de plus en plus inexplicable, comme elle commence à le paraître à bien d'autres, est plus que je ne pourrai supporter, car, en faisant notre malheur à tous volontairement, il est inexcusable. Tant qu'il n'a pas dépendu de lui, nous avons souffert avec résignation et courage nos malheurs, au moins autant qu'il a dépendu de nous. Je suis faible et malade, usée. Il ne pouvait exiger l'impossible, c'est-à-dire que je fusse toujours gaie et satisfaite, et puis indifférente sur les moyens qu'il fallait choisir pour réhabiliter nos affaires. Il ne veut pas nous seconder, je n'ai aucun pouvoir sur lui, et il aura de plus des armes contre moi, selon ses vues de dire que j'ai fait mon sort. Ainsi, il n'y a que la Providence qui peut nous soutenir dans des épreuves pires qu'aucune de celles que nous avons éprouvées, puisque nous espérons toucher au terme et que l'on a moins de forces à recommencer.

Ainsi, si je vous manque, il faut que vos sœurs puissent au moins avoir votre aide et appui. Amédée et toi leur servirez de père, car, pour le petit, je crois qu'il ne peut guère se rétablir et, s'il plaît à Dieu de finir ses maux, ce n'est pas lui qui sera le plus à plaindre.

M. Viger écrit à ton père pour lui envoyer de l'argent. J'espère qu'il te donnera au moins ce qu'il te faudra pour apporter tout ce que l'on te recommande. Il m'a dit qu'il envoie en conséquence beaucoup plus que ton père ne demandait, afin qu'il te donne ce que tu demandes.

Il ne reste pas d'espace pour te dire de consulter les médecins à Paris sur l'état de ton petit frère, d'après ce que je t'ai écrit, que c'était la suite d'un coup négligé et qu'il a fallu le traiter avec du mercure à l'intérieur, et puis des frictions à l'extérieur avec un onguent mercuriel. Et ils ont continué ce traitement à chaque rechute. Et sa dernière rechute a commencé par un mal de dent et puis fluxions considérables. Je pense, moi, que c'est l'effet du mercure. Cela me désole.

Et puis il dit, quoiqu'il soit mieux, qu'il conserve toujours un peu de douleur quand il respire, ce qui me fait craindre qu'il ne se forme quelque abcès à l'intérieur. Enfin, si j'avais pu voir le médecin avant de t'écrire, j'aurais pu mieux te satisfaire. Tu feras pour le mieux. Il a grand hâte de te revoir. Il lui semble que tu le soulageras.

Voilà, cher enfant, la triste situation d'esprit où tu vas être au moment d'entreprendre ton long et pénible voyage. Tu devrais sentir qu'il n'y a que la Providence qui puisse t'aider et te consoler, te donner du courage. Et encore je crains que tu n'aies pas cette consolation. Au moins, moi, ta mère, je ne l'ai pas.

À ton premier voyage, tu m'écrivais de New York que tu avais communié avant de t'embarquer, et tu étais heureux et gai. Aujourd'hui, je sens, comme je te le disais plus haut, que mes peines accroissent au lieu de diminuer, car s'il t'arrive malheur, je serai sans consolation.

Voilà donc tout ce que je puis envisager, en avançant dans la vie : tout ce que j'ai fait pour ma famille n'a retourné qu'à leur perte. Si je t'avais laissé au pays dans un coin obscur, c'eût peut-être été mieux, mais j'espère au moins dans la miséricorde de Dieu, qui a connu mes intentions. Et vous, mes enfants, ne m'en ferez pas de reproches, vu les motifs qui m'ont guidée !

J'attendais la malle pour fermer et elle n'est pas arrivée, c'est bien désagréable que vous ne mettiez pas sur vos lettres : *Per via Boston.* On pourrait toujours par là répondre par le même packet. L'on attend depuis hier et en vain.

Ta tendre mère. Adieu, au revoir.

Julie Bruneau Papineau

M. Amédée Papineau
Montréal

Verchères, 27 mai 1844

Mon cher fils,

J'ai reçu ta lettre ainsi que celle de ton père qui y était incluse. Elle est un peu plus explicite, au moins sur ce qu'il pense et veut faire, que les précédentes. Ainsi, tu vois que nous sommes plus éloignés que jamais de voir [le] jour de nous fixer au Canada. Tu vois que ce serait imprudent d'insister davantage là-dessus. Pour le moment, il faut attendre l'arrivée de Lactance. Et puis, en attendant, c'est à toi et à moi de n'en rien dire, mais, par rapport à toi, tu vois que ton père dit la même chose que moi, et, à présent que tu as le précédent de Lévesque[43], tu dois aller hardiment : l'injustice serait trop flagrante pour que tu n'éprouves pas l'intérêt des uns et puis la crainte des autres de se refuser à une chose aussi palpable. Il a étudié bien moins longtemps la loi que toi, demande-lui des avis et qu'il s'intéresse avec toi auprès des juges Rolland, Guy et Vallières et puis tu verras que tu réussiras. Au moins, tu n'auras pas de reproches à te faire et puis tu vois de plus en plus la nécessité que tu tâches de te mettre en état de gagner ta vie ainsi que Lactance et, si vous pouvez le faire au Canada, tant mieux puisque nous ne pouvons vendre nos propriétés pour le moment. Tant qu'elles y resteront, vous y devez rester et les gérer bientôt. Si votre père vient demeurer aux États, il sera urgent que vous soyez ici, et, si nous vendons, alors vous serez à même de faire ce que vous voudrez suivant les circonstances où le pays se trouvera. Tu vois par les nouvelles d'Europe que ton père a raison et que ce que je t'ai dit de la politique, faible et inerte de tout le pays, ils n'ont rien gagné et que l'on se joue d'eux tous, ainsi que la sage *Minerve* commence à l'avouer.

Ton père blâme tous les partis ; et c'est ce que j'ai toujours dit : que le ministère avait été faible en acceptant leur charge sans aucune garantie, aussi ils n'avaient rien fait et puis ils résignent, après avoir enduré les choses importantes contre le pays, pour de moindres, sans passer aucune bonne loi, et puis ensuite, M. Viger, qui pouvait avoir quelques raisons alors de leur être opposé, vient se perdre ici dans cette misérable élection et avec lui le pays : c'est avec raison que l'on dit que nous avons peu d'hommes et puis, en Angleterre, on ne le sait que trop. Tous les jours leur apprennent qu'il n'y avait que ton père qu'ils ne pourraient jamais duper. Et c'est bien pour cela qu'on continuera à le traiter injustement, pour empêcher sa rentrée au pays. Je savais bien qu'il serait blessé de l'indifférence de ses concitoyens, et je me réjouirais bien qu'il se décide pour les États : c'est ce que je lui ai écrit sans cesse, que je le voudrais voir prendre une décision énergique. Et j'étais certaine que nous ne serions pas plus avancés cette année que l'an passé. Eh bien, il retarde à l'automne, et alors les choses seront les mêmes. Plût à Dieu qu'il se décide alors tout de bon, je serais soumise et patiente si je croyais certain qu'il revient alors ; mais le passé me donne des craintes que, l'automne arrivé, il sera aussi indécis. Je serais contente de demeurer aux États ; je trouve le climat ici affreux ; et puis rien autre chose en compensation. Après ma chère maman, mes frères et sœurs et puis ta bonne tante Dessaulles, et la famille Papineau, tout le Canada ne m'est rien, et avec bien des raisons légitimes. Ainsi, toi et Lactance y devez rester parce que vous êtes jeunes ; et puis vous pourrez y voir des changements, mais nous n'en verrons rien à notre âge.

---

43. Guillaume Lévesque, ami et confrère d'Amédée Papineau, banni du Bas-Canada, avait gagné Paris pour y étudier la médecine ; à son retour au pays, en novembre 1843, il fut reçu avocat et se trouva un emploi comme traducteur à la Chambre d'assemblée.

M. Malhiot va en ville dans le bateau. Ainsi, j'espère que tu m'enverras les effets que je t'ai fait demander par Rosalie, les livres de Gustave et des petites, et puis le métier à broder, et, à Mme Donegani, des laines qu'elle devait acheter à Azélie. J'ai oublié de lui laisser de l'argent ; ainsi, tu lui en donneras et je te le rembourserai quand tu viendras. En venant, tu apporteras avec toi un peu de bons biftecks, des asperges, des oranges, du sucre du pays et des légumes, enfin, quelque autre chose que tu trouveras à bon marché, des tourtes, car ils n'ont rien ici. Tu connais leur gêne, et puis il est juste qu'on les dédommage des dépenses qu'on leur occasionne. Je te paierai cela.

Gustave est bien mieux, il a un bon teint.

Il n'[y] a ici que du veau et des poules ; pas même de sucre du pays. Ils partent tous en ville ; ainsi, de temps en temps, aie l'attention d'envoyer quelques choses et marquer tes dépenses, car il me fait peine d'augmenter leurs dépenses.

Écris-moi si tu écris en Europe et, si tu ne le fais pas, quel jour faut-il que je le fasse ? Adieu, au revoir.

Ta mère affectionnée,

Julie Bruneau Papineau

Amitiés chez M. Donegani. Que Rosalie m'écrive si elle va aux États-Unis et, si elle y va, écris à Mme Laforge.

M. Amédée Papineau
Montréal

[Verchères, 10 juin 1844]

Mon cher Amédée,

Je ne conçois pas pourquoi tu ne m'as pas écrit par la poste de vendredi. Nous avons reçu les journaux qui mentionnaient l'arrivée du packet et pas un mot qui m'indique de ta part si j'ai une lettre ou non, et je ne sais combien de jours j'ai pour écrire, ayant manqué d'écrire par le premier. Il ne faut pas que je manque celui-ci : ainsi, j'envoie ma lettre par mon oncle[44] afin que M. Fabre l'envoie à M. Bossange, car ton père aura changé de logis ; fais mettre l'adresse par M. Fabre comme il le voudra et fais-lui mes compliments et remerciements.

Quand tu viendras, apporte de bon boeuf pour rôtir et pour bifteck - ils ne tuent pas de boeuf ici - et puis demande à Mme Bruneau si elle veut m'envoyer

44. L'oncle Ignace Robitaille.

ma magnésie et puis une bouteille d'huile à lampe comme celle qu'elle m'avait achetée. Je lui envoie la bouteille. Et puis aussi une boîte de lampions. Pour les autres choses, je te laisse à ta générosité. J'ai gardé les oranges que tu as envoyées, car nous attendions Mme Masson. Informe-toi donc si elle doit venir prochainement : je pense que c'est le mauvais temps qui la retarde. Dis-moi aussi si Louis et Rosalie vont aux États et quand. Écris demain si tu ne viens pas : nous allons manger les oranges et puis tu en apporteras d'autres avec toi.

Adieu, au revoir, compliments au cher Émery de nous tous.

Ta mère,

Julie Bruneau Papineau

P.S. Je n'envoie pas la bouteille, car ce n'est pas commode à mon oncle. Envoies-en une autre.

M. Amédée Papineau
Greffier
Montréal

Verchères, 25 juillet 1844

[À Lactance] : Mon cher fils,

Tu ne saurais croire combien je me suis réjouie d'apprendre ton arrivée. Malade, convalescente et encore dans un état de faiblesse, j'avais bien de la peine à supporter cette inquiétude, jointe à l'ennui que j'éprouve de la séparation. Tout cela a contribué à empêcher un prompt rétablissement. J'espère te voir ici, vendredi, par le bateau à vapeur ; tu nous apporteras nos effets, et puis aussi je te prie de m'apporter un peu de bifteck bien tendre. Depuis ma convalescence, je ne mange qu'un peu de poulet : cela ne me soutient pas assez.

Toute la famille t'embrasse et t'attend en grand hâte. Je ne puis t'en dire plus long, car depuis hier, j'ai écrit à ton père par intervalles, et malgré cela, [ça] m'a fatiguée. Je te l'envoie pour qu'Amédée la remette à M. Fabre, ainsi que l'adresse. J'espère que tu n'as pas manqué d'écrire ton arrivée et puis les détails de ton voyage et des nouvelles sur nos bons amis des États. Adieu, mes chers fils. Tout à vous,

Votre tendre mère,

J. B. Papineau

Si tu peux aussi apporter des fruits, des cerises, car ici, il n'y a rien. Si ce cher Amédée pouvait venir mais je n'ose m'en flatter : ce sera le jour de la fête de la chère mémé et de la naissance du fils aîné. J'oubliais de faire dire à Lactance : grande circonspection sur l'opinion de son père, avec tout le monde et sur le steamboat en venant à Verchères.

[Amédée Papineau]

Verchères, [juillet 1844]

Mon cher fils,

Je ne puis comprendre comment il se fait que tu sois aussi négligent à m'écrire quelques lignes ; tu n'as plus le prétexte de ton recensement et puis, pas un mot de toi au sujet de cet extrait de la lettre de ton père que je te faisais dire de communiquer à M. Viger. Il s'en est plaint au curé et tu ne m'en dis mot hier en m'envoyant la dernière lettre de ton père ; tu aurais bien dû m'en dire quelque chose et puis tu vois, par cette dernière, qu'il insiste sur cela et nous recommande d'en parler à M. Viger. Écris-moi si tu ne veux me rendre aucun service ; j'irai moi-même à Montréal, mais, au moins, réponds-moi oui ou non. Tu devrais sentir dans quelle situation je suis pour l'amour de vous. Et puis, tu es d'une apathie et d'une indifférence à ne pouvoir expliquer ! J'insiste donc à ce que tu voies M. Viger et que l'on puisse répondre à ton père. J'envoie celle-ci par le curé qui part ce matin. Vois M. Viger ce soir et réponds-moi par le steamboat de demain. Je ne sais quel jour partiront les lettres par la voie de Boston ; mande-le-moi. Tu me diras aussi si tu écriras à ton père. Explique bien à M. Viger qu'il faut répondre à ton père le plus tôt possible. Parle-lui aussi au sujet des exilés et, si tu ne le veux pas, mande-le-moi, car, je te le répète, j'irai moi-même. Car j'ai plus de peine que je n'en puis porter, sans aucune consolation de personne de ma famille. Quand même je voudrais écrire, que veux-tu que je lui dise ? Il faut que tu répondes, toi.

Ta mère affectionnée,

J. B. Papineau

M. Amédée Papineau
Montréal

Verchères, 5 août 1844

Mon cher fils,

Je t'adresse ces quelques lignes à la hâte pour te dire que je suis mieux sans être encore bien. Je ne suis pas encore sortie ; la petite Azélie est partie pour Saint-Hyacinthe, Casimir Dessaulles est venu la chercher. Ainsi, je suis seule, je m'ennuie et c'est pour cela que je ne veux pas les priver du plaisir, je n'en ai pas à leur procurer ici.

Tu as dit à M. Malhiot que M. Viger m'avait écrit, je n'ai pas reçu sa lettre ni aucun renseignement. Ainsi, s'il va en ville, tu [le] lui diras. Et puis, si j'ai des lettres d'Europe, tu me les enverras demain par la femme de journée qui te porte celle-ci.

Je pense au cher Lactance : je suis aussi impatiente que le jour de demain soit passé et puis je l'attends à la fin de la semaine. S'il veut venir par le bateau de Varennes, jeudi, qu'il le fasse dire demain. Le curé ira au-devant de lui à Varennes. Je suis pressée. Adieu.

Ta mère,

J. B. Papineau

M. Amédée Papineau
Protonotaire
Montréal

Verchères, 7 août 1844

Mes chers fils,

J'ai été bien heureuse avant-hier en recevant la nouvelle de la réussite de ce cher Lactance ; j'espère plus de détails, demain, de sa part en attendant le plaisir de vous revoir tous deux, dimanche. Mais vous ne me parlez pas de notre cher Émery. Est-ce qu'il ne sera pas du voyage ? Dis-lui que j'espère qu'il nous donnera ce plaisir. J'espère qu'il nous donnera ce plaisir et, à lui, un peu de délassement dont il a grand besoin. Onésime viendra aussi avec Lactance qui le doit mener voir Gustave qui l'attend ; le curé attend aussi M. et Mme Delagrave et dame Planté. Nous espérons qu'il fera beau, car c'est une désolation que d'avoir un tel été !

Théophile écrit au curé que le Dr Bruneau a été tout à fait bien pour Lactance : remercie-le de ma part bien sincèrement.

Je vais écrire à votre père d'ici à dimanche, je remettrai la lettre à Amédée. J'espère que vous pourrez voir M. Viger et puis écrire à votre père aussi par ce packet. Que Lactance fasse ses visites avant de venir. Aussi, je dis à Amédée que j'ai reçu la lettre de son père.

Le curé vous prie de lui apporter deux livres de fromage de gruyère et puis des pommes, s'il y en a, ou d'autres fruits ; nous ferons le reste du dessert.

Dites-moi donc si Dessaulles est à Montréal ?

Adieu, au revoir.

Votre mère affectionnée,

Julie Bruneau Papineau

P.S. Si vous voyez mon oncle Ignace, dites-lui que je suis bien aise de le savoir hors de chez D., comme il me l'écrit. Je le remercie de ses bonnes lettres et espère le revoir sous peu. Je suis mieux mais non pas encore capable d'aller à Montréal pour le présent. Il viendra, lui.

M. Amédée Papineau
Montréal

Verchères, 12 septembre 1844

Mon cher fils,

Je suis assez contente du logement[45] que tu as loué, par rapport à vous, il sera toujours un peu plus central que celui de Donegani ; mais tu ne me dis pas combien tu le loues et puis s'il y a de l'eau, une cour, etc. Enfin, sera-t-il assez grand pour que ton oncle puisse loger dans les mansardes. Cela lui convient-il ? car je garderai pour moi et ta sœur les chambres à coucher du premier étage.

Écris-moi aussi au juste le temps que je pourrai me rendre ainsi que Marguerite. Je pense que les ouvriers pourront te le dire à la fin de la semaine. Il faut aérer beaucoup afin que l'odeur de la peinture ne nous incommode pas trop.

---

45. « Je me décide enfin pour le n° 1 de la rue Saint-George, près l'encoignure de la rue Craig ; et je loue aussi une loge de trois pièces, le n° 41 de la rue Craig, pour bureau de Lactance. Il y couchera et prendra ses repas chez moi. La maison Saint-George, je loue à raison de 36 £ l'an, d'une dame McDowell ; le bureau de Lactance, à raison de 15 £ l'an, de M. Fabre. » Amédée Papineau, *Journal,* 9 septembre 1844.

J'espère que tu as répondu à Lactance. Je ne devais pas écrire par ce paquebot-ci. C'était toi et ton oncle Benjamin. Enfin, pour ce compte de Thayer, fais pour le mieux : mais je suis certaine qu'il est inexact et bien désagréable, je n'ai jamais été exposée ainsi pour aucun compte de magasin. Elle doit le savoir.

J'ai retardé Marguerite de trois ou quatre jours parce que Gustave voulait rester ici ce temps, et puis je les ferai partir ensemble et ta sœur reviendra par la même voiture. Elle fera embarquer les effets en revenant à Saint-Charles et puis j'y ferai transporter le piano afin que tout s'embarque ensemble. Il me peine de l'ôter à mon pauvre frère, mais il le faut : je ne puis faire autrement. Amitiés à tous les parents et amis.

Ta mère affectionnée,

Julie Bruneau Papineau

M. Amédée Papineau
Montréal

Verchères, 16 septembre 1844

Mon cher fils,

Je vois, par ta dernière, que le logement sera prêt cette semaine mais Marguerite ne pourra se rendre en ville que jeudi de la semaine prochaine, parce que le steamboat ne part de Saint-Charles que le dimanche et le jeudi. Ainsi, avec des effets, elle ne peut s'embarquer le dimanche : c'est ce qui fait qu'elle ne s'embarquera que jeudi en huit et, par conséquent, l'on ne peut s'y rendre qu'alors, car comment y coucher sans lit ? J'aurais aimé à m'y rendre plus tôt, car j'ai bien des choses à voir et des effets indispensables à acheter dont nous aurons un besoin immédiat, mais enfin, il faut faire comme l'on peut.

Il faut faire aérer les appartements jour et nuit ; il paraît que c'est un fort petit logement. Mme Bruneau a dit au garçon que c'était trop petit, mais l'est-il au point d'être peu décent ? Est-ce bien bas ? C'est ce que je crains le plus. Cela aurait l'air malsain. Enfin, c'est pure curiosité qui fait que je te pose ces questions puisqu'il n'y a plus de remède.

J'ai engagé un petit garçon honnête, sachant lire et écrire, à condition qu'il continuera à le faire et, de plus, Ézilda s'engage à lui montrer à lire l'anglais, à le dresser à servir la table, etc. Cela aidera à Marguerite et puis, si Lactance en a besoin d'un pour lui, nous verrons à lui en procurer un aussi.

Dis-moi quand il arrive et puis si tu prépares son logement. M. Fabre l'a-t-il fait nettoyer ? M. Donegani t'a-t-il donné des nouvelles de la petite ? Et puis Mlle Albina est-elle disposée à y aller ? Dans ton logement, y-a-t-il des armoires, un coin de cour, un grenier ? etc. Réponds-moi à tout cela. Si vous avez besoin de moi avant le temps que je t'indique, je pourrai y aller, mais il faudrait savoir si Mme Côme Cherrier pourrait me recevoir le lundi en huit jusqu'au jeudi que Marguerite arriverait. Alors cela me donnerait trois jours à préparer la maison et à acheter ce qu'il faut pour faire marcher la cuisine. Ma couchette et paillasse est chez Mme Cherrier et si Lactance veut faire son séjour chez lui de suite, il pourrait se procurer un baudet[46], il faudra toujours l'acheter - il peut le faire sans moi - ainsi qu'une paillasse, en attendant qu'on lui porte son matelas. Si tu es trop à l'étroit chez toi pour le recevoir, Mme Bruneau pourrait lui acheter du coton pour paillasse et la faire remplir. Je dis cela au pis aller, s'il ne peut loger chez toi.

Ézilda est arrivée hier et elle dit qu'elle n'aime pas la ville mais qu'elle aimera à soigner son ménage et ses frères, qu'elle se plaira bien à la maison. Je fais transporter notre piano aussi en même temps. Marguerite le prendra à Saint-Denis. C'est encore un morceau de sauvé du naufrage.

Adieu, ta mère affectionnée,

Julie Bruneau Papineau

P. S. Ton oncle Benjamin trouve-t-il le logement convenable ? L'a-t-il vu avant que tu le loues ?

Mme Dessaulles
Saint-Hyacinthe

Verchères, 16 septembre 1844

Chère sœur,

Je vous remercie de nouveau de vos bons services ; je suis bien aise d'avoir encore quelques lits : ce sont des meubles indispensables mais je ne veux pas des sofas. J'achèterai ce qu'il faut pour ce petit logement pour l'hiver ; quant à la femme que vous m'offrez, je ne puis rien décider là-dessus. Je crois pourtant que je n'en aurai pas besoin, car je ne sais si je laverai à la maison et puis, de plus,

46. Baudet : lit de sangle.

j'ai engagé un petit garçon ici qui fera notre affaire, avec Marguerite, pour le présent, car nous le dresserons à bien des petites choses : j'espère faire bien ainsi.

Quant aux autres bagatelles que j'ai chez vous, Marguerite les connaît ; j'ai aussi une robe d'hiver, soie et laine.

Je prie Louis de m'apporter à Montréal le compte du premier quartier de la pension de Gustave ; je le lui payerai, car je n'avais pas assez ici lors de son départ et, s'il a quelques autres frais pour lui et pour le transport des meubles, Marguerite a de l'argent [même] si elle n'en a pas assez.

Ainsi, je vous remets de nouveau mon fils qui promet de bien faire ce que les maîtres jugeront à propos. J'ai eu l'avantage de voir M. Raymond : enfin, il n'y a plus que lui qui me donne de l'inquiétude, car Azélie est bien raisonnable au couvent[47].

Mes amitiés à Rosalie, ma bonne et aimable nièce, et remerciements de toutes ses complaisances pour ses cousines ainsi qu'à Mlle Thérèse et toute la famille.

Je suis pressée par mon oncle qui part à l'instant ; et vous, chère sœur, à qui je dois plus que je ne pourrai jamais acquitter que par la plus vive reconnaissance et le dévouement le plus sincère, est-il possible que nous soyons destinées à vivre toujours éloignées l'une de l'autre ? Espérons encore mieux.

Pour la vie, votre sœur affectionnée et amie,

Julie Bruneau Papineau

L'honorable L.-J. Papineau
Aux soins de M. H. Bossange
11, Quai Voltaire
Paris

Montréal, 28 octobre 1844

Mon cher ami,

Tu auras été deux packets sans recevoir de lettre de moi. J'aurais écrit par le dernier, si j'eusse eu le loisir mais je ne l'ai pas eu : j'étais à m'arranger dans un petit logement, et puis Amédée et Lactance incapables de m'être le moins du monde utiles, et étant obligée de ménager le plus que possible pour se procurer les choses, même les plus indispensables. Cela m'a donné plus de trouble et a été une perte de temps.

---

47. À la fin d'août 1844, Azélie Papineau entra au couvent des sœurs du Sacré-Cœur, à Saint-Jacques-de-l'Achigan.

C'est un second étage d'une petite maison et un troisième en mansarde pour chambres à coucher pour les hommes. Ton frère, Benjamin, et Émery en occuperont un ; Amédée, le second ; et Marguerite, le troisième. Au premier, une petite chambre d'entrée qui sert de chambre à manger et un tout petit salon, et puis deux petites chambres à coucher, et une toute petite cuisine. Je n'ai pu mettre qu'un baudet dans ma chambre, elle ne pourrait pas loger une moyenne couchette. C'est Amédée qui a choisi et loué ce logement. Aussi n'y a-t-il que lui qui en soit content, mais ton frère et neveu aiment encore mieux être à l'étroit et puis être en famille qu'en pension ; et quant à moi, je ne pouvais prendre maison sans eux avec leurs pensions, et puis Amédée qui paye le loyer de 18 louis jusqu'au mois de mai. Nous avons pu entreprendre de nous hiverner ainsi, mais comme nous n'avions absolument rien, il a fallu que M. Viger m'avance une centaine de louis pour le ménage, etc.

Si ma santé peut se soutenir assez bonne pour supporter les soins et la fatigue que vont me donner ces pensionnaires ! Car Marguerite est encore moins capable que moi : elle est souvent malade et de plus en plus malpropre et mal rangée. Ainsi, je répète qu'il faudra que je me porte bien pour supporter mes nouvelles épreuves d'ennui et de dégoût que ton constant refus de revenir au pays m'occasionne et que je ne puis approuver nullement.

Si tu fusses revenu aussitôt après la résignation du ministère, le pays ne serait pas plongé où il est, car Lafontaine et son parti n'auraient eu aucune influence sur le pauvre peuple et même sur quelques-uns de tes amis mêmes qu'il a dupés, car il y en a certainement dans son parti qui étaient de bonne foi. Ils ont eu une grande confiance en lui, et [il] leur faisait accroire qu'il travaillait à ta rentrée au pays, quand, au contraire, il n'y en avait pas un plus opposé. C'est connu de quelques-uns de bien intimes tels que MM. Roy, Fabre, etc., mais ils ont mis une activité et une ruse qu'il est impossible d'imaginer ! Et puis M. Viger, malgré son honnêteté et son amour pour son pays, n'a jamais été aimé ni capable d'être un chef de parti, dans un temps où l'on ne travaillait pas contre lui et que ton influence le protégeait. Comment peut-il lutter aujourd'hui où toutes les passions de quelques intrigants ont réussi à faire croire au public que c'était le patriotisme qui les faisait agir ?

Si tu approuves les raisons et les injures que de prétendus patriotes lui font subir, c'est tout différent ; s'ils n'avaient rien à craindre de lui, pourquoi un pareil acharnement ? Le voilà : « C'est [que], ont-ils dit, s'il conserve le pouvoir, nous serons toujours des nullités, car l'autre reviendra, et puis, comme par le passé, ils seront tout dans le pays, et nous sans influence que cette famille ! » Et depuis la nomination de ton frère, ils ont cru qu'il ne pouvait avoir accepté sans ton avis ; alors, ils ont commencé à laisser percer leurs craintes et puis ils ont douté de toi et commencé des attaques. Ainsi, tes prétendus amis se font connaître peu à peu. Mais la multitude égarée, et croyant M. Viger retourné pour les Anglais ou fou par le grand âge, ne peut revenir dans un moment d'excitation. C'est ainsi que M. Viger a perdu son élection ; il n'a pas dépensé d'argent ni employé le mensonge ni les intrigues de toutes espèces. Toujours gentilhomme, modéré et consciencieux ainsi que ses amis, il ne peut jouer un pareil rôle mais, ce que je trouve mal chez lui, c'est de vouloir faire le bien malgré eux. Il a consenti encore en se présentant ici pour le comté, où il ne pourrait être élu que par les Anglais. C'est mal, car il perdra et puis il n'y était pas tenu comme à son comté et il sera encore dans une plus fausse position.

Il faut un chef influent pour conduire un peuple ignorant et, bien à ton défaut, cela ne pouvait être M. Viger qui ne l'a jamais été, mais il ne faut pas moins reconnaître son mérite et sa vertu et c'est ce que les gens sensés et honnêtes, éclairés, auraient dû faire.

Tu ne nous parles pas de la lettre que ton frère t'a écrite, il sera surpris à son arrivée de n'avoir pas de réponse. S'il était ici, il te dirait bien de ne pas t'en aller en Italie et que, s'ils ont une majorité, le ministère se maintiendra et que tes arrérages seront votés et puis, ensuite, ils ne pourront maintenir la session, car il leur faudra demander du temps pour préparer les matières, et c'est pendant cette interruption que [serait] le moment favorable de ton retour ; mais je te le répète, si tu étais venu au temps où M. Viger te demandait, le pays ne serait pas où il en est, à sa honte et à la gloire de nos ennemis, qui ont dit que les Canadiens n'étaient pas capables de législater [légiférer]. Et c'est vrai jusqu'à un certain point. Et les Anglais, et les Canadiens raisonnables, et la masse du peuple le disent qu'ils ont besoin de toi. Et, sans ces ambitieux qui ont égaré le peuple momentanément, tu serais rentré au pays maintenant, car pendant qu'ils étaient au pouvoir, ils ont agi au contraire. Tu sauras tout cela un jour mais, enfin, la Providence décidera de notre sort.

Je me réjouis bien d'avoir mis la petite au Sacré-Cœur, je l'ai été voir : elle est bien heureuse, ces dames m'en ont fait les plus grands éloges et puis, dans le monde, elle était dissipée, oubliant ce qu'elle avait appris, et puis opiniâtre et peu soumise. Là, elle a le bon esprit de comprendre qu'il n'en peut être ainsi ; en y restant le temps nécessaire pour suivre le cours complet d'études que ces dames font faire dans leur maison, elle sera une fille instruite, aimable, et, plus que tout cela, vertueuse, car elle a tout ce qu'il faut pour y parvenir. Ses frères l'ont à cœur et ils m'ont dit qu'ils m'aideraient à l'y soutenir.

J'espère que Gustave fera bien cette année mais je n'en suis pas assurée, car il est paresseux, il n'a jamais travaillé : c'est pourquoi ses maîtres disent qu'il faut qu'il apprenne à le faire. Il n'y a que dans sa classe de l'an dernier où il pourra asseoir une base de ses études ; sans cela, il les aurait faites tout imparfaitement. Et puisqu'au sortir du collège Amédée pourra le prendre à son greffe et lui donnera le moyen de se soutenir, il n'y avait pas besoin de lui faire manquer ses études. Maintenant, je ne suis inquiète de lui que sous le rapport de son caractère : il est hautain, violent, rempli d'amour-propre. S'il peut travailler et être un peu plus soumis à ses maîtres, cette année, il sera sauvé ; mais s'il n'y travaille pas cette année, il n'y aura pas à s'en louer, mais bien à craindre qu'il ne soit bon à rien.

Lactance est installé à son bureau, il y couche et vient prendre ses repas.

Je me suis affligée de ta brouille avec Mme Kock, je n'y comprends rien. Tu aurais dû me dire à quel sujet : cela est bien le reste pour te faire ennuyer davantage ! Bon Dieu ! quand finiront nos épreuves en tous genres ? Comment t'y es-tu exposé ?

Ézilda s'ennuie aussi beaucoup ; elle est assez bien mais elle ne grandit presque pas.

Albina Donegani est rentrée au Sacré-Cœur où elle s'ennuie : je ne crois pas qu'elle y reste. Adieu.

Ton épouse affligée,

Julie Bruneau Papineau

M. Louis-Joseph Papineau
Paris

Montréal, 25 novembre 1844

Mon cher ami,

Tu as déjà appris, par la dernière malle, que nous avons changé notre petit logis contre un grand[48], par la lettre de Lactance. Je devais t'écrire par M. et dame Judah[49] qui sont rendus à New York pour s'embarquer aujourd'hui pour le Havre. Ainsi, celle-ci te parviendra avant leur arrivée.

Je te dirai que le logement que nous occupions était trop incommode pour loger ton frère et son fils. Ainsi, lorsque l'on nous a fait la proposition de ce logement-ci, cela a flatté tout le monde mais nous avons bien hésité. Ainsi, ce n'est qu'après avoir eu des offres qui ne nous lient qu'autant que ta position ne changeant totalement, c'est-à-dire que si tu rentres au pays et que tu rentres dans

48. Amédée vient de louer la maison de Henri Judah, une « belle maison de pierre de taille à trois étages, n° 31, petite rue Saint-Jacques, si centrale, pour trois ans, à 125 £ par année, à commencer au 1er mai prochain, occupation immédiate et pour l'hiver gratis. » Amédée, *Journal,* 13 novembre 1844.

49. Harline Kimber était la fille du cousin de Julie. Fille du Dr Kimber et d'Apolline Berthelot, elle épousa Henry Judah. Le couple Judah accompagnera Louis-Joseph Papineau en Italie.

la vie publique, et que tu sois dans le cas de demeurer à Montréal, nous garderions la maison pour trois ans à 125 [louis], dont nous pouvons louer deux offices à 28 louis, ce qui fait que tu serais logé pour 80, ce qui est encore assez cher. C'est ainsi que les loyers sont élevés. Quant aux meubles, c'est un achat conditionnel : si tu touches tes arrérages, je les garderai, sinon ils s'engagent à tous les reprendre ce printemps ou au mois d'août. Nous n'en payerons que l'intérêt.

J'ai trouvé à louer notre petit logis au même prix et puis j'ai vendu aussi les tapis et les poêles tout posés, sans perdre un sol. À présent, reste à savoir si nous avons mal fait. C'est ce que tu décideras toi-même. Quant à moi, je n'y tiens nullement, je m'ennuie partout et rien ne me flatte. Je l'ai fait parce que nous l'avons cru convenable à notre position : ton frère comme ministre, Amédée [a] aussi une position et puis, au cas que tu revinsses, cet hiver. Mais je vois bien que tu as décidé de ne pas revenir ; c'est le voyage d'Italie qui te sourit pour le présent. Ensuite, qui sait ? tu devrais au moins chercher à vendre ta seigneurie puisque tu répugnes tant à revenir au Canada. À ton retour, tu devrais aller en Angleterre et, là, essayer à la vendre. Nous n'en pouvons rien retirer et encore moins la faire valoir. Je suis bien déterminée à ne rien entreprendre de nouveaux projets d'établissements à la campagne : j'en connais trop les conséquences et je ne suis plus capable ni de fatigue ni d'énergie : tout cela est épuisé chez moi. Je l'ai trop éprouvé depuis mon retour, je m'ennuie et n'ai plus de courage.

Ainsi, nous sommes logés pour rien cet hiver mais nous dépenserons en bois la valeur d'un loyer. Ils m'avaient dit que la maison était chaude mais, au contraire, elle est très froide et puis d'un service dur ; je ne crois pas qu'elle te plaise quand bien même tu resterais à Montréal. Ainsi, ton frère a passé le bail à condition de la surlouer si elle ne te convient pas et on doit les en avertir en février. Ainsi, n'aie pas l'air d'approuver ce que nous avons fait et ne leur donne pas d'espoir de la garder en disant qu'il est plus probable que tu vas demeurer à la Petite-Nation. Et je t'écrirai à chaque lettre ce que nous en pensons et les inconvénients que nous y trouvons. Derrière, la vue est belle mais l'hiver, elle est exposée au vent. Au premier, il n'y a que les offices et la chambre à dîner, belle et grande. En bas, la cuisine et [la] cave. Au premier, grande chambre de réception et chambre à coucher pour moi et, à côté, petite pour Ézilda. Plus haut encore, une grande chambre et, derrière, deux à coucher. Cela n'est pas distribué pour une grande famille. Cette grande chambre serait mieux distribuée en corridor et quatre chambres à coucher. Ainsi, il faut un poêle à chaque étage, et encore, je crains que cela ne soit pas chaud. Mais nous trouverons, ou eux, à la louer facilement, car c'est si central et puis [dans] le quartier des avocats. Ils m'ont dit qu'ils aimaient autant la louer eux-mêmes. Ainsi, en février, nous les en avertirons et ce sera mieux pour tous deux. Nous t'écrirons en Italie, alors mande à M. Bossange où vous serez alors, par correspondance ou autrement. Quant au ménage, c'est au contraire une vente conditionnelle : si tu reçois tes arrérages, je suis tenue à garder les meubles et je crois que c'est bien juste, puisque mes meubles ont été vendus, que j'en achète d'autres si tu en as les moyens. Mais une maison moyenne et économique serait mieux, car c'est une dépense à recommencer toujours au lieu que les meubles c'est une fois pour longtemps. C'est ainsi que j'ai calculé et, malgré tout cela, j'en ai presque regret. Pourquoi ? Par la raison que je ne sais ce qu'il me faut ; que tout m'ennuie et me dégoûte. Et puis tu sais que tes fils ne sont pas aimables ; j'ai pris ménage pour leur plaire et les soigner, ainsi que ton frère et neveu, mais cela va m'occasionner de la fatigue et puis peu d'agréments pour me dissiper et m'amuser. Cette chère petite Ézilda leur dit tous les jours qu'ils ne ressemblent pas à leur père, mais enfin, si ma santé n'en souffre pas trop, ce sera encore un triste hiver de passé sans encore savoir ce qui nous attend au-delà.

Mme Judah te dira comment est la petite Azélie au couvent ; je me félicite tous les jours de l'avoir placée là. Gustave fait mieux cette année, sa santé se soutient jusqu'à présent. Toute la famille ici est bien et à la Petite-Nation, Saint-Hyacinthe, Verchères, etc. Je n'ai pas besoin de te dire que tous ces gens-là t'aiment, te désirent et ne nous plaignent. Mais, quant à tes prétendus amis et concitoyens, il y en a un bon nombre qui ne te désirent pas, et jalousent et ton fils et ton frère, mais la grande majorité est la même pour toi et sent le besoin qu'ils ont de toi.

Le Parlement s'assemble cette semaine. Je ne sais s'il siégera longtemps, car ils n'ont pas le temps de préparer les mesures, disent-ils. À présent qu'il faut que les ministres présentent tout, la Chambre n'est plus rien à mon avis, mais je m'oublie toujours : tu m'as défendu de te parler politique. Ainsi, si tu ne veux plus t'en mêler, je te répète : tu n'as pas d'autres ressources que de vendre ta seigneurie et, de toutes manières, ce sera le mieux.

Ta tendre et fidèle épouse,

Julie Bruneau Papineau

M. Louis-Joseph Papineau

Montréal, 23 décembre 1844

Mon cher ami,

Je t'ai écrit par le dernier packet et je te mentionnais notre arrangement pris avec M. Judah et les raisons qui me l'avaient fait accepter, mais, en même temps, je te disais que je ne voulais pas me décider à la garder et te conseillais de ne pas leur promettre de ratifier nos engagements, car je crois que c'est un trop cher logement et puis, ensuite, dispendieux. Et d'ici au mois de février, si tes arrérages ne sont pas payés, il ne faut pas nous engager follement sur un esprit d'entrer dans des pareilles dépenses. Ton frère t'avait écrit trop vite et t'a donné de grandes espérances : je n'en ai pas autant, moi ; je crains qu'on ne l'amuse. Il me dit qu'il va t'écrire ; je ne sais s'il le fera, je l'en presse, mais il est bien occupé, il me répond toujours qu'il ne néglige rien là-dessus. En conséquence, tu vas voy[ag]er mais fais-le avec le plus d'économie possible et puis préviens M. et dame Judah que, si tes arrérages ne sont pas payés en février, ils pourront voir à louer leur maison. C'était convenu qu'en ce cas il fallait les avertir à cette époque.

Ton frère disait qu'il la garderait peut-être pour lui. Ce serait encore plus fol, car il n'a aucun ménage, et puis il n'est pas capable de la garder en bon ordre, et puis c'est ce qui ne leur conviendrait pas. C'est pourquoi ils m'avaient dit qu'ils préféraient la louer eux-mêmes.

Je suppose que celle-ci [ne] te parviendra qu'en Italie, je ne sais dans quel temps ni où. Je ne pourrai t'écrire qu'une fois le mois, et là, en Italie, les lettres ne nous parviendront je ne sais à quelle distance. C'est encore un sujet d'ennui de plus pour nous. Toi, tu auras les distractions du voyage au moins, mais nous avons tous l'ennui et bien des désagréments, l'inquiétude d'une si longue décision de notre sort futur. Que le temps me paraît bien long !

Tu demandes des nouvelles de la famille : je vais t'en donner au long. D'abord, à Saint-Hyacinthe, ils sont tous bien ; Dessaulles a réussi à faire un emprunt de 5000 louis. Cela lui sera-t-il favorable ou non ? Je n'en sais rien, il en dépense toujours beaucoup ; il va commencer une contestation d'élections qui va lui coûter 100 louis.

Je ne crois pas que j'aurai le plaisir de voir ta chère sœur cet hiver. Ma tante Séraphin et D^lle^ Plamondon sont rendues chez Augustin : elles y sont contentes et mieux portantes. Augustin et sa femme aussi sont mieux. Camille, leur fils, est revenu des États ; je ne sais ce qu'ils en vont faire. À Verchères, toute la famille est bien mais pas aisée. Ma chère maman m'a promis de venir me voir cet hiver en ville. Chez M. Viger, Cherrier, bien ; chez Donegani, Delagrave, Doucet, tous bien aussi. Albina a été mise au couvent du Sacré-Coeur mais elle s'y est bien ennuyée et les parents lui avaient promis de l'aller chercher aux fêtes. Aussi le père est parti vendredi pour l'aller chercher malgré ces dames qui ne veulent pas donner de congé d'absence. Ainsi, j'ai envoyé Amédée voir sa sœur en même temps, pour lui dire que j'espérais qu'elle serait assez raisonnable pour se conformer à la règle de la maison et que j'irai la voir au jour de l'An. En effet, Amédée a demandé à ces dames de la laisser venir un jour à l'Assomption pour m'y rencontrer parce que les voyages d'hiver me sont contraires, et puis nous aurons plus de liberté de nous voir là. Ces dames en sont toujours bien contentes ; elles l'aiment bien et la petite aime ses maîtresses et ses compagnes. Elles la trouvent très forte sur la musique et ayant de bons principes : elles disent que c'est l'essentiel.

Gustave fait mieux cette année au collège ; il a recommencé la classe qu'il avait manquée l'an dernier. Ces messieurs ont dit qu'il était impossible qu'il pût faire de bonnes études sans cela, car l'enfant n'avait pas de base de l'étude des langues et non plus l'habitude du travail ; ainsi, je me suis soumise à leur décision, et il n'en sera que mieux, car, s'il eût fini ses études si jeune et les avait faites imparfaitement, il n'aurait été qu'un petit fat ; il [n']a déjà que trop ces dispositions et il se croit bien plus capable qu'il n'est, et ses maîtres ont bien de la difficulté à le faire céder le moins du monde de ses petites opinions.

Ézilda est avec moi, occupée au ménage, à la couture, mais elle néglige beaucoup ses études ; elle y a peu de goût et moins de talents que les autres, mais elle dit qu'elle reprendra cela avec son papa ; que c'est le meilleur précepteur ; j'ai même de la misère à la faire pratiquer sa musique : elle trouve toujours des prétextes. Elle ne se plaît guère à Montréal, elle n'aime que Saint-Hyacinthe. Elle attend en janvier sa cousine Rosalie, qui doit venir passer quelque temps. Cela l'amusera. Elle ne veut faire aucune connaissance : elle est sauvage.

Je n'ai eu aucune nouvelle de Mme Joly, je lui écrirai au jour de l'An. Je ne sais pourquoi elle n'a pas mis sa jeune demoiselle au Sacré-Coeur.

Amitiés à tous nos amis et les souhaits du nouvel An, si tu es encore à Paris. Et reçois les nôtres les plus sincères pour ta santé, un meilleur avenir, si tant il y a que nous ayons à en avoir un ! Je commence à en douter. Marguerite te salue et s'ennuie toujours beaucoup.

Ton épouse affectionnée pour la vie,

J. B. Papineau

M. Hector Bossange
11, Quai Voltaire
Paris
Pour M. Papineau
7, rue de l'Arcade
Paris

Montréal, 23 janvier 1845

[De la main de Lactance] : Mon cher papa,

Nous attendons depuis bien longtemps de vos nouvelles. La malle mensuelle des steamers ne suffit pas pour entretenir une correspondance un peu suivie et, comme vous avez passé une fois ces steamers, nous sommes depuis deux mois sans savoir où vous êtes, ni comment. M. et Mme Judah vous ont-ils rejoints ? Est-ce en leur compagnie et en celle de Kimber et sa dame que vous êtes parti pour l'Italie ? Ou quel autre plan avez-vous formé ? Dans la privation des moindres comme des plus grands détails, nous trouvons le temps bien long et nous déplorons que la poste soit encore tant de jours à se rendre de Boston ici, et que nous soyons obligés d'écrire auparavant qu'elle arrive.

Si vous êtes en Italie quand cette lettre vous parviendra, je ne sais si tout ce qu'elle pourrait dire vous intéressera. La France vous paraîtra demi-barbare et le Canada sera un point obscur et lointain, d'où rien de beau ne rayonne. Néanmoins, je ne puis pas vous croire moins philosophe que moi et si, après toutes les jouissances que vous allez vous procurer là, vous ne venez pas vous reposer dans votre pays et revoir tant de parents et d'amis qui vous demandent, vous oublierez ce qu'il y a encore de meilleur au monde : l'estime et l'amitié qu'on vous porte et que vous ne trouvez pas dans les décombres silencieux des monuments antiques.

Je vous assure que je ne regrette pas du tout Paris. Après y avoir fait tout ce que j'ai cru de mon devoir, je trouve qu'il y aura encore mieux à faire ici, si les circonstances me le permettent ; et la vie active, en petit, vaut mieux sans doute que l'inoccupation, en grand, ce à quoi je pourrais être exposé en France ou dans un pays tout à fait étranger. J'attends donc ici avec patience que la fortune me favorise d'un peu de clientèle médicale. Et, pour les idées et les distractions, je les trouve dans ma bibliothèque qui est mon meilleur compagnon.

Mais ce n'est pas tout. J'ai trouvé d'autres compensations pour ce que j'ai perdu en quittant Paris. Je n'ai plus la société si intéressante par les connaissances et la sincère amitié de Serce, de Gobineau, etc., mais j'ai réussi à fonder avec Amédée, Émery et d'autres amis, une association dont on parle dans le public sous le nom de *Société des Amis,* qui renferme des talents naissants qui peut-être croîtront un jour assez haut pour honorer le pays et lui devenir utiles. Deux fois par semaine, nous nous réunissons pour faire des lois, discuter et lire des compositions que chacun s'oblige à faire tous les mois, sous peine d'une amende considérable et impitoyablement exigée. Nous sommes plus de 30 soumis à cette loi assez sévère, je vous assure, dans la pratique, et dont les bons fruits nous semblent déjà évidents sur plusieurs.

Le présent est bien triste, il est vrai, mais nous tâcherons d'amener un meilleur avenir, et cet avenir doit être infailliblement aussi heureux que celui d'aucun pays de l'Europe, d'aucun pays du monde. Je vous dis cela en faisant allusion à l'état général du pays. Jusqu'ici, les Chambres n'ont rien fait, le ministère se soutient à grand peine et la politique proprement dite est plus détestable, plus insignifiante qu'on ne l'ait jamais vu. Mais quelques lois sociales vont être passées probablement (lois d'éducation, de municipalité, etc.) dont les effets sont de la plus haute importance et préparent un meilleur gouvernement avec d'autres hommes.

[De la main de Julie Bruneau-Papineau] : Cher ami,

Je reprends cette lettre où Lactance l'a laissée, ce matin, en partant pour Terrebonne. Mme Masson lui avait fait promettre de l'aller voir, et il est parti avec Wolfred, son fils. Il reviendra après-demain.

M. Fabre a une occasion pour Boston : il faut envoyer celle-ci ce soir, avant l'arrivée de la malle ; c'est bien ennuyeux. L'on ne peut savoir si tu es parti pour l'Italie.

Ton frère Benjamin a eu l'érysipèle ; il est arrêté depuis quinze jours, mais il espère sortir la semaine prochaine. Il n'y a rien de décidé quant à tes arrérages, sinon que l'on dit que c'est porté sur la liste civile et que cela sera voté avec, par la Chambre. Si c'était vrai, tu en serais plus content, parce que ce serait plus légal, mais, dans une pareille incertitude, je ne puis ni ne veux garder la maison de Mme Judah. Ainsi, il faut que tu l'en avertisses. Elle m'avait dit qu'il fallait l'avertir en février. Ainsi, quand tu recevras celle-ci, il sera temps qu'elle écrive à ses agents, afin qu'ils la mettent à louer. Quant à ses meubles, à la fin de la session, si tes arrérages ne sont pas votés, je les lui remettrai aussi ; mais quant à la maison, insiste à la lui remettre, car c'est un trop fort loyer, et puis, vu l'état d'incertitude où sont nos affaires, c'est bien plus prudent de la remettre.

Angelle est ici, à soigner son mari. Elle ira aussi à Saint-Hyacinthe. Ta nièce est ici aussi, en promenade, Rosalie Dessaulles. Son frère a réussi à faire un emprunt de 5000 louis, en attendant qu'il trouve à vendre cela et arrêter les poursuites. Je voudrais bien qu'à ton retour tu puisses aller en Angleterre, essayer à vendre la tienne : alors nous serions libres d'aller où bon nous semblerait. Ce serait le mieux.

Toute la famille est bien portante, à la ville et à la campagne. Ma santé est assez bonne en ville, où il fait moins froid et où je prends de l'exercice de pied. Ézilda est ta petite ménagère. Je suis allée voir la petite Azélie ; elle est bien portante et heureuse, apprenant bien et se faisant chérir de ces dames. Gustave fait assez bien, mais pas aussi bien qu'il devrait. Il n'aime pas le latin et il est paresseux. Il aimerait mieux être à Paris qu'au collège : il a été gâté. Lactance n'a que peu de patients, mais en revanche il s'amuse bien, va au bal, ainsi qu'Amédée. Montréal est bien gai sous ce rapport ; mais, pour moi, il est bien triste. Je ne vais pas en société et je trouve le temps bien long dans l'état d'incertitude : quel sera notre sort ce printemps ? À quoi tu vas te décider ? Nous avons hâte de savoir comment M. et dame Judah sont arrivés. Fais-leur nos amitiés.

Ton amie et épouse,

J. B. Papineau

[De la main d'Amédée] : Mon cher papa,

Je viens de recevoir une lettre de Mme Laforge, datée de New York, le 19 courant. Elle y est pour y demeurer, avec Mme Porter, William, toute la famille réunie. Elle dit qu'elle vous a écrit il y a à peu près six semaines, adressée à 34 rue de Rivoli et, en cas d'absence, à « la légation américaine ». Vous l'y trouverez probablement par l'entremise de M. Bossange, à qui vous en écrirez, car je suppose que vous étiez déjà parti pour l'Italie.

M. Fabre vient de me montrer une lettre de O'Callaghan à lui, qui contient un extrait de lettre de vous à O'C., récente, où vous exprimez assez franchement vos prédilections pour l'ex-ministère. C'est fâcheux que votre opinion se fasse connaître ici, en ce moment, lorsque cela peut nuire à l'affaire des arrérages et à bien d'autres.

Tous les amis des É.-U., par cette lettre de Mme Laforge, paraissent en bonne santé. Autant ici.

M. Hector Bossange
Quai Voltaire, n° 21
Paris
Pour l'honorable Louis-Joseph Papineau

Montréal, 26 mars 1845

Cher ami,

Je commence cette lettre dans des sentiments bien différents que ceux que tu ressens dans ce moment. Tu es, j'espère, en bonne santé ; et moi je suis malade.

Tu es au milieu de grandes jouissances ; je suis seule et désolée. Tu dois avoir un peu d'inquiétude mais tu as mille sujets de distractions et, plus que cela, tu as des motifs et des occasions chaque jour de voir des chefs-d'œuvre de l'art, des prodiges de la science, des sujets d'enchantement de toutes espèces et cette belle nature, ce beau climat ; est-il possible que dans un pareil moment tu puisses me comprendre et ressentir une moindre étincelle de tourments que je ressens ? Non, mais tu la liras à diverses reprises avant de me dire que je suis faible et disposée à me décourager comme tu me l'écris.

Je sais que c'est ma faute si je suis revenue au pays, mais n'est-ce pas pour l'intérêt de ma famille ? Et, en effet, Gustave était déjà d'âge à être mis à l'ouvrage et c'est avec grande misère qu'il s'y soumet, et la petite, pendant l'année qu'elle a passée ici, était déjà bien dissipée : il était temps qu'elle fût au couvent, mais je ne sais si j'aurai les moyens de l'y laisser longtemps si nos affaires ne prennent une autre tournure. Pour revenir au parti que j'ai pris, tu sais que je désirais que tu le prisses aussi, en disant que les affaires au Canada ne changeraient pas pour pouvoir te permettre d'y rentrer. Eh bien, voilà le temps expiré et plus que jamais, tu hésiteras d'y revenir. Nous avons souffert une cruelle séparation pour revenir au même projet : ton retour aux États. Il est vrai que j'ai eu bien plus à souffrir puisque tu as retiré des avantages de ton séjour à Paris et puis un bien plus grand, celui de faire le voyage d'Italie que j'ai été obligée de sacrifier pour l'intérêt de ma famille. Après tous ces avantages en ta faveur, pourras-tu comparer tes sacrifices aux miens qui sont sans compensation, et puis, venir avancer ta force et ton courage et me dire que je suis faible et sans énergie ? Vois tous les rêves que j'ai éprouvés depuis mon départ, trompée dans mes plus chères espérances. En premier lieu, celui de ton retour, de l'automne au printemps, de ce dernier à l'autre, sans succès. Malade, ennuyée la moitié de l'année, je commençais à avoir espoir que tes arrérages seraient votés. Tous les parents et amis l'ont dit et l'ont cru. M. et Mme Judah, là-dessus, nous ont engagés à prendre leur maison. Nous étions si mal et puis, remplis de cet espoir, nous avons consenti. Eh bien ! tu nous as blâmés et avec raison, puisque cela va encore augmenter nos malheurs.

Il est certain que tu ne recevras pas tes arrérages. Ainsi, dis à Mme Judah que voilà la question des effets de ménage décidée : je les prenais à condition que tes arrérages seraient votés. Ainsi, il faut qu'elle dise ce qu'elle veut en faire et où les placer. Je les lui remets de suite ; je ne me suis pas servi de sa chambre une seule fois, je n'ai pas reçu de visites du jour de l'An même. Quant à la maison, malheureusement nous en sommes chargés et elle n'est pas encore louée : il ne fallait plus que cela pour me désoler.

Je ne puis me rétablir avec un surcroît d'inquiétudes semblables. Tu es avec eux et s'ils sont de bons parents, ils doivent nous aider à nous tirer de ce mauvais pas : ici, l'on crie de tous côtés que c'est trop cher, que la maison n'est pas commode ni belle pour le prix ; d'autres encore, plus officieux, disent que ce M. et dame s'entendent bien à duper et que nous avons été du nombre. Je suis indignée de pareils propos, car je dis et pense tout le contraire. Personne n'est venu au-devant de nous, depuis mon arrivée, me faire les moindres services ni s'occuper de notre triste situation. Je n'ai trouvé qu'eux, d'aimables et d'obligeants : ils voulaient, tout en faisant leurs affaires, ils désiraient nous voir dans Montréal d'une manière décente et convenable et, quand j'en remerciais madame, elle me répondait que c'était son avantage de me la louer par le bon soin que j'en prendrais. Mais elle doit voir que, si tu ne peux pas demeurer à Montréal, ce serait bien un surcroît de malheur pour nous.

Nous venons de recevoir ta lettre : c'est la première fois que l'on peut répondre par le même packet. Tu éloignes toujours ton départ pour l'Italie et, par conséquent, celui d'ici, si tu y reviens. Je n'ose plus rien espérer de bien ni de bon après tant et tant de malheurs : mais quand cela serait, tu arriveras à peine pour le temps des vacances de tes enfants en juillet. Ils en auront de tristes si tu n'es pas de retour.

Azélie fera sa première communion en juin ; elle est toujours heureuse là, je me loue de plus en plus de l'y avoir mise ; quant à sa vocation, n'en aie pas d'inquiétudes. Ézilda s'ennuie beaucoup et dit qu'elle ne sera heureuse que quand elle sera avec son bon papa, Gustave aussi. Il dit qu'Azélie est bien heureuse d'être si jeune ; qu'elle ne peut concevoir l'inquiétude que nous avons de notre séparation et de nos affaires ; que tu ressens bien les privations de ton absence et que tu devrais revenir pour ses vacances, qu'il travaille à mériter cette récompense. En effet, ses maîtres en sont contents, depuis trois mois surtout.

Toute la famille ici, à la campagne, est bien portante. Tu en demandes des détails infinis, mais la vie est si monotone en Canada que, quand l'on dit que toute la famille est en santé, c'est à peu près tout ce que mérite l'espace que l'on peut consacrer dans une lettre qui va aussi loin et qui devrait être remplie de choses importantes ; eh bien, c'est le cas de dire qu'il n'y a rien de cela. L'état du pays est triste, changé pour le pire sous tous les rapports. Cela te fait comprendre qu'il faut que tu fasses tout en ton pouvoir pour vendre ta seigneurie, ne rester en Italie que le temps nécessaire pour y voir ce qui mérite le plus ton attention, et puis pas du tout à Paris ; mais aller en Angleterre, voir à tes affaires et puis arriver au Canada sans te mêler de politique et voir la famille et tes affaires, si tu as vendu ou l'espoir de le faire. Nous serons libres d'aller aux États : c'est toujours le parti qui m'a flattée, car il est plus sûr et agréable et même nécessaire à ma santé pour l'hiver. Nos bons amis, les Porter, résident maintenant à New York, tu auras le bonheur de les voir. Nous avons des amis là comme tu n'en trouveras pas dans ton pays. Ne les néglige pas. Ici, les plus proches sont d'un égoïsme et d'une stupeur léthargique. Si Louis Viger venait à nous manquer, où trouverions-nous des ressources ? Il est malade de sa goutte depuis trois mois et il engraisse d'une manière étonnante. Je crains beaucoup pour lui. Hâte-toi, ce sera toujours mon cri. Il n'en sera peut-être rien de plus mais je crains des conséquences bien funestes d'un plus long délai pour moi et mes enfants. Tes fils même ont besoin de ton influence : ils se découragent par moments.

Amitiés à M. et dame Judah, qu'ils restent un long temps en Europe et ensuite ils viendront demeurer aux États, car ici, ils ne pourront supporter l'état de la société : après avoir vu des hommes, ils ne trouveraient que des ilotes.

Ton affectionnée épouse et amie,

J. B. Papineau

M. Hector Bossange,
Quai Voltaire, n° 21
Paris
Pour l'honorable Louis-Joseph Papineau

Montréal, avril 1845

Mon cher ami,

Je commence cette lettre avant l'arrivée de Kimber pour te dire que j'ai loué la maison de M. Judah, voyant ton indécision accoutumée ; il m'était impossible d'empirer ma triste position en gardant un aussi fort loyer. J'avais bien dit à Mme Judah que j'avais peu d'espoir de la garder, alors elle me dit que je n'aurais aucune difficulté à la louer, mais au contraire, j'en ai eu beaucoup, car je voulais que la maison fût gardée en bon ordre et puis [avoir] des sûretés pour le loyer. Celui qui la loue est un médecin homéopathique qui veut louer le haut à une famille ; il a amené pour caution M. Hart père, qui a signé le bail ; il l'a prise au même prix et pour les trois ans, et, quant à la permission de louer le haut, nous ne lui permettons qu'à condition de nous soumettre les personnes à qui il voudra le louer, car, si elles ne nous conviennent pas, il ne pourra le faire.

J'ai eu bien du trouble et puis je n'en ai pas fini : je ne sais où mettre les meubles. Mlle Thérèse a pris ce que Mme Judah avait mis dans une armoire de la dépense, mais elle dit qu'elle ne peut prendre davantage. M. Olivier Berthelet ne veut rien ; ainsi, je vais m'adresser à leur agent, qui en dira autant. Il faudra que je loue une chambre, car nous allons tous en pension et Ézilda retourne à Verchères, ce dont elle n'est pas contente mais elle ne peut se décider à aller en pension, car elle s'ennuie déjà beaucoup. Elle dit que c'est bien triste de se séparer encore une fois et moi, je ne sais encore où je pensionnerai : c'est bien difficile pour une dame. Amédée retourne à son ancienne pension américaine et Lactance ira y prendre ses repas, mais ce n'est pas une maison pour moi. Je ne prendrai pension que pour attendre les chaleurs ; alors je voyagerai à la campagne, et même aux États-Unis si ma santé continue mauvaise. Sans cela, je n'irai pas, par rapport à mes enfants qui sont déjà assez malheureux. Gustave et la petite m'écrivent qu'ils sont bien chagrinés d'apprendre que j'ai loué, car ils ne sauront où et comment ils passeront leurs vacances, qu'ils étaient remplis d'espoir que tu serais de retour pour ce temps et qu'ils n'auraient pu avoir une plus belle récompense pour leur application et leur travail. Les chers petits seront bien désappointés et Dieu sait jusqu'à quand !

Je suis heureuse d'avoir pris le parti de mettre la petite au couvent, elle y sera élevée et en sûreté, et heureuse bien plus que nous. Ézilda oublie le peu qu'elle savait et est bien ennuyée de la vie que nous menons ; si elle vient à me perdre, elle serait bien malheureuse, car elle est si timide et elle serait aussi à la gêne au couvent que chez aucune autre famille : elle a une pénible existence à subir, je crains, et elle le sent bien ; et je ne suis pas propre à la consoler, car je suis moi-même trop malheureuse et découragée pour l'égayer.

M. Leprohon nous a dit que tu étais bien portant, bien gai et n'ayant nulle envie de revenir de sitôt. Tu peux croire qu'à chaque fois que nous attendons de tes nouvelles, au lieu de nous réjouir, nous sommes atterrés. Je ne sais comment je puis supporter autant de douleurs réitérées. Si le sort de mes pauvres enfants ne me faisait un impérieux devoir de me soutenir, je succomberais à la fin. Cela arrivera, mais si je pouvais les voir à l'âge de pouvoir se passer de moi ! Je ne vois de ressources pour nous que dans la vente de ta seigneurie au plus tôt. Si tu as pris le ferme propos de travailler à effectuer ton retour, tu ne dois pas hésiter à aller en Angleterre à ton retour d'Italie : il n'y a que là que tu le peux.

Dessaulles t'en a écrit et, malgré qu'il a vu ce monsieur qui a été visiter sa seigneurie, il lui a dit qu'il serait mieux qu'il fût lui-même à Londres et il doit lui écrire en mai si c'est nécessaire. Ainsi, tu vois que tu ne dois pas négliger un moment aussi favorable pendant que tu es en Europe : je ne vois que cette vente qui pourra nous procurer encore quelques années moins malheureuses pour [nous] et nos chers enfants, surtout pour toi, car tu seras libre de demeurer aux États-Unis, ce que j'ai toujours considéré le meilleur plan pour nous et ce dont je suis de plus en plus certaine depuis que je suis revenue ici.

Tu ne saurais croire ce que tu aurais à souffrir : je ne suis qu'une femme mais je ne puis les entendre ni voir agir. Il n'y avait que toi qui avais pu les former. Et leur présomption fait qu'ils se croient de grands hommes et qu'ils défient ; que, si tu les avais écoutés, tu ne te serais pas laissé duper par tant d'intrigants et que nous avons par là perdu notre belle position que nous ne pouvons plus reconquérir. Et cela se dit non seulement de ceux qui te jalousent mais de tes proches et de tes amis.

J'irai au-devant de toi aux États, si j'ai le bonheur de t'y voir arriver, et j'en aurai assez à te conter pour te décider. Et puis le climat sera bien plus salubre pour moi ; ici, c'est une horreur. Et puis tu ne saurais croire les préjugés et la haine qu'ils vouent à nos voisins[50], c'est incroyable ! tes proches plus qu'aucun autre au pays. Ah ! tu peux être certain qu'au cas de troubles tu serais exposé. Ils préfèrent être esclaves, colons que d'être admis aux États. Le peuple est le seul qui te désire et dit qu'il ne se fera rien sans toi.

Ainsi, je reprends ma lettre aujourd'hui après avoir reçu ta lettre apportée par Kimber et sa dame ; je ne les ai vus qu'un quart d'heure ; ils sont bien portants et descendent à Québec de suite. J'avais mille choses à leur demander mais il n'y avait pas moyens. Ils disent que tu es décidé à revenir à ton retour d'Italie : cela me remet un peu de baume, car j'étais désolée à l'excès depuis quelque temps. Je désire que mon espoir ne soit plus déçu. Si tu t'ennuyais le quart de ce que j'ai éprouvé, tu ne pourrais y résister mais il est impossible, heureux comme tu l'es ! Tu dois plutôt craindre l'ennui à ton retour, c'est pourquoi, avec un peu d'aisance aux États, tu rencontreras encore une société d'hommes et de femmes avec qui l'on peut converser raisonnablement. Après la société intéressante que tu as fréquentée, il te serait impossible de supporter celle-ci, qui a perdu au lieu d'acquérir.

Amédée me charge de te dire que les quatre lots de Rodger McGill seront vendus en banqueroute à la fin de mai et qu'il se propose de les racheter. On lui dit que les lots de Hamilton seront prochainement vendus par le shérif. Il faudra faire opposition et, pour cela, constater la balance en notre faveur. Amédée, qui a fait enregistrer cette créance l'automne dernier, pourra t'en faire le compte pour *filer*[51] avec l'opposition. Mais il paraît que Hamilton a présenté un compte à M. Viger contre nous, il y a deux ou trois ans, dont il élevait la somme, jusqu'au 19 janvier 1835, à 20 217 louis[52], ce qui nous paraît exorbitant. Peux-tu nous en dire quelque chose ? Si, depuis cette époque, tu as fait quelques règlements de compte avec lui, en as[-tu] reçu quelques argents ? ou fait faire quelques ouvrages ? Notre compte contre lui à cette époque était de 324 louis. Amédée t'envoie aujourd'hui la seconde de la lettre de change pour 100 louis sterling dont il t'a envoyé la première par le précédent packet à vapeur, toujours à l'adresse de M. Bossange.

Quant aux détails que tu demandes au sujet de ta seigneurie, l'on t'enverra cela au prochain steamer, à M. Bossange, avec instruction de les garder afin de te les remettre à ton retour.

Toute la famille est bien portante à la ville et à la campagne. Nous t'embrassons tous et la vieille Marguerite. Amitiés à M. et dame Judah, de ma part

50. Les Américains.

51. *Filer :* conserver dans un dossier.

52. 20 217 louis. Le chiffre des milliers (20) a été rayé dans le manuscrit.

et dis-leur que j'ai fait pour le mieux et que j'ai bien du trouble et de l'ennui ; leurs amis savent ce que j'ai fait, les précautions que j'ai prises. Ils n'auraient pu faire mieux, car ils m'ont dit qu'ils ne voulaient pas reprendre leur maison à leur retour.

Ton épouse et amie sincère,

Julie Bruneau Papineau

M. Hector Bossange
Quai Voltaire, n° 21
Paris
Pour l'honorable Louis-Joseph Papineau

Montréal, 12 juin 1845

Mon cher ami,

Dans la dernière lettre que tu as reçue de moi, je te mentionnais que j'avais loué la maison mais je n'étais pas encore décidée où je pensionnerais. Je t'informe que je suis chez Mme Thomas, maison privée, et puis Amédée et Lactance pensionnent ensemble chez Gregory. La petite Ézilda [est] partie pour Verchères, et ensuite elle ira à Maska. Elle s'ennuie beaucoup, et moi encore plus, puisque j'ai eu le malheur d'être malade depuis que je suis ici, de cette maladie longue et souffrante, que j'ai eue l'été dernier, à Verchères. C'est ce qui m'a empêchée de t'écrire par les deux derniers packets ; j'ai fait écrire tes fils ; je ne sais si les lettres te parviendront ainsi qu'une de ton frère, Benjamin, parti le 16 mai. Les tiennes, si tu as écris en Italie, ne nous sont pas parvenues mais je pense plutôt que tu n'auras pas écrit : tu as trop de plaisir et d'occupations pour avoir le loisir de te mettre à écrire et, joint à cela, la répugnance que tu éprouves toujours à le faire. Je suis presque certaine que tu n'écriras pas un journal non plus, ce serait si intéressant. Mais enfin, pourvu que tu penses aux malheureux à ton retour, avec efficacité et promptitude, nous pourrions supporter notre état présent avec plus de courage. Mais, après avoir été trompés dans notre espoir de l'automne au printemps, et vice-versa depuis notre retour, nous sommes découragés.

La petite Azélie que tu parais soucieux de voir au couvent, je te le répète, est la plus heureuse, car elle est à sa place. Quand bien même nous aurions le bonheur d'être réunis, elle sera assez raisonnable pour y rester pour finir son éducation, objet de toute ma sollicitude pour elle, enfant remplie de talents et d'esprit mais vive et passionnée, assez difficile à élever. Elle était déjà gâtée pendant l'année qu'elle a perdue, dissipée, n'aimant plus l'étude. Là, ces dames savent bien rendre la vie utile et agréable en leur donnant de l'émulation à l'étude, du plaisir et beaucoup de désennui en récréation, leur présentant la vertu sous des rapports aimables et utiles. Elle fait des progrès en tout ; elle devient douce, se conformant à tous les règlements avec plaisir ; sa santé parfaite. Elle n'a pas eu un instant de maladie : elle grandit, grossit. Ces dames l'aiment ainsi que ses compagnes et elle est heureuse. Elle apprend aussi à avoir de la force de caractère dont elle aura tant de besoin dans sa vie comme personne du sexe. Ézilda, au contraire, n'en a pas, elle dit qu'elle ne pourrait pas faire ce sacrifice. Azélie, au contraire, m'a dit : « Maman, puisque c'est pour mon bien, je vous promets d'être raisonnable et je prends la détermination d'y rester trois ans. » Et elle l'a fait, elle n'a pas pleuré en y entrant, ni depuis, quand nous allons la voir, en la laissant. Elle a fait sa première communion, il y a huit jours, et j'ai eu le chagrin de ne pouvoir y aller par cause de maladie. Elle m'écrit une lettre touchante, en disant que cela a été un sacrifice de plus pour elle, mais elle dit : « Je suis remplie d'espérance pour le retour de papa et le rétablissement de votre santé, car j'ai prié de toute mon âme et du fond du cœur. Dieu ne peut pas me refuser, dans [un] si beau jour. » Dis cela à ces bonnes dames de Saint-Joseph, elle leur écrira elle-même sous peu. Présente-leur mes civilités et dis-leur que je suis toujours touchée et reconnaissante de tout ce qu'elles ont fait pour mes petites. Si je pouvais leur faire un cadeau, je le ferais de grand cœur.

Dis à M. et Mme Judah que j'espère qu'ils seront satisfaits de mes arrangements. Le médecin qui a loué la maison n'occupe que le bas et il a loué le haut à un jeune marié : ainsi, la maison sera bien tenue, et moi qui ai eu tant de trouble et inquiétude ! Elle m'a dit qu'elle ne voulait pas habiter la maison à son retour et nous, dans l'état où sont nos affaires, c'était une folie, car je pense qu'il faut aller résider aux États.

Quand tu auras été en Angleterre, sonde le terrain et puis, si tu vois qu'il n'y a rien de bon à espérer, reviens avec la ferme résolution de ne pas rentrer dans la vie publique mais, ce qu'il y aurait de plus important pour toi, ce serait de faire tout en ton pouvoir pour vendre ta seigneurie. Ou alors tu seras libre de rester aux États et j'en serai bien aise sous tous les rapports. Aussitôt que je serai informée du temps où tu dois t'embarquer, j'irai à Saratoga : j'en ai besoin sous le rapport de ma santé et puis, de là, à New York, pour me trouver à ton arrivée chez les Porter, qui sont là et qui m'ont fait demander. Mais je remets à ce temps. Il y a compétition, l'on voyage à grand marché cet été. Et là, nous aviserons à ce qui sera le mieux.

Tu ne saurais croire tout ce que j'ai à te dire sur ton cher pays et ses ineptes habitants, la haine et les préjugés les plus invétérés contre les États, plus dans ta famille que partout ailleurs, et bien autres choses qui font que tu ne pourrais les entendre et moins faire des affaires avec eux.

Je ne puis croire que M. Judah s'obstine à revenir si vite, eux qui peuvent tant jouir d'un long séjour en Europe. Ah ! ils s'en repentiront s'ils reviennent ici : un climat affreux, tout ce qui peut rendre un séjour désagréable, on le trouve, et le seul bonheur dont l'on jouissait, l'état de notre société intime, franche, amicale, de parents et d'amis qui se visitaient et s'aimaient, s'aidant mutuellement, tout cela est disparu, mais d'une manière étrange. C'est un égoïsme, un luxe, et puis une vie la plus désagréable que possible ; tous en conviennent et personne ne cherche à y remédier.

J'ai perdu notre bonne amie, Mme Jacques Viger[53], tu ne saurais croire combien cela me laisse de vide : c'était là où il me semblait être comme par le passé.

J'irai voir ma chère maman qui est bien portante ; je passerai quelques jours avec elle et puis j'irai à Maska en attendant que j'apprenne le temps où il faudra que j'aille au-devant de toi ; tout cela, si ma santé me le permet. Si j'ai de bonnes nouvelles de toi, cela m'aidera à me rétablir, car, de nouveaux malheurs, j'aurais peu de forces à les supporter ; mon moral est affecté. Tant d'ennuis sans compensations, c'est trop après un laps de huit ans d'inquiétude et d'incertitude sur son sort.

Amédée te redemande aussi, à grand hâte. Tu as dû recevoir sa lettre : si tu as besoin d'argent, emprunte et ne retarde pas pour cela. Amédée et M. Viger te feront honneur à tes traites.

N'oublie de m'envoyer par le Havre mes fleurs artificielles que tu m'as promises et puis encore un toupet en cheveux. J'envoie un échantillon pour la couleur mais aie soin que les cheveux soient égaux. C'est le tort que celui que Lactance m'a apporté. Dis-lui cela. Et puis, mon verre d'horloge, il faut que tu m'en envoies un - c'est trop cher ici - à New York. Pour cette fois, ne le mets pas dans une lourde caisse de livres.

Gustave fait bien aussi au collège : il espère que tu seras ici dans le temps de vacances.

Dis à M. Roebuck que nous lui recommandons de te faire voir des hommes que tu dois voir pour te décider ensuite à ton retour, car, pour toi, je sais que tu ne cherches pas du tout à t'avancer, et tu as tort.

Excuse mon style et mon griffonnage, je suis faible, de mauvaise plume : je ne sais si tu pourras la déchiffrer.

Ton épouse affectionnée,

J. B. Papineau

53. Marguerite La Corne de Chapt de St-Luc, épouse de Jacques Viger, est décédée à Montréal, le 27 mai 1845, âgée de 70 ans.

Verchères, 10 juillet 1845

Mon cher ami,

J'ai reçu ta lettre datée de Rome, le 13 mai. J'ai été bien aise d'apprendre que tu es bien portant. Je serai encore plus aise d'apprendre, par ta prochaine, quand tu fixes le moment de ton départ. Je suis un peu mieux et me suis décidée à venir ici passer quelques jours, reprendre des forces pour pouvoir aller assister aux examens à Maska, le 21 juillet, et puis, ensuite, revenir pour aller voir cette chère Azélie avec Gustave, car je ne l'ai pas vue depuis l'hiver dernier. Ensuite, je ne sais ce que je ferai, cela dépendra des nouvelles que j'aurai de toi. Azélie n'aura ses vacances que plus tard ; je lui ai dit, pour la consoler, que c'était mieux, qu'elle serait plus certaine de voir son cher papa. Et elle me répond que cela la console et lui fait prendre patience.

Je n'ai pas besoin de te parler de nos nouveaux malheurs, les journaux t'en donneront les détails. Il ne manquait plus que ces désastres[54] pour appauvrir le pays. En revenant des pays prospères et industrieux, tu en trouveras un changement de toute manière.

Tu ne me dis pas un mot de la santé de Mme Judah : je suppose qu'elle est mieux. Je ne sais si elle reviendra avec toi ; ses amis ici le croient. Toute la famille ici est bien portante, mais à la gêne. Je ne sais si les récoltes seront meilleures, mais la saison est bien en retard. Nous n'aurons tout au plus que deux mois de chaleur, à moins que l'automne ne soit bien beau.

J'irai à Saint-Hyacinthe lundi, j'y verrai ma tante Séraphin. Dlle Plamondon, qui demeurait maintenant chez Augustin, elle a laissé sa maison de Saint-Denis avec des gardiens. Augustin et sa femme sont bien portants ; leur fils est revenu des États, ils l'ont chez eux. Je ne sais ce qu'ils en feront. Ton fils et tes neveux font tous bien au collège. J'espère qu'ils passeront bien leurs examens, qu'ils se feront honneur.

Tu auras reçu la lettre de [Louis-Antoine] Dessaulles : ils sont toujours dans le même embarras. Il n'a pas eu de lettres de Londres depuis le mois de mai, comme il en attendait, au sujet de la vente de sa seigneurie. Ainsi, toi, qui nous écrivais qu'il pourrait t'aider, tu n'as pas lieu de te reposer sur lui ; au contraire, tu pourras et feras bien de t'y intéresser pour lui comme pour toi. Il disait qu'il serait peut-être obligé d'aller en Angleterre, que ce monsieur lui avait dit qu'il lui écrirait si c'était nécessaire. Mais ce serait un mal, car tu le connais, il dépenserait beaucoup, et puis il ne sait pas faire d'affaires. Tu peux mieux que lui, avec le tableau que ces messieurs ont en main, qu'il leur a envoyé, tu peux faire aussi bien que lui. S'ils ne vendent pas, ils sont ruinés ; outre les dettes que tu leur connaissais avant ton départ, le jeune homme en a fait au montant de 20 000

54. Allusion à l'incendie du quartier Saint-Roch de Québec.

louis. Ainsi, juge d'après cela. Il avait beaucoup de jugements de rendus, il n'y a qu'un emprunt de 7000 qu'il a pu effectuer, ce printemps, qui retarde leur malheur ; mais on dit que c'est à des conditions ruineuses qu'il a pu effectuer cet emprunt. Son crédit étant ruiné, il ne peut trouver sans cela. Il a engagé tous ses biens pour cela. Sa mère est désolée, mais elle est faible et aveugle sur son compte, au-delà de ce que l'on puisse imaginer. Pour une femme d'esprit et entendue dans les affaires comme elle, c'est incompréhensible à tous ! Et lui, léger, inconsidéré, prodigue, enfin cela lui donne l'apparence d'un insensé sous le rapport de ses affaires ! lui, rempli de talents et d'esprit, mais léger, rempli de présomption et d'espérances presque fantastiques, de le savoir comme tout le monde le connaît ! Et puis il est gai, s'amuse de toilette, toujours en ville, rarement chez lui, ne faisant rien ! Il est nécessaire que tu saches cela pour te faire voir combien tu dois t'intéresser à la vente de leurs biens, et à la vente de la tienne. Si tu ne peux le faire pendant les quelques jours que tu seras à Londres, tu pourras laisser des instructions à M. Roebuck, afin de le faire pour toi aussitôt que possible.

Tu auras appris, en arrivant à Paris, que j'avais loué. Je ne pouvais supporter l'idée de nous mettre plus dans l'embarras que nous ne l'étions. Nous ne toucherons pas les arrérages cet été. Ainsi, je suis déchargée aussi du ménage. En septembre, ils seront tenus à le reprendre. Si Amédée le garde, comme il te l'a écrit, c'est bien, mais s'ils ne font pas difficulté de le reprendre, il fera mieux, lui, de ne le pas prendre. Quand il m'a dit cela, qu'il t'en avait écrit, je l'en ai blâmé, car c'est bon qu'il le fasse pour nous tirer d'embarras ; sinon, s'ils ne font pas de difficultés, il vaut mieux que sa future choisisse à son goût. Ainsi, si tu ne leur as pas dit, n'en parle pas, attends le retour, ce sera mieux.

Amédée et Lactance doivent t'écrire aussi ; moi, j'envoie la mienne d'ici. J'attendais à en avoir une de toi ; ce n'est que le jour de mon départ que j'ai su que je n'en avais pas. Tu n'as pas écrit souvent en voyageant. J'espère que tu feras un journal : ce serait si intéressant ! Quoique tu n'aies pas d'argent, achète-nous toujours quelques articles. Tu trouveras bien à en disposer au retour, si tu n'as pas le moyen de les garder : tapisseries, une couple de belles glaces, des fleurs artificielles, mes petites lampes ; ce que je voudrais par-dessus tout, c'est un beau et bon piano pour tes petites filles, de ces instruments que l'on peut accorder soi-même. Ils en annoncent. Parle de cela à Mme Guillemot, qu'il soit beau et bon. Il n'y a rien de si encourageant pour des musiciennes que d'avoir un bon piano, et en France ils sont solides. Azélie sera certainement une bonne musicienne, les dames disent qu'elle est étonnante pour son âge, et cela vaut la peine. Ézilda aussi dit que, si elle avait un bon instrument, elle pratiquerait avec courage et plaisir.

Rappelle-toi les livres que Mme Mackenzie demande, mon toupet et puis d'autres jolis objets, mais, par-dessus tout, fais-toi habiller au complet. Ici, c'est bien plus cher et moins bon. Ces pantalons satin-laine, c'est excellent ; des vestes beau satin et col. Nous serons fiers de te voir bien mis. À ton âge, tu ne saurais croire combien la toilette sied, mais à toi surtout. Fais nettoyer tes dents, si elles sont noires. Je te prie de faire tout cela, tu ne peux me refuser, j'ai assez souffert d'ennui et d'inquiétude, et puis nous sommes tous fiers de toi, et nous voulons que tu fasses plutôt envie que pitié. Nous avons nos raisons pour cela.

Ton frère est parti pour le Nouveau-Brunswick pour deux mois, envoyé par le gouvernement. Le cher homme est faible et puis anglais, ainsi que M. Viger. Ils ne peuvent entendre louer ni les Français, ni les Américains : ils sont engoués de tout ce qui est anglais. Ah ! dans votre famille, vous aviez fait une réputation à votre Benjamin, qu'il a fortement démentie depuis qu'il est en scène. Chacun se dit : « Quoi ! l'on disait qu'il était presque aussi grand homme que son frère ! Bon Dieu, il n'en a pas une étincelle ! » Et ils ne se trompent guère ! Je ne l'avais vu qu'en passant. C'est un homme faible, préjugé, à vues étroites, mais ce qui m'a le plus surprise, c'est sa présomption : il croit qu'il est aussi habile politique que toi, et il dit que, si tu avais suivi ses avis, toi et le pays en seriez mieux ! C'est la même chose de M. Côme : ils croient que tout ce qu'ils ont dit alors est arrivé et qu'eux, s'ils avaient eu ton influence, auraient conduit les choses autrement. Ils ne sentent pas que c'est par leur faiblesse, leurs mauvaises manières et leurs raisonnements incompréhensibles et entortillés [qu']ils sont détestés de leurs ennemis, fatiguent leurs amis. Pourtant M. Viger va réussir à se faire élire aux Trois-Rivières. C'est mieux, puisqu'il persiste à être ministre, qu'il ait un siège dans la législature.

Je pense que celle-ci te parviendra assez à temps avant ton départ pour Londres. Adieu, amitiés à tous nos amis et amies. Tous les parents et amis le souhaitent, et t'embrassent.

Ton épouse et amie,

J. B. Papineau

M. Amédée Papineau,
Protonotaire
Montréal

Verchères, 31 juillet 1845

Mon cher fils,

Je t'envoie Gustave, comme tu l'as demandé, et il restera avec toi jusqu'à lundi, jour où je me rendrai à Montréal avec Casimir et Rosalie Dessaulles pour me descendre, mardi, à l'Assomption ; ils ont projeté ce voyage pour aller voir

M. Viger et aller voir Azélie à Saint-Jacques ; ils reviendront quand il leur plaira et moi je resterai jusqu'au 15 pour ramener la petite, qui aura ses vacances.

Ézilda aurait un grand désir de voir le cirque, alors dis-moi s'il y aura une représentation lundi. Écris par le bateau, vendredi. Alors je l'emmènerai et elle ira avec sa cousine Rosalie, et puis elle reviendra mardi, car elle ne veut pas aller à l'Assomption.

Puisque Marguerite a manqué son voyage, elle fera mieux à présent d'attendre Gustave et puis, ensuite, elle viendra ici et à Maska pendant que nous serons à l'Assomption. Dis-lui qu'elle envoie à Ézilda, par le bateau, vendredi, 3 livres de crackers et puis une livre de petits fours, comme elle en a acheté avec elle, lors de son départ de Montréal.

Si Marguerite voit Mme Bourret[55], elle lui dira qu'Ézilda ira chez elle, lundi, pour le cirque, s'il y en a.

Adieu, écris à M. Viger d'envoyer ses voitures, mardi, à Saint-Sulpice.

Ta mère affectionnée,

J. B. Papineau

55. Stéphanie Bédard, fille de Joseph-Hubert Bédard, avocat, et de Geneviève-Scholastique Hubert-Lacroix, a épousé l'avocat Joseph Bourret (Montréal, 16 octobre 1839), veuf d'Émélie-Élisabeth Pelletier. Stéphanie Bédard-Bourret demeurait à Montréal, petite rue Saint-Jacques ; elle deviendra une grande amie de Julie.

La Petite-Nation

Amédée Papineau
Protonotaire
Montréal

[Petite-Nation], jeudi, 9 juillet 1846

Mon cher fils,

Ton père me laisse cette page pour te dire que nous sommes heureux de savoir vos projets de voyages.

Tu veux savoir comment je trouve la Petite-Nation ? Je la trouve ce que j'avais prévu : sauvage, sans embellissements, sans intérêt quelconque, pour le moment. Ce ne sera pas moi qui la verrai prospère et embellie, à mon âge.

Si Gustave ne veut pas passer ici ses vacances, il fera mieux de commencer par Saint-Denis, Verchères et Montréal, car les voyages ici sont coûteux et puis son père ne voudra peut-être pas le laisser descendre. J'espère lui écrire, mais, au cas que je ne le puisse, écris-lui que je suis aussi fâchée que lui de ne pouvoir aller aux examens, que c'est bien contre mon goût, et que cela me fait ennuyer ici, que je le [remercie] de s'être préparé à me faire plaisir et honneur ; que je suis forcée de rester parce que nous sommes montés trop tard. Et la chère Azélie, Lactance lui écrit-il chaque semaine ?

Si Gustave a besoin d'un surtout et d'un gilet pour les vacances, écris-lui qu'il les achète chez Cadoret et qu'il les fasse faire par son tailleur là, car, à Montréal, il n'y a personne, ni le temps de lui faire faire.

Fais bien mes amitiés à ma chère fille[1] et dis-lui que j'ai grand hâte de la revoir. J'espère que tu fais tout en ton pouvoir pour lui rendre le séjour à Montréal aussi agréable que possible en notre absence.

---

1. Marie Westcott, sa bru, depuis le mariage d'Amédée (Saratoga, 20 mai 1846).

S'il y a quelque chose à faire pour la petite [Azélie], il faudra que Mme Laframboise[2] ait la complaisance de le laisser à faire à Montréal afin que cela se trouve prêt à la fin des vacances : ce sont des misères d'être ainsi éloignés, je ne puis rien pour eux.

Tout à toi, ta mère tendre,

J. B. Papineau

M. Amédée Papineau
Montréal

Petite-Nation, 11 juillet 1846

Cher Amédée,

Depuis que j'ai reçu les lettres que tu nous envoies, je vois que celle de Gustave s'accorde avec ce que je le lui ai recommandé : de faire ses autres promenades avant celle-ci, je ne sais s'il en sera de même d'Azélie. Je sais qu'elle désire aller voir sa mémé, ses tantes et cousines à Verchères. Pourrez-vous lui donner ce temps-là, avant votre projet de monter ? car une petite fille ne peut pas monter seule, il faut qu'elle vienne avec ses dames. Ainsi, pensez à tout cela et que Lactance s'entende avec vous avant d'aller à Saint-Jacques. Tu dis que tu ne peux retarder, ainsi que madame, parce qu'elle attend son père prochainement ; après cette époque, vous pourriez monter avec Mme Dessaulles qui restera ici un assez long espace de temps pour que les enfants, et M. et dame Laframboise, viennent la rejoindre ici et passer quelques jours avec elle et nous, si cela arrangeait aussi bien Mme Laframboise. Cela serait mieux pour les enfants, s'il y a quelques hardes à leur faire faire, et puis, avec leur désir de passer quelques jours en ville pour voir les parents et amis. Je suggère cela, bien entendu, pour faciliter les uns et les autres, mais non pour rien déranger les plans et les goûts de nul de la famille. Quant à nous, le plus tôt nous les verrons sera le mieux, mais arrangez tout pour le mieux, puisque je ne puis arranger ni la sortie ni la rentrée de mes enfants, ni voir à leur procurer ce qu'il leur sera nécessaire à temps. C'est bien contre mon gré que j'en donne le trouble à leur cousine ; si j'étais libre d'y aller, je le préférerais. Il faudra peut-être un chapeau à la petite, car nous la mènerons à Bytown.

2. Rosalie Dessaulles, épouse de Maurice Laframboise (Saint-Hyacinthe, 18 février 1846) et nièce de Julie.

Dis à Lactance qu'il écrive aussi à mon oncle Ignace et qu'il aille visiter de temps à autre les D^{lles} Lennox. J'espère que tu les auras été voir avec ta dame ; tu sais qu'elles [sont] en grand deuil et elles m'ont dit, avant mon départ, qu'elles espéraient cela de ta part : ce n'est pas ta dame qui y objectera : elle sait trop bien vivre et, si elle connaissait l'amitié qui nous a toujours liés à cette bonne famille, elle t'engagerait à le faire. Adieu, santé et bonheur.

Ta mère affectionnée,

J. B. Papineau

Amédée Papineau, écuyer, protonotaire
Montréal

[Petite-Nation], 18 septembre 1846

[De la main de Louis-Joseph Papineau[3]] : Mon cher Amédée,

J'ai reçu tes deux dernières lettres et celle de Porter, et te remercie. Dans celle que tu as écrite au pauvre Lactance, tu n'auras pas manqué de lui demander de te répondre. Cette correspondance nous aidera fortement à juger des progrès de son rétablissement ; tu faisais la même demande au docteur. J'ai hâte d'avoir ces renseignements. J'espère qu'ils seront consolants et qu'aussitôt après les avoir reçus je pourrai, au sentiment du docteur, correspondre avec le malade.

Tu ne me dis pas dans ta dernière si ta femme est partie pour sa longue promenade. Si c'est le cas, tu vas commencer à nous faire des lettres bien plus longues que les dernières, pour échapper un peu à l'ennui qui, très naturellement, t'assiège. Tu lui feras nos amitiés bien sincères dans toutes et chacune de tes communications avec elle.

Est-ce au collège, ou chez Morison, mon frère, ou Cadoret, qu'est entré Gustave ? Combien de temps est-il demeuré avec chère grand-maman ? Qui a conduit Azélie aux Écores[4] ? Qui a assisté à la bénédiction de la chapelle ? Si ton terme t'empêchait d'y aller, son terme n'empêchait pas ta femme d'y aller. Elles ont dû mettre du goût dans cette fête et il devait y avoir des dames amies avec qui la tienne aurait pu aller.

---

3. Cette lettre respire l'aisance financière d'un Louis-Joseph Papineau rempli de projets. En effet, le 16 juin 1846, le gouvernement lui versait enfin des arrérages de 4500 £, pour son salaire de président de la Chambre de 1832 à 1838.
4. Au début de septembre 1846, Azélie entra au nouveau couvent du Sacré-Cœur, à Saint-Vincent-de-Paul.

Pour le testament de Carrière, attends la première bonne occasion pour l'envoyer. Insiste pour qu'oncle Benjamin retrouve la lettre de St-Germain et copie-m'en le contenu ; dans ta prochaine, écris aussi pour m'informer si Carrière laissait sa terre en propriété ou seulement en jouissance à sa femme, en attendant que je reçoive le document.

Plus j'explore la seigneurie et plus je vois que les ressources sont vastes et qu'il y a beaucoup plus de bon terrain que je ne pensais. Poursuis activement tes recherches sur la manufacture du verre. Comme l'établissement est américain, par l'entremise de M. Yong, associé à Stephens, américain, par celle de MM. Dewitt ou Bourroughs, tu pourrais avoir des renseignements précis, puis aussi de M. Joliette[5]. Tes objections sont frivoles. Je puis avoir une verrerie, non pour détruire, mais pour embellir ton parc anglais. Envoie-m'en le panorama, etc. ; donne des idées. Je ferai bien volontiers ce qui est à ton goût, quand il ne contredira pas le mien. Mais, vois-tu, ce parc, j'en jouirai 20 ans et plus, si je puis, et il faut, en cas que cela arrive, que je l'agence à mon goût. Je le laisserais dès demain sans regret, si c'est demain qu'il fallait plier bagage. Le bois où il est vaudra beaucoup plus dans 30 ans que si le terrain était sous la meilleure culture, mais c'est à une condition qu'il sera couvert de beaux grands bois des meilleures qualités. Il y a là des milliers de cordes de bois, renversés et morts debout, par les feux qui y ont couru et les chantiers qui s'y sont faits depuis 30 ans, et qui rendent le reste hideux et improfitable. Les 128 pieds cubes de la corde n'ont aujourd'hui aucune valeur à cause des frais de port à Montréal. Quand je les aurai convertis en un pied cube de verre, dont tout le coût n'est que le combustible et la potasse pour plus des trois quarts de sa valeur, je gagnerai tous ces frais de transport et je convertirai un terrain perdu de bois de mauvaise qualité en un autre qui sera enrichi par une futaie de chênes, érables, ormes, hêtres et merisiers, ne conservant des autres espèces que ce qu'il en faut pour l'ornement. Au reste, tu te feras un autre domaine aussi ébouriffé que tu voudras, et dans des situations qui le disputent en beauté au Cap. Derrière chez Beaudry, à pas plus de 100 arpents en profondeur, il y a deux lacs, chacun de 20 arpents en superficie, à 120 pieds au moins au-dessus du niveau de la rivière où ils se déchargent. Ce sont des réservoirs qui ne peuvent manquer d'eau, sur laquelle, dans son cours, l'on peut échelonner autant d'usines que l'on voudrait, avec infiniment peu de frais ; et la beauté de ces lacs très limpides, entourés de beaux bois et de jolies montagnes, peut te tenter et y faire ton parc anglais.

J'ai enfin reçu, il y a deux jours, du plâtre qui n'en est point, mais est une marne coquillière, que je crois extrêmement riche comme engrais, vu l'immense proportion de chaux qu'elle contient bien évidemment. Je t'en enverrai par Casimir pour en faire faire l'analyse à Montréal et à Saint-Hyacinthe.

5. Barthélemy Joliette (1789-1850), fondateur du village de l'Industrie, appelé ensuite Joliette.

Les travaux au domaine et au moulin vont se finir demain. Dis à Judah que s'il était homme à venir coucher dans le bois, sur la grève des lacs, à trois lieues en profondeur, sans autres ressources que celles que sa ligne ou son fusil lui procureront, j'ai deux semblables campagnes à faire aux grands lacs des lignes du haut et du bas de la seigneurie, dans les premiers jours d'octobre, et que je l'invite à venir faire ces promenades avec moi.

Adieu, cher enfant, porte-toi bien, parle-nous en détail du temps et de la manière de ton voyage. Qui sait si maman ne le pourrait pas faire ?

Ton père très affectionné,

L. J. Papineau

Je n'ai point vu l'*Economist*. Les remarques de lord Ashburton, sur le *Times* qui dit que le « free trade » doit amener la séparation des colonies, sont de toute justesse et de toute justice. Vois à ce que les journaux français les répètent et les approuvent.

[De la main de Julie Bruneau-Papineau] : Cher fils,

Tu vois par ce que t'écrit ton père qu'il est de plus en plus enchanté de sa Petite-Nation. Il part chaque matin et ne revient que le soir tard, avec une faim dévorante ; quoique fatigué, il dîne gaiement, se couche à bonne heure et dort bien. Il est gai et heureux. Je ne crois pas qu'ils le gagnent à rentrer dans la vie publique ; il répugne à descendre à Montréal. Je m'en irai avant lui.

Fais ton possible pour louer la maison ; car il est consentant à pensionner, profitons du moment. Avec nos peines et notre deuil, nous ne pouvons recevoir de l'hiver, et alors quel embarras de tenir une grande maison, sans meubles, et [c'est] folie d'en acheter, car nous la louerons certainement au printemps. Et alors ce que nous avons de meubles fera un joli ménage ici, l'été. Et puis nous irons en pension à Montréal, l'hiver.

Quant à moi, tu dois penser quels tristes moments j'ai passés ! Avec tant de deuil dans le cœur, je suis indifférente à tout. Je n'attendais d'autres satisfactions que celles de mes enfants et cet espoir a été si cruellement déçu qu'il ne me reste plus rien de consolant.

Gustave est encore pire à son âge : violent et faible à l'excès, égoïste ; il sait comme il m'a laissée désolée, et il ne m'a pas écrit un mot depuis son départ. Il ne le fera que quand il aura besoin de quelques effets. J'ai fait tout ce que j'ai pu pour le contenter, je l'ai mis à même d'être externe, afin qu'il n'ait pas de raisons d'être mécontent. Je n'ai pas un mot d'avis de ce qu'il a fait.

Je n'ai rien à me reprocher pour l'autre[6] non plus. J'ai fait tout ce que j'ai pu pour lui, il m'a souvent manqué et n'a jamais reconnu ce que j'ai souffert

6. Allusion à son fils Lactance.

pour lui, de la part de son père, à Paris, et ici. Il a brisé son existence et la mienne. Il n'y a qu'une chose qui me consolera, même de sa folie, c'est de le voir revenir à des sentiments religieux, dont il n'aurait jamais dû s'écarter. Il n'y avait que cela qui pouvait le rendre heureux, avec un aussi singulier caractère. Je le lui ai dit, et ce qu'il a dit à Porter, qu'il désirait assister à la messe, est la seule consolation que j'aie reçue depuis son départ. Si Dieu m'exauce, je dirai : « Mon fils était perdu et il est ressuscité ! » S'il fallait passer par ce cruel malheur pour le faire revenir à Dieu, je m'en réjouirais, loin d'en gémir, persuadée que je suis qu'il ne peut être heureux que dans cette voie ; et, s'il fût mort dans son état, je serais restée inconsolable : un moment, contre une éternité de malheur !

Petite-Nation, 30 septembre 1846

Mon cher Amédée,

Tu as dû recevoir une lettre de moi, vendredi, envoyée par ma cuisinière jeudi et une aussi pour oncle Joseph et pour mon frère, Augustin[7], que tu auras fait parvenir, j'espère.

Je vois par ta lettre d'hier que tu n'avais pas répondu à Mlle Porter, et comme je te le disais dans la mienne, je pensais que ton père ne le ferait pas chez son neveu, et, depuis son retour, il a dit qu'il fallait en attendre une du médecin et hier, nous l'avons reçue, ainsi que celle de ce pauvre malade et la tienne. Il a dit hier soir qu'il écrirait ce matin, et puis il a changé d'idée et il a dit qu'il était nécessaire qu'il fût au moulin et qu'il n'écrirait que demain. Ainsi, je lui ai dit que je t'écrirais aujourd'hui. Si tu n'as pas répondu à D^lle^ Porter, tu le devrais faire, et, s'il le fait, eh bien ! il vaut mieux deux que de risquer qu'elle n'en reçoive pas. Si je puis le gagner à répondre au médecin, je serai fière : il n'aime pas à écrire, moins que jamais ; il est tout entier à ses projets que je vois avec indifférence, sachant qu'il dépensera plus qu'il ne retirera de profits ; et, quand il ferait du beau et bon, ce n'est pas moi qui en jouirai à mon âge et avec mes peines qui vont toujours en augmentant, car je vois les choses telles qu'elles sont, sans me flatter.

Je te disais que je ne me réjouissais pas autant que toi des nouvelles du cher malade et je m'en suis convaincue, hier, en lisant ces lettres, que j'avais raison. Je le trouve encore bien malade et n'espère pas le voir revenir cet automne. Dans

7. Augustin Papineau, son beau-frère. À l'époque, on écrivait indifféremment « frère et sœur » pour « beau-frère et belle-sœur ».

l'état de faiblesse de corps et d'esprit où je le vois, il ne faut rien d'excitant et puis, s'il prend des forces d'ici à ce temps, il faudra qu'il n'ait aucun sujet de chagrin, de l'hiver au moins. Et comment espérer cela, avec son caractère ? À part sa maladie, il ne s'est jamais trouvé heureux ; comment, après une telle épreuve, pourra-t-il l'être ici, où il saura que le public en est instruit ?...

Il y a beaucoup à considérer et nous en parlerons ensemble. Il lui faudrait vivre avec quelqu'un de bon, d'aimable et qui lui montrerait de la considération et de l'affection, tel que plusieurs familles que je connais aux États. Mais, ici, il ne pourra même pas vivre avec son père, qui ne sait pas le prendre, il le traite sans considération, le contredit, avec violence, même sur des choses ordinaires qui n'en valent pas la peine, et cela, à chaque instant. Il l'a fait ici même, dans le pénible état où il était. Voilà ce que c'est quand on ne travaille pas à se maîtriser et à se ménager, en famille, comme l'on est porté à le faire en société ! Ils ont tous deux ce défaut, le père et le fils. Ils sont aimables, condescendants avec les étrangers ; en famille, c'est le contraire, exigeants, d'une violence et l'usage de mots injurieux à propos d'une bagatelle aussi bien que d'une chose conséquente. Cela seul est une cause qui a fait notre malheur constant dans la bonne fortune comme dans la mauvaise fortune. Son père a eu de grands torts envers lui, comme il en a eu aussi à Paris, et ici, que les circonstances étaient différentes, tu sais qu'il en a été de même et jamais le père ne changera ; au contraire, il est de plus en plus emporté et contredisant. Ici, depuis le départ du pauvre Lactance, il doit savoir ce que je souffre, sans aucune consolation ; lui, au contraire, est plus gai que jamais, toujours occupé, s'intéressant à tout ; eh bien, il se fâche à la maison, le peu de temps qu'il y est, pour des bagatelles indignes même d'attention, surtout quand l'on a des peines aussi graves qui nous occupent.

La petite en est aussi fatiguée que moi ; et puis il veut nous retenir ici tout le mois à l'attendre. Je lui ai dit positivement que non. Ainsi, il va aller dans les lacs, faire arpenter, et puis suivre des travaux. Il revient à la maison le soir, fatigué, mange et dort. Tu vois quelle vie amusante nous menons ici avec nos tristes pensées !

Je te dis donc que notre voyage et départ est fixé à lundi, 5. Mme Benjamin Papineau descend avec nous, s'il fait beau, sinon nous remettrons au premier beau jour. Ainsi, au cas que nous arrivions mardi, achète du bois, fais monter le poêle du passage ; celui de la cuisine, il faut le mettre vis-à-vis le trou de tuyau qui est dans la chambre à coucher d'en haut. Il faut faire monter le tuyau de suite dans cette chambre afin d'en avoir une de chaude. Et puis, fais monter ma couchette dans ma chambre d'en bas, et puis celle d'Ézilda, dans cette chambre qui sera la sienne au-dessus de la cuisine. Tu trouveras les clefs de ma couchette sur les tablettes à l'entrée du portemanteau. La clef pour la monter, si elle n'est pas dans le même endroit, elle doit se trouver dans les armoires du grand passage[8].

8. Le reste de la lettre semble avoir été perdu.

L'honorable Louis-Joseph Papineau,
Petite-Nation

Montréal, 12 octobre 1846

Mon cher ami,

Je ne t'ai pas écrit depuis mon arrivée, parce qu'en premier lieu je n'avais rien à te mander que les nouvelles de notre voyage ; mais Casimir a écrit à ce sujet, et, depuis ce temps, j'attendais des nouvelles de New York et puis aussi des nouvelles d'Azélie et de Verchères. Ils sont tous bien et je n'ai pu les aller voir encore. Je n'irai que mercredi à Saint-Vincent[9], et vendredi à Verchères, s'il fait beau. Mon oncle Joseph, qui est en ville, m'y accompagnera. Oncle Ignace est ici aussi, il loge chez Mme Delagrave, et l'autre chez Doucet.

Judah est en ville mais je ne l'ai pas vu ; madame est encore aux Trois-Rivières. Angelle partage son temps ici et chez son mari. J'ai trouvé Amédée indisposé. Il n'ira chercher sa dame que la semaine prochaine, au plus tôt à la fin de celle-ci.

J'ai fait monter un poêle dans la chambre à manger. J'ai fait acheter dix cordes de bois en t'attendant. Ton frère Benjamin nous fait part de ta lettre et dit qu'il va y répondre. Ainsi, je ne te parlerai pas de ce qu'elle contient. Je ne sais si je recevrai une lettre de New York avant de fermer celle-ci : l'on ne peut prendre de décisions avant. Amédée n'est pas disposé à y aller ; je ne sais ce qu'il fera si son frère le fait demander. Quant à moi, je n'irai aussi que s'il me fait demander, car je crains un voyage dans cette saison. Ainsi, nous sommes toujours indécis en tout par rapport aux dires malheureux qui nous assiègent.

Tu vas voir que j'ai bien fait de me précautionner d'une fille à la Petite-Nation, car Anny m'a annoncé hier qu'elle voulait sortir, qu'elle voulait prendre du lavage avec sa sœur, ou que si sa sœur restait à New York, elle irait la rejoindre, etc. Je lui ai dit qu'elle aurait dû me le dire plus tôt, que j'aurais amené la fille avec moi, qu'elle ne sortirait que quand l'autre serait arrivée ; que je t'écrirais et que, si tu connaissais quelqu'un de l'endroit qui descendît, tu pourrais envoyer la fille ; sinon, qu'elle attendrait ton retour.

Nous n'avons aucune application pour la maison : il est certain que nous y passerons l'hiver.

M. Malhiot sort d'ici, il dit qu'ils sont assez bien à Verchères. Ma chère mère se console un peu, elle leur a donné de l'inquiétude pendant un mois. Elle ne cessait de pleurer. La petite fille de cette pauvre sœur[10] est placée chez Mme Brin à Saint-Marc. L'aîné des garçons a été demandé, cette semaine, par Mme Desrivières ainsi que la vieille Josette qui les a élevés ; c'est ce qui fait que le curé

9. Saint-Vincent-de-Paul, au couvent d'Azélie.

10. Geneviève (Vevette) Bruneau, veuve du Dr Park, est décédée à Verchères, le 25 août 1846, âgée de 45 ans.

l'a laissé aller, cela plaisait à l'enfant. Le second est chez mon beau-frère Malhiot. Il faut espérer qu'ainsi placés l'on pourra les voir bien élevés. M. Dumas a dit qu'il aiderait à les vêtir et à payer leur école.

Toute la famille ici est bien, Ézilda a hâte d'avoir son piano, mais je n'ai pas eu le loisir de prendre des informations ni d'y voir. Marguerite est bien mieux, mais elle vient ici tous les jours et y couche quelquefois. Elle pourra montrer à notre jeune fille à faire à manger.

J'ai attendu en vain. Pas de nouvelles. Si j'en ai demain, je t'en ferai part. Adieu, au revoir.

Tout à toi, ton épouse et amie,

J. B. Papineau

L'honorable Louis-Joseph Papineau
Petite-Nation

Montréal, 23 octobre 1846

Cher ami,

Je reçois aujourd'hui ta lettre et je m'empresse d'y répondre ; je te dirai que j'ai fait mon voyage de Verchères, j'ai trouvé ma chère maman bien affligée et bien maigrie, ayant peu d'appétit ; elle a été contente de me voir et elle a l'espoir que tu arriveras à temps pour l'aller voir. Ma pauvre sœur, Rosalie, est aussi bien triste et bien amaigrie : je l'ai amenée ici, passer trois ou quatre jours.

Je viens de voir Mme Thibodeau, elle m'a donné les détails de votre déménagement. Quand Amédée t'a envoyé cette lettre de Porter, il venait de la recevoir et il était au moment de s'embarquer pour les États, c'est ce qui fait qu'il n'a pu t'écrire et il n'est pas encore revenu. Je suis aussi fâchée que toi de voir que tu n'as pu avoir d'arpenteur : j'ai pressé Amédée d'y voir ainsi que ton frère ; ils disent que plusieurs ont refusé, etc. J'ai demandé hier à Cherrier s'il en connaissait quelqu'un. Il m'a dit qu'il y verrait ; il m'a procuré un beau et bon piano à bon marché : tu le verras à ton retour.

Je n'ai pas eu de connaissance encore de M. Plamondon. S'il vient, je lui ferai la commission dont tu me charges. Aussitôt l'arrivée d'Amédée, je t'écrirai de nouveau et j'aurais à te parler du loyer de la maison. Il est venu une personne hier me demander à la louer pour tenir un hôtel ; il n'a pas visité disant qu'il la connaissait, il voulait seulement connaître les conditions. Je lui ai dit qu'à l'arrivée de mon fils il les saurait, que je pouvais néanmoins lui dire les principales, que le prix serait de 300 louis s'il la prenait pour trois ans et qu'il nous fallait de bonnes cautions. Il n'a pas paru surpris du prix et il a dit qu'il reviendrait à la fin de la semaine ; je lui ai dit que nous préférions ne la louer que ce printemps, mais il a répondu que, s'il la prenait, ce serait dès à présent. Ainsi, attends encore quelques jours avant d'envoyer cette fille, quand même tu aurais des occasions et ce, en cas, il ne faudra non plus rien apporter du ménage.

Avant d'aller à Verchères, je suis allée au Sacré-Cœur voir cette chère petite, elle était bien et toujours contente et heureuse, t'embrassant et ayant hâte de te revoir.

Nous te souhaitons santé et courage. Adieu, je t'écrirai à la fin de la semaine.

Ton épouse amie,

J. B. Papineau

L'honorable Louis-Joseph Papineau
Petite-Nation

Montréal, 26 octobre 1846

Mon cher ami,

Je t'ai dit dans ma dernière que je t'écrirais à la fin de la semaine, j'attendais Amédée et il n'est pas encore de retour : il ne peut arriver que mardi. Ainsi, nous sommes en suspens au sujet de la maison : la personne qui la veut louer a l'air bien décidée puisqu'il est revenu hier demander si mon fils était arrivé. Je lui ai répondu que non, il doit revenir mardi. Je lui ai dit que je t'en avais aussi informé ; il faut que tu me répondes à ce sujet afin que nous puissions tout décider au cas que tu ne descendes pas cette semaine. Je ferai ce que je puis pour la garder cet hiver, mais, s'il insiste à la prendre de suite, il faudra le faire si c'est un bon locataire et qui donne de bonnes cautions, et le prix de 300 £ pour trois ou quatre ans au plus : mais je ne veux pas la louer à moins. À partir de ce printemps, l'on pourrait peut-être la laisser pour l'hiver sur le pied de 250 £. Réponds-moi à cela.

J'irai voir les chambres chez Donegani, avant de louer, afin d'être bien logée, car il ne faut pas se faire plus de misère que l'on en peut porter : j'ai assez de chagrins cuisants sans aller m'ennuyer là et y être trop à l'étroit et dans des chambres sombres, et bien faire nos arrangements avec lui.

J'ai gardé ma chère sœur avec moi. Mme Malhiot, elle, ne partira que mardi. Oncle Joseph est descendu et oncle Ignace part demain : ils m'ont priée de te faire bien des amitiés et regrettent beaucoup de ne t'avoir pas vu. Angelle est partie pour Saint-Marc.

Je ne sais si tu as un arpenteur. Je presse ton frère à chaque fois que je le vois et je presserai ton fils à son retour.

Si tu ne vois pas jour de descendre bientôt, autorise-moi à tirer de l'argent pour payer le piano au cas qu'ils viennent demander le paiement, car l'on a eu de la difficulté à le retirer quoique Cherrier l'eût retenu, depuis trois jours. À mon arrivée de Verchères, il m'a avertie, j'y suis allée de suite mais, ayant trouvé plus cher, ils ont essayé à retirer leur parole : c'est une raison de plus de ne pas retarder le paiement quand ils le demandent. Il n'est que de 36 louis et il en vaut le double. Tu le verras mais nous disons qu'il est de cinquante et on le trouve à grand marché, car ici, si l'on dit que l'on a acheté un article à bon marché, on en conclut que cela ne vaut rien et l'on finit par se le persuader.

Je n'ai pas eu connaissance de M. Plamondon. M. Laframboise est venu me voir et je l'ai prié de faire tes commissions à ce monsieur. J'ai dit que tu ne serais ici que dans quinze jours, s'il pouvait attendre à ce temps. J'attends sa réponse et je te la ferai parvenir.

Ézilda est bien et te fait dire qu'elle est enchantée de son piano et qu'elle va faire des progrès.

Avons-nous eu assez de mauvais temps ! Tu dois dire que je suis sorcière de t'en avoir assuré. Qu'as-tu fait ? Que te reste-t-il à faire ? Mande-le-moi.

Quant au logement de ce pauvre Lactance, il faut le garder cet hiver ; si nous louons, nous [y] mettrons le reste de nos effets et livres, que tu ne pourras pas loger à notre pension. Ainsi, dans ce cas, il est heureux que nous l'ayons gardé.

Ton frère a vu l'évêque, je ne l'ai pas vu mais j'irai cette semaine.

Où en êtes-vous avec vos troubles ? Tu ne m'en as rien dit. Si l'on [n']a pas besoin du ménage, il faudra au moins que tu descendes la grande valise et la petite caisse de confitures. Dans cette valise, il y a de ton linge et de tes hardes et des nôtres. Si l'on se rappelle autre chose, nous te l'écrirons.

Ne sois pas surpris si ce pauvre Lactance a des rechutes, c'est d'ordinaire. Crois-tu que la pensée de son état, quand il a des moments qu'il est très bien, ne le décourage pas ? C'est ce qui occasionne cela et c'est bien assez ; il n'y a que quand il aura repris assez de forces pour avoir le courage de se résigner à son sort, qu'il pourra se rétablir tout à fait. Adieu, tout à toi, bon ami.

Ton épouse,

J. B. Papineau

P.S. Amitiés à toute la famille là-haut et aux amis.

L'honorable Louis-Joseph Papineau
Petite-Nation

Montréal, 30 octobre 1846

Mon cher ami,

Je t'écris ce soir à la hâte pour t'informer de l'arrivée d'Amédée et de sa dame ; ils ont eu tous deux le rhume, ce qui les a retardés.

Il n'a pas vu l'homme qui voulait louer la maison, on lui a dit cependant qu'il en avait été un le demander à son hôtel, mais il n'y était pas. L'on suppose que c'est lui. Il y retournera demain, c'est probable.

Je l'ai chargé à son arrivée, hier, de voir l'arpenteur mais il n'a pu le rencontrer, car il était à la campagne, mais il l'a vu cet après-midi et il lui a promis qu'il partirait lundi ou mardi, le plus tard, pour la Petite-Nation.

J'ai reçu ta lettre et les cinquante louis.

Rien de nouveau ici, sinon la triste nouvelle de la maladie du juge Vallières : il est tombé d'apoplexie ; il avait eu une sévère attaque il y a quelque temps dont on avait réussi à le retirer mais il paraît qu'à celle-ci il va succomber. Adieu, santé, courage. Il est neuf heures, il faut envoyer la lettre.

Ton épouse amie,

J. B. Papineau

L'honorable Louis-Joseph Papineau
Petite-Nation

Montréal, 6 novembre 1846

Mon cher ami,

Tu ne dois pas être surpris qu'une aussi cruelle nouvelle m'ait atterrée. Je fais tout en mon pouvoir pour me conserver en santé afin de remplir mes devoirs envers toi et mes autres enfants mais c'est bien difficile. Cette épreuve-ci est plus difficile à supporter que tous les revers de fortune.

Je suis aussi fâchée que toi du contretemps que tu éprouves au sujet de l'arpenteur. Hier, il a demandé cinq piastres à Amédée en disant qu'il partirait ce matin. Ainsi, s'il ne l'est pas, il le sera demain absolument ou il faudra renoncer à l'espérer. C'est un nouveau marié, et sa dame a été malade.

Quant à louer la maison, cela est décidé : l'homme qui me l'a demandé n'est pas revenu depuis l'arrivée d'Amédée. Ainsi, il aura changé d'idée ou il n'aura pas trouvé de caution pour l'hiver, car le marché n'est pas fini et puis les locataires dans le voisinage sont au désespoir, la maison de Jacques Viger fermée, etc. C'est pourquoi j'étais étonnée que cet homme voulait prendre la nôtre cet automne mais il nous a bien dérangés dans nos arrangements d'hiver. Je regrette de l'avoir écouté et attendu puisque cela t'a fait manquer d'envoyer nos effets. J'espère qu'il est encore temps et que tu le feras le plus tôt possible, car l'on ne peut se passer de ces objets pour hiverner.

Tu amèneras aussi la fille. Je n'ai rien à changer aux effets que j'avais marqués.

J'ai eu des chaises chez Papineau et des baudets, et puis il doit m'envoyer des couchettes ; ainsi, tu apporteras tout ce qui a été marqué « Montréal ».

Je reçois ta lettre ce soir, à cinq heures. Ainsi, tu vois que je m'empresse d'y répondre à la lumière des bougies et, pour la partie de la réponse que tu demandes à Amédée, il va y répondre lui-même.

Quand il t'a écrit les dernières, il les a écrites si pressé et sous de telles tristes pensées que nous ne pouvions penser à autre chose.

J'ai envoyé chercher Amédée, il n'est pas chez lui ; ainsi, il ne pourra te répondre ce soir.

Ton épouse et amie,

J. B. Papineau

Je ne ferai changer les clefs que si j'en ai besoin.

M. Papineau
Care of William Porter
126 West 14th Street,
New York[11]

Montréal, 2 décembre 1846

Cher ami,

Ce n'est qu'aujourd'hui que je reçois ta lettre datée [du] 25 [novembre]. Ainsi, elle ne m'est venue tirer d'un état d'angoisse impossible à décrire [que] pour me jeter dans un autre. Je te prie de m'écrire plus souvent, et puis je le ferai de mon côté, car les lettres vont être si longtemps à venir, que ce sera dur à passer ce cruel temps. Ah ! que j'ai souffert de ce retard : 12 jours depuis ta dernière !

11. Louis-Joseph Papineau s'est rendu à New York où Lactance a été placé pour y être soigné.

Dans celle-ci, tu m'annonces pourtant qu'il [Lactance] va être à même de recevoir les secours de la religion. Cela me soulage mais, d'un autre côté, tu m'annonces que tu n'es pas avec lui et qu'il en témoigne du regret, du déplaisir. Ah ! que n'as-tu suivi l'impulsion de ton cœur plutôt que l'avis de ton médecin, qui ne connaît pas son caractère sensible, affectueux, d'attache à la famille.

Ainsi, au lieu de te savoir près de lui, de passer la soirée à le consoler, l'amuser, il la passe à s'ennuyer et cela lui occasionne de mauvaises nuits qui lui font perdre le peu de bien que tu lui procures le jour. Crois donc une mère ! Encore une fois, je te conjure, ne me parle pas de le laisser avant qu'il ne soit mieux et assez fort pour se résigner à rester seul.

Ah ! que n'ai-je été avec toi ! je ne souffrirais pas ce que j'endure, et mon cher enfant ne serait pas abandonné pendant qu'il est si malade ! Puisqu'à son bon sens c'est bien cruel qu'il soit séparé de sa famille, privé de soins et de la tendresse d'une mère ! Tu es surpris qu'il ne puisse le supporter avec courage. Ah ! je ne le suis pas, moi ; je lui trouve plus de raison qu'il n'en a jamais eu en santé. Il n'y a que l'extrême faiblesse qui lui ôte l'énergie. Si j'avais été passer l'hiver avec lui, je serais confiante que je l'eusse sauvé ; je n'ai plus de confiance qu'en Dieu pour le consoler et le fortifier et le soutenir. Je te dis - et dis-le-lui aussi - que je n'ai de consolation que de te savoir près de lui, puisque je n'y suis pas, et qu'il ne s'inquiète pas de nos privations ; que je ne souffre que de le savoir malade et que rien autre chose ne m'occupe ni ne m'intéresse. Je n'ai aucun trouble, nous sommes arrangées pour l'hiver et je n'aurai besoin de rien tant que mon cher enfant n'aura pas de mieux. Je serai désolée, indifférente à tout, tant que je le saurai aussi faible.

Mais aussi dis-lui de ma part, par l'amour, l'amitié que le lui voue, que je suis assurée et convaincue qu'il ne recouvrera les forces, le courage et le bonheur qu'en se jetant dans le bras de son Dieu, de tout cœur. Dis-lui que j'ai tant prié et ses bons amis de Saint-Jacques ; que, s'il veut nous seconder, je lui réponds qu'il sera heureux et sa mère aussi, qui a tant versé de larmes depuis trois mois. Donne-lui donc la lettre de son ami et ne crains donc rien.

Je n'aime pas ton médecin qui t'a détourné de rester avec lui : il n'y a que cela qui lui fera faire des progrès soutenus. Si tu le laisses, il mourra bien vite en ses mains, car il ne connaît pas son caractère et que lui ne peut lui confier tout ce qu'il pense. C'est ce qu'il faut : il faut combattre toutes ces idées tristes jusqu'à ce qu'il soit assez fort pour avoir de l'énergie de se résigner et lui faire entendre qu'aussitôt qu'il sera mieux il ne passera pas l'hiver sans nous revoir. Je lui écrirai demain et le ferai souvent ; quoique tu ne me le dises pas, je crois que cela lui fera du bien. Cher enfant, nous avons assez de tort envers lui ; je voudrais tout pour le réparer et je suis dans l'impuissance de le faire. Je ne me pardonne pas de vous avoir écoutés, car vous m'avez empêchée d'aller passer l'hiver avec lui. Qu'il puisse être assez fort pour revenir en mars ! Dis-lui que, s'il se soigne, il sera en état de faire le voyage en mars et qu'alors nous serons heureux qu'il dise ce qu'il veut pour se rétablir ; qu'il ne cache pas sa pensée, ses découragements, afin qu'on le console. Il est surprenant qu'il ait sa raison avec autant de faiblesse, mais aussi il ressent sa position et il ne peut se plaire dans cette maison. Aussitôt qu'il sera plus fort, tu l'emmèneras avec toi où il paraîtra le désirer pour quelque temps, à moins qu'il ne se décide à rester de bon gré. Ah ! écris souvent, mon cher ami. Ah ! quelle triste position !

Ton épouse,

J. B. Papineau

P. S. Plus je relis ta lettre, plus je suis convaincue que tu dois aller demeurer avec lui quelques jours, voir l'effet. Et puis, je te conjure de ne pas le laisser avant qu'il soit bien mieux, car je serais obligée d'y aller. Je ne pourrais supporter une pareille inquiétude, ni une pareille dureté d'abandonner un enfant bien malade et qui sent son malheur.

Je ne puis comprendre pourquoi tu ne veux pas voir M. Nancrède ; que tu peux avoir plus tard besoin de lui. Et puis, c'est bien mal s'il apprend que tu as été aussi longtemps, ce n'est pas le traiter en ami, loin de là. Quand Lactance sera mieux, il pourrait peut-être aller chez le Dr O'Callaghan aussi.

[Lactance Papineau]
M. W. Porter, Esq.
126 West Fourteenth Street
City of New York

Montréal, 5 décembre 1846

Mon cher fils,

J'ai écrit à ton cher père, avant-hier, en lui disant que je t'écrirais le lendemain. Ah ! qu'il m'est consolant, dans ma grande affliction, de me voir entrer de nouveau en communication avec toi, cher enfant ! Je ne sais pourquoi le médecin ne m'a pas demandé à le faire plus tôt mais, à présent que ton père est près de toi, il pourra te lire mes lettres si tu es trop faible pour le faire toi-même. Je suis assez privée et attristée de n'être pas auprès de toi, mais ce n'est pas de ma faute : l'on a craint pour ma santé, un voyage dans cette saison ; mais je crois au contraire, que la douleur d'être loin de toi me fait plus mal dans un temps où je sais que je puis t'être utile et agréable.

Ainsi, cher enfant, par l'amour et l'amitié que nous nous portons, je te conjure de faire tout de ton côté ce que tu dois pour te rétablir : à cela est attaché ton retour à la santé et à la conservation de celle de ta tendre mère et au bonheur de toute la famille. Oui, sans cela, il n'y a plus de bonheur pour nous. Depuis que j'ai appris que tu te laissais aller à l'ennui et au découragement et, par cela, que tu perdais des forces, j'ai été aussi désolée que l'on peut l'être. Mais, depuis que je sais le plaisir que t'a fait la visite de ton père et les efforts qu'il te fait faire pour reprendre des forces, je respire et renais à l'espérance.

Je ne crains pas qu'il te laisse tant que tu auras besoin de son secours et de sa société. Nous sommes habitués à faire des sacrifices, et notre séparation, bien pénible dans une pareille situation, est plus aisée à supporter que ne le serait notre réunion, quand nous saurions que notre cher enfant est livré à la maladie, à l'ennui, au découragement, parce qu'il n'aurait personne de la famille auprès de lui pour parler de ce qui l'intéresse, le distrait.

Ainsi, dis-donc à ton père tout ce qui t'occupe, ce que tu penses, ce que tu veux que l'on te fasse pour te rendre à la santé et au bonheur. Oui, je te le répète, tu peux encore être heureux si tu suis les avis de ta mère si dévouée à ton bien-être ; je te l'ai dit souvent, cher enfant, qu'avec ta sensibilité et tes nerfs irritables, dont tu n'étais pas le maître, il te fallait un ami sincère et dévoué à tes plus chers intérêts, qui t'aurait consolé, aidé, soutenu, éclairé sur ton état, compati à tes peines, à tes souffrances. Et où trouver tout cela, si ce n'est dans un bon directeur de ta conscience ?

Oui, mon cher, j'ai tant prié et gémi sur toi. Depuis longtemps que j'espère, que notre père commun m'a exaucée, qu'il t'a conservé, qu'il te donne la connaissance de ton état pour que tu reviennes sincèrement à lui et, par là, au bonheur et faire celui de ta mère. Oh ! ce sera alors que je serai convaincue que mon cher fils est ressuscité. La Providence t'a conduit par la maladie et l'affliction à cet endroit où, il y [a] peu d'années, tu en étais parti heureux et rempli d'espérances ; tu étais alors son ami, tu n'avais pas cru devoir risquer ta vie sur l'océan sans recevoir ton Dieu et quand plus tard, à Paris, après t'être exalté par la conversation et des lectures d'hommes exaltés eux-mêmes, et conduits d'erreurs en erreurs, qui ne rendent pas heureux leurs adeptes, même dès cette vie, j'ai senti et vu que cela ferait ton malheur. Mais Dieu est si bon et miséricordieux. Il ne t'a pas abandonné ; il a vu que tu étais honnête, sage, plein de droiture et d'honneur, il a eu pitié d'un moment d'égarement et d'exaltation ; il a conduit près de toi des hommes avec qui tu pourras raisonner, soumettre tes doutes, demander des avis, et puissent-ils te convaincre. Je t'assure de la vie et du bonheur, même dès cette vie, qui n'est rien, mais te conduira à l'éternelle vie de bonheur, quand il plaira à Dieu de nous y appeler.

Pardonne ce petit sermon, comme vous avez l'habitude d'appeler des avis d'une mère, c'est le vif intérêt que je te porte, cher fils, et la ferme conviction que c'est un devoir impérieux d'une mère chrétienne et dont je ne dois pas me départir. J'espère que cela ne te fera pas de mal et que ton cher père trouvera à propos de te communiquer mes sentiments là-dessus. Et à Dieu, je confie le soin de faire ce qu'il voudra pour toi, cher enfant.

S'il arrivait que ton père serait obligé de revenir avant que tu sois rétabli et fort, n'aie pas d'inquiétudes, nous enverrons un autre membre de la famille avec toi, nous ne te laisserons plus seul puisque cela t'a affligé. Ton cousin Casimir Papineau est le plus libre et pourrait y aller, m'a-t-il dit, avec plaisir, s'il t'était agréable et utile, et ton bon cousin Émery dit qu'il le laissera aller et que s'il y pouvait aller lui-même, il serait heureux.

Ainsi, cher enfant, prends courage et hâte ton retour à la santé et, par là, à la réunion à la famille. Dans les beaux jours de mars, tu pourras revenir. Si l'on conseille un voyage au sud, si ton père n'y peut aller, ton cousin ira avec toi. Ainsi, courage, hâte ta sortie aussitôt que tu n'auras plus besoin de médecin. Les sorties et voyages feront le reste. J'ai reçu tes effets de la Petite-Nation. Nous vous embrassons tous deux.

Ta mère,

J. B. Papineau

[Louis-Joseph Papineau]
Mr. W. Porter
126 West 14th Street
New York

Montréal, 7 décembre 1846

Mon cher ami,

J'ai reçu avant-hier soir, 5 [décembre], ta dernière datée du 30 [novembre] qui répond à celle que je t'avais écrite et qui t'a paru censurer ce que tu fais au sujet de ce cher et trop malheureux enfant : ce n'est pas du tout pour cela, mais on peut différer d'avis sur les moyens et puis, pour ce qui est du désordre et de la trop vive peinture que tu fais de mes tourments, il est presque impossible qu'il en soit autrement, avec des entrailles de mère et une sensibilité de femme malade et accablée de peines depuis des années et qui semblent augmenter chaque jour, et ne varier que pour en être que plus poignantes. Dieu même le pardonnera, j'espère, car je fais mon possible pour n'y pas succomber et je suis loin d'en murmurer, car je sais qu'il nous traite mieux que nous ne méritons, car il n'y a que lui qui nous a protégés contre tous les maux que les hommes nous ont faits et nous ne l'avons remercié que par notre indifférence.

C'est ce qui m'a causé cette excessive frayeur quand j'ai vu que ce cher enfant avait sa raison et sa sensibilité dans un corps aussi affaibli ; j'ai reconnu là la main visible de Dieu qui lui accorde cette grâce et aussi un avertissement de ne la pas négliger. Je me suis dit qu'une aussi forte impression que celle de ta présence pouvait réagir en sens contraire ; qu'il n'y avait pas un moment à perdre. C'est aussi ce que tu as fait : mais je ne pouvais prendre trop de précautions, puisque ton médecin était surpris lui-même de lui voir autant de raison. Oui, je te le dis et le crois fermement que c'est un miracle qu'il ait autant son jugement avec un corps aussi débile et, s'il revenait à la santé, cela en serait bien un aussi, mais je n'ose m'en flatter : nous n'en sommes pas dignes, notre foi n'est pas assez vive. Dieu, en lui accordant le bonheur de revenir à lui, le rendra heureux et c'est plus que nous devions espérer. Qu'il ait changé ses sentiments et qu'il soit aussi raisonnable plus qu'il ne l'était depuis un an, je reconnais son bon caractère et ses sentiments affectueux qu'il avait perdus.

Ah ! que je serais heureuse d'être auprès de lui, à présent que je retrouve mon fils. Mais, si Dieu ne veut pas me le rendre, à présent qu'il pourrait faire mon bonheur, c'est qu'il a ses vues et qu'il faudra qu'il me donne les forces de supporter ce terrible coup, car il est impossible dans la nature d'une mère de trouver une froide raison en pareilles circonstances. Mais, de la soumission, j'en aurai, car je reconnais que j'ai été exaucée en la partie la plus essentielle à son bonheur, le cher enfant. Car il ne devait pas être attaché à cette vie qu'il n'a pas connue sous d'autres rapports que celui du malheur. C'est pour cela que Dieu lui fait miséricorde.

Quant à l'autre opinion que nous avons émise, qu'il ne devait pas rester dans cette maison, quand il a sa raison et la conscience de son état, si tu en juges autrement et qu'il y ait nécessité pour le traitement, tu conviendras au moins qu'il ne doit ni ne peut y rester sans toi ou au moins un autre membre de la famille, qui ne pourrait pas aussi bien auprès de lui sous aucun rapport, mais enfin, y suppléer un peu. Je ne puis supporter l'idée de le laisser sans quelqu'un de nous, puisqu'il a sa raison. Cela serait de la cruauté inouïe en pareil cas. J'irais plutôt moi-même et ce ne serait que remplir un devoir que je me reproche chaque jour de n'avoir pas rempli. Je souffrirais moins que je ne fais ici ; il n'y a qu'une mère qui peut savoir ce que j'endure ! Mais ne crains pas que je manque de résignation et de soumission à la Providence. Mais je t'ai donné mon opinion.

Et plus je relis tes lettres, plus je vois qu'il te dit lui-même qu'il est blessé, affligé, ennuyé d'être en compagnie d'insensés. Mais cette idée, dans un homme d'honneur, même en santé, est suffisante pour l'amener à cet état et je suis certaine que c'est la principale cause de sa rechute. Quand il est revenu à la maison, se voyant abandonné de la famille, de ses amis, enfermé là pour l'hiver, il s'est dit : « Il faut autant mourir que de subir un tel sort. » Et, comme il ne communiquait ses idées à personne, ils l'ont cru bien plus affecté de la raison qu'il n'était et ils l'ont privé de voir personne, de communiquer avec la famille. S'il avait reçu des lettres affectueuses, en attendant ton arrivée, il ne serait pas tombé dans l'état où il est ; et les lettres du médecin prouvent ce que j'avance, qu'il croyait sa raison aussi malade que physique. Sans cela, il aurait agi autrement et, sans ton arrivée, il serait mort sous peu de jours et sans secours spirituels, malgré qu'il y avait trois semaines que j'avais écrit de les lui procurer. Mais on le croyait incapable de penser et d'agir.

Voilà toutes les idées qui me sont venues. Elles peuvent être erronées ou au moins exagérées, mais tu dois me pardonner et, à présent qu'il est entre les mains de directeurs éclairés et sous tes soins, il faut que je fasse tout en mon pouvoir pour me persuader qu'il doit être mieux là qu'ailleurs.

Nous sommes assez bien, ne t'inquiète pas de nous.

Ton épouse et amie,

J. B. Papineau

P.S. Dis donc à nos bons et incomparables amis, les Porter, combien je les remercie de leurs bontés et de leurs amitiés. Personne [ne] sait les apprécier plus que moi, et je les aime autant qu'aucun membre de ma famille. Et, tu le sais, je serais bien plus heureuse de vivre près d'eux et dans leur beau et bon pays, s'il [en] était en mon pouvoir. Je suis de plus en plus dégoûtée d'ici et de la pauvre société égoïste, médisante, calomnieuse, qu'il n'y a pas à imaginer si tu pouvais troquer tes biens avec quelques avantages là. Amitiés à tous nos autres bons amis. Nous les embrassons tous de tout cœur.

J. B. P.

[Louis-Joseph Papineau]
M. William Porter
126 West 14th Street
New York

Montréal, 19 décembre 1846

Cher ami,

J'ai reçu avant-hier ta lettre du 11 ; il y avait 14 jours que je n'en avais reçu. J'étais dans une inquiétude à ne pas décrire ; je pensais que le cher malade était empiré et que tu n'osais me le dire, espérant qu'il pouvait encore avoir du mieux. Je n'osais ouvrir ta lettre en la recevant. Ah ! que j'ai été soulagée de voir qu'il n'était pas pire et que, s'il n'y a rien de rassurant, au moins reste-t-il un faible espoir !

Tu es toujours surpris et affligé de ce que je t'écris. Je t'ai pourtant prévenu qu'il n'en pouvait être autrement avec des entrailles de mère et une grande sensibilité. L'on se résigne, l'on fait des efforts mais il est impossible de n'être pas accablée et incapable de raisonnement et de ne pas pleurer et souffrir.

Quant à toutes les autres remarques, conseils, avis, préventions comme tu veux bien les appeler, tout cela est encore bien naturel, à la distance où nous sommes et la longueur des communications, à cette saison.

J'écris à la hâte tout ce qui se passe dans mon esprit inquiet, désolé, afin de te donner des opinions, quoique exagérées, dont tu peux profiter plus ou moins. Je ne l'ai jamais fait pour te contrister ni prolonger ton absence, s'il n'était pas trop préjudiciable au pauvre et malheureux enfant, sans savoir ce qu'il lui faut et ce que j'aurais fait si j'y avais été moi-même. Mes autres enfants en bonne santé et heureux ne peuvent requérir plus de soins que je ne leur en donne, quand il y en a un aussi malheureux et dans un danger imminent. Quelle est la mère qui ne le ressentirait pas aussi amèrement que je ne le fais sans préjudice aux autres ? Si tu ajoutais à cela qu'il n'y que sa mère qui s'intéresse à lui, les moins coupables sont ceux qui y sont indifférents et qu'il est tous les jours en butte à la médisance et, encore bien plus, à la calomnie de cette misérable société de ce pays-ci, et qu'il me faut supporter tout cela. Je me tiens renfermée, je n'ose envisager personne. Toi, au contraire, entouré de bons et vrais amis qui sympathisent à tes maux, qui ont l'esprit et le bon sens de te donner des consolations, et qui ne regarderaient pas ton fils, s'il revenait en santé, d'un œil de mépris. Mais, dans son pays, c'est fini pour lui ! Si Dieu le rend à la santé, je sais toujours qu'il est banni de la société ; qu'il ne peut plus y être ni y faire de bien. Ils font tout ce qu'ils peuvent pour le faire mourir civilement. Ainsi, tout cela ensemble est donc si facile à supporter pour que tu sois surpris que je le ressente aussi vivement et que je te le communique, n'ayant nul autre à qui je le puisse.

Quant à tes affaires, je ne puis t'en dire autre chose : que des gens qui viennent demander de l'argent en présentant des comptes. C'est à ton frère ou à Amédée à le faire ; s'ils ne l'ont pas fait, c'est qu'il n'y a rien de pressé ni de nouveau, je suppose. Ce qui est venu à ma connaissance, je t'en ai fait part dans ma dernière d'en haut.

Je n'ai aucune nouvelle en ville ; à la campagne toute la famille est en bonne santé. Mme Laframboise n'est pas encore malade.

Ainsi, conclus d'après ce que je te mentionne aujourd'hui, qu'il n'y a plus de patrie pour ton cher enfant et qu'il faut lui ménager des amis et de la protection pour lui. Et s'il y avait eu moyen de vendre nos propriétés, nous y serions bien moins malheureux aussi. L'on sait qu'il n'y a pas de bonheur sur cette terre, mais, à mon avis, il n'y a rien de plus propre à rendre la vie plus amère que de souffrir tous les jours de la vie, de l'ingratitude, de l'égoïsme, de l'indifférence de ceux de qui l'on devait attendre tout autre chose. Et encore, si l'on pouvait en rester là ! Mais non, la calomnie la plus insigne pour des cœurs et des âmes de boue, c'est supportable. Mais quand, au contraire, l'on est fait pour les ressentir aussi vivement, c'est un état dégoûtant ! Il faut le supporter si l'on ne peut faire autrement. Je te le répète, mais si j'avais été aux États, j'aurais fait tout en mon pouvoir pour vendre nos propriétés : voilà les affaires qui m'intéressent, et je n'ai jamais varié d'avis depuis notre départ du pays. En Europe, je te l'ai dit, ici aussi, et pendant ton séjour là, tu aurais dû t'en occuper sérieusement. Je sais que ce n'est pas aisé, mais si l'on n'essaie rien, l'on ne peut rien. Parles-en à diverses personnes de tes amis, et puis, si cela ne peut réussir pour le présent, cela pourra plus tard. Qui sait ? Ce que je sais, c'est que tu vas lever les épaules de pitié de mes idées. N'importe. Je les émets parce qu'elles feraient notre avenir à tous moins amer. C'est encore ce que nous ne pouvons espérer. Eh bien, il faudra souffrir et bientôt mourir : ce sera bientôt notre lot ! Mais c'est l'idée de laisser nos enfants dans un pays aussi ingrat et inepte qui me fait plus de peine.

Ézilda t'embrasse ainsi que moi, et notre cher malade.

Ton épouse et amie,

J. B. Papineau

P. S. Quand tu jugeras à propos que Casimir fasse le voyage, il est prêt à aller te remplacer, avant ou après ton départ, comme tu le voudras. Je m'en remets à toi puisque je ne sais ce qu'il lui faut ; je prends toutes ces précautions afin de me faire moins de reproches à son égard pour l'avenir. C'est trop de ceux du passé qui me fatiguent. Je ne veux pas le laisser mourir sous l'impression qu'on l'abandonne.

[Lactance Papineau]
William V. Porter
N° 126 West 14th Street
New York

Montréal, 21 janvier 1847

Mon cher Lactance,

J'espère que tu as plus de courage et de désir de faire des efforts pour améliorer ta santé, avec la bonne et aimable société de ton cher cousin. Il m'a promis qu'il ferait tout en son pouvoir et je suis assurée qu'il le fait et à ta satisfaction, personne ne pouvait mieux nous remplacer auprès de toi. J'espère qu'il t'a dit que c'était de mon choix et de ma pensée, que je l'ai proposé, et que j'ai bien deviné qu'il te serait utile et agréable, et puis qu'il te montrerait le chemin d'être aussi heureux qu'il est permis et possible de l'être ici-bas.

Tu as désiré avoir des détails sur notre ancienne maison ? Je t'assure que l'on y est bien commodément mais qu'il y en a la plus grande partie de fermée ; l'on n'y pas heureux parce que l'on ne peut pas l'être tant que notre cher enfant ne l'est pas.

Ton père part pour la Petite-Nation, il y sera trois semaines à essayer de faire payer les rentes et quelques arrérages, et prendre des arrangements pour sa bâtisse.

À son retour, il ira chercher ta chère mémé pour passer quelques jours avec nous. Elle est assez bien ainsi que les autres membres de la famille. Gustave n'a pas été malade cette année, et il fait bien dans sa classe. Azélie est bien aussi et fait toujours des progrès en science et en vertu. Elle est bien grandie. Aux vacances, je crois qu'elle sera aussi grande que moi et elle n'aura ses 13 ans qu'au 1er de septembre. Ézilda est toujours notre petite ménagère, bonne, sensible, faisant tout ce qu'elle peut pour nous plaire. Elle ne sort pas plus que moi, elle ne prend pas assez d'exercice.

Ma santé s'améliore sous le rapport de mes maux de gorge qui sont plus rares et moins sévères. C'est ainsi que la Providence en agit avec ses enfants : elle ne nous donne que la mesure de maux que l'on peut supporter : si j'étais aussi souffrante physiquement que je le suis moralement, je ne pourrais qu'y succomber. Il faut se soumettre à ses décrets ; elle sait mieux ce qu'il nous faut pour lui plaire et nous conduire à lui, qui est notre fin. Heureux qu'il veuille s'occuper de notre salut ! sans cela, il serait risqué.

Nous t'embrassons de tout cœur, cher enfant, et nous te prions de faire tout en ton pouvoir pour te rétablir en santé et nous serons bien aussi.

Ta mère affectionnée,

J. B. Papineau

[M. Casimir Papineau
New York]

Montréal, 6 février 1847

Mon cher Casimir,

Depuis ta bonne et intéressante lettre, datée [du] 13 janvier, et qui nous a donné tant de consolation, et a fait renaître un peu d'espoir à notre pauvre cœur de mère, j'ai attendu avec anxiété la suivante pour voir si ce mieux continuerait, à proportion des premiers huit jours que tu as passés avec ce cher et malheureux enfant. Voilà ce que c'est que cette pauvre nature toujours disposée à se tourmenter !

N'ayant pas encore reçu ta seconde lettre depuis ce mieux, je crains et je suis inquiète qu'il n'ait eu une rechute et que tu n'aimes pas à me le mander, espérant que cela n'aura pas de suite. Voilà ce que je prévoyais quand je t'ai demandé, dans ma dernière, de faire ton possible pour m'écrire à un jour fixe autant que possible ; il y a assez du changement de temps qui occasionne du délai quelquefois, par le mauvais état des chemins. Tu me dis dans ta lettre que tu ne peux me faire un journal pour le moment, n'ayant pas de loisir. Et, cher neveu, nous ne nous sommes pas compris, car je croyais au contraire que cette méthode était la voie de ménager le temps et être, par là, à même d'avoir ma lettre chaque semaine régulièrement. En écrivant une partie chaque soir, cela demande moins de temps qu'il n'en faut un jour pour écrire une longue lettre.

Ton oncle est parti, un peu inquiet aussi, pour la Petite-Nation, où il doit être trois semaines et c'est ce matin à dix heures qu'il nous a laissés. C'est le deuxième jour que nous avons reçu ta lettre et j'en attends une tous les huit jours au moins : voilà ce qui nous attriste et nous donne de l'inquiétude. Je suis fâchée, cher ami, de te donner autant de trouble et d'être aussi exigeante. Mais, encore une fois, si tu pouvais comprendre la douleur d'une mère, dans une pareille situation, tu me pardonnerais mes exigences. Ainsi, je me fie qu'à l'avenir tu fixeras le départ de ta lettre au même jour, chaque semaine, et puis je ne comprends pas comment elle a pu mettre huit jours à me parvenir et elle m'a été remise par la voie du Dr Bruneau. Envoie-les tout simplement à la poste, à mon adresse. Je vais aussi t'envoyer la lettre que j'avais écrite à mon cher Lactance et que son père devait lui laisser. Puisqu'il la désire, je la lui envoie. Puisse-t-elle lui être une consolation ! Je l'avais écrite dans ce but et, comme il était trop faible et accablé, il ne doit plus se la rappeler. J'espère qu'il pourra la lire lui-même et prendre la résolution de se conformer aux avis que je lui donnais pour notre bonheur commun. Personne ne connaît ce qu'il faut à ses enfants comme une mère et, même depuis sa maladie, l'on [n']a pas suivi mes avis et on a retardé son retour à la santé. L'on a plus fait : l'on a risqué sa vie. J'espère que l'on m'écoutera un peu plus à l'avenir. Car une mère chrétienne met toute sa confiance en celui qui peut tout ; et elle est inspirée mieux que ceux qui n'espèrent qu'en la science humaine, quoiqu'il faut y déférer en temps et lieu.

Tu ne me dis pas si tu lui as proposé de porter sur lui une médaille à ma réquisition ; j'ai une si grande présomption que c'est à cette mère de miséricorde et toute-puissante qu'il doit les beaux et bons sentiments religieux dont il est animé. Comment, dans un corps aussi affaibli, a-t-il pu concevoir et opérer un pareil changement dans ses idées ? Ah ! il ne faut pas le méconnaître, c'est une puissance surhumaine : je crois qu'il a eu des visions consolantes et, par cela, je suis de plus en plus attendrie et reconnaissante à cette bonne mère qui a exaucé les prières de ces bonnes âmes à qui je l'avais recommandé et qui sont ses amis aussi à lui. Dis-lui que c'est entre nous trois, cela ; qu'il faut qu'il espère tout de la mère de Dieu, puisqu'elle a si bien exaucé nos supplications ; elle attend de lui, à mesure qu'il prendra des forces, qu'il corresponde aux grâces et faveurs qu'elle veut lui faire auprès de son divin fils, de le faire revivre à la vie de la grâce, vie bien plus précieuse pour le rendre au bonheur.

Toute la famille à la ville, à la campagne, est bien portante et vous font des amitiés à tous deux, se réjouissant avec nous du bien que tu as déjà opéré sur notre cher malade, espérant que cela va continuer.

Je n'ai pas écrit la semaine passée, parce qu'Amédée l'ayant fait je me réservais à le faire en réponse à celle que j'espérais recevoir à la fin de la semaine. C'est pourquoi j'écris celle-ci sans pouvoir répondre à celle qui doit être en chemin. Je présume, au moins, qu'elle m'arrivera demain. Sans cela, je serais désolée et ne saurais à quoi attribuer ce délai.

Tu verras, par les journaux, que notre nouveau gouverneur[12] est arrivé, sain et sauf, après une longue traversée. Rien de nouveau pour le présent mais, dans quelques jours, l'on aura mille et un on-dit. Quand il n'y aura pas de nouvelles, l'on [en] fabriquera comme de coutume ; mais, enfin, quand il y en aura de réelles un peu importantes, je vous en ferai part pour faire diversion à notre vie assez uniforme de chaque jour.

Amitiés au médecin et à nos bons amis, les Porter, quand tu les vois et remerciements pour toutes leurs bontés. Nous vous embrassons tous. Adieu.

Ta tante affectionnée,

J. B. Papineau

12. Lord Elgin, successeur de Metcalfe.

[Lactance Papineau]
William V. Porter,
126 West 14th Street,
New York

Montréal, 17 février 1847

Mon cher fils, mon Lactance,

Je ne saurais te peindre l'émotion que j'ai éprouvée à la lecture de ta lettre, c'est-à-dire dictée pour toi et signée de toi. Ah ! que cet effort fait pour m'envoyer cette signature a mis de baume à mes plaies ! J'étais si atterrée depuis la réception de la dernière lettre de ton cousin qui nous disait que sa présence ne te faisait plus de bien, au contraire, que tu en profitais pour demeurer dans un état d'inertie. Cette nouvelle, te dis-je, m'avait plongée de nouveau dans cette cruelle situation où je suis depuis ta maladie et je puis dire que cela m'avait encore rendue plus malheureuse, s'il est possible, puisque j'avais eu quelques jours d'espoir depuis que ce cher Casimir était rendu près de toi et que tu avais été si heureux de le voir que tu avais fait des efforts pour sortir de ton triste état. Je croyais avoir trouvé le moyen de te sauver, de te rendre au bonheur et, par conséquent, à toute la famille, car nous sommes tous aussi malheureux que toi, tristes, désolés, enfermés.

Nous n'avons fait ni reçu de visites de tout l'hiver, surtout ta pauvre mère qui n'a fait que prier, pleurer. Il est grandement temps que tu viennes à son secours en faisant tout en ton pouvoir pour te sauver, car son bonheur dépend de toi.

Tu sais que nos pénibles épreuves étaient finies sous le rapport des affaires de finances. Nous nous trouvions hors d'embarras, au moment de pouvoir t'aider, te consoler de ta gêne. Eh bien, il a plu à la Providence de nous envoyer une bien plus grande affliction que tout ce que nous avions éprouvé avant celle-là. Ta maladie, cher enfant, nous a jetés dans un deuil bien plus grand et, s'il est en ton pouvoir d'en sortir, d'après l'avis du médecin, tu vois combien est grande l'obligation que tu as d'en remplir toutes les conditions. Le premier motif est celui de faire la volonté de Dieu, il t'a envoyé cette maladie, il a fallu s'y soumettre, mais il veut aussi que l'on fasse tout pour en guérir en suivant les ordres et les avis du médecin, préposé par lui sur la terre et, après cette première soumission, viendront les forces et les grâces qui sont la récompense de ceux qui font la volonté du maître et, puisqu'il t'a déjà fait la grâce d'avoir de si beaux et bons sentiments religieux, continue, mon cher. Mais comme tu es faible, beaucoup trop pour achever de rentrer en grâce avec ton Dieu, il te faut de l'aide pour savoir discerner ce qui t'y conduit et la manière de le faire. Ce n'est pas par de longues méditations qui te fatiguent et te font rechuter. Non, Dieu ne demande de toi que la simplicité et la docilité à suivre les avis de l'évêque à qui je t'ai recommandé, à ton docteur pour le physique, et ton bon cousin qui peut encore plus pour toi. Il est pieux depuis son enfance sans être scrupuleux, il sait remplir ses devoirs envers Dieu, envers ses parents, et envers son prochain. Ainsi, il a toujours été heureux, gai, conforme à tous les avis de ses pasteurs, de ses parents et amis. Il peut mieux que qui que ce soit te tracer la route qu'il faut suivre, quand tu seras assez fort pour cela.

Pour le présent, je te demande en grâce de faire ce qu'ils te demandent. Eux seuls savent ce qu'il te faut, ce que tu peux. Tu as déjà pris des résolutions que tu n'as pu mettre à exécution ; j'espère qu'il n'en sera pas de celles-ci comme des autres. Si tu ne t'en rapportes pas à toi seul, tu n'es pas coupable, cher enfant ; c'est ta faiblesse qui en est la cause. Ainsi, il faut faire tout ce que tu pourras pour la faire cesser, mais il ne faut pas faire des choses au-dessus de tes forces et c'est au médecin à te prescrire ce que tu peux et dois faire ; et à toi, je ne demande que la docilité. Promets-moi cela, et je serai moins malheureuse et remplie d'espoir.

Ainsi, tu es rempli d'espoir que tu pourras revenir au Canada bientôt. C'est bien mais il ne faut pas que cela te chagrine ni ne te décourage, si ce n'est pas aussi tôt que tu le crois, parce qu'il faut peut-être plus de temps, si le docteur te trouve en état de supporter le voyage. Et puis, ici, le printemps langoureux et froid ne te sera pas salutaire. Si c'est nécessaire que tu voyages au sud, il faudra se soumettre à tout, mais tu nous verras avant ce temps, si tu veux te guérir, être raisonnable, le docteur nous mandera auprès de toi. Je serai capable de faire le voyage en mars avec ton père, si tu as du mieux. Et, alors, nous passerons le printemps avec toi et nous reviendrons passer l'été à la Petite-Nation. Cela te sourit et bien plus à ta pauvre mère. Avec l'aide de Dieu et de sa bonne mère, j'espère que tu feras tout pour ne pas tromper mon espoir.

J'ai écrit à Casimir de ne pas t'abandonner, si tu veux qu'il te soit utile et agréable. Mais, si le docteur trouve que cela te fait du mal au lieu du bien, il faudra qu'il te laisse, et ta pauvre mère sera bien plus désolée, puisque c'est moi qui l'avais envoyé près de toi, confiante que cela te serait une grande aide. Fais en sorte que tous ces secours ne soient pas infructueux pour toi et pour nous.

Nous t'embrassons tous de tout notre cœur et attendons chaque nouvelle de toi avec anxiété, n'osant l'ouvrir de crainte de nouveaux malheurs. Quand cessera cet état malheureux ? Adieu, cher enfant.

Tout à toi, ta bonne et tendre mère,

J. B. Papineau

M. L.-J. Papineau
Saint-Hyacinthe

Montréal, 22 mars [1847]

Cher ami,

J'ai reçu tes lettres. Je t'en remercie. Et je m'afflige avec toi, mais il ne faut pas manquer de courage. Nous en avons plus grand besoin à mesure que l'on avance dans la vie. Je croyais Gustave mieux que cela. Embrasse-le pour moi et dis-lui que je le remercie de son courage et qu'il se prépare bien en voyant son directeur, que cela ne le fera pas mourir, mais au contraire lui donnera du courage, de la consolation, et lui aidera à se rétablir, même, s'il plaît à Dieu, il aura l'esprit libre, satisfait. Cela soulage. Le cher enfant, il paie cher son imprudence. Je te prie de ne le pas laisser avant que le médecin ne se soit prononcé pour [que] la guérison soit sûre, la convalescence avancée, et l'enfant plus fort. C'est un sacrifice nécessaire.

Dis-lui combien je regrette de ne pouvoir me rendre auprès de lui ; je suis une mère contrariée en tout et n'en souffre que plus, mais il est bien heureux d'avoir de si bons parents. Dis-leur donc combien je leur suis reconnaissante de tous les soins inappréciables qu'ils n'ont cessé de lui prodiguer ; que je suis doublement affligée de ne pouvoir les soulager, leur épargner tant de fatigues, de soucis et d'embarras. Remercie-les tous, chacun en particulier.

Je suis surprise que tu n'aies pas reçu les citrons. J'en ai envoyé une douzaine et neuf oranges par les voitures qui ont mené le bagage de M. Laframboise. Je t'en envoie une autre douzaine par Angelle, et puis de l'eau de Congress.

Excuse si je n'écris pas plus au long aujourd'hui, car j'ai un grand mal de tête. J'ai écrit toute la matinée aux États. J'ai reçu des lettres. Angelle t'en fera part : c'est plus aisé de vive voix, elle a lu les lettres.

Azélie est bien, Ézilda aussi ; Amédée, sa dame, à l'ordinaire. Nous t'embrassons tous de tout cœur et souhaitons que tu aies du courage, plus d'espérance, ainsi que notre cher malade. Dis-lui que sa Marguerite a du chagrin ; qu'elle lui fait ses amitiés. Adieu, tout à toi.

Ton épouse et amie,

J. B. Papineau

Louis-Joseph Papineau
Saint-Hyacinthe

Montréal, 13 avril 1847

Mon cher ami,

Je reçois à l'instant ta lettre et j'y réponds par la même occasion. Je suis bien allégée des bonnes nouvelles que tu me donnes du mieux de notre cher Gustave et l'espoir de son rétablissement ; mais ce qui me console encore plus, c'est son retour à la piété et à la religion parce que je suis convaincue qu'il ne pourrait être heureux sans cela, ni sa pauvre mère non plus. Et j'en causerai avec lui plus au long, quand nous aurons le bonheur de nous revoir, car j'espère qu'à l'avenir, nous serons plus heureux. Dieu nous a envoyé cette dure épreuve pour nous être une plus grande consolation ; je l'ai envisagée sous ce rapport ; sans cela, je n'aurais pu en supporter le poids. Prière, supplications et résignation ont été mon seul refuge, puisque j'étais privée du plaisir de le soigner moi-même, et c'était une triste situation.

Amédée t'écrit au sujet de tes affaires et j'ai prié ton frère de le faire au sujet du moulin. Je ne sais s'il l'a fait. J'ai vu hier Legris qui est reparti aujourd'hui et je lui ai dit de dire à ton neveu et à Joubert de t'écrire ce qu'il a à faire au moulin pour le réparer et ce que cela coûtera, etc. Et puis [je] lui ai dit aussi que si M. Cook voulait le louer, qu'il en écrive à M. Papineau pour le temps et les conditions, etc. C'est tout ce que je puis pour le moment. Il faut patienter et attendre que tu puisses revenir. Et nous ne savons quand l'homme de Dessaulles t'a porté ce que tu demandais : pommes et oranges, au moins les pommes. C'est Dessaulles qui s'est chargé des oranges, je lui ai remis l'argent. J'ai oublié de lui demander s'il a pu en trouver.

J'ai aujourd'hui des nouvelles des États : ils ont eu aussi du mauvais temps et le malade s'en ressentait ; il a eu des jours de moins bien. Casimir nous désire. Il commence pourtant à faire des promenades et à visiter les établissements que son père lui a recommandés et mettre son voyage à profit pour lui. Il s'est entièrement dévoué à son malade jusqu'ici. Il fait des amitiés à ses parents de Saint-Hyacinthe, surtout sa bonne mère, de qui il a reçu une lettre et à qui il doit répondre.

Ici, nous sommes assez bien. Fais mes amitiés les plus sincères à tous les bons parents et amis et embrasse notre cher malade de tout cœur pour nous. J'écris à la hâte, comme tu le vois. Azélie aussi est bien.

Ton épouse et amie,

J. B. Papineau

[Ézilda]
J. Amédée Papineau, écuyer, protonotaire
Montréal

New York, dimanche, 15 mai 1847

Ma chère Ézilda,

Je n'ai encore pu trouver le loisir de t'écrire depuis mon arrivée ici. Je le fais cette après-midi. Je te dirai que le voyage a été heureux, toujours du temps chaud. Nous sommes arrivés ici, chez nos bons amis, les Porter, mercredi à cinq heures du soir. Ils nous ont accueillis comme toujours avec affection et plaisir. Tu diras à Mme Amédée que je suis passée par Troy et non par Saratoga, car la route était mauvaise. Je n'ai eu que peu de fatigue par Troy et suis arrivée aussitôt. Mais, en retournant, j'y passerai assurément.

Le lendemain matin, nous nous sommes mis en route pour aller voir notre cher malade. Tu penses bien dans quelle situation d'esprit j'étais, désirant ardemment le moment d'arriver, mêlé d'une excessive crainte de l'effet que cela produirait chez lui, après avoir vu le médecin, qui nous dit que Casimir était absent et qu'il allait avertir Lactance de notre arrivée. Ainsi, il a eu peu de temps à être prévenu, cela l'a beaucoup saisi et affecté : il a pleuré, crié, et a été très agité pendant une heure, en nous parlant, embrassant, nous serrant les mains ; ensuite il a été un peu affaibli. On lui a fait prendre quelque chose et puis Casimir est arrivé et il s'est peu à peu calmé.

Quand je l'ai vu si affecté, je le trouvais encore malade et nerveux, autant que je l'avais craint. Et j'étais bien désolée, je ne savais quel parti prendre dans la crainte qu'il exigeât que l'on le sortît de suite de cette maison. Mais non, il s'est calmé et a parlé ensuite raisonnablement. Je suis allée [me] promener dans les jardins avec lui et Casimir, afin que ton père puisse aller parler et consulter le médecin sur ce que l'on pouvait raisonnablement faire. Et, quand il m'a rejointe, il m'a dit que le médecin disait que cela ne serait pas prudent de le retirer de suite de la maison, qu'il fallait éprouver l'effet que lui ferait notre réunion et notre société plus longtemps. De là, nous avons conclu de chercher un logement près de là, afin de l'avoir une grande partie de la journée avec nous. Et nous le lui avons dit et il a été très satisfait. Nous avons été, vendredi et samedi, chercher et en avons enfin trouvé un bien convenable. C'est chez un médecin que nous avons trouvé une pension pour ton père et moi, à un peu plus d'un quart de lieue de l'établissement où Casimir et Lactance resteront encore pour le moment, espérant que la Providence nous viendra en aide bientôt pour les en retirer. Ils sont venus avec nous chercher notre pension. Et il a paru bien ces deux jours-ci. Il est engraissé mais il a une forte éruption de ces boutons au visage. Je lui ai dit qu'il fallait soigner cela avant les chaleurs. Je lui ai dit tout ce que j'ai voulu et il me comprend bien et ne s'en fâche pas. Je lui ai dit que je ne pourrais le retirer de là et surtout l'emmener au pays, tant qu'il ne serait parfaitement raisonnable ; que, par ses dernières lettres, il avait paru moins bien, et que l'on avait voulu me dire que je ne pourrais rien de plus pour lui que les autres ; que mon voyage était inutile pour lui, pénible pour moi, s'il fallait le laisser de nouveau.

Il m'a dit : « Non, chère mère. Ils ne comprennent pas ce qu'il faut, ils ne savent pas ce que j'ai souffert dans mon moral, séparé de la famille, faible et incapable de m'occuper, livré à des pensées les plus désespérantes sur le passé et le présent ! Le dégoût et la honte de me voir dans cette maison, la vue de ces personnes que l'on rencontre à chaque pas dans les jardins, font que je ne peux m'y occuper. Casimir, fort et froid, ne peut comprendre l'impression que ces gens-là font sur moi mais vous, vous me comprenez et je suis assuré de ma guérison, à présent que je serai avec vous. Et mon cher père, qui est l'homme le plus sensible et le plus aimant et qui m'a fait tant de bien, va achever ma guérison. »

Il est poli, attentif, mais pétulant dans ses manières, plus posé qu'il n'était l'été dernier. Il m'a dit : « Il faut que j'écrive à cette chère Ézilda qui a dû tant souffrir pour moi et qui fait encore le sacrifice de votre absence pour moi. » Et puis, en parlant de ces [ ], toujours les mêmes, d'ennemis, de préjugés, je lui ai dit : « Crois-tu cela possible ? Eh bien non, c'est faux, c'est la folie que l'on [ne] cesse de te répéter que tu as eue et que tu veux nourrir. Ce sont ces fausses idées qu'il faut bannir de toi peu à peu et tu seras tout à fait bien. » « Je veux bien croire, a-t-il dit, que j'en ai eu de bien fausses et bien exagérées mais c'était impossible, faible et livré seul parmi des étrangers à qui je ne pouvais communiquer mes tristes pensées ! »

Ainsi, tu vois que j'avais bien deviné tout cela. Il n'y a que depuis que son Casimir est avec lui, dit-il, qu'il a pu faire des efforts et prendre courage et qu'il est certain que notre réunion va achever sa guérison. Le médecin me l'a dit aussi, que cela a fait plus que ses soins et ses remèdes. Ainsi, ma chère, espérons ; console-toi, amuse-toi.

Ton père est content, de bonne humeur : il le trouve bien mieux qu'il ne l'espérait et avoue, en partie, que j'avais raison.

Donne-nous des nouvelles de vos arrangements de la maison, de tes projets de promenades, etc. Dis à ce cher Gustave qu'il écrive à son frère Lactance.

Amitiés à ton oncle Benjamin, Émery. Casimir leur écrira.

Si Amédée trouvait à louer la maison, je serais bien contente. Tu me diras si tu as été voir Azélie.

Amitiés à ton cher frère et ton aimable belle-sœur. Dis-lui que j'espère lui ramener son frère comme elle me le disait la veille de notre départ. Les femmes sont sensibles et s'entendent. Elle disait que ce serait cruel de le laisser ainsi. J'attendrai qu'il soit assez bien pour retourner et ne le laisserai pas.

Tout à toi, ta bonne mère,

J. B. Papineau

M. Amédée Papineau
Protonotaire
Montréal

New York, 29 mai 1847

Mon cher Amédée,

Je n'ai encore reçu qu'une lettre de toi depuis notre départ, écrite le dimanche après notre séparation et tu as dû en recevoir une de moi à ta sœur et puis une de Lactance aussi à Ézilda et depuis il en a écrit une autre au Dr Bruneau, bien sensée. Si tu le vois, il te le dira : cela lui a fait bien plaisir d'apprendre ce que je lui ai dit, de la manière qu'ils se sont conduits à son égard. Tu vois par tout cela qu'il a un grand mieux. Comme je te l'ai dit, l'instant qu'il nous a vus lui a causé une si grande joie, qu'il en a été très affecté : il pleurait, criait, était très agité et puis de l'avis du médecin qui disait qu'il ne fallait pas le sortir de suite de l'établissement, pour voir l'effet que lui ferait notre réunion pendant quelques jours. Et, dès le même jour et les suivants, il a eu du mieux sensible et tout ce qu'il m'a dit et ce que je lui ai vu faire me persuade de plus en plus que, si je n'eusse pas envoyé son cousin, il ne serait plus. Et puis, encore à ce moment, j'avais grand besoin d'être ici ; il m'a dit des choses qu'il n'aurait pas dites à d'autres et il a vu que je le comprenais et dit que son père aurait été influencé par le médecin, qu'il l'aurait jugé pire et aurait voulu le laisser encore là où il ne pouvait pas guérir radicalement, car il souffrait trop de se savoir là, d'y voir tout le malheur qui, même en santé, lui avait paru le spectacle le plus affligeant des misères humaines et il dit : « Il a fallu m'y mettre et je sens les obligations que j'ai au médecin et autres mais je sais aussi que l'on m'y a laissé beaucoup plus qu'il ne fallait. L'absence de la famille, quand l'on est faible et incapable de se mouvoir et la pensée que l'on ne pourra peut-être jamais la rejoindre... » Et il a plusieurs rechutes comme cela de dégoût, d'ennuis qu'il ne pouvait supporter, je l'avais bien deviné.

Casimir ne connaissait pas son caractère et puis croyait tout ce que le médecin pensait, le croyait moins bien aussi. « Ainsi, dit-il, si vous n'étiez pas venus, ils auraient voulu peut-être m'y laisser encore et j'aurais été perdu. » Je pense comme lui : nous l'avons retiré lundi dernier, il est avec nous et il va de mieux en mieux, il prend des forces, il est lent dans ses mouvements, il baisse la vue en société à table, si on ne lui parle pas, il est sérieux mais il dort bien paisiblement dans une chambre attenante à la nôtre. Il s'endort à bonne heure et dort bien aussi le matin. Il a peu d'appétit mais digère bien. Il a encore beaucoup de boutons au visage. Il est aussi gros que je ne l'ai jamais vu.

Nous ne pouvons aller aux bains de mer, il est trop à bonne heure. Et puis, le voyant si bien, je crois que ce sera aussi bien et bon de partir bientôt pour Saratoga, où nous pourrons passer quelques jours à lui faire prendre les bains et les eaux pour cette éruption et puis, de là, je t'écrirai au juste le temps où nous arriverons à Montréal afin qu'Ézilda et Gustave viennent nous y rejoindre, s'ils sont à la campagne, afin que nous montions à la Petite-Nation au plus tôt.

Ton père a grand hâte d'y être et Lactance, bien content aussi, dit qu'il achèvera de se guérir et en s'amusant très utilement pour son cours de botanique qu'il aime et auquel il tient beaucoup.

Dis à ma chère fille[13] que nous avons ici son oncle de Saratoga, malade de paralysie, et sa tante retournée là pour fermer maison et revenir avec sa demoiselle pour rester quelques jours sous les soins du Dr Brewster, ici, mais je crois que le pauvre monsieur est bien risqué. Elle m'a dit que M. et Mme Westcott doivent se rendre à Montréal pour le 2 juin. Ainsi, nous ne les trouverons pas à Saratoga, nous ne les verrons qu'au Canada. Présente-leur nos amitiés sincères et dis-leur bien qu'il fallait un pressant motif, comme celui qui nous a forcés de laisser, pour ne pas être à les recevoir comme nous le désirons si fort, mais qu'ils se réjouiront avec nous, si nous avons le bonheur de réussir à ramener notre cher enfant à la santé et au bonheur, après tant de larmes et de douleurs depuis un an. Je ne pouvais retarder et je vois que c'est heureux que je ne l'aie pas fait. Il y avait déjà eu trop de retard par rapport à lui, et puis la nécessité de la présence de ton père au Canada. Dis-leur bien que cela n'empêche pas que je regrette infiniment ce contretemps, qui me retarde de faire leur connaissance et surtout me prive de les recevoir chez moi.

Embrasse bien ma chère Marie et dis-lui que je regrette qu'elle ait eu l'embarras de ma famille dans un temps si inopportun. J'espère qu'elle est à peu près arrangée dans son ménage et préparée à jouir du bonheur d'avoir chez elle son père et sa mère, ce qui va la consoler de ses privations et trouble du déménagement.

Donne, je te prie, de nos nouvelles à ma chère maman et autres de la famille. Je suis bien affligée de la mort de notre bon ami, M. Masson : j'y pense sans cesse. Si tu voulais me rendre le service d'écrire quelques lignes à mon amie, Mme Masson, pour moi, je t'en serais reconnaissante. Dis-lui que mon absence m'en a privée et qu'elle soit certaine que nulle autre y prend plus de part que nous. Je ne cesse d'y penser. Quel malheur pour sa famille et pour le pays ! Il y a si peu d'hommes qui aient aussi bien réussi et par son propre mérite.

Casimir sera le porteur de celle-ci. Je l'ai prié d'écrire à la Petite-Nation pour leur dire que nous désirons qu'ils avancent la maison et le jardin du mieux qu'ils pourront et puis de semer des plantes grimpantes le long des galeries. Fortin pourra en avoir chez Benjamin. Dis cela à ton cousin Casimir au cas qu'il ne l'oublie.

13. Sa « chère fille » désigne ici Marie Westcott, sa bru.

Quant à tes rideaux, j'irai voir et m'informer des prix, car je n'ai pas d'idée de ce que cela vaut. Madame aurait dû me dire à peu près le prix qu'elle voulait y mettre et puis ton père m'a dit qu'il fallait attendre, qu'il n'aurait pas d'argent peut-être à disposer. Ainsi, tu sais qu'avec lui il n'y a aucune affaire à faire. Il dit que cela coûte d'aller en ville. Je n'ai rien vu de New York, je ne vais que chez les Porter une fois la semaine, et ainsi, je repartirai le plus tôt, car il ne veut rien faire pour distraire Lactance ni le mener rien voir, car cela dépense. Le séjour à Saratoga lui sera utile et nous retournerons au plus vite, car, avec ton père et son apathie, c'est si pénible que cela me fatigue. Quel bien peut-il faire à ton frère ?

Adieu, ne montre pas ma lettre écrite à la hâte.

Ta mère affectionnée,

J. B. Papineau

L.-J.-A. Papineau
Protonotaire
Montréal

Saratoga, 11 juin 1847

Mon cher Amédée,

Nous avons reçu ta lettre, ainsi que celle de ma chère Marie, dont je la remercie. Elle m'a fait un grand plaisir sous tous les rapports. Nous sommes arrivés ici samedi, et il faut que nous y demeurions au moins cette semaine. Les bains publics n'ont été ouverts qu'avant-hier ; ainsi, il ne nous reste que cinq jours à les prendre. C'est contrariant pour nous.

Fais de nouveau nos excuses à la famille de ce que cela nous est plutôt un malaise qu'un plaisir d'être ici dans ce moment. Il ne faut pas moins que la maladie pour nous y contraindre. Aussi sommes-nous décidés à partir lundi, sans faute. S'il y avait quelque chose qui nous forçât à différer, nous écrirons samedi. Sans cela, nous arriverons mardi ou mercredi le plus tard. Si nous passons le lac de jour, il faudra coucher à Whitehall, lundi, et arriverons-nous assez à temps pour le dernier bateau à vapeur à La Prairie, mardi soir. Si nous passons le lac, lundi dans la nuit, nous serons à Montréal mardi matin, sinon le soir ou le lendemain matin, mercredi. Nous saurons cela à Whitehall et tu le sauras à Montréal. Ainsi, envoie la fille balayer, nettoyer un peu samedi, et puis lundi, vois s'il reste un peu de bois pour faire à manger pour quelques jours, afin que l'on ait la maison en état de nous recevoir à notre arrivée et que la porte ne soit pas fermée. C'est près du bateau à vapeur. C'est mieux de s'y rendre de suite afin de se délasser en arrivant sans gêne pour moi et surtout pour Lactance.

Il est aussi bien qu'on peut l'espérer pour le temps, mais il est encore faible et long à se changer. Quand l'on compare l'état où il était à notre arrivée, notre société l'a bien consolé, encouragé, et il espère beaucoup de bien de sa résidence à la campagne, la tranquillité, et de pouvoir faire ce qui lui semblera sa liberté et volonté. Il n'est pas à son aise en société : il est gêné. Enfin, espérons tout du temps, c'est ce que dit le médecin.

Ton père et lui sont allés au lac de Saratoga. Et, demain, ils iront voir les manufactures de coton de Ballston. Il est assez fort pour marcher mais il a peu d'appétit. Il dort bien.

J'espère qu'Ézilda et Gustave seront de retour de la campagne. Écris-leur. Je suis bien aise que vous ayez été voir Azélie.

Ici, tous les amis bien. Le chancelier est ici et Mme Cowen mère : cela nous est bien agréable de voir nos anciens et bons amis. M. Westcott est encore à New York, n'éprouve pas beaucoup de mieux et n'est pas décidé à y rester, en sorte qu'il ne fait pas mander madame ni mademoiselle, ce qui fait que nous avons le plaisir de les voir. Nous sommes voisins de la belle cousine Louisa. J'ai été chez D^{lle} Welland et y ai vu la cousine aussi qui m'a dit avoir reçu une lettre de Marie. Je n'ai pas vu ces dames : elles étaient indisposées. Je termine. Ton père remplira la lettre.

Ta mère affectionnée,

J. B. Papineau

M. Amédée Papineau
Protonotaire
Montréal

Petite-Nation, jeudi, 5 août 1847

Mon cher Amédée,

Tu as raison de dire que nous avons eu bien des contrariétés, en attendant en vain nos amis pendant plusieurs jours. Mais, enfin, il faut s'y soumettre. Écris-nous, si tu le peux, la veille de leur départ au moins. Et puis Benjamin et Aurélie[14]

14. Julie-Séraphie-Aurélie Papineau, fille de Denis-Benjamin et d'Angélique Cornud. Elle épousera Francis Samuel Mackay (Montebello, 25 janvier 1848), fils de Françoise Globensky et d'Étienne Mackay.

viennent aussi la semaine prochaine. Auguste s'excuse sur ce qu'il ne te savait pas à Montréal ; envoie mes effets pour eux. Et dis à M. Fabre que je me fie sur lui pour que le voyage différé ne soit pas manqué tout de bon. Je ne sais si ton père a manqué de mentionner le jeune Paul ; au cas, dis-leur qu'il ne manque pas de l'amener, que Gustave l'attend. Quant à Azélie, c'est bien embarrassant, je ne sais comment elle peut faire sa promenade et qui elle aura pour l'amener. Il faut qu'elle engage sa cousine Aurélie à l'attendre, ou bien que Mme Laframboise ait quelqu'un pour l'envoyer. Et la vieille Marguerite, il faut qu'elle vienne faire une promenade puisqu'elle est si faible.

Nous sommes assez bien portants. Lactance a toujours été le même que tu l'as vu : toujours enfermé, ne venant qu'au repas, ne levant les yeux sur personne, se sauvant aussitôt. Il prend ses bains régulièrement ; peu d'appétit. J'étais bien inquiète, je ne sais si l'arrivée d'Auguste lui fera changer d'habitudes. Mais il l'a bien reçu, mieux qu'il n'a fait [pour] aucun autre de la famille. Aussitôt qu'il est arrivé hier avec M. Mackay, il est descendu promptement, il a été gai, causeur, riant avec lui du collège et autres sujets, a proposé de lui offrir quelque chose avant le dîner, a été avec empressement à l'armoire, etc. Et à table, attentif à lui offrir diverses reprises. J'en étais étonnée. Et le soir, il lui a proposé de l'amener chez lui. Il y a consenti.

Gustave est parti hier soir avec le notaire et Auguste est resté à coucher et il est parti ce matin avec Lactance, qui doit y rester trois jours. C'est une maladie incompréhensible. Si tu l'avais vu hier soir converser, rire, vif et enjoué, la vue haute, envisageant les gens, ce qu'il n'a pas fait depuis qu'il est ici : il parle la vue basse, et puis son air lent et gauche.

J'ai prié Auguste d'être avec lui aussi souvent que possible pendant son séjour ici. Je ne vois plus que ce moyen pour l'engager à prendre de l'exercice corporel.

Gustave est toujours le même, aussi incompréhensible. Je ne sais si Augustin voudra le reprendre chez lui. S'il ne le veut pas, je ne sais où le mettre : même là, il ne se trouve pas bien.

Quand tu écris à ma chère Marie, fais-lui bien mes amitiés et dis-lui que je me suis bien ennuyée d'elle ; elle est si aimable et si parfaite. Dis-lui aussi que je tiendrai la promesse que je lui ai faite de lui écrire. Amitiés aussi à ses bons parents, son père surtout que j'aime déjà beaucoup, quoique j'aie eu le plaisir de le connaître si peu de temps. Et toi, cher fils, tu vas avoir tes moments d'ennui mais, au moins, sois prudent, soigne-toi bien, ne me donne pas d'inquiétude au sujet de ta santé et écris de temps à autre.

Ta mère affectionnée,

J. B. Papineau

L'honorable Louis-Joseph Papineau
Bonsecours
Petite-Nation

Montréal, 10 octobre 1847

Mon cher ami,

Je n'ai pu trouver un moment pour t'écrire plus tôt ; notre voyage a été heureux, nous sommes arrivées mardi matin à onze heures. J'ai trouvé la vieille Marguerite à la maison, et puis le lendemain, je suis allée au Sacré-Cœur voir notre Azélie, en compagnie de Mme Papineau et de M. Louis Dessaulles. Le voyage a été heureux, beau temps, bon chemin ; et puis ayant trouvé la chère petite très bien, bon teint, bien contente, courageuse à recommencer ses classes.

Amédée t'a écrit mercredi, ce qui fait aussi que j'ai pu remettre à le faire plus tard, car j'ai été assez occupée. N'ayant pas de garçon ni autres filles que celles que j'ai amenées, je suis en re[cher]che de l'un et l'autre, chose assez difficile à trouver, me dit-on.

Je suis attristée qu'Amédée ne veuille pas avoir le cheval cet hiver, par rapport à sa femme qui, je sais, en sera bien privée, et puis le cheval sera mal soigné à la campagne, et en mauvais état au printemps. Il est vrai qu'il faut s'en consoler, car il dit que le foin et l'avoine vont être bien chers.

J'ai douze cordes de bois rendues dans ma cour depuis mon arrivée, il me revient à 19 shillings, rendu et cordé, ce qui doit être regardé comme avantageux. Tu diras à cela que je me méprends, qu'il sera meilleur marché cet hiver ; nous verrons cela. En tous cas, après m'être munie d'une partie de ce qu'il me faut pour l'hiver, je me bornerai à cette quantité. Tu pourvoiras au reste quand tu seras ici cet hiver. Tu vois que je ne perds jamais un long temps sans me procurer cette provision qui m'est si indispensable. J'ai aussi acheté un poêle de cuisine semblable à celui d'Amédée, mais bien plus grand. Il dit qu'il n'en a pas trouvé de mieux à Troy.

Aujourd'hui dimanche, le bagage n'étant pas arrivé, j'en conclus qu'il n'est pas parti jeudi comme nous le présumions ; je n'en suis pas pressée.

J'ai trouvé ici, à mon arrivée, le curé Bruneau qui était bien et qui m'a dit avoir laissé ma chère maman bien, ainsi que toute la famille. Je crains de ne pouvoir aller la voir, n'ayant personne pour garder la maison. Et puis, quand j'aurai quelqu'un, le mauvais temps viendra.

J'ai hâte d'avoir de vos nouvelles pour savoir si Lactance fait ce qu'il m'avait promis : de manger aux repas réguliers avec toi et de sortir avec toi aussi au domaine.

J'ai aussi vu ton frère qui est bien et son fils Émery. Je n'ai pas encore vu Casimir, mais je sais qu'il est bien. Mme Bossange est repartie pour passer l'hiver au sud pour la santé de son jeune fils et ne doit retourner à Paris qu'en mai.

Mme Judah aussi désire en faire autant, m'a dit Dessaulles. Elle a été bien malade aux Trois-Rivières. La difficulté, c'est de trouver à louer sa maison toute garnie pour un an seulement, et elle demande très cher.

Je ne suis sortie qu'une fois pour acheter les effets de Gustave et j'ai rencontré Delagrave qui, lui aussi, a été gravement malade d'un rhumatisme inflammatoire. Il est vieilli et changé ; sa mère, son frère de Saint-Jean ont été très malades, son frère de la Nouvelle-Orléans, bien malade pendant deux mois. Enfin, je n'en finirais pas si je te disais tout ce qu'il y a eu de malades, mais ils sont tous mieux.

J'espère que tout va à ton goût dans tes travaux. Ici, j'aurai assez de peine à faire mon petit ménage, et ce sera bien juste si je pourrai avoir tout fait pour le moment de votre retour.

Aie le soin de te faire laver chaque semaine. Ici, j'aurai peine à le faire faire si je n'ai pas de fille bientôt. Et c'est plus coûteux ici que là, comme je vous ai arrangé.

Point de nouvelles ici tant soit peu intéressantes. S'il y en avait, je te les manderais. Ainsi, il est probable que je ne t'écrirai plus de la semaine. Acquitte-toi de la promesse que je t'ai faite de m'écrire de temps à autre. Ézilda est contente d'être dans sa maison et elle t'embrasse ainsi que son frère. Adieu, mon ami.

Ton épouse affectionnée,

J. B. Papineau

P.S. J'oubliais de te mentionner qu'ils sont à faire de grandes réparations à l'église de Bonsecours. Ainsi, ils sont bien éloignés de songer à la détruire, comme on le disait. Et, de plus, nous avons le désagrément de voir sous nos fenêtres la maison de Jacques Viger convertie en corps de garde, quoique ce [ne] soit que pour le moment où ils sont à réparer l'ancien, à neuf, mais au même lieu. Ainsi, la place Jacques-Cartier ne sera jamais rien de bien : encombrée de charretiers et puis le voisinage du corps de garde !

M. Amédée Papineau
Montréal

Petite-Nation, 20 juillet 1848

Mon cher Amédée,

Dans ta dernière tu te plains de ce que ton père n'a pas répondu qu'il avait reçu l'argent, mais il dit que, puisqu'il accuse réception de ta lettre, c'est suffisant. Enfin, tu sais à présent qu'il l'a reçue, et puis sur ton autre scrupule de ce que tu regardes l'invitation pas assez claire et précise, dans la dernière que t'a écrite ton père, il me semble que c'est assez clair, même pour un maladroit comme toi.

Quant aux voyages des enfants, je suis de l'avis de ton père qu'il faut bien leur laisser le choix de vous attendre ou de venir de suite. C'est bien facile.

Dis à Gustave que, s'il veut avoir un chapeau de paille ou de foin, il s'en achète un sur le marché, s'il n'en a pas apporté un de Saint-Hyacinthe, et puis, si tu peux faire dire à Mme T. Cherrier qu'elle envoie à sa fille une de ses robes noires par les enfants, c'est commode à la campagne quand il fait mauvais temps. Ton père veut aussi que tu achètes une selle d'homme commune pour Gustave pendant les vacances et ils lui ont dit ici qu'il pourrait la vendre cet automne, pourvu qu'elle fût commune et à bon marché, que tu peux en avoir une pour trois piastres et demie, cela s'entend la selle seule ; il n'y a pas besoin de bride. Tu en parleras à Gustave, s'il n'en veut pas, il n'y a que pour lui ; cela fera plaisir à ses sœurs aussi parce qu'il pourra les accompagner à cheval. Ézilda va bien sur son poney cette année. S'ils se décident à venir avant vous, tu n'auras que la peine de les conduire jusqu'à Lachine, et là, tu les recommanderas au capitaine afin qu'ils voient à les embarquer avec leurs effets dans un bon stage du côté du nord. J'insiste là-dessus, car j'ai l'expérience. Encore cette année, je suis montée par là : il y a un petit stage pour les dames, il porte bien, est propre et, comme Azélie est toujours fatiguée du stage - cela lui donne le mal de mer - voilà tout ce qu'il faut pour que son voyage soit commode. N'écoute personne autre qui voudrait l'engager à passer par le sud. Qu'elle ne manque pas d'apporter son parasol. Si elle l'a perdu, il faut lui en acheter un commun, car il n'y en a pas ici de surplus. Demain, ils seront chez toi. S'ils se décident à monter lundi, écris-nous samedi et ainsi de suite, toujours deux jours d'avance avant le départ. Quand je dis samedi, je me trompe : c'est vendredi soir afin que la lettre soit remise samedi matin. S'ils passent la journée du dimanche à Montréal, ne manque pas de les envoyer voir M. et dame Louis Viger : ils leur ont des obligations et puis j'ai promis à madame de la lui envoyer [ ][15].

P.S. Dis aux jeunes en ville, et écris souvent à Dessaulles, et qu'ils fassent en sorte qu'à Québec l'on se défie des intrigues pour tromper le comté de Belle-

15. La suite a été coupée.

chasse. Est-ce qu'ils ne voient pas que c'est le moment le plus précieux ? Il s'agit de la vie ou de la mort du ministère d'ici, [ ][16]

L'honorable Louis-Joseph Papineau
Petite-Nation

Montréal, 10 octobre 1848

Cher ami,

Je t'ai fait écrire deux fois, car je n'avais pas un instant de loisir, mais me voilà hors du plus grand embarras et de la plus grande fatigue, sans être malade : j'en suis bien aise, surtout du voyage de Saint-Vincent où j'ai été mener la petite. J'ai trouvé ces dames très bien ; j'espère qu'elle sera contente, car toutes les élèves le sont. Gustave a commencé à aller en classe hier, ils sont au nombre de 19. Ces messieurs lui sont très polis.

Je me suis procuré un garçon, jeune Canadien ayant de bons certificats, il est bien et j'espère que nous le garderons tout l'hiver. Ainsi, Gustave et Ézilda désirent avoir leur jument au plus vite ainsi que l'avoine ; comme Major m'avait dit qu'il pouvait me prêter des quarts vides, qu'il le fasse au moins pour une partie et puis l'autre en poches, car ici, comme tu le dis, ce sera plus difficile de la préserver des rats, en poches. Enfin, faites pour le mieux : n'envoie pour le présent que ce qu'il faut pour nous, car Amédée n'a pas d'avis de sa dame si elle a acheté sa voiture. Ainsi, il ne peut faire descendre le cheval qu'à coup sûr et puis, quant au poney, il ne pourrait se vendre dans la pénurie d'argent : les chevaux se donnent ainsi que les voitures. Ainsi, [n']envoie pour le moment que la jument par Fortin, si cela te coûte moins que par le bateau à vapeur.

Je suis bien autant découragée que toi au sujet de tes censitaires qui ne veulent ni ne peuvent payer ; mais, quant à la faillite de Cook, si cela retarde ta maison, est-ce que, d'un autre côté, cela ne t'assure pas mieux ta dette ? N'es-tu pas le premier créancier et puis le moulin te revient, car j'ai toujours regardé ce marché contre tes intérêts. Mais c'est inutile que je t'en parle, car j'entends ta réponse que « je n'entends rien aux affaires ». Le motif qui me guide à t'en parler, c'est que, s'il y a un motif de diminuer tes soucis, je te les présente comme je les ai envisagés.

16. Ici aussi, la lettre a été coupée.

Quant au mauvais temps, il a été ici le même mais il y a apparence d'un changement. Pourras-tu utiliser ton temps là ? Écris-moi quand tu te proposes de descendre.

Dessaulles est venu en ville la semaine dernière et tu verras par *L'Avenir* le sujet de son voyage ; c'est un coup terrassant pour Nelson[17] : tout le monde en est indigné. Dessaulles dit que Louis Viger lui-même lui a dit qu'il avait bien fait ; qu'il regrettait beaucoup que Papineau ait jamais été lié avec un pareil homme. Cherrier aussi est bien revenu, dit Louis. Enfin, le public en entier est tout en déroute, les gens de bonne foi reviennent, que feront les autres ? Malgré tout, tu verras par *La Minerve* que Nelson a envoyé une réponse, signée : « Tel oncle, tel neveu », mais que *La Minerve* annonce être sous considération.

M. Laframboise est venu hier soir et m'a dit que Mme Dessaulles devait venir en ville, jeudi, avec D^lle^ Thérèse. Je ne sais si elle restera quelques jours ou non, je t'en informerai.

Toute la famille là, à Verchères, et ici sont tous bien. Mes nièces, les filles de Bruneau, vont entrer au couvent se faire religieuses, au couvent de Longueuil. Ma chère mère a été indisposée mais elle est mieux ; j'attends ton retour pour aller la voir. L'on assure que le chemin de fer sera terminé à la fin d'octobre ou au commencement de novembre ; nous irons voir ma tante Séraphin.

Amitiés chez ton frère, courage et succès à la bonne nièce ; je suis surprise qu'elle ne soit pas encore dans son lit. M. Mackay est venu en ville mais est reparti sans être venu me voir. Amitiés à sa dame. N'oublie pas de nous apporter les vis de la couchette qu'Amédée a dû te demander dans sa lettre ; elles sont dans ton bureau. Adieu, cher ami, au plaisir de te revoir ainsi que le cher Lactance. Il a du mieux, c'est heureux.

Ton épouse et amie,

J. B. Papineau

17. Depuis mars 1848, une polémique perdure entre les deux députés, Louis-Joseph Papineau et Wolfred Nelson. Ce dernier, devenu unioniste, accuse Papineau de s'être enfui de Saint-Denis, le jour du combat, le 23 novembre 1837. Louis-Antoine Dessaulles, qui défend son oncle Papineau dans le journal *L'Avenir,* publie en 1848 : *Papineau et Nelson. Blanc et noir... et la lumière fut faite.* Le journal *La Minerve,* devenu maintenant un journal « conservateur », prend le parti de Wolfred Nelson.

M. Amédée Papineau
Saratoga

Rivière-des-Prairies[18], samedi, 14 [juillet 1849]

Mon cher Amédée,

Ta situation est bien pénible et la mienne aussi ; je m'ennuie ici, la tête remplie d'inquiétude sur toi, encore plus sur ce pauvre Lactance qui s'obstine à rester en ville, allant tous les jours au collège McGill. Il est changé, maigri, sombre, ne levant pas la vue. Enfin, comment cela finira-t-il ? Dieu le sait et sa pauvre mère vit dans le deuil et une agonie prématurée, sans moyens de rien faire pour lui, ni pour toi.

Gustave est bon à rien, timide et gauche, et c'est à lui que tu t'adresses pour tes affaires.

Je n'ai pu, depuis que je suis ici, obtenir de me faire parvenir les journaux ; ainsi, ne sois pas surpris si tu ne reçois pas les tiens. Tu dois savoir que tu n'avais personne dans la famille de qui tu pouvais recevoir aucun service. C'est pourquoi je t'avais suggéré de t'adresser à M. Coffin. Aussi a-t-il répondu avec bonté et assurance que tout ce qu'il pourrait faire pour toi, il le ferait. À présent, je ne sais pas, ni lui non plus, si tu as écrit à M. [James] Leslie et si ce dernier l'a reçue. Je suis si affligée de tout ce retard et contretemps.

Je vais te dire comment la lettre de Gustave que tu lui écris de dimanche dernier, le 8, était encore à la poste, hier, vendredi. Ayant une occasion et espérant avoir une lettre de ma chère Marie à mon adresse, j'ai fait prier M. J. Roy de passer à la poste afin de m'envoyer ce qu'il y avait à notre adresse : c'est ainsi que j'ai lu ce que tu écris à Gustave et j'en suis si tourmentée et indignée que je t'écris encore que tu n'as pas d'autre ressource que d'écrire de suite à M. Coffin, et le prier de voir M. Leslie afin de savoir ce qui en est, car je crois qu'il n'est pas prudent que tu reviennes en ce moment que le choléra fait son apparition en ville et que l'on dit que la cour doit s'ajourner. C'est ce qui fait que je ne puis aller en ville, sans cela, j'irais voir M. Coffin moi-même. Ne crois pas que ton père veuille aller voir un seul ministre. Ici, à la campagne, il ne veut ni ne s'occupe de rien. Il ne désire ni journaux ni nouvelles, et moi, cela m'ennuie à la mort, surtout avec tous les sujets de chagrins qui m'obsèdent.

Quant à ta situation future, tu as lu le bill[19], tu dois en savoir mieux que moi. Personne ne sait encore quand la loi entre en opération ; tout ce que j'ai appris

18. De mai à août 1849, Louis-Joseph Papineau loua une maison au « village de Rivière-des-Prairies, à trois lieues de Montréal » pour que sa famille puisse échapper au choléra qui menaçait de nouveau.
19. Allusion probable à l'*Acte pour amender les lois relatives aux cours de juridiction civile en première instance* (30 mai 1849).

de la place, c'est par Delagrave qui dit le tenir de Barthe[20], que ta situation de nouveau greffier sera rendue de nature à n'être pas acceptable. Je ne sais ce qu'il a voulu dire et puis Gustave dit ici, il y a quelque temps, que l'on allait t'adjoindre Letourneux, c'est-à-dire réunir le terme de circuit au terme inférieur, y mettant deux greffiers et que Letourneux avait le choix d'être à Montréal ou d'aller à Saint-Jean, voilà tout ce que je sais. Ainsi, cher enfant, tu vois que je suis aussi mal informée ici que toi, ne voyant personne, ni journaux. Tout ce que je puis faire, donc, c'est de te conseiller de t'adresser en toute confiance à ton collègue, de suite, afin d'éviter de venir en juillet s'il est possible. Et, sur ce qu'il te dira, tu te conformeras pour le mieux, pauvre enfant. Si je n'ai pas d'occasion, demain, dimanche, j'enverrai le garçon comme exprès afin que ta lettre puisse partir lundi.

Je crois que Gustave, à part son incapacité, a fait des campagnes et cette semaine, il devrait être à Saint-Hyacinthe, avec Casimir Dessaulles.

Je vais écrire quelques lignes à Casimir Papineau en lui envoyant ta lettre à Gustave, le priant de voir M. Coffin. S'il veut faire cela, en attendant que tu écrives toi-même, cela serait bien plus court. Je regrette bien que tu ne m'aies pas écrit plus tôt, j'aurais envoyé cela moi-même, mais ne pouvant pas aller en ville, je fais ce que je peux.

Amitiés à M. et dame Westcott, et à ma chère Marie ; qu'elle soit bien portante, cela ne me surprend pas ; elle est si heureuse dans son beau et bon pays et au milieu d'une société intéressante, amicale, bienfaisante tandis que, dans notre pays, tout est insupportable sous tous les rapports et notre famille plus malheureuse qu'aucune autre. Ainsi, si j'étais de toi, je chercherais bien à me fixer aux États et je crois qu'il n'y aura que ce climat que tu pourras supporter. Mais enfin, fais ce que tu peux et sois certain que votre bonheur sera un adoucissement à mes maux ; vous étiez les seuls qui me donniez de la consolation, et ma chère Marie est si accomplie et je l'aime tant que je ne pourrais la savoir avec des sujets de chagrins, sans que je les partage vivement.

Adieu, cher fils, tu vois que je fais ce que je puis.

Ta mère affectionnée,

J. B. Papineau

20. Joseph-Guillaume Barthe (1816-1893), poète, journaliste à l'*Aurore des Canadas*.

Louis-Joseph Papineau
Petite-Nation

Montréal, 17 septembre 1849

Mon cher ami,

Depuis ton départ, j'ai été bien occupée : nous avons eu constamment quelqu'un de la famille, de la campagne, et puis il m'a fallu préparer Azélie et la mener au couvent. Ces dames m'ont priée de te dire que tu pouvais être assuré que son année serait bien employée, qu'elles lui avaient préparé un cours particulier en français, et en anglais surtout ; qu'elle n'aurait affaire qu'à deux maîtresses ; qu'elle aurait soin de ses effets elle-même afin de l'habituer à être plus soignée : en voilà une de bien placée pour l'année.

Il n'en est pas de même de nous : je ne sais à quoi me décider ; il est encore incertain si le siège du gouvernement nous restera ; il est plus probable qu'il sera transporté au Haut-Canada[21]. Ainsi, si tu es forcé d'aller là, je ne pourrai certainement pas tenir cette maison seule, surtout si ce pauvre et malheureux Lactance insiste à venir ici. En ton absence, il prétend être le maître et il fait des scènes que sa sœur ne peut plus supporter. Elle est trop faible et elle en a une telle frayeur, qu'elle prétend que c'est cela qui l'a mise dans cet état. Elle dit qu'elle n'a jamais voulu me le dire, mais qu'elle ne dormait pas la moitié des nuits, ayant toujours l'appréhension qu'il mît le feu ou qu'il ne se portât à quelques violences. Avec les étrangers, il sait bien se tenir. Émery dit qu'il se tenait bien à sa pension. Ainsi, j'espère que tu pourras l'engager à rester là, en lui disant que nous ne garderons pas la maison, selon toute probabilité, et que quand bien même [nous la garderions], je lui ai déjà dit que je ne pouvais pas sacrifier tous les autres à ses emportements. Je suis la première victime de mon empressement à le ramener au pays. Quand il est avec la famille, il ne peut jouir aucunement de sa société et il n'y est que pour nous rendre la vie la plus insupportable. Il est temps qu'il fasse son choix et il n'a pas d'autres ressources que de rester à la Petite-Nation. S'il veut travailler à se rétablir, il le peut et ensuite il peut gagner sa vie.

Quant à ta bâtisse[22], Amédée me dit qu'il t'a écrit, mais il a omis, dit-il, de te dire qu'il est absolument nécessaire que tu fasses un marché par écrit, après une estimation, parce qu'il est certain que tu auras des querelles avant que cela [ne] soit fini et que tu n'auras aucun recours. Moi qui sais que les conseils ne serviraient à rien, et qui sais que, d'une manière ou autre, elle te coûtera la moitié de plus que tu ne le crois, je ne m'en mêle pas ! C'est parce qu'il m'a dit ce matin qu'il voulait te le mentionner et [qu'il] insiste là-dessus.

---

21. Le Parlement, à Montréal, avait été incendié par les torys, le 25 avril 1849 ; il sera transféré à Toronto jusqu'en 1852.
22. Cette « bâtisse » deviendra le manoir de Montebello.

Je te répondrai seulement au sujet de l'avoine que, puisque tu n'as pas assez de la tienne pour nous en envoyer, il me semble que des gens qui ne peuvent te donner devraient te donner du grain et que, dans la paroisse, tu devrais être en état de ramasser assez d'avoine et de les obliger de te l'envoyer. Si tu ne le peux, il faudra renvoyer le cheval aussi. Cette bâtisse va nous mettre [à] court d'argent de plus en plus et, s'il faut tant acheter, tu peux avoir provision de beurre, de lard, etc., si tu restes jusqu'à l'hiver et que nous tenions maison. Mais je suis si tourmentée d'avoir une famille qui ne peut s'accorder et demeurer ensemble. Cela me rend si malheureuse que je ne sais à quoi me décider. Ainsi, il n'y a rien à dire encore pour le moment ; aussitôt que ce sera décidé, si tu passeras l'hiver ici ou non, je te dirai ce à quoi il faudra se décider.

Toute la famille à Saint-Hyacinthe et à Verchères est bien. Les D^lles^ Malhiot[23] veulent aussi entrer religieuses, une à la Providence, l'autre [à] Longueuil, mais le curé ne peut rien pour elles avant d'avoir terminé les paiements des dots des D^lles^ Bruneau. Ils sont pauvres mais ils sont bien plus heureux que nous, car ils ont de bons enfants : les miens me rendent bien malheureuse, en sorte que je suis bien indifférente sur tous les autres sujets.

Je t'embrasse de tout cœur, bon courage et bonne santé, car tu en as grand besoin.

Ton épouse et amie,

J. B. Papineau

L'honorable Louis-Joseph Papineau
Petite-Nation
Aux soins de M. Major

Montréal, 22 septembre 1849

Cher ami,

Je t'écris par Major pour te dire de n'être pas inquiet des réparations que je fais faire ici, car le peu que je voulais, je ne puis le faire faire. Je crois que tu es bien pris avec ton Laberge. Il a entrepris ici les bâtisses incendiées ; ainsi, avant qu'Amédée [ne] monte, écris-lui pour ton comble et fais un marché avec lui, par écrit, que ton fils peut lui faire signer avec les précautions nécessaires, pour éviter des délais, des difficultés qui finiront en procès. Je te dis cela afin de t'éviter des pertes et des désagréments. Fais-en ce que tu voudras, au moins tu ne diras pas

23. Célina et Azélie Malhiot.

que tu n'es pas prévenu. Comme aussi le mode de chauffage, si commode et si salubre, et qui doit se faire en construisant la maison : il faut que tu écrives à Amédée de voir les ouvriers et il pourra t'en rendre raison quand il sera rendu. Il a du mieux mais si la saison est froide et humide, je ne sais s'il pourra y aller.

Tu demandes pourquoi la jument n'est pas rendue, c'est que nous ne pouvons trouver de garçon et qu'ayant le cheval à soigner l'on ne peut envoyer Alexandre. À son grand chagrin, il ne cesse de nous presser. Aussitôt que nous pourrons l'envoyer, nous le ferons. Tu ne me dis rien du beau poulain. L'as-tu vu ? C'est pour la satisfaction d'Ézilda.

Je n'ai encore fait aucun de mes voyages. J'ai eu ici ta sœur, Mme Dessaulles, après tous les autres, en sorte que je n'ai pu laisser la maison où je ne fais rien pourtant, car, dans l'état d'indécision, je n'ai rien fait revenir de chez Globensky[24], ni autres arrangements.

J'irai peut-être à Verchères mardi et en reviendrai jeudi. Et puis, après, j'irai à Maska peut-être, car je n'ose rien préméditer.

Ézilda a un peu de mieux ; elle a plus d'appétit et meilleur sommeil ; elle couche dans ma chambre. Le Dr Picault[25] la soigne. Si elle continue son mieux, nous n'aurons peut-être pas besoin d'avoir recours au médecin d'Amédée.

Azélie est bien, et contente, au couvent.

Je t'envoie les deux bêches que tu demandes et Gustave va te donner les renseignements que tu demandes au sujet de tes affaires de cour.

Adieu, écris quelquefois, et puis santé et courage ! Nous en avons grand besoin tous ensemble.

Ton amie et épouse,

J. B. Papineau

L'honorable Louis-Joseph Papineau
Petite-Nation

Montréal, octobre 1849

Cher ami,

Je t'écris par M. Mackay qui part ce soir ou demain matin. Il m'a remis 25 £. J'en avais grand besoin : je ménage tant que je puis, mais il y a toujours eu

24. Léon Globensky, marchand de Montréal, rue Sanguinet, époux d'Angélique Limoges.
25. Le Dr Pierre-E. Picault, médecin et pharmacien, du n° 36, rue Notre-Dame, angle de la rue Bonsecours.

quelqu'un de la famille ici. Mais, depuis quinze jours, nous sommes seuls. J'en ai profité pour faire mes campagnes. Je suis allée à Verchères, où j'ai trouvé ma chère mère assez bien, ainsi que toute la famille, et j'ai aussi été à Saint-Hyacinthe avec ma belle-fille et ma petite Ézilda. Je suis de retour d'avant-hier, contente de pouvoir rester tranquille. Là aussi toute la famille est bien. Tante Benjamin et tante Séraphin sont assez bien et te font dire que tu es un trompeur mais elles te pardonnent, espérant que tu répareras cela cet automne.

Amédée t'écrit de temps en temps sur ta construction de maison et sur tes affaires ; ainsi, je ne t'en parle pas. C'est pourquoi je ne t'écris pas souvent, n'ayant rien de consolant ni d'intéressant à te mander, étant toujours dans un état d'indécision si nous garderons la maison cet hiver, ou si nous pensionnerons. Pourtant, j'espère que cela va se décider ; que, d'une manière ou autre, tu resteras avec nous puisque les Canadiens sont décidés à ne pas monter au Haut-Canada. Quand même, à plus forte raison, seras-tu de ceux-là ? C'était mon opinion que tu ne devais pas y aller.

J'espère que tu ne laisseras pas descendre Lactance avant toi, car je ne saurais que faire de ta fille, qui craint son retour plus que jamais. Je suis désolée de voir qu'elle a si peu de forces pour supporter cela. Tu ne dis pas un mot à ce sujet ; je crains fort que tu ne puisses le décider à rester là. Une des raisons qui pourraient l'y décider serait de lui dire que, s'il veut hiverner en ville, il faudra qu'il pensionne chez des étrangers ; que je ne puis le recevoir par rapport à sa sœur, etc. Je l'en avais menacé ce printemps en lui disant que je ne voulais plus souffrir ces emportements, etc. Si cela peut lui faire comprendre que c'est le seul endroit où il peut rester dans le pays et qu'il est temps qu'il prenne son parti, que l'on ne peut sacrifier toute la famille pour lui ! Puisqu'il persiste à vivre seul, enfermé, ayant un air étrange, le goût d'habillements bizarres qui le font passer pour plus fol qu'il n'est, il faut qu'il s'établisse là, rétablir sa santé et puis ensuite pratiquer là. Voilà sa destinée, mais ici, il n'a rien à faire.

Voilà Legris qui entre et qui attend ma lettre pour partir. Je t'écrirai de nouveau sur ce triste sujet qui me rend si malheureuse. Personne n'a fait plus que moi pour lui, mais je ne puis sacrifier les petites filles pour lui.

Il y a ici une femme qui dit que son mari, Joseph Labelle, travaille pour toi, et qu'il lui écrit que je dois lui donner trois piastres par semaine ; je lui ai répondu que je n'avais reçu aucun avis à ce sujet.

Adieu, amitiés à toute la famille et à notre cher et malheureux fils. Et toi, cher ami, je t'embrasse de tout cœur, ainsi qu'Ézilda. Je ne t'écris, car je crains toujours de t'attrister en te communiquant mes tristes pensées sur la famille. Ce n'est pas par indifférence, tu dois le savoir.

Ton épouse et amie,

J. B. Papineau

Donne réponse pour cette femme.

[De la main de Gustave] : Le foin va être si cher ici, cet hiver. Faites payer les gens en avoine et faites-en descendre une bonne quantité.

[Denis-Benjamin Papineau]

Montréal, 1er juillet [1850][26]

Cher frère,

Je vous envoie un extrait de la lettre de votre frère. Il est bien mécontent et avec raison que les ouvriers sont retardés, faute de bois, et il paraît qu'il y a faute de tout le monde. On ne lui a pas écrit, l'on [n']a pas vu les ouvriers, enfin, le malheur est arrivé, et cela le tourmente. Il n'avait pas besoin de ce surcroît au milieu de la position pénible et laborieuse qu'il a à Toronto. Il désire beaucoup revenir, mais au cas qu'il soit retenu encore sept ou huit jours, il m'ordonne de vous envoyer ces extraits, afin que vous voyiez de suite à faire ce qui est nécessaire.

Il est tard, cela sera mis à la poste demain matin, assez à bonne heure. Amitiés à toute la famille.

Votre sœur affectionnée,

J. B. Papineau

Petite-Nation, 20 septembre 1850

Ma chère Marie,

Je regrette d'avoir tant retardé à répondre à vos lettres et dont je vous remercie : elles me sont nécessaires puisque je suis forcément séparée de vous qui étiez ma meilleure société et que j'aime tendrement. Et je vois aussi que je vous manquerai souvent, chère enfant. Je fais des souhaits ardents pour votre santé, car, si je vous savais malade et que je ne pouvais être près de vous, j'en serais désolée. Espérons qu'avec de la prudence vous serez bien tout l'hiver ainsi que votre mari.

26. Voir aux ANQQ la lettre de Louis-Joseph Papineau à sa femme, du 29 juin 1850.

Il faut aussi qu'il soit bien discret et pas gourmand, puisque son médecin s'éloigne. C'est une perte pour Montréal, je crois.

J'ai été bien désappointée de n'avoir pas été à Saratoga. Soyez certaine que j'y étais en esprit avec vous. Je comprends combien vous avez été raisonnables de revenir si tôt, laisser vos excellents parents et vos amis pour revenir à ce triste Montréal où il est difficile pour vous de faire ou d'avoir d'amies intimes. Maintenant que la famille n'est plus près de vous, je serais contente que vous puissiez avoir quelques intimes avec qui vous pourriez vous amuser et, au cas de maladie, avoir près de vous. Je vous vois isolée sous ce rapport et ce qui me fait plus regretter mon éloignement de vous, et fait que mon sacrifice est plus grand et pénible à faire.

J'espère que la visite de notre Ézilda vous sera agréable, qu'elle ne sera pas assez malade pour vous donner du trouble ou de l'inquiétude puisqu'elle est assez bien de son voyage ; c'est heureux que je l'aie envoyée puisque le médecin était pour nous échapper. Puisse-t-il la soulager, car je vous assure qu'elle a été bien souffrante ici. Vous nous rendrez un grand bien si vous nous l'envoyez en meilleure santé.

Vous aurez bientôt votre cher père. Si nous sommes entrés dans la maison, vous viendrez avec lui, j'espère. Ce qui m'inquiète le plus, c'est le mode de chauffage qui va nous retarder, car je ne veux pas y entrer avant de le voir en opération. Amédée a l'air bien certain du sien mais je voudrais qu'il trouvât quelqu'un qui l'approuvât et qui vînt ici le faire fonctionner. Il est bien tard, il faut se décider bientôt. S'il nous faut souffrir du froid, cette grande maison ne sera pas du tout agréable et nous n'aurons rien pour nous en dédommager ici, en hiver. Surtout si je suis sujette aux maux de dents, ce sera pénible.

Azélie est bien raisonnable, fait tout ce qu'elle peut pour m'aider. Elle vous embrasse tous les deux, ainsi que ses frères. Nous sommes ici seules tout le jour. M. Papineau ne revient que le soir, il a bien de la fatigue et du trouble. Adieu, chère Marie, soyez heureuse comme je le désire et l'espère.

Votre mère affectionnée,

J. B. Papineau

Petite-Nation, 26 septembre 1850

Ma chère Ézilda,

Ma cuisinière veut avoir cinq piastres au lieu de quatre, et tu sais qu'elle ne gagne pas cela même. Je ne la regretterai pas mais fais en sorte de m'en trouver une bien recommandée par quelques dames et non des certificats par écrit. Prends ton temps, c'est Mme Papineau qui peut trouver cela.

Ta mère affectionnée,

J. B. Papineau

Madame veuve Dessaulles
Saint-Hyacinthe

Petite-Nation, 11 novembre [1850]

Ma chère sœur,

Je vous remercie de votre bonne lettre et des détails que vous me donnez. Je vous prie de ne pas vous tourmenter pour les reçus ni autrement. Je vous remercie de nouveau du tout.

Nous sommes toujours en espérant l'arrivée de l'évêque pour savoir notre sort. Je vous suis obligée des nouvelles que vous me donnez de toute la famille. Ici, notre cher Dessaulles[27] vous les donnera. Vous pensez bien comme sa bonne visite nous a fait du bien. Nous l'aimons à l'égal de nos enfants. Nous craignions de ne le pas voir, la saison étant si avancée, mais il a fait plus beau cette semaine qu'il ne l'a fait depuis un mois. Ainsi, j'espère que son voyage ne le fatiguera pas trop. Et, à nous, il a été bien doux de le voir au milieu de nous. Son séjour est court, mais il nous promet de le renouveler l'été prochain avec sa dame.

Je n'ai pas été bien portante de l'automne, je n'en suis pas surprise, la saison a été assez maussade pour cela. Nous entrerons dans la maison à la fin de la semaine, dit-on, mais ce n'est pas très certain. Et il y aura encore bien des choses à finir, quand nous y serons.

Dites à Mlle Thérèse qu'il sera trop tard pour qu'elle vienne nous aider ; mais la bonne volonté est réputée comme le fait. Ainsi, dites-lui que je l'invite à venir jouir du fruit de l'ouvrage au printemps. Cela lui sera encore plus salutaire, surtout si [sa] santé n'est pas bonne cet hiver.

---

27. Louis-Antoine Dessaulles a épousé sa cousine, Zéphirine Thompson, fille de John Thompson et de Flavie Trudeau (Saint-Hyacinthe, 4 février 1850).

Dites tout ce qu'il faut à ma tante Séraphin. Vous savez qu'il n'y a pas de ma faute si je n'ai pas été la voir. Je voulais de tout cœur aller voir celles que je savais incapable de venir nous voir, et elle, ainsi que ma tante Benjamin, en était de plein droit. Je leur suis très attachée, car elles m'ont toujours témoigné de l'affection et j'ai passé des moments bien agréables avec elles, et surtout depuis mon retour au pays, où j'ai retrouvé si peu de bonnes personnes qui nous sont demeurées fidèles, j'ai dû les apprécier vivement.

Dites à tous ceux de la famille qui sont capables de voyager que j'espère qu'ils viendront, soit en hiver ou en été, chacun son goût et son mode de voyage. Quant à moi, je suis ici clouée pour tout [l'hiver]. Mme Laframboise, avec ses petits enfants, ne peut venir qu'en été.

Je suis peinée de la maladie de notre Casimir. J'espère que cela n'aura pas de suite, comme vous paraissez le craindre. Adieu, chère sœur, amitiés à tous nos bons parents de Saint-Hyacinthe. De tout cœur,

Votre sœur affectionnée,

J. B. Papineau

Petite-Nation, 12 décembre 1850

Ma chère Marie,

Je vous écris ce peu de lignes pour vous dire que je suis peinée de ne vous avoir pas écrit depuis longtemps mais vous devez être persuadée que ce n'est pas par négligence et que je pense à vous chaque jour mais vous ne sauriez penser à la fatigue et au trouble que j'ai eus ici, qui ne m'ont pas laissé aucun loisir : il n'y a que le soir et je ne puis écrire alors.

Amédée nous dit que vous n'êtes pas très bien, cela me fait peine. Prenez bien soin de faire ce qu'il faut pour vous garder en santé. Je pense que l'ennui y a un peu de part : il faut que nous ayons bien du courage et de la résignation pour supporter tous les maux qui sont survenus à la famille depuis la maladie de ce pauvre Lactance. Vous et Amédée et Gustave aviez l'avantage d'en être éloignés, mais nous, dans notre isolement, et qui avons cette douleur et ces craintes de chaque instant de voir faire des violences et ensuite des désespoirs, enfin, il est plus mal que jamais : il n'y a plus d'espoir de guérison. Vous, chère Marie, qui pouvez comprendre la douleur d'une mère, vous êtes sensible et aimante. Ainsi, quand je vous écrirai bientôt, j'essaierai de vous parler de la maison parce que vous pouvez vous y intéresser, car votre vieille et triste mère n'y prend pas grand intérêt. Heureusement que votre père et les sœurs s'y plaisent assez bien. Adieu, je vous embrasse.

Votre mère affectionnée,

J. B. Papineau

Petite-Nation, 26 décembre 1850

Ma chère fille,

Je suis contente de votre dernière lettre à tous deux, car j'étais inquiète de savoir comment vous pourriez supporter votre injustice, [étant] jeunes et sans expérience des revers dont la vie est semée. Cela vous paraît un grand malheur ! Eh bien, ce que vous me dites me rassure, que vous supporterez cela avec courage et surtout sans troubler votre intérieur. J'étais bien certaine de vous, chère Marie, avec votre bon esprit, votre douceur et l'amour que vous portez à votre cher mari, que cela ne changerait rien à votre tranquillité d'esprit et à votre courage à vous priver de quelques plaisirs et même de quelque confort, mais je craignais qu'Amédée ne se décourageât, et n'eût de l'humeur. Je sais tout l'amour qu'il vous porte, et, comme il sait vous apprécier, et qu'il connaît le bonheur qu'il a eu d'avoir une aussi aimable femme, ainsi, j'attends de lui que sa force et son courage ne se démentiront pas et qu'il fera tout, de son côté, pour être gai, doux, complaisant comme vous l'êtes.

Quant à la nourriture, ce n'est pas là-dessus que vous pouvez épargner, car il n'y a pas eu de *gaspil* là. Vous êtes délicats ; il vous faut bonne nourriture et vos serviteurs n'ont jamais eu ce qu'il fallait. Ainsi, je prie Amédée de ne pas trop mesquiner là-dessus. Je ferai ce que je pourrai pour vous aider là-dessus. Si j'envoie une voiture en ville chercher des effets qu'il nous faut, je t'enverrai quelque chose et, ce printemps, je pourrai vous faire des provisions de beurre, de graisse, de beau sucre du pays. Si tu veux du grain, etc., tu me diras cela. Ceci est pour Amédée ; qu'il me dise ce qu'il lui faut. Ici, nous sommes dans l'abondance de viandes, de beurre, de lait, de crème etc. Ainsi, nous pouvons vous en faire part ; mais, de l'argent, c'est autre chose.

Quand vous écrirez à votre famille, je vous prie de leur faire mes meilleures amitiés et souhaits de la nouvelle année, en attendant le plaisir de les voir, cet été. Vous demandez à Azélie de vous aller voir, c'était bien aussi son désir ; elle est gaie et jeune : j'espère qu'elle vous aidera à supporter un peu notre absence. Je vous assure, chère Marie, que je ressens vivement votre absence, surtout dans un moment d'épreuve pour vous. Mais, au nom de l'amitié que je vous porte, je vous prie de conserver votre santé, et j'en dis autant à Amédée. Avec cet avantage et un bon caractère, l'on peut supporter bien des épreuves ; avec de l'argent et un caractère fâcheux, rien ne peut compenser une femme.

Excusez mon style et mon écriture, car c'est à la course que je vous écris, ayant déjà écrit à ma mère. Il est l'heure de la poste. Nous vous embrassons tous deux. Dites à Gustave que je l'attends bientôt, il aura une voiture avec ses cousins.

Votre mère,

J. B. Papineau

Petite-Nation, 27 janvier 1851

Ma chère Marie,

J'étais inquiète de vous, n'ayant pas reçu de lettres depuis Noël, mais celle que vous avez écrite à votre sœur me rassure ; elle ne nous est parvenue qu'avant-hier. Le juge Bruneau l'a emportée à Aylmer. Amédée disait dans ses lettres que vous n'étiez pas bien et cela m'a donné de l'inquiétude ; je crois que l'ennui y a bien sa part mais aussi, chère Marie, peut-être y a-t-il autre chose ? peut-être un changement de situation ? Je vous prie d'être confiante avec moi et de me dire tout ce qui vous concerne sous le rapport de votre santé. J'espère que vos indispositions n'ont rien de grave, mais j'aimerais à le savoir de vous.

Je suis contente de ce que vous me dites au sujet de la santé d'Amédée ; j'espère que cela le conservera en gaieté et courage à supporter son nouvel état de gêne qui n'est pas, après tout, un grand malheur, s'il le compare aux maux plus cuisants et plus durs, auxquels nous sommes soumis au sein même de la famille, sans aller chercher plus loin d'autres maux auxquels la pauvre humanité est entourée. Il le doit aussi par rapport à vous, surtout, qui êtes privée de la précieuse société de vos parents et, ensuite, de la nôtre. Nous ne pouvions pas les remplacer auprès de vous, car un père ne se remplace pas et surtout celui que vous avez le bonheur d'avoir, ne le peut pas ; c'est impossible. C'est un homme rare sous tous rapports mais au moins vous étiez persuadée de notre estime et affection depuis que vous faites partie de la famille. Et, depuis que je vous connais mieux, mon amitié n'a fait que croître et votre société m'était bien agréable et nécessaire. Ainsi c'est bien réciproque de votre part, avec votre cœur aimant et sensible, et puis vos dispositions à la gaieté font que votre absence est bien pénible pour tous. Ainsi, dites à Amédée qu'il faut qu'il soit bien bon et bien aimable pour vous faire supporter toute contrariété. Quant à lui, je n'ai pas à lui faire de grandes exhortations pour lui aider à supporter notre absence, car il a désiré vivement notre départ et il est bien content de nous voir éloignés, croyant que c'est l'intérêt de la famille. Ainsi soit-il.

Azélie va aller passer un mois avec vous et elle prendra en même temps des leçons de chant. Elle ne veut pas rester plus longtemps, car elle veut revenir pour voir faire les sucres. J'espère qu'elle vous sera agréable et vous aidera à passer une partie de l'hiver, qui le fera paraître moins long. Vous me demandez si elle doit aller en société. Oh ! non, ni l'an prochain non plus. Je désire qu'elle fasse des visites chez nos amis et aller peut-être sans cérémonie chez eux, en famille seulement, et qu'elle pratique son piano, et qu'elle prenne des leçons d'industrie avec vous, à de petits ouvrages à l'aiguille ou autres : elle passera son temps agréablement et utilement.

Vous avez souvent des lettres de chez vous et vous me dites qu'ils sont bien. Présentez mes amitiés sincères à M. et Mme Westcott, et à nos bons amis de là, quelques détails sur eux tous.

M. Papineau n'a pas encore écrit à la famille Porter, il n'est pas très bien : il est changé, amaigri, il ne se remet pas de ses fatigues ; j'explique à Gustave comme il est ; il faudra qu'Amédée en parle au Dr [Robert-L.] Macdonnell. Ce sont des coliques journalières. Il a pris quelques remèdes, comme l'huile de castor, rhubarbe, et puis de l'eau de source, mais cela ne fait rien à ce mal.

Ézilda continue son bien mais aussi son régime ; elle a eu de la fatigue pendant quelques jours. J'espère qu'elle va se reposer et que cela ne lui sera pas contraire.

Je ne vous écris pas souvent mais je pense à vous tous les jours ; mes lettres sont mal écrites et peu intéressantes : j'ai si peu l'habitude de le faire depuis plusieurs années que je le fais bien mal. Il n'y a que pour vous et ma mère que je le fais. Ainsi, considérez-les sous le rapport de l'amitié que je vous porte et, avec votre indulgence, elles deviendront passables.

Présentez mes saluts à ceux qui s'informent de moi ; il y en a un si petit nombre que cela ne vous sera pas difficile ni fatigant. Adieu, ma bien-aimée fille.

Votre mère et amie dévouée,

J. B. Papineau

Petite-Nation, mercredi, 5 février 1851

Ma chère Marie,

Je vous remercie de votre bonne lettre, elle est venue me consoler de tout ce que j'ai souffert pendant le triste voyage de mes enfants. J'ai été si chagrinée, si tourmentée de la [folie] que j'ai eue de laisser une jeune fille faire un voyage en hiver ; la troisième nuit, j'ai été bien malade et j'ai été incapable d'être raisonnable. Je n'aurais pas été capable de supporter cette inquiétude plus longtemps. C'est bien étonnant qu'ils aient pu faire un pareil voyage sans accident et sans maladie. Puissiez-vous avoir ensemble un temps agréable ! Azélie sera bien disposée à oublier les misères de sa route, si elle peut contribuer à vous amuser et vous distraire de l'ennui que vous cause la séparation de vos deux familles et qui vous laisse dans un grand isolement pour vous, qui êtes si affectionnée pour vos bons parents, et que rien ne peut remplacer.

C'est ainsi que se passe notre vie : il faut faire tous les jours des sacrifices qui sont bien pénibles et qui devraient nous aider à avoir de la force et du courage puisque l'on sait que c'est notre destinée. Mais non, les affections du cœur ne se commandent pas ; il faut en ressentir toute l'amertume. La maladie ou les pertes de fortune, avec de l'énergie, de la religion, on peut les supporter sans être trop malheureux. J'ai eu à subir les deux et je sais en ressentir la différence.

Vous me dites que la famille Donegani ne voisine pas amicalement. Je n'en suis pas surprise et je vous en avais prévenus, car je les connais, si capricieux et sans affection pour personne, même de leurs proches parents. Mais vous ne perdez rien et je crois bien qu'ils le savent aussi, qu'ils ne peuvent pas être intimes. Ils ne sont pas capables de tenir une conversation intime sur aucun sujet raisonnable, vous n'avez pas d'idée de leur ignorance ! Et cela les gêne avec vous et ils n'aiment pas plus Amédée que les autres de la famille. Il a toujours eu la faiblesse de caractère de [n']en être pas intime, car, loin de là, leurs procédés envers la famille ont toujours été bien indignes, et surtout pour son pauvre frère[28]. Cela seul devrait l'humilier.

Je regrette plus que personne que vous n'ayez pas d'amis intimes ; d'amies de cœur que l'on peut s'attacher et estimer, et, comme vous me le disiez souvent : « Où les trouver à Montréal ? » Elles sont rares mais, enfin, il doit y en avoir. Espérons que vous en trouverez un jour. C'est bien un des grands avantages que l'on peut désirer qu'une bonne amie, car, quand l'on [n']en a pas, l'on est bien isolée, surtout quand on est malade, incapable de s'occuper. Le temps n'est pas venu pour vous : vous êtes jeunes et j'espère que vous aurez de la santé et du courage.

28. William Donegani, décédé à l'asile de Vanves, près de Paris.

Azélie doit m'écrire, dites-lui aussi que je le ferai par occasion, mais elles sont retardées. Major ne doit partir qu'à la fin de la semaine ; et Fortin, que la semaine prochaine. Dites à Azélie que je pense comme elle, que ce serait incommode d'aller prendre des leçons chez les sœurs, mais qu'elle pourrait le faire facilement chez Mlle Bruneau, c'est tout près, et puis si le maître peut aller dans le jour, entre onze heures et trois, temps où Amédée revient chez vous. Sans cela, qu'elle n'en prenne pas du tout, si c'est trop incommode. Ainsi, cela lui conviendra bien, car elle n'en prend que contre son inclination ; il n'y aura que moi qui en serai privée, car elle n'aime pas à chanter.

[ ][29]

Dans tous les cas, ma chère, soyez prudente et quand vous sentez la moindre incommodité qui vous inquiète, consultez le Dr Macdonnell : il n'y a que cela qui me tranquillise, de savoir que vous pouvez avoir confiance en lui ; car il est habile et connaît votre tempérament.

Adieu, mes chères filles, je vous embrasse de tout cœur, et Amédée et Gustave. Dites-leur qu'ils m'écrivent, je leur répondrai. Ne m'oubliez pas à Saratoga particulièrement, ainsi qu'Ézilda vous en prie.

Votre mère et amie affectionnée,

J. B. Papineau

Petite-Nation, 14 mars [1851]

Ma chère Marie,

J'ai reçu votre lettre hier ainsi que celle d'Azélie ; je réponds aux deux aujourd'hui. La vôtre, ma chère, est bien affectionnée et peint bien votre anxiété et sympathie pour vos vieux parents, mais je ne veux pas, par cela même, que vous les partagiez au degré de vous rendre malheureuse ; non, je ne suis pas de cet avis. À votre âge, il faut être forte et faire tout en votre pouvoir pour bannir les soucis. Aussi ce n'est pas mon intention, quand je vous écris et que je vous fais part de nos malheurs, de vous les faire partager aussi vivement que votre sensibilité vous porte à le faire. Non, ma fille, c'est pour cela que je ne désire pas que vous fassiez un voyage à cette saison, pour venir nous consoler et nous faire passer quelques jours de bonheur de vous avoir près de nous, car vous n'avez pas d'idée d'un pareil voyage : il faut être forte et petite Canadienne comme Azélie pour le faire. Mais, loin d'approuver M. Amédée, que l'on peut rester aussi

29. Ici, une partie de la lettre a été coupée.

longtemps sans vous voir, j'espère ce plaisir au premier printemps. Votre père descendra alors et il vous amènera passer quelques jours et puis vous reviendrez en août avec lui. Cela est bien décidé. Il peut prendre son parti là-dessus : il se montrerait bien égoïste s'il en était autrement. Après nous avoir envoyés dans une telle solitude, il devait penser que nous aimerions à vous avoir quelques fois avec nous. Si M. Westcott venait à bonne heure, il viendrait vous rejoindre. Ce serait un grand plaisir pour nous tous. Rappelez-les à notre souvenir. Je sais qu'ils prennent une grande part à ce qui nous concerne, s'ils ont une âme capable de nous entendre.

Je suis bien contente des merveilles de votre petite sœur envers qui vous avez opéré en la transformant en une fille aimable et presque élégante, d'après tout ce que vous m'en dites, et puis, de plus, ce que m'en dit son frère, M. Gustave. Certes cela n'est pas suspect, je pense, et, chez lui aussi, cela a fait du progrès ; j'espère qu'il continuera à vous visiter, à suivre vos bons conseils et ceux de son frère. Il faut qu'il remplisse les devoirs de la société, sans cela il serait bizarre, égoïste et peu aimable. Cela serait plus à déplorer chez lui, car il a des talents et il sera instruit ; il a de la morale et de l'honneur et il pourrait rester sans influence dans la société et, par là, nuire aussi à sa profession et à son avancement. Ainsi, j'espère en vous pour me remplacer auprès de lui. Je l'ai trouvé bien mieux disposé, à son dernier voyage, à suivre mes conseils. Il est timide et c'est un défaut que l'usage de la société peut corriger, quand on y va souvent. Adieu, chère Marie.

Votre mère affectionnée,

J. B. Papineau

Azélie Papineau
Aux soins de L.-J.-Amédée Papineau, éc[r], protonotaire
Montréal

Petite-Nation, 15 mars 1851

Ma chère Azélie,

Nos lettres se croisent inévitablement à une telle distance. C'est ce qui rend les petites affaires, comme les grandes, difficiles et lentes à se conclure. Ainsi, tu verras, par ma dernière, reçue après le départ de la tienne, que tu as la permission d'acheter pour ta chaise, si tu es capable de la faire ici, seule, et puis la commission de faire faire les matelas, etc., que je ne répéterai pas aujourd'hui. Mais j'ajouterai que tu as la permission de rester plus longtemps ; ainsi, tu auras le temps de me procurer la musique d'église que je t'ai demandée et plus, si tu veux ou tu peux. Demande donc à ton oncle Cherrier quel serait le compte de réparer le vieux piano. Il faut tout un jeu, cordes, et puis, quant aux cuirs, je n'en sais rien.

Ton père prie Amédée de répondre à sa dernière avant qu'il [ne] lui écrive. Ainsi, à l'égard de ton voyage, tu as une semaine de plus. Si nous envoyons d'ici, ce sera de samedi en huit ; tes chevaux se reposeront dimanche et puis il faudra que tu partes grand matin afin d'arriver ici lundi soir, s'il fait beau ou, au pis aller, tu pourrais coucher chez St-Denis, où tu t'es trouvée bien. Si tu es seule, tu peux amener Harriet [Quimby], si tu le veux.

Dis à Amédée que j'ai ici de la fleur de blé d'Inde grosse et que je lui fais préparer celle de sarrasin, que je lui enverrai ensemble. Dis à ta sœur qu'Ézilda n'ira en ville qu'à la navigation, si elle n'est pas bien.

L'huile à lampe, il n'y en a pas besoin à présent. Les mèches ne sont pas bonnes ; ainsi, l'on [n']a pas usé celles que nous avons. Achète ta boîte de chandelles.

Dis à Gustave qu'il m'écrive. Je vous embrasse tous, mes chers enfants. N'oublie pas Mme d'Abrantès sur la Restauration.

Ta mère et amie,

J. B. Papineau

Mme Amédée Papineau
Montréal

Petite-Nation, 20 mars 1851

Ma chère Marie,

Je vous écris celle-ci par la personne qui va ramener votre sœur, Azélie. Elle s'est si bien amusée chez vous qu'elle a prolongé son voyage bien plus longtemps qu'elle ne le devait. Elle est restée deux mois ; je n'en suis pas fâchée, car elle en a bien profité sous tous les rapports à son avantage : elle gagnera toujours en votre bonne société. Je crois bien que cela va vous laisser un peu d'ennui mais le temps sera court d'ici à la navigation, temps où nous vous verrons ici. Votre père ira vous chercher. Car je vous assure qu'à présent, j'aime mieux être privée de ce plaisir que de vous engager à monter. Vous n'êtes pas capable de faire ce voyage ; je suis assez inquiète de cette chère Azélie. Cette année, les chemins sont mauvais comme ils n'ont jamais été : il y a des pentes et des cahots. L'homme laissera ici demain matin et il descendra doucement et n'arrivera en ville que samedi, et puis il ne repartira que lundi matin, mais de grand matin, 5 heures le plus tard, car, si Azélie désire arriver le même jour, il faut qu'il en soit ainsi. Et puis, si les chemins ne [le] lui permettent pas, elle pourra se rendre chez M. St-Julien, s'il est possible. Ce sera mieux pour elle d'être chez sa cousine : j'ai fait toutes nos recommandations à Landrevile, et je les lui fais à elle afin que je n'aie pas toute l'inquiétude que j'ai eue à sa descente en ville.

Chère Marie, je vous remercie de toutes les bontés que vous avez eues pour Azélie ainsi qu'Amédée.

Gustave nous demandait de lui envoyer du chevreuil, mais il a été si commun, ici, que nous avons pensé qu'il devait aussi être abondant en ville, mais puisqu'il le désire je vous en envoie un petit morceau, si vous avez la bonté de l'inviter à aller en manger avec vous ; ainsi qu'un certain quartier de castor que votre père envoie à Amédée et dont Gustave aussi ira prendre sa part. Si vous ne l'aimez pas, Amédée pourra en envoyer à ses amis. Ézilda aussi envoie ses présents qui sont plus du goût des dames : du sucre de crème, des pralines aux amandes et à la crème et des beignes. Elle sait que vous les aimez. Elle pense qu'ils sont aussi bons que ceux que vous avez déjà reçus d'elle.

M. Papineau veut répondre à Amédée et il est occupé ; si sa lettre n'est pas terminée ce soir, il la finira pour la poste de demain, qui arrivera samedi matin, aussi tôt que Landreville.

Azélie n'a jamais répondu à la fille au sujet de sa lettre à son frère. Elle désire en avoir des nouvelles. Votre père n'a pas voulu que la fille descende ; il y a des effets à apporter, et puis les chemins difficiles, cela aurait été une charge de plus. Il faut qu'Azélie laisse en ville ses robes de mousseline rose et blanche : elle n'en n'a pas besoin ici. Et puis qu'elle mette sa grosse tête pour le voyage, et son chapeau dans la boîte de fer-blanc que l'on vous envoie.

Excusez-moi si je vous trouble de tout cela mais comme je n'écris pas à Azélie, je lui dis tout cela par vous.

J'espère qu'Amédée supportera avec patience ses nouvelles au sujet de son revenu ; je ne comprends pas qu'il ait pu se flatter d'avoir justice. C'est bien qu'il fasse ce qu'il doit pour constater ses droits et les torts que l'on a eus à [son] égard : cela pourra lui servir sous un autre ministère, mais, avec celui-ci, cela était dirigé exprès contre lui. Ainsi, je pense qu'il doit n'être pas surpris de leur conduite, et que cela ne sera pas pour lui un nouveau sujet de désappointement. Son père pense ainsi que moi.

Quand vous écrirez à vos bons parents, dites-leur que je pense souvent à eux et que je désire les voir ici au plus tôt ; j'espère qu'ils étaient bien lors de vos dernières nouvelles.

Soyez prudents au printemps pour éviter les rhumes et autres indispositions ; si vous êtes bien, vous pourrez vous occuper et cela vous distraira. C'est ce que j'espère, chère Marie.

Nous vous embrassons tous de tout cœur. Excusez cette lettre ainsi griffonnée et sans ordre.

Votre mère affectionnée,

J. B. Papineau

M. Louis-Joseph-Amédée Papineau
Protonotaire
Montréal

Petite-Nation, 10 avril 1851

Mon cher Amédée,

Nous avons reçu la lettre de Mlle Porter et, à notre honte et à la tienne, je vous ai pressés, ton père et toi, l'hiver dernier, d'écrire. Au moins, j'espère que tu ne manqueras pas de répondre à celle-ci de suite. Tu vois, par la date de la sienne, qu'elle est déjà en retard. Ainsi, elle la croit reçue avant ce temps : double raison de ne pas différer les réponses. Je ne sais quand je pourrai faire répondre ton père ; ainsi, je fais écrire Azélie aujourd'hui en mon nom et au sien à leur aimable invitation. Fais-en de même et invite-les tous à nous venir voir.

Ton père a l'imprudence d'être dehors depuis cinq heures du matin et ainsi tout le jour, au froid, à la pluie avec ses douleurs, il achève de détruire sa belle santé d'autrefois. S'il va à Montréal, il faudra que tu fasses venir ton docteur presque à son insu, car il dit qu'il ne fallait pas parler de sa maladie ; qu'il ne faut qu'un bandage ; qu'il verra le Dr Bruneau et qu'il en achètera un chez Picault. Il craint que Macdonnell ne lui fasse un compte trop élevé. Je ne vois pas d'autres motifs à cela, et moi, je suis bien d'avis contraire, qu'il a besoin d'être vu et se consulter. Car sa maladie date d'un an. Ici, le printemps dernier, il a fait des efforts ; il a eu tour à tour chaud et froid, étant à la pluie. Il dit qu'ensuite, à Toronto, il ne s'est pas trouvé bien du tout. Je crois qu'il y avait fausse pleurésie jointe à des efforts. Tu vois par là qu'il faut que tu remontes à ce temps et que tu l'exprimes au médecin, car il n'en fera rien. C'est ce qui fait que je crois sa maladie compliquée. Tout cela négligé, qui aurait dû, au contraire, être soigné de suite, a bien ébranlé sa constitution si forte et si belle, qui était la seule compensation à toutes nos peines, qui vont toujours s'aggravant sur tous les membres de la famille. Il a bien maigri, son visage l'est moins, mais sois certain qu'il a bien maigri ; il n'a pas de sommeil et toujours des coliques plus ou moins fortes, et je crains qu'il n'ait pas la prudence de se ménager. Sa passion pour cet endroit et son inclination pour la culture et son parfait dégoût pour tout le reste vont lui faire abréger sa vie de plusieurs années ou, au moins, la lui rendre pénible parce qu'un homme qui a toujours joui d'une si belle santé ne pourra se faire à la souffrance pénible et insupportable aux hommes en général. Déjà, cela a de l'influence sur son humeur : il est prompt et plus impatient que jamais, il va devenir presque aussi aimable que ses fils : belle perspective pour le séjour de la Petite-Nation ! Tandis qu'il est si actif pour les plantations, le reste est dans le plus grand désordre : chevaux, voitures, écuries, c'est à n'y pas mettre le pied !

Tu as eu tort de te fier à Alexandre, car il est toujours le même : indécis et ne voulant jamais un mois de suite la même chose ; rendu ici, il ne veut pas s'engager et il voulait plus de cinq piastres et son lavage, et puis, ici, l'on ne peut trouver aucun homme qu'à grand prix et propre à rien. Tu vois donc la nécessité de nous engager un bon homme ; il faut bien que ton père consente à donner un prix raisonnable et il ne comprend pas qu'il y gagne. Envoies-en un au premier bateau.

Gustave me demande comment il s'habillera au printemps. Est-ce que je puis le diriger ici, moi ? C'est à toi à le faire et lui aider. Faites pour le mieux.

Dis à ma chère Marie que je l'embrasse de tout cœur et que je prends part à vos tourments qui ne peuvent pourtant qu'être passagers. Il faudra que la justice prévale à la fin, mais elle est jeune et je n'aime pas qu'elle ait des revers. C'est le temps de la vie où l'on peut jouir ; plus tard, les peines se succèdent tellement que l'on ne trouve plus rien qu'amertume dans cette vie, et je crois bien que l'on peut bien me ranger du nombre ; mais je voudrais bien que mes enfants en furent exempts. C'est ce qui m'ôte le courage de les supporter, car je me rappelle qu'à votre âge j'étais heureuse.

Ta mère affectionnée,

J. B. Papineau

L'honorable Louis-Joseph Papineau
Toronto

Petite-Nation, 30 juin 1851

Cher ami,

J'ajoute quelques lignes dans cette lettre[30] pour te dire que j'ai reçu ta lettre et l'argent. Tu crois que j'en aurai assez, tant mieux, cela me montre que tu ne seras pas longtemps, car tu sais ce que tu en dépenses quand tu es ici. Tu en avais promis à Landreville ; il m'a demandé 10 piastres ; Titti, 2. « Je n'en donnerai qu'après t'avoir écrit », leur ai-je répondu.

J'envoie Aimond, ce matin, pour le bois, Cook ayant répondu qu'il ne pouvait pas en préparer. Et pour celui que tu avais dit de faire charroyer de chez le vieux Cook, M. Hillman n'a pas voulu l'amener ici. Il dit que tout ce qu'il pourrait faire, ce serait de l'amener au moulin. Ainsi, tu vois que ce monsieur est toujours très indépendant de toi. Il faut le faire amener par d'autres. Landreville en a amené et, à présent, c'est Mondoux qui l'amène. Aimond dit que ce sont de bien vilaines planches.

Ici, toujours même position : ennui et douleur de voir notre pauvre malade enfermé, ne mangeant que des crackers.

Adieu, je ne sais quand j'aurai nouvelle de ton arrivée à Toronto.

Ton épouse et amie,

J. B. Papineau

Louis-Joseph-Amédée Papineau
Protonotaire
Montréal

Petite-Nation, 3 juillet 1851

Mon cher Amédée,

Tu dois savoir ce que ton père m'écrit au sujet du bois qu'il faut avoir pour ses colonnes. Quand M. Westcott lui a parlé de ses ouvriers, il devait savoir s'il avait du bois convenable ou non, eh bien voilà la conséquence : il m'écrit d'envoyer chercher de suite ce bois. J'ai fait partir Aimond de suite avec deux autres hommes. Ils y ont mis deux jours et sont revenus sans en apporter. Ils sont allés à quatre moulins différents à Victoria Mills, chez Donald, chez Bowman et

30. Écrit à la fin d'une lettre de Denis-Benjamin Papineau à son frère Louis-Joseph.

enfin, chez Bigton. Ils lui ont tous dit qu'ils ne pouvaient lui scier du bois de 14 pouces de large et de 1 $^1/_4$ pouce d'épaisseur. Celui de 1 $^1/_2$ pouce d'épais, 6 pouces de largeur et 12 pieds de long, on lui faisait 19 piastres le 1000 pieds et il fallait 260 morceaux de 6 pouces de large. Ainsi, si tu peux t'en procurer en ville, et du sec, consulte avec M. Westcott et tes ouvriers.

À présent, Aimond dit qu'il peut fournir ici des battants de 2 pouces d'épaisseur et de 6 pouces de large, mais les planches ont 11 pouces de large et cinq quarts d'épaisseur, pas exemptes de nœuds. Quant à la quantité, il en aura presque assez. Ainsi, vois à ce que tu pourras faire. Il faut que vos affaires continuent comme elles ont commencé.

Le bateau part à l'instant, il faut que je termine. Adieu.

Ta mère affectionnée,

J. B. Papineau

Petite-Nation, 11 juillet 1851

Ma chère Ézilda,

J'ai reçu hier les lettres d'Amédée et aujourd'hui celle de ton père qui est assez triste. Dis à Amédée que j'ai envoyé Aimond de suite chercher le bois et nous le ferons sécher de suite. L'on pourra aussi se procurer les autres matériaux. Le balcon est arrivé hier mais il manque le castor et la lettre P.

Je te dirai que je ne suis pas bien depuis dimanche, car je me ressens de cette inflammation de la vessie ; j'ai pris de l'eau de Plantagenet[31] et, depuis hier, je prends de cette tisane que Dessaulles recommande tant, du cèdre mâle[32]. Je verrai d'ici à demain si cela me soulage. Je te l'écris, non pour t'inquiéter, j'espère, mais par prudence, au cas que cela augmente. Je voudrais que tu consultasses le médecin, savoir s'il peut m'indiquer quelques remèdes ou m'en envoyer. Ma chère mère avait l'habitude de prendre du nitre[33] ; je ne sais que faire. Aujourd'hui, cela me donne mal au rein et des douleurs dans le bas-ventre. Je vais continuer la tisane jusqu'à demain matin et, si je ne suis pas mieux, je t'enverrai cette lettre afin que tu consultes. Tu peux expliquer que j'ai déjà eu cette maladie deux fois, et assez violente, et que cela a duré longtemps : une fois à Verchères

31. Le Dr Picault vantait dans *La Minerve* les vertus de l'eau minérale de Plantagenet, source appartenant à E. Larocque, du district d'Ottawa.

32. Depuis Jacques Cartier, le cèdre était connu pour ses vertus médicinales.

33. Nitre : nitrate de potassium ou salpêtre.

et une fois à Montréal. Tu t'en souviens. Je la crains fort, car c'est bien souffrant et bien long.

Je termine ce matin. Je continue la tisane et puis je me suis bandée et je fais des fomentations[34] d'eau chaude sur les reins et sur le bas-ventre. Cela me soulage un peu. Ne sois pas inquiète, je t'écrirai demain si je rempire, sinon, conclus-en que j'aurai du mieux. Ainsi, je t'écris ce que je fais. Voir si le médecin l'approuvera !

J'espère qu'Amédée écrira aux Porter pour lui et pour nous.

Fais bien mes amitiés à Gustave, à Amédée et à Marie : dis-leur que je les remercie des soins qu'ils ont donnés à Gustave. Vous allez avoir du repos ; cela va achever de te guérir, j'espère. Ici, tu ne le pourrais pas. Tu ne reviendras qu'avec ton père. J'espère qu'il ne sera pas longtemps. Adieu.

Ta mère affectionnée,

J. B. Papineau

Petite-Nation, 18 juillet 1851

Ma chère Ézilda,

Je t'écris quelques lignes pour te tranquilliser. Le jour que le docteur m'a envoyé cette prise, j'avais pris le soir de la magnésie[35] et, le matin, une Sedlitz[36]. Cela m'a soulagée, car j'avais toujours de la fièvre et [j'étais] incapable de pouvoir manger quoi que [ce] soit. J'ai pris les cuillerées que le médecin a prescrites et, la nuit suivante, j'ai enfin pu transpirer. Ainsi, il était temps, car, ne pouvant rien prendre, les vents commençaient à s'emparer de moi. J'ai mangé du petit poulet et cela ne m'a pas fait mal. La nuit dernière, j'ai encore transpiré. Ainsi, j'espère que le mieux va continuer. Les douleurs aussi vont toujours en diminuant. Ainsi, j'espère que le mal va décroître en attendant que je reçoive les remèdes pour la détruire.

Dis à Gustave qu'il ne se risque pas trop vite et, quant à toi, chère fille, ne t'avise pas de venir avant ton père. Lactance est tourmenté de divers projets ; il a des prises avec son oncle. Il faut tout son sang-froid pour ne pas s'en fâcher. Il veut toujours l'envoyer chez lui.

34. Fomentation : compresse chaude.
35. La magnésie était utilisée comme purgatif.
36. Poudre de Sedlitz : remède contre le vomissement, utilisé par le Dr Robert Nelson, à New York, pour traiter Amédée Papineau aux prises avec une « violente attaque du choléra », en septembre 1842. Voir son *Journal*.

Je n'ai pas pu avoir d'asperges. Si Gustave peut en emporter. Pauvre enfant, il ne sera [pas] au milieu de délicatesses ici, pas de bonnes cuisinières, et moi, étant malade. Enfin, ceux qui viendront nous voir partageront notre sort. On nous a envoyés ici et, à présent que nous y sommes, l'on nous dit que nous ne pouvons pas avoir de domestiques et ni Ézilda ni moi sommes capables d'avoir autant de fatigue.

J'espère que tu vas me donner des nouvelles de ma chère mère. Je savais bien que je ne reverrais plus tous ces bons vieux parents. Donne-moi aussi des nouvelles des parents de la ville. Fais bien mes meilleures amitiés à M. et dame Westcott et dis à ma chère Marie que, si elle persiste à ne pas envoyer les franges, il n'y aura pas de rideau de posé. Adieu, ma chère.

Ta mère,

J. B. Papineau

Petite-Nation, [19 juillet 1851]

Cher ami,

J'ai reçu ta lettre dernière. J'avais vu par le *Herald,* que ton frère me lit le soir, le sort de la motion Boulton auquel je n'avais rien compris : je comprends ta situation, là, mais enfin, c'est la fin. Je te conseille bien, quoique tu sois, et moi aussi, bien décidé que tu ne rentres pas dans la vie publique ; je veux que tu ailles voir ce médecin habile, pour les surdités. Un homme qui a si bonne vue et en si bonne santé, c'est impardonnable de ne pas se consulter ! Il ne faudra peut-être que bien peu de choses, promets-le-moi.

Je ne t'ai pas écrit, car je suis malade et ne voulais pas me fatiguer ni te dire que je suis souffrante - et comme cette maladie est toujours longue - d'une inflammation de la vessie. Il y a déjà dix jours que j'en souffre ! J'ai pris de suite de l'eau de cèdre mâle en quantité, et puis je me suis bandée et ai fait des fomentations continuelles. Le médecin me répond qu'il approuve mon traitement et qu'il faut le continuer. Il m'a envoyé par la poste une poudre pour infuser et [n']en prendre une cuillerée que quatre heures en quatre, et il m'enverra d'autres remèdes par Gustave. C'est une fatalité pour cette maladie, je l'ai déjà eue deux fois pendant ton absence. Je suis moins inquiète depuis que j'ai les soins du médecin.

Il faut bien que tu restes jusqu'à la fin du mois mais, aussitôt que tu pourras revenir, je sais que tu le feras.

Ton épouse,

J. B. Papineau

Petite-Nation, 26 juillet 1851

Mon cher ami,

Depuis ma dernière, je n'ai pu t'écrire : j'ai été trop souffrante et faible. Le médecin est venu amener Gustave et me voir ; il dit que c'était difficile de me soigner sans cela ; qu'il ne comprenait pas les lettres. Il m'a apporté des remèdes que je prends régulièrement. Je suis mieux sans être tout à fait guérie : il y a des jours où je ressens encore des douleurs ; et je suis bien faible mais, au moins, j'ai moins d'inquiétude depuis que j'ai vu le médecin.

Cette semaine, je t'aurais écrit plus tôt, mais j'attendais une lettre de toi tous les jours et je ne l'ai reçue qu'hier soir, vendredi. Je me hâte de me mettre sur mon sofa pour t'écrire quelques lignes avant l'arrivée du bateau, car c'est demain dimanche et il n'y aura pas de poste.

Gustave est bien chétif et faible. Azélie, très occupée, elle n'a pas un instant de repos, étant seule. Anny, fille de chambre, est allée en ville voir sa mère, arrivée d'Irlande. [Elle] promet de revenir, mais je pense que sa mère la gagnera. Que faire ? Ici, l'on ne peut trouver personne.

Tu parles de balcon, de châssis, de la serre : je n'en ai rien vu quoique cela soit arrivé. Les menuisiers de la seigneurie ont trompé, ne sont pas venus. J'ai écrit à Amédée qu'il nous fallait absolument deux menuisiers. Il ne les a pas envoyés, n'a pas répondu depuis huit jours. Ainsi, il faut que tu en trouves en arrivant en ville et que tu les amènes. Aimond dit qu'il ne peut rien entreprendre d'important sans des aides capables. Ainsi, il n'y a rien de fait : ni plafond de galeries, ni dalles, qui, à mon avis, étaient ce qu'il y avait de plus pressé. Ensuite, la serre : eh bien ! il ne peut rien de cela sans avoir des ouvriers, et voilà les plus longs jours passés.

Lactance est plus tranquille cette semaine. Voyant qu'il ne peut rien gagner sur son oncle, il le laisse un peu en repos. Il a fait peindre son canot. Il est sorti, ce matin, pour la première fois avec.

Aimond a fait finir la cuisine et la petite tour avec la plus grande misère. Le Sigouin n'a resté que cinq jours et nous a laissés là. Aimond a été obligé de lui faire le fouetté et lui montrer à le poser. Et puis, la dernière couche de plâtre est encore à poser à la tour, à l'intérieur, et dans la cuisine. Je ne sais quand cela se finira.

Ton wistaria[37] est enfin bien pris ainsi que les roses du Michigan. Je fais soigner tes melons par les Ouellet et Léocadie à qui elles [les] ont montrés. Ils étaient souffrants, quelque temps après ton départ, mangés des mouches, couverts de fausses fleurs. Ton frère n'y voyait pas. Heureusement que je m'en suis aperçue, un jour, par hasard, avant ma maladie. Ils ont du fruit ; il n'y a qu'un pied de melon d'eau mais il est beau. Je n'ai été que cette fois à ton jardin. Depuis, je suis malade ; je ne le verrai pas avant toi.

Nous t'attendons à grand hâte, car ton frère a grande envie de s'en aller et pourtant, en arrivant à Montréal, je veux que tu prennes le temps de voir le Dr Macdonnell, qui se consultera avec ce docteur qui soigne les yeux et les oreilles. Il m'a dit qu'il était bien habile et que c'était son ami. Je lui ai fait promettre de ne pas te laisser venir ici sans cela. C'est honteux, impardonnable à toi, de ne pas essayer à temps de te guérir, à ton âge et avec une belle santé, t'exposer à devenir tout à fait sourd. Adieu, cher ami, je suis très fatiguée, je ne puis écrire plus longtemps.

Ton épouse et amie,

J. B. Papineau

Petite-Nation, 14 août 1851

Ma chère Marie,

Je vous remercie de votre bonne lettre et des sentiments affectionnés que vous me témoignez puisque je suis privée de votre société qui m'était si utile et agréable. Je n'ai que vos lettres pour diminuer la douleur de l'absence.

Je suis fâchée que votre santé ne soit pas aussi bien rétablie ; que la plus grande partie de l'année vous expose à des indispositions plus ou moins graves : cela me donne de l'inquiétude, car il faut de la santé avant tout pour avoir un peu de bonheur, et puis surtout pour supporter les peines de la vie, qui sont quelquefois si amères, que nous avons peine à les surmonter. La famille a eu sa grande part cet été. Dites à M. Westcott et à madame que je sympathise bien à leur juste douleur. C'est fâcheux qu'ils n'étaient auprès de leurs parents dans ce moment suprême. Mais pour vous, chère enfant, j'aime qu'ils soient près de vous, vous auriez été inquiète de votre père et lui, de vous. Faites votre possible pour

37. Wistaria : nom donné, par Caspar Wistar, à une plante grimpante à fleurs.

les garder longtemps avec vous, et puis, de plus, j'attends de vous que vous ferez tout en votre pouvoir pour nous les amener passer quelque temps avec nous. Je vous assure, ma chère, qu'il est hors de question que je puisse descendre. Je suis encore très faible et le genre de ma maladie ne me permettrait pas de supporter le stage.

Je ne veux pas être indiscrète, je ne connais pas les raisons qui ont pu déterminer vos bons parents à ne pas venir ici, à ce voyage ; mais vous, Marie, qui devez les connaître, je vous laisse à décider : si vous les jugez insurmontables, vous savez que nous aurions le plus grand désir de vous voir et je crois que cela ferait du bien à tous : du repos, le bon air de la campagne pour vous, et à nous, la société de bons amis dont nous sommes si privés.

Ézilda s'ennuie depuis son retour ; elle dit qu'elle a passé quelques jours de bonheur en votre société et celle de vos parents qu'elle aime beaucoup. Gustave, loin de nous égayer, nous attriste beaucoup : son état est pénible ; il ne se fortifie pas du tout, il ne peut prendre de l'exercice ; il a peine à marcher dans la maison ; il ne fait qu'un petit tour en voiture chaque jour et cela le fatigue. Souvent, le peu de nourriture qu'il prend lui donne des douleurs violentes dans l'estomac et des indigestions. Il prend ses bains régulièrement et, à présent, sa quinine[38] : je ne sais pas si cela lui fera du bien. Je crains qu'il n'ait jamais de santé à l'avenir. Il a eu de trop grandes maladies accidentelles et qui ont nécessité des remèdes si violents que cela a détruit son tempérament qui annonçait plus de forces que celui de ses frères. Il s'ennuie de son état, c'est tout naturel, et il s'inquiète.

Toute la famille se joint à moi pour faire leurs amitiés à vos parents et à vous et à Amédée. Et nous espérons qu'ils ne mettront pas obstacle à votre voyage. Tout à vous, chère Marie, en attendant le plaisir de vous voir ici.

Votre mère affectionnée,

J. B. Papineau

Petite-Nation, 25 octobre 1851

Ma chère Marie,

Ma bonne et aimable fille, je vous remercie de votre lettre qui m'a donné de longs récits de la grave maladie de notre chère Ézilda : depuis cela, je me suis dit combien elle a été heureuse d'être auprès de vous et sous vos bons soins. Je regrette seulement que vous ayez eu la fatigue que cela vous a inévitablement

38. Quinine : médicament fébrifuge fabriqué avec l'écorce du quinquina.

occasionnée, car, il faut le dire, vous êtes si attentive auprès de vos parents que vous ne devriez jamais penser ni dire que votre sœur ait pu manquer de la moindre attention de votre part ; au contraire, si sa maladie se fût [aggravée], elle aurait été gênée auprès de vous, à raison de ce que vous auriez eu trop de sollicitude. C'est heureux pour nous tous qu'elle soit mieux et qu'elle ait eu le plaisir d'être auprès de vous. Je vous remercie de toute mon âme de vos bontés pour elle et pour nous. Je regrette le trouble et la fatigue que vous avez eus à la maison, pour faire empaqueter nos effets et meubles ; j'étais éloignée de croire que ce fût vous, ma chère, qui auriez ce trouble. J'espère que votre santé n'en souffrira pas. Quant à les recevoir en bon ordre, j'en suis assurée puisqu'ils ont été préparés sous votre habile direction et [celle] de Mlle Ézilda.

J'espère que monsieur votre père restera avec vous encore quelques jours, après le départ de votre sœur qui nous laissera toujours un vide. Il est vrai qu'elle n'est pas bien intéressante sous le rapport de l'instruction, sa conversation ne peut que s'en ressentir et puis, de plus, sa timidité et sa modestie lui nuisent beaucoup, car elle a un jugement sain et elle vous aime de tout cœur et il n'y aurait personne avec qui elle serait plus heureuse, si elle ne se gênait pas. Ici, elle se serait bien ennuyée, surtout aussi souffrante qu'elle était.

Azélie vous écrit aussi, elle a le défaut de famille de n'aimer pas à le faire. Elle a été bien raisonnable, elle m'a aidée et ne paraît pas s'ennuyer. Elle se joint à moi pour dire à M. Westcott combien nous pensons souvent à lui et regrettons beaucoup de ne pas le voir ici. C'est une année de mécomptes pour nos visites réciproques ; espérons mieux pour le printemps. Dans tous nos maux présents, nous n'avons de consolations que l'espoir d'un mieux à l'avenir. Quand vous écrivez à Mme Westcott, votre bon esprit me sert d'interprète, j'en suis assurée. Remerciez aussi ce cher Amédée de tout le trouble qu'il s'est donné au milieu de ses propres affaires et je vous embrasse tous. Adieu, ma chère, c'est un grand sacrifice pour nous deux de nous être séparées pour tout l'hiver.

Votre tendre mère,

J. B. Papineau

Petite-Nation, 11 novembre [1851]

Chère Marie,

J'ai reçu votre billet hier au moment que le bateau descendait, ce qui fait que je n'ai pas répondu de suite et que je n'ai pas envoyé une dépêche télégraphique, par la raison que je savais que votre mari était rendu à Montréal alors. Mais vous ne sauriez croire quelle peine nous avons tous ressentie au sujet de votre alarme ! Ah, chère enfant, je vous plains d'être aussi sensible et nerveuse ! car je le suis aussi, moi, à présent, mais ne l'étais pas autant, jeune personne. Puisque vous êtes ainsi pendant son absence, il ne faut plus vous laisser seule, et, quand Amédée aura affaire à venir ici, il faudra que votre père vienne auprès de vous ou j'enverrai une de vos sœurs.

Est-ce qu'Amédée a fait ce voyage contre votre gré ? Alors, il a tort, et puis, ne sachant pas s'il vous avait dit combien de temps il serait absent, nous paraissons tous coupables, à vos yeux, de négligence ; mais soyez certaine, chère enfant, que ce n'est pas le cas, car à l'avenir tout cela sera réparé. Je vous le répète, je suis très attristée que vous ayez eu autant d'anxiété, car je sais que vous ne pouviez pas vous maîtriser, toute raisonnable que vous êtes en d'autres circonstances. Je blâme Amédée de n'avoir pas eu plus de prévoyance de vous dire que les affaires pouvaient le retenir plus longtemps et de vous l'écrire. Nous nous faisons tous des reproches de ne pas vous avoir écrit nous-mêmes mais puissent ces malheureux jours ne pas avoir causé d'accidents, et, à l'avenir, ce sera une forte leçon pour nous tous d'être plus attentifs à ne plus vous exposer à de pareilles épreuves, vous qui êtes si bonne et si attentive pour tous !

Si vous pouviez vous habituer, chère enfant, à comprendre que les hommes sont bien peu propres, par leur nature, d'avoir ce tact et cette délicatesse d'éviter tout ce qui peut blesser ou froisser l'amour et la tendresse d'une femme, vous en seriez moins surprise et désolée. Mais votre excellent père vous a élevée avec tant de douceur, de tendresse, de prévenance, que vous pensiez qu'il y avait bien des hommes de cette nature, bonne et aimable. Eh bien, non ! Ils sont rares. Le vôtre est encore un des mieux parce qu'il n'a pas de vices, ni de grands défauts, et il vous aime plus et autant qu'aucun mari n'aime sa femme, mais il a ses défauts. Vous voyez, chère enfant, il n'a pas fait un voyage de plaisir, je vous assure, et je crois que c'est heureux qu'il ait été ici sous le rapport des affaires. Il vous le dira mais il aurait fallu prendre des précautions afin d'éviter votre grande inquiétude dont lui, ni nous, [n']avions eu la plus légère appréhension. Sans cela, nous l'aurions engagé à s'en retourner de suite. Il fallait l'écrire dans vos lettres ! Vous voyez, chère enfant, par le désordre de ma lettre, ce que sont mes pensées à votre sujet. Adieu.

Votre mère et amie,

J. B. Papineau

J'attends en hâte de vos nouvelles par Amédée et vous aussi.

Petite-Nation, [16 décembre 1851]

Chère Marie,

Je vous remercie de votre bonne lettre et je pense bien comme vous au sujet de votre voyage et votre retour. C'est une grande jouissance pour vous de passer quelques jours au milieu de votre beau pays et de votre bonne société, mais le retour est plus pénible et le contraste plus frappant de notre misérable société. Vous êtes isolée de fait en ville, parce que vous ne pouvez vous faire d'amies intimes ; et la famille si éloignée de vous ! C'est bien triste pour nous tous d'être si loin de vous !

Je ne vous ai pas écrit plus tôt, car je suis occupée et si fatiguée d'être toujours auprès de notre pauvre malade, Gustave. Il couche dans ma chambre et je l'entends et le soigne depuis quatre mois. Il n'y a que le soir que je pourrais avoir du loisir, et je suis très fatiguée et encore plus affligée. Ainsi, mes lettres ne seraient ni agréables ni variées. Mais les vôtres, chère Marie, nous sont bien nécessaires pour nous distraire de nos malheurs d'avoir deux fils aussi malades, car je vous assure que je n'espère guère la guérison de ce pauvre Gustave[39] : il est si faible, si amaigri, sans appétit, sans courage ; enfin, il est très malade, et le médecin ne peut pas dire s'il en reviendra.

Ainsi, avec de pareilles douleurs de famille, vous devez croire que le père et toute la famille ici sont contents de l'issue de l'élection, mais il n'en doit pas en être de même du parti démocrate, qui perd beaucoup de chances et d'importance et donnera plus de hardiesse et de succès aux ministériels, car, ils le sentent bien, ils ont tous réuni leurs communs, et le clergé surtout dit que, sans lui, ils auront bon marché des rouges. Et en effet, que peut ce parti en Chambre vis-à-vis du Haut-Canada ? Et M. Papineau faisait plus auprès des Haut-Canadiens ! Ainsi, donc, c'est le pays qui y perd, mais la famille, dans les malheureuses circonstances, ne peut que s'en gober [réjouir], excepté le pauvre malade. Cela lui fait bien de la peine, il pense à tous ses amis. Nous vous embrassons tous, chers enfants, et vous prions de nous écrire souvent.

Votre mère et amie,

J. B. Papineau

39. Gustave Papineau, journaliste, est décédé des rhumatismes inflammatoires, le 17 décembre 1851. Il venait d'avoir 22 ans.

LES DEUILS

Petite-Nation, 16 avril [1852]

Ma chère Marie,

J'ai bien retardé à vous écrire ; j'ai fait écrire votre père, car j'étais malade et, depuis ce temps, j'ai été souvent à l'église pendant la semaine sainte ; temps et lieu qui ont renouvelé chaque jour ma profonde douleur en m'agenouillant sur la tombe de mon cher fils Gustave. Votre âme sensible comprend ce que j'ai souffert, mais, chère Marie, je ne veux pas vous entretenir de mes douleurs habituelles, au contraire, je désire m'en distraire en remplissant mes devoirs envers mes autres enfants et surtout près de vous, je puiserai des forces pour vous aider à vous encourager, et j'espère que je pourrai vous être utile. Je n'ai pas lieu d'avoir aucune inquiétude sur votre état[1] ; il est naturel, vous êtes bien et forte ; je vous loue de votre courage en attendant que je puisse être auprès de vous. Je suis bien plus à l'aise depuis que vos bons parents sont venus ou plutôt accourus près de vous, c'était bien utile et consolant pour nous tous de ne pas vous voir seule. Soyez certaine, chère Marie, que je me serais rendue plus tôt s'il m'avait été possible de faire le voyage par terre, mais je savais que je n'étais pas en état de le faire ; je n'ai pas été en santé de l'hiver et je tousse encore beaucoup.

Dites à Mme Westcott que je la remercie beaucoup de ce qu'elle a eu la bonté de venir si tôt près de vous et qu'il faut qu'elle ait toute confiance que tout ira pour le mieux. Je ne crois pas que nous ayons la rivière libre avant mai, mais je pense que vous ne serez pas malade avant la fin du mois. Soyez persuadée que je me rendrai le plus tôt possible, si vous sentez quelque chose d'extraordinaire. N'ayez aucune crainte mais de la prudence, en vous consultant avec le médecin. Il ne faut pas non plus croire que, dans ce moment, vous serez gênée avec le médecin, pas du tout. Et il ne sera pas toujours auprès de vous, on le demande

1. Marie Westcott est alors enceinte de sept mois.

quand il le faut et alors vous ne trouverez pas sa présence gênante. Encore une fois, je vous prie, chère Marie, de ne pas vous tourmenter, et seule la précaution à prendre, est d'éviter le rhume en prenant des précautions et, dans votre maison, de ne pas vous fatiguer, ni lever les bras en l'air, ni [lever] rien de pesant afin d'éviter d'avancer le terme. Si cela avance naturellement, ce n'est pas un mal.

Nous sommes ici dans un grand embarras, avec des ouvriers plâtreurs pour raccommoder les enduits et blanchir toute la maison qui est bien enfumée. Cela nous donne un embarras bien grand et ce sera long, au moins quinze jours d'embarras et de fatigue, et ensuite autant pour arranger et mettre les effets en ordre.

Nous sommes souvent en esprit avec vous, et Ézilda et Azélie parlent ensemble du plaisir qu'elles auront avec ce baby. Azélie avance bien son ouvrage de broderie. Elle est bien raisonnable pour une jeune fille de son âge ; elle s'occupe et se plaît ici : il n'y a qu'Ézilda et moi qui sommes toujours tristes et ennuyées. Nous avons aussi tout l'embarras et la fatigue d'un pareil établissement, que l'on ne peut tenir en bon ordre, surtout au dehors ; c'est inquiétant.

Mon pauvre frère nous a été d'une bonne compagnie ; il se trouve bien consolé avec nous. Il vous fait ses saluts et puis tous ensemble nous vous embrassons ainsi que Mme Westcott et le cher Amédée, qui a bien des occupations aussi.

Votre mère affectionnée,

J. B. Papineau

Petite-Nation, 27 [avril 1852]

Cher Amédée,

Je viens de lire ta lettre adressée à ton père : je suis peinée que tu te tourmentes ainsi et que tu tourmentes ta chère Marie ; ne sois donc pas aussi inquiet. C'est vrai qu'elle serait mieux peut-être s'il faisait beau, et qu'elle pût prendre l'air et un peu d'exercice. Elle reposerait mieux, mais il n'y a aucun sujet d'inquiétude pour l'enfant : s'il s'agite fort, c'est qu'il est bien. La contrariété fera plus de mal à ta femme, car elle est sensible, et plus dans son état qu'en tout autre. Ainsi, représente-lui les choses bien doucement, mais, sur le dernier mois, l'exercice est moins utile qu'auparavant. Pourvu qu'elle n'ait pas de saisissements, ni ne fasse aucune chute qui puisse déranger la position de l'enfant. Dis-lui que je la prie d'être raisonnable ; de ne pas s'inquiéter si elle ressent plus de mal et des incommodités qu'elle n'a pas encore ressenties ; que cela est ordinaire dans le dernier mois, et qu'elle est bien heureuse d'être ainsi : il y a un grand nombre de femmes très souffrantes tout le temps de leur grossesse, mais cela ne fait rien par rapport à l'accouchement. Tu peux bien croire que je suis aussi empressée à me rendre auprès de la chère enfant, que tu ne l'es et elle aussi, car je sais que vous vous tourmentez plus qu'il ne le faut. C'est tout naturel quand on n'a pas d'expérience. Ne vous tourmentez pas non plus pour une nourrice ; quand j'y serai, est-ce que je ne puis pas avoir soin de l'enfant ? Il me faut peu de sommeil. Ah ! chers enfants, il y a bien des gens plus à plaindre et qui ont du courage, et pour la toilette de l'enfant aussi, il y en a bien assez pour le commencement. Mais encore une [fois], je te recommande de ne pas trop insister auprès de ces dames pour les arrêter, si tu le peux, [ne] pas leur faire de la peine, c'est bien. Et, quant au médecin, qu'elle ne se tourmente pas à son égard. Je lui ai déjà écrit qu'il ne la gênerait pas autant qu'elle le pense. Quand je serai près d'elle avec deux bonnes femmes, on [n']appelle le médecin que quand on en a besoin et, alors, elle sera bien aise de le voir.

La glace n'est pas partie devant l'Orignal. Le bateau à vapeur ne descendra que lundi prochain. Ainsi, je ne pourrai pas descendre avant la fin de la semaine prochaine.

Écris-moi plus souvent et surtout soyez gais, résignés et patients au lieu de vous effrayer quand il y a le moindre extra et que vous n'avez pas d'expérience. Allez voir le médecin pour vous rassurer. C'est mieux que de vous chagriner ! Quand la chère Marie passerait plusieurs nuits souffrante, je n'en serais pas surprise ni alarmée. Ainsi, soyez tranquillisés en attendant que je sois auprès de vous.

Nous vous embrassons tous de tout cœur et parlons souvent de vous. Tes sœurs se font une grande joie en attendant le nouveau-né et elles me laissent partir avec courage. Pour toute autre affaire, elles s'opposeraient à mon départ. Adieu, sois composé[2] et ne contrarie pas ta chère Marie.

Ta mère affectionnée,

J. B. Papineau

2. Composé : de l'anglais *composed*, calme, sérieux.

[Amédée]

Petite-Nation, 25 juin [1852]

Mon cher fils,

Je suis débarquée ici à 5 heures sans trop de fatigue, mais toujours très inquiète sur l'état de la santé de ton père. J'appréhendais même le moment d'arriver. J'ai trouvé la voiture au quai avec la chère Ézilda (qui y était venue pour la troisième fois), désespérée, me croyant malade. Ainsi, tu vois que j'ai bien fait d'arriver.

J'ai trouvé ton père un peu mieux, mais encore bien faible, gardant le lit ; et avec un traitement de remèdes de tous les jours et un régime sévère, ne prenant que du gruau. Je t'assure que je suis très inquiète sur son état. Ce que je prévoyais venir depuis longtemps : l'altération de sa santé par des fatigues et des efforts réitérés et négligés, ont amené une longue maladie, si elle n'est pas tout à fait incurable. Il a l'air de le croire et de le craindre lui-même. Ainsi, ni toi ni moi ne devons lui donner la moindre idée de nos craintes.

Il a écrit hier au docteur[3] de venir ce soir ; j'ai hâte de le voir, et je lui dirai de t'écrire, et tu pourras consulter Macdonnell. S'il exige que le médecin doive lui écrire lui-même, il le fera d'après ce que je lui dirai.

Je t'écrirai demain. Celle-ci va partir ce matin par le bateau. Ézilda dit qu'ils ne prennent pas le temps de la maller à Grenville le même jour et qu'elle ne part que le lendemain. Ainsi, si tu ne la reçois pas demain, ce ne sera pas négligence de ma part.

Ta tante Angelle était ici depuis lundi, et Mme Thibodeau depuis hier, pour aider aux chères enfants.

Il reçoit à l'instant une lettre de M. Fabre et de O'Callaghan au sujet de cette élection. Ainsi, tu peux croire si cela lui a plu ; néanmoins, après les premières émotions passées, il s'est un peu apaisé et me dit de te charger de faire ses amitiés à M. Fabre et de le remercier de ses bonnes intentions à son égard, mais qu'il était fermement décidé à ne pas accepter la rentrée dans la vie publique. Et, à présent que l'état de sa santé était tel qu'il lui fallait des mois de soins et de tranquillité au sein de sa famille, il serait inutile de le presser, il y est bien décidé. Ainsi, fais tout auprès d'eux. Il est bien fâché qu'ils aient pris cette détermination, après tout ce qu'il a dit et fait. Il dit qu'ils devaient savoir qu'il était ferme et sans arrière-pensée.

L'heure me presse. Je t'écrirai de nouveau demain. Adieu.

Ta mère,

J. Bruneau Papineau

3. Le Dr Murray, qui résidait à l'Orignal.

[De la main d'Ézilda] : Nous attendons M. Westcott ce soir, avec Fleurine[4], et avons été bien aise de voir arriver maman, comme papa était malade. Et j'espère que j'irai bientôt embrasser ma chère sœur, toi et ma belle petite nièce[5].

Adieu. L'heure de la poste presse.

Ta sœur affectionnée,

É. Papineau

[Amédée Papineau]

Petite-Nation, samedi, [26 juin 1852]

Mon cher fils,

Le docteur est venu hier ; il a trouvé ton père un peu mieux. Il m'a dit que c'était un amas de bile, qui a failli lui occasionner une inflammation d'intestins bien grave et, de plus, sa rupture est bien déclarée : il lui faudra un bandage, mais qui sait quand il pourra aller en ville le faire faire ? Il dit qu'il n'y a plus de danger pour le moment, de cette maladie. Il le purge doucement et lui prescrit un régime. Il est bien changé et amaigri. Ainsi, n'en [parle] pas à Macdonnell pour le moment : il est bien soigné par Murray et, quand il pourra aller en ville, ce sera le temps de le voir.

Je suis en purgation et nous sommes occupés. Je n'ai que le temps de te dire le principal pour calmer tes craintes. Amitiés à tous. Nous attendons encore M. Westcott et D^lle^ Fleurine ce soir. Tout à toi.

Ta mère affectionnée,

J. B. Papineau

4. Fleurine Malhiot, fille de François-Xavier Malhiot fils et de Rosalie Bruneau. Nièce de Julie.
5. Ella Papineau, fille d'Amédée et de Marie, née le 12 mai 1852.

Petite-Nation, 27 juin 1852

Mon cher fils,

Je t'ai écrit vendredi matin mon arrivée et l'état dans lequel j'ai trouvé ton père, je ne sais si tu l'as reçu samedi, comme tu le devais, et je t'ai adressé quelques lignes encore le lendemain matin après avoir vu le docteur ; aujourd'hui, dimanche, je vais te dire que je suis moins alarmée depuis que j'ai vu et entendu le médecin me dire qu'il n'y avait pas de danger, que ce sera long, etc. Mais je n'en suis pas moins attristée de le voir changé et vieilli, comme il l'est. Je ne crois pas qu'il recouvre la santé au point où il ne puisse plus nous donner d'inquiétude pour le futur : il est triste et semble découragé. Il est plus sourd.

Tes chères sœurs ont bien du courage et de la raison ; elles ont eu beaucoup à faire et ont bien tenu la maison. Comme je t'ai dit hier, il n'y a pas de motifs de consulter Macdonnell, pour le présent. Murray connaît sa maladie et le soigne bien, il n'a plus de douleur, mais encore de la bile ; il lui donne des remèdes pour purger un peu chaque jour, des gouttes pour fortifier et un régime au gruau, et une petite soupe légère une fois par jour. Il faut que tu nous envoies du gruau. M. Bourassa part demain matin pour la ville, il va voir son frère à l'Acadie, qui part pour l'Europe. Ainsi, si tu n'as pas d'autres occasions, il montera à la fin de la semaine. Je vais le prier de prendre cela chez toi au greffe ; aussi du plant de céleri, il n'en a pas.

J'ai voulu faire finir ce passage de suite tout uniment. Mais il a fini tout le bras et les ornements ; ils sont à faire le tour des châssis qui sont taillés et il y aura encore les plinthes. Il a renvoyé tout le monde. Ils n'ont pas encore commencé un seul morceau de bois de chauffage pour l'hiver ; je ne sais pas à quoi il a employé son monde, je crains qu'il ne veuille pas en faire faire. J'ai parlé à Landreville hier. Il dit qu'il ne lui en a pas dit un mot ; je ne sais comment faire, je ne veux pas lui en parler à présent. Aussitôt que tu pourras monter, ta présence ici serait bien nécessaire.

Je ne sais ce qui a pu retarder M. Westcott et la D^lle^ Fleurine : on a été chaque soir les attendre au quai.

Ton père disait cela aujourd'hui : « Il faut qu'Amédée vienne passer ici quelque temps, c'est nécessaire. » Je lui ai répondu qu'il devait savoir qu'il ne le pouvait pas, que tu ne pouvais t'absenter que peu de jours, que je t'avais conseillé de le faire aussitôt que Marie serait bien et avant que ses parents la laissent. Et, à présent qu'il est malade, il désire que tu viennes, il te demande encore 50 piastres et il me dit de te répéter encore à toi, à ses neveux et à son ami, M. Fabre, de ne rien faire pour le faire élire, car il ne le veut pas décidément. Ainsi, c'est bien arrêté, comme je te l'avais dit, cela le fâche beaucoup. Il est un homme fini pour la vie publique ; plaise à Dieu qu'il ne le soit pas pour nous ; il m'a l'air bien frappé et triste ; cela me surprend et m'afflige beaucoup, car il n'est pas bien souffrant mais je crois qu'il voit qu'il a trop dépensé ici, et puis qu'il a peu de ressources à espérer. Je ne sais. Enfin, je le trouve tout différent de ce que je l'ai laissé. Est-ce la maladie qui le rend ainsi ? Le temps le dira.

Je suis surprise de n'avoir pas les lettres qui disent pourquoi M. Westcott n'est pas arrivé.

Je crois que le rouleau de tapisserie pour Ézilda n'a pas été mis dans la grande caisse. Demande à Hélène où elle l'a mis.

Nos amitiés à Marie et à la chère petite. Tu peux croire si l'on me questionne sur tout ce qui la concerne ! Présente nos saluts à Mme Westcott. Nous attendrons chaque jour nos voyageurs. Adieu, cher fils, aie soin de ta santé.

Ta mère affectionnée,

J. B. Papineau

M. Amédée Papineau
Montréal

Petite-Nation, 29 juin 1852

Cher Amédée,

Combien je te remercie et te loue d'avoir consulté Simard[6] et de nous l'avoir envoyé ; il a posé les bandages en arrivant et la confiance que ton père a en lui fait qu'il a l'air tout autre ce matin ; il était bien frappé et triste, il connaissait bien le danger de sa situation, comme je le faisais moi-même, mais je faisais tout en mon pouvoir pour l'en distraire ; néanmoins, je l'approuvais de garder le lit et le régime. À présent, il pourra prendre un peu de nourriture substantielle qui lui donnera des forces, ayant moins à craindre pour l'inflammation. J'ai été aussi étonnée qu'affligée d'apprendre, à l'arrivée de nos amis, que c'était l'indisposition de la chère Marie qui les avaient retenus ; elle était si bien lors de mon départ.

Embrasse-la bien pour moi, ainsi que la chère petite et Mme Westcott. J'avais bien de la peine à me contenir depuis mon arrivée en présence de ton père et de tes chères sœurs ; j'avais le cœur navré de douleur de voir ton père dans cet état et, quoique je sois rassurée pour le moment, je ne suis pas moins très attristée de voir un homme comme lui, devenu vieux et infirme avant l'âge, surtout ayant joui d'une santé parfaite qui lui assurait une longue et heureuse vieillesse, sans les inconvénients que d'autres éprouvent ordinairement ; sans les excès qu'il a faits ici, cela lui était assuré. Et cela l'attristera beaucoup.

---

6. Le Dr Amable Simard, de Rivière-des-Prairies.

As-tu eu la réponse pour cette fille de chez Mme Doucet ? Adieu, je suis pressée.

Ta mère,

J. B. Papineau

Petite-Nation, 30 juin 1852

Cher fils,

Je t'ai écrit lundi et je voulais le faire ce matin par le docteur mais ton père a voulu le garder encore un jour. Ainsi, celle-ci ne partira que demain matin ; il te dira en quel état est ton père mieux que je ne puis le faire moi-même : il a du mieux mais sa rupture est bien complète. Ainsi, il lui faudra porter des bandages le reste de sa vie et encore se bien ménager.

M. Westcott a reçu sa lettre ; il en attend une autre qui lui dise comment s'est passée la nuit avec la nouvelle nourrice. Il est bien et nous aussi malgré un peu de fatigue. Nous n'avons que nos deux filles. Si tu as un moment, va chez Mme Doucet, savoir si cette fille viendra. J'attendrai une réponse d'ici à samedi. Après cela, je n'en aurai plus à attendre, car il doit en venir une dimanche que je dois engager, si je n'ai pas de réponse favorable. C'est une veuve irlandaise d'un certain âge, qui sait cuire, traire les vaches, mais pas cuisinière : elle aura à l'apprendre. Si elle est propre et honnête, il faudra s'en contenter.

Je t'ai demandé de m'envoyer par Fortin ce rouleau de tapisserie oublié chez toi, demande-le à Hélène, et puis du gruau. Il sera parti quand celle-ci te parviendra par M. Bourassa qui partira plus tard.

Voudrais-tu m'envoyer des pastilles Locock Don Framalle, c'est le médecin qui me dit d'en avoir pour la petite Fortin que j'ai ici. Il m'a promis qu'il irait à ton bureau avant de monter. Ainsi, si tu étais absent quand il y passera, laisse ce paquet à tes clercs qui pourraient le lui remettre.

L'on a trouvé les fruits bons et nous en avions bien besoin. Si tu en envoies par Fortin et le curé, ce sera bien, au cas que l'on ait encore des étrangers. Ici, il n'y a rien en fait de légumes.

J'espère que ta chère Marie et ta belle petite vont continuer à se bien porter et toi aussi, cher fils, sois prudent. Il y a une fatalité sur la famille, que je suis toute saisie à chaque fois que je pense à ce que nous avons éprouvé cette année : je ne sais si la Providence nous épargnera d'autres épreuves.

Je t'ai aussi demandé du plant de céleri et puis il faut aussi des boîtes de lampions ; ton père en a besoin. Une boîte de charbon à dents pour Azélie. J'espère que tu monteras pendant que Marie a ses bons parents avec elle, car ton père n'ira pas en ville de si tôt. Tu as aussi oublié mon petit sablier pour cuire les œufs et le jeu de bagatelle : tu vois déjà la foule d'articles oubliés ; j'en suis désolée. C'est ainsi que tu seras toujours tourmenté. Prends patience et courage pour toi et pour moi, car je n'en ai guère de voir chaque jour survenir tous les malheurs et les inconvénients, que j'envisageais avant de venir ici, se réaliser. Je n'ai plus la force de les supporter. Il faut nous aider mutuellement et c'est à peine si nous pourrons tout supporter. Excuse mon griffonnage, j'ai une plume très mauvaise et, de plus, je suis bien pressée.

Ta mère,

J. B. Papineau

Petite-Nation, 20 août 1852

Mon cher fils,

Je t'envoie le petit cheval par un des petits bateaux à vapeur, à raison de cinq shillings pour son passage. C'est meilleur marché que [si] j'avais pu le faire descendre par terre.

J'ai reçu les effets de groceries complètes : vous auriez dû penser à envoyer du vin commun pour sauce.

Je vois par les journaux que ton père est arrivé à son poste[7]. Dieu veuille qu'il ait pu supporter cette fatigue et qu'il puisse se porter passablement.

J'avais fait des provisions de viande dont nous avons perdu une partie cette semaine.

Je ne sais comment comprendre que, depuis le départ de ton père, nous n'ayons pu avoir un mot qui puisse nous régler sur ces prétendues visites, etc. Ézilda est à bonne école pour apprendre l'égoïsme. Aujourd'hui samedi, de jour en jour, nous attendions quelqu'un ou quelques mots, mais en vain : il faut dévorer l'ennui, l'inquiétude et tout, sans savoir quand il vous plaira y mettre fin.

Tout à toi, ta mère,

J. B. Papineau

7. À Québec, où s'ouvrit, le 19 août 1852, le quatrième Parlement du Canada.

Petite-Nation, 25 août 1852

Mon cher fils,

Ces dames sont arrivées hier soir sans autre accident que d'être un peu sales et bousées à raison des orages. Je suis bien aise qu'Ézilda soit arrivée, car je ne suis pas bien et ne pourrais être à la cuisine. Je suis peinée pourtant de l'avoir ôtée à Marie, dans le moment de son affliction : j'espère qu'elle sera assez forte pour prendre sur elle.

Je te réponds au sujet des cheminées. Aimond a donné les dimensions ; je te les envoie. Et fais diligence pour les envoyer. Quant à l'usage de la peinture de Ting, il dit que ton père ne lui a pas donné ; il faut que tu [le] lui envoies. Nous avons reçu le vin mais pas la girouette. Aimond suivra tes instructions, quand il la recevra, pour la poser. Il n'a pas fini d'entourer la galerie ; [il est] loin d'être prêt à poser les balustrades, il est seul à travailler et il est long.

Ils ont planté les fraises. Quant au poney, tu m'as dit, quand tu étais ici, de l'envoyer quand je le pourrais. C'est Landreville qui a fait le marché et il devait mettre du foin à bord pour le nourrir. Il est bien nécessaire de diminuer ici l'embarras : le garçon est bien négligent et nous n'avons jamais la moitié de ce qu'il faut pour nourrir les animaux. Tu vois comme il est maigre. J'ai le mémoire pour donner ce qu'il faut à Aimond et Landreville. Je ne sais si je pourrai t'envoyer du beurre : il n'y a pas de pâturage ; la sécheresse a [ ][8].

Petite-Nation, lundi, 6 septembre 1852

Mon cher Amédée,

J'ai reçu ta lettre hier et j'y réponds de suite. Aimond ayant été seul depuis le départ de ton père, excepté la semaine dernière où Freddy est venu. Je me trompe, depuis quinze jours, il aide à Aimond et maître Mondoux, cette semaine seulement, mais ils promettent de venir encore celle-ci. Ainsi, j'espère faire finir l'entourage de la galerie. J'ai fait commencer à faire raccommoder les tours par le vieux Major ; j'espère qu'il viendra finir cela demain, car nous aurions gelé par ces tours si elles eussent resté ainsi, mais il est gauche et a peur de ses échafauds ; il faut qu'Aimond lui aide. Ainsi, tu vois que l'entourage seul ne sera peut-être pas fini cette semaine, et puis les balustrades ne sont pas encore toutes finies. Je ne vois pas qu'il y ait le temps de les poser. Il faut qu'Aimond finisse le dessus

8. La fin de cette lettre n'a pas été retrouvée.

de la longue serre avant les fortes gelées ; qu'il peigne et blanchisse la tour des escaliers, peindre l'autre tour de la serre chaude : en voilà assez pour cet automne. Avant ta lettre, j'étais bien décidée à ne pas faire poser ces balustres, je prévoyais qu'il n'y aurait pas le temps. Le jardinier est parti, tu lui payeras ses gages.

Le départ de ces dames nous laisse dans un grand isolement : Azélie a bien pleuré le départ de Fleurine, la pauvre enfant a bien joui de sa compagnie : elle est douce et si gaie et complaisante.

J'espère que ton père ne restera pas tard à la session ; tu vois qu'il ne pourra pas y faire de bien, comme il le savait bien d'avance. Tant qu'il fera beau, il sera assez bien portant, mais, en automne, le climat de Québec[9], ne lui conviendra pas et je ne veux pas qu'il risque sa santé. J'espère qu'il montera ; cela ne le fatiguera [pas] de venir vous voir en steamboat.

Embrasse bien ta chère Marie et ta chère petite, qui est si bonne, de ma part, et les demoiselles. M. Bourassa part pour ne revenir que dans quinze jours.

Tu me dis qu'Auguste doit être monté hier ; aujourd'hui, dimanche, nous n'avons vu aucun membre de la famille de chez ton oncle ni de chez Mackay. Ainsi, je ne sais si Auguste est arrivé ou non, je le saurai peut-être demain.

Tu parles d'envoyer des fleurs, mais tu ne dis mot sur la manière de chauffer la serre : il faut que tu y penses et que tu viennes cet automne. Tu le pourras si M. Westcott vient. Tu viendras alors afin de ne pas laisser cette chère Marie seule. Informe-toi, d'ici à ce temps, de la meilleure manière de la chauffer, car ces tours sont très froides en hiver. Vous avez besoin d'y penser si vous voulez garder des fleurs.

Je termine ce matin, j'apprends qu'Auguste est arrivé ; je ne sais s'il viendra ici aujourd'hui. Tout à toi.

Ta mère,

J. B. Papineau

Petite-Nation, 7 septembre 1852

Mon cher Amédée,

M. Bourassa vient me dire que parmi le clou qu'il avait demandé, ils n'ont pas reçu celui de cinq pouces. Tout le reste des effets demandés par lui est reçu, excepté cela. Ainsi, il ne sait si c'est la faute du marchand ou du steamboat ; il te prie d'y voir et te demande, en conséquence, de lui en envoyer le plus tôt

9. Le siège du gouvernement se maintiendra à Québec jusqu'en 1855.

possible un quintal de cinq, et un [autre] de un pouce trois-quart. Et Aimond dit qu'il lui en faut pour faire cette couverture de votre longue serre : un demi-quintal de clous à bardeau et un *ditto*[10] de 4 pouces. Aussitôt l'entourage de la galerie fini, il faut qu'il se mette à cela de suite, sinon vos grands frais seraient perdus à l'approche des gelées.

Est-ce l'automne ou le printemps qu'il faut remplacer les pêchers ? Penses-y, cela ne vaudrait pas la peine de tant de frais, s'il n'y a pas de pêches dans cette serre. Je ne sais quelles instructions vous aurez données à Auguste, mais il serait nécessaire qu'il restât ici tout l'automne. Quand j'en ai parlé à ton père, il m'a répondu que c'était presque inutile, puisqu'il était absent. Et moi, je trouve que c'est tout le contraire, qu'il est très urgent qu'il y soit et que tu y viennes, toi aussi, quand M. Westcott sera avec Marie.

Depuis trois ans que nous ne voyions jamais ces gens de derrière[11] qui vont s'endetter tout comme les anciens, qui ont là trois marchands. Le luxe est plus grand qu'ici : cette année, ils ont eu une bien bonne récolte, ce qui arrive une année sur dix, ici. Il faut absolument aller là chez chacun, et leur faire apporter des grains et toutes autres espèces de produits. L'on peut tenir un livre de comptes de ce qu'ils apportent, et, quand ton père aura le temps de régler leurs comptes, cela sera facile de trouver ce qu'ils auront donné en acompte. Non, au lieu de cela, ton père dit qu'il [ne] peut les faire payer que quand il aura réglé les comptes. Et, si cela prend trois autres années, il perdra beaucoup. Outre cela, il y a plusieurs habitants qui vendent leur terre en ce moment pour s'en aller. Ainsi, tu vois, de toute manière, la nécessité d'avoir ici un agent ; tout le monde le dit. C'est M. Gilmour qui va encore faire de grands frais là, dans ce township : nos habitants vont, comme l'année dernière, lui vendre leurs grains, leurs produits, et n'apportent au seigneur ni argent, ni produits. Il faut les faire donner des acomptes, leur faire passer des obligations, avant qu'ils aient disposé de tout, et les menacer de les poursuivre pour le prochain terme, à Aylmer, un ou deux par chaque rang : tu verrais l'effet que cela aurait ! Tucker va bien profiter de cette bonne année, ici, lui. Il a déjà pris ses précautions.

Ainsi, tu vois comme il faut que tu écrives à Auguste et ensuite que tu viennes voir toi-même ce qu'il y a à faire. Il est grandement temps que vous le fassiez, si vous ne voulez pas vous ruiner tout à fait.

Je suis obligée de clore. Il est l'heure d'envoyer la lettre. Amitiés à ta chère femme et à [la] chère petite. Embrassements. Tout à toi.

Ta mère,

J. B. Papineau

10. *Ditto :* « déjà dit », donc un demi-quintal.
11. Ces gens qui habitent à l'intérieur des terres, plus au nord.

Petite-Nation, 17 septembre 1852

Mon cher fils,

Je ne sais ce que ton père et toi voulez dire avec votre décision de ménagement adressée à de pauvres femmes et filles ici, pendant son absence. Est[-ce] nous qui faisons des dépenses et qui vous en conseillons ? Est-ce que vos extravagances sur cet établissement n'ont pas toujours été blâmées par nous, qui n'en retirons que l'embarras sans aucun agrément, et qui nous donnent du travail au-dessus de nos forces ? La pauvre Ézilda est toute fatiguée et n'est pas bien depuis son retour.

Je vous ai déjà écrit que nous perdons notre bonne fille et que la vieille à la cuisine est à demi timbrée, incapable pour la cuisine ni le lavage. Voyez en quelle situation nous allons nous trouver ! Et au lieu de nous chercher une bonne fille, ton père nous écrit qu'il désire que Mme Dessaulles vienne passer l'automne avec nous et, ici, elle amènera toute la famille de la Petite-Nation et c'est comme cela que vous entendez l'économie ! Toujours du monde qu'il faut servir, qui occasionne de la dépense et, à nous, beaucoup plus que nous ne pouvons supporter ! Si vous voulez économiser, ayez un agent fiable et qui nous sera une aide et un appui ici, exposés que nous sommes au milieu d'un bois, avec de misérables domestiques, qui sortent la nuit, nous exposent à être sans hommes, si nous nous trouvions malades, enfin, nous avons mille inquiétudes et fatigues. Et puis encore, à chaque lettre que tu écris depuis le départ de ton père, c'est un amas de reproches. C'est à ton père que tu dois avoir demandé tes informations, c'est lui qui a fait ces affaires de clous de la fabrique et de Ting, etc. À présent que tu l'as vu, tu dois savoir à quoi t'en tenir. Lui, on ne le trouve pas, le Ting.

Tes fleurs sont reçues, toutes. Nous avons reçu un quart de clous pour nous ; ceux du curé ne sont pas arrivés. Paie à Belle 7,6 shillings et demi pour mes souliers. Quant à l'huile, Aimond dit que ce n'est pas sa faute si vous ne savez pas ce qu'il en faut pour une couverture de la dimension de la vôtre et de toute votre maison ; qu'il ne la trafique pas, ni ne la gaspille ; qu'elle est sous clé et qu'il en a bien soin ; mais que vous n'avez jamais voulu envoyer ce qu'il a demandé, et qu'il a été obligé même d'en prendre un peu de celle de M. Bourassa. Quant aux vaisseaux qu'Aimond a envoyés chez Major, ils ne sont pas partis. Ils disent que, dans cette saison, les bateaux ne descendent pas par ici ; qu'ils montent et descendent de l'autre côté. Ils sont adressés à Hot Water et descendront quand il y aura un bateau de votre ligne.

Ainsi, je ne sais quand je pourrai faire peinturer les tours. Quant à vos balustres, je suis bien contente de ne pas les faire poser : j'espère qu'ils auront le sort des colonnes. Des gens qui ne parlent que de ménager et il fallait cinq couches de peinture pour cela, dans une étendue d'un arpent qu'a votre galerie !

calculez ce qu'il faudra de peinture, etc., avant de tourmenter les ouvriers et les femmes. C'est ainsi de tous vos arrangements !

Quant au petit cheval, ne me le renvoie pas sans qu'il soit affranchi [castré]. Vous avez des gens habiles en ville, car ici je ne puis le garder avec la jument. L'hiver dernier, ton père l'a fait mettre dans la grange. Moi, pendant que je conduis les affaires, je dispose la grange pour autres fins : je la fais préparer pour recevoir les grains et produits que les gens doivent apporter, afin qu'ils soient en sûreté et exempts de la vermine.

Auguste est de retour de sa tournée dans les concessions : il a été partout et il espère que nous recevrons des grains et un peu d'argent et autres produits. Ils lui ont dit que, si le seigneur envoyait de temps à autres, il aurait sa part, mais que les marchands et autres, à qui ils doivent, les harassent et leur arrachent tout, aussitôt qu'ils ont quelque chose. Il partira pour Aylmer, lundi, il lui faut un peu d'argent. Ton père dit de donner 10 shillings à Landreville, 20 *ditto* à Freddy, 20 à Major, 5 piastres chaque semaine à Aimond. Je te dis qu'il faut que je paye à la fille 30 piastres. Vois-tu ce qu'il faut d'argent ? Ce n'est pas pour nous. Quand nous sommes seuls, l'on ne s'occupe guère de ce que nous avons. Mais ne nous envoyez pas de monde ; je l'ai dit qu'il nous fallait encore un quintal de sucre avant la dernière saison : votre compagnie en a dépensé beaucoup.

Ton père n'a pas fait faire de bois de chauffage avant les travaux et, pendant ce temps, il n'y a personne à avoir : je vais me trouver encore sans bois sec cet hiver. Je vais mettre ce que je pourrai à y travailler de suite. C'est ainsi de toutes vos affaires !

Ta mère,

J. B. Papineau

Petite-Nation, 22 septembre 1852

Mon cher Amédée,

J'ai reçu ta lettre et l'argent inclus dedans, 20 piastres ; j'avais reçu ta précédente aussi, même somme. Je t'ai dit ce qu'il fallait payer. Ainsi, tu vois bien que ce n'est pas assez. Je viens de recevoir la lettre et le compte de Robillard pour la pierre de taille des cheminées, mais, comme je n'en connais pas la valeur, je lui ai fait répondre hier, par Auguste (car il en demande le paiement). Il lui a écrit que je n'avais pas d'argent ici et que j'allais en écrire à mon fils et qu'il toucherait trois louis alors et que je désirais avoir des informations sur la valeur de la pierre, ou attendre le retour de M. Papineau pour le reste. Ainsi, toi qui connais les prix en ville, tu pourras lui payer le tout si tu le trouves à propos, ou s'il l'exige, car je lui ai écrit cela que tu lui paierais assurément trois louis ; mais je ne sais pas s'il le voudra ainsi. Elle n'est pas moins achetée et rendue : il la faut garder et je ne sais si je pourrai la faire tailler promptement par ce misérable Sigouin, qui est si trompeur. Lui et Aimond me font demander la pierre et, après qu'elle est rendue, ils me disent qu'il a laissé un ouvrage non achevé à Bytown pour venir ici faire ses récoltes, et que la personne là, étant fâchée contre lui, n'a pas voulu lui rendre ses outils, à Aimond, pendant qu'il était là. Et ils sont venus me demander de t'écrire pour en acheter, qu'il les payerait lui-même. Je lui ai répondu que je ne le voulais pas ; que si je le faisais tailler cette pierre, c'était parce qu'il nous devait. Et je lui ai dit de retirer ses outils ou d'essayer de s'en faire faire chez Fortin, et il y a été et il lui a dit qu'il pouvait les lui faire. Ainsi, j'ai encore un peu d'espoir qu'il la taillera s'il ne lui prend pas d'autres travers, qui ne le fassent arrêter avant de finir.

J'ai reçu les effets par la Charlotte : trois cruches de fer-blanc, un baril de clous pour l'église, un autre petit contenant Ting, etc. ; un quart de sucre blanc. Le cheval est mieux.

Pas de lettre de ton père depuis son départ de Montréal. Auguste lui a écrit.

Je n'ai pas encore de bois ici prêt pour l'hiver, pas de poêle de monté, nous souffrons du froid. Envoie la brique seulement pour raccommoder [les] cheminées et faire le fourneau de la serre. C'est tout ce qu'il faut.

Ta mère,

J. B. Papineau

Petite-Nation, 4 octobre 1852

Mon cher fils,

Je t'écris par Auguste qui part demain matin, à notre grand regret. Il faisait bien par rapport aux affaires et, pour nous, c'est encore un vide : nous allons rester seules sans aucune personne sûre ni intéressée à rien.

Je ne suis pas bien, j'ai souffert du froid, je n'ai pas de poêle de monté. J'approuve le plan de ton père : c'est nécessaire de faire de gros tuyaux de fumée. Hâte-toi de nous envoyer cela, car la saison presse.

J'ai reçu les pommes et poires, nous avons pris les précautions nécessaires et indiquées par toi ; nous avons reçu la brique et elle est ici rendue ; ils disent qu'elle n'est pas belle, et il y en a beaucoup de cassée. C'est toujours bon pour ce calorifère. Nous prendrons les meilleures pour raccommoder les cheminées, si je puis avoir les maçons. Ils m'ont échappé et ils ne reviennent plus, et surtout ce Sigouin, pour tailler la pierre. Je crains bien que cela ne se fasse pas. Ils ont fini d'entourer la galerie. Aimond est à finir de nettoyer ce que ton barbouilleur de la ville a fait sur les murs, sur la peinture, et ensuite le plancher qu'il faudra peinturer. Après que le poêle sera monté, cela séchera plus aisément. Je ne sais s'il pourra peindre la serre et finir le devant de porte avant la fin de la saison. Landreville est occupé à faire mon bois et à le charroyer : il a si peu de monde que cela sera long. Freddy travaille à faire les portes au bout de la galerie et aussi au bras du devant de porte.

Nous sommes toujours en attendant une fille mais une bonne, c'est-à-dire passable. Dans ce moment, l'on ne peut même avoir de femme de journée. Élise s'en va en haut ; Cécile vient de perdre son mari : je ne sais quel parti elle va prendre. Je crois qu'elle ne servira plus et ses enfants pourront la soutenir. Nous allons nous trouver dans l'embarras. Dans la saison d'automne, il y a toujours de l'ouvrage. J'ai parlé au meunier pour la fleur de sarrasin, il va la faire et dit que c'est trop à bonne heure pour celle de blé d'Inde ; qu'il faut qu'il sèche.

J'espère que Marie est tout à fait forte à présent et que la chère petite l'amuse et la récompense déjà de ses soins ; et qu'elle se rassure sur elle, qu'elle vivra et sera bien portante. Embrasse-les pour nous, toutes deux.

Ta mère affectionnée,

J. B. Papineau

P.S. Aucune nouvelle du pauvre Lactance[12], c'est bien désolant.

Petite-Nation, [17] février 1853

Chère Marie,

Par la dernière lettre d'Amédée, j'apprends la perte que vous venez de faire encore, celle de votre grand-mère. Chère enfant, vous avez eu de grandes épreuves à souffrir cette année ; il vous a fallu du courage, inspiré en grande partie par l'idée de la conservation de la santé de votre petite Ella, et les soins qu'il faut lui donner vous occupent, et ses caresses et ses gentillesses vous causent des distractions qui vous étaient bien nécessaires. C'est une consolation pour moi

12. Lactance, après la mort de son frère Gustave, est entré chez les Oblats à Ottawa.

aussi. J'ai pris une grande part à toutes vos douleurs, connaissant votre bon cœur, votre sensibilité et l'amitié vive que vous portiez à tous ceux que vous avez perdus. La visite de votre cher père vous était bien nécessaire, aussi, je m'en suis bien réjouie.

Et, à présent, vous allez avoir la société de votre sœur, Azélie, qui désire vous voir et la chère petite dont nous parlons souvent. Elle vous aidera, vous distraira et ne vous sera pas inutile dans votre déménagement. Ne croyez pas qu'elle s'inquiète de plaisirs et d'amusements : elle ne les désire pas. Nos malheurs ont bien vieilli ces chères petites filles ; elles sont bien raisonnables et se font bien à leur situation. Le seul trouble qu'elle vous donnera sera de la conduire à des magasins en arrivant, pour lui acheter un chapeau, car elle n'en a pas pour sortir en ville, un de printemps, pas trop gai. Si vous sortez avant son arrivée, vous verriez où elle pourra le faire faire en arrivant, et puis elle pourra aller avec vous pour des robes, à votre loisir. Je désire beaucoup qu'elle prenne quelques leçons de musique. Mme Bourret m'a dit qu'elle pourrait les prendre chez elle. Elle ne s'en soucie pas, c'est pourquoi je vous en parle afin que vous fassiez tout pour la persuader, car ici, elle néglige de pratiquer et elle joue négligemment. Quelques leçons lui donneront de l'ambition et quelques morceaux de musique nouveaux.

Je suis bien contente de votre nouveau logement[13], vous y aurez bien plus de confort et ce sera plus commode sous tous les rapports.

Nous sommes assez bien portants et vous embrassons tous. C'est à la fin de la semaine prochaine qu'Azélie et son oncle descendront. Ils auront une voiture à deux chevaux. La vieille Quimby désire que sa fille revienne avec cette occasion. Amédée enverra les effets et, si Marguerite était prête à venir se promener avec Henriette, elle le pourrait aussi. Adieu, chère Marie, Amédée et baby.

Votre mère,

J. B. Papineau

13. « Je signe avec Mme Julia Woolrich, veuve de William Connolly, écuyer, le bail qu'elle me fait pour cinq ans de sa belle maison de Lis Carol, au coteau Saint-Louis, près l'évêché, avec jardin et dépendances. Cette maison en vaut deux comme celle de Cherry Hill, mais le jardin n'est pas comparable. La vue est plus belle et le loyer de 50 louis seulement. » Amédée Papineau, *Mon Journal,* 4 février 1853.

Petite-Nation, dimanche, 20 février 1853

Cher fils,

J'ai écrit à Marie jeudi et envoyé chez Major porter la lettre, mais il était trop tard pour le stage, elle m'est revenue ; je la renvoie demain avec celle-ci. J'espère qu'elles partiront et que tu ne les recevras qu'un jour ou deux avant l'arrivée de ton oncle et de ta sœur, car ils se proposent de partir jeudi, s'il fait beau, car mon frère désire être rendu à Longueuil le 2, jour anniversaire de la mort de sa chère fille[14]. Ainsi, vu l'état des chemins et les fréquents mauvais temps, il veut partir trois ou quatre jours plus tôt. Un nommé Tranchemontagne[15] les mènera avec deux chevaux, acompte de ce qu'il doit.

Ézilda désire que tu envoies, par cette voiture, les effets demandés et d'y ajouter six livres d'imitation [de] blanc [de] baleine, si tu as le temps de le faire, et six livres de riz.

Dans ma lettre à Marie, Azélie la priait de voir d'avance où elle pourrait se procurer ou faire faire un chapeau en arrivant : c'est ce dont elle a besoin, car elle ne pourrait pas sortir en ville sans cela. Mais la lettre se rendra trop tard ; elle ira à son arrivée avec elle, si cela ne la dérange pas.

Nous avons reçu aujourd'hui la décision de la séparation de nos paroisses, elle est conforme à la demande et hautes prétentions des gens d'en haut : paroisse Sainte-Angélique. Tu vois que ce sont toujours les intrigants et effrontés qui ont gain de cause.

Ton père a trop ménagé sa famille l'an dernier, et il en reçoit la récompense. Il y a longtemps que je vois que son neveu et les Mackay travaillent contre nos intérêts et les propos que les habitants ont débités ici ne peuvent venir d'eux. Ils ont dit que, quand tu serais seigneur, tu ne protégerais pas la religion, que tu n'avais pas seulement fait baptiser ton enfant, etc. J'espère que tu conseilleras à ton père de ne plus faire gagner tant d'argent à ces trigauds [taquins], et puis de se faire payer de ces gens, car ils leur font tout donner et retirent tous les produits, etc. Il faut qu'Auguste monte en mars afin de préparer ces affaires pour moi, car ils vont se moquer de plus en plus du seigneur, avec leurs propos et l'activité qu'ils mettent à tout, tandis que ton père est bien tranquille à les attendre.

Nous sommes assez bien portants, excepté ton oncle qui a un peu de rhume, il espère être assez bien portant pour partir. Si la jeune Quimby est prête à monter, elle viendra mais tu auras si peu de temps avant leur arrivée, à présent

14. Sœur Marie des Sept-Douleurs, née Cordelia Bruneau, fille de Pierre Bruneau et de défunte Josèphe Bédard, âgée de 26 ans, est inhumée à Longueuil, dans « le caveau de la chapelle des religieuses des Saints Noms de Jésus et de Marie », le 4 mars 1852.

15. Un des premiers colons de la Petite-Nation, au temps de Joseph Papineau, s'appelait Joseph Thomas dit Tranchemontagne.

que ma lettre à Marie a été retardée. Mais, comme j'avais promis à sa mère de t'en écrire, je ne crois pas que la fille soit pressée de venir. Adieu, cher fils.

Ta mère affectionnée,

J. B. Papineau

Petite-Nation, 8 mai 1853

Ma chère Azélie,

Comme ta sœur t'a écrit chaque semaine et qu'elle a été aussi pour moi interprète de mes sentiments pour toi, et des réponses que tu demandais à chacune de tes lettres, je ne t'ai écrit que rarement. Tu sais comme je m'en acquitte mal depuis que j'ai cessé d'écrire, et puis, ici, il y a si peu de choses à te mander, je ne voudrais pas te fatiguer de nos ennuis, nos dégoûts, nos douleurs toujours les mêmes ; et que personne ne peut me comprendre et, encore moins, compatir à mon état. Ainsi, j'étais convenue, chère fille, que je ne t'écrirais que rarement.

Je suis bien aise que tu sois en ville ; j'espère que ton voyage aura été agréable et utile pour toi et une petite aide à la chère sœur, Marie, et à la chère petite Ella. M. Westcott aussi aura été content de te rencontrer en ville ; j'espère qu'il y est encore et y sera quand nous descendrons.

Ézilda t'a dit la difficulté que nous avons de laisser, ici ; je n'aurai que Cécile, Mme Thibodeau étant en ville pour la maladie de sa fille. Elle ne sait quand elle reviendra. Ézilda est toujours dans une grande frayeur que son voyage ne soit retardé. Quant à moi, si je n'avais pas promis à Mme Westcott d'aller la voir chez elle, je n'irais pas mais, puisqu'il faut bien tenir parole, et quant à descendre à Montréal quelques jours avant ce temps, je le fais parce que je veux avoir la fin du mois de Marie ; il n'y a pas d'office ici, et tu vois que, pour aller aux États, il faut se préparer sérieusement à passer peut-être dans l'autre vie éternelle, car les accidents de chemin de fer sont de plus en plus fréquents.

Ne sois pas inquiète de la manière que nous logerons. Il y aura toujours place, car Ézilda et toi irez à Verchères pendant que je serai en ville, et ensuite, j'irai à mon tour. Et puis, si le voyage des États se fait, c'est bien ; sinon, je reviendrai. Ézilda restera avec Marie, qu'elle aille à Saratoga ou non, car tu n'en parles pas dans ta dernière. Depuis l'arrivée de M. Westcott, Marie a-t-elle fixé l'époque de son voyage ? Il faut le savoir par rapport à ton père et puis les Porter n'ont pas répondu à la dernière lettre écrite depuis du temps. Je ne sais s'ils nous inviteront à aller voir l'ouverture de l'exposition[16]. J[e n]'envie ce voyage que pour l'amour de toi, chère enfant ; sans cela, je ne le ferais certes pas pour moi. Quand nous serons en ville, nous aviserons à cela pour vous, chères enfants, mais il faut savoir le temps par rapport à ton père qui ne peut rester longtemps en ville.

Nous avons eu la visite de M. et dame Barthe ; elle a été agréable mais bien courte. Je ne sais s'ils ont pu vous voir à leur retour.

Je prépare les effets pour emporter. N'envoie pas la valise, je ferai laver ton linge à Verchères, s'il le faut, car je ne sais en quel temps tu l'enverras ici, et puis aurons-nous le temps de le laver ?

Fais bien mes amitiés à Mmes Bourret, Béland, Doucet, etc., jusqu'au temps où j'irai les leur faire moi-même.

Je ne doute pas que Marie se trouvera bien mieux logée dans cette maison qu'elle n'était à Cherry Hill[17] et qu'elle se consolera de l'avoir laissé. Qu'en dit M. Westcott ? Elle avait été bâtie pour un particulier à l'aise et sans épargne, c'est bien différent des maisons bâties pour louer.

As-tu fait faire tes robes et autres effets ? Tu n'en parles pas dans tes dernières lettres. Aie une couturière prête pour Ézilda, à son tour. Quant à moi, je n'aurai qu'une robe de soie noire à me faire faire, et polka[18] pareille, je suppose, sinon je l'achèterai toute faite.

Embrasse bien baby pour nous et amitiés à tous. Adieu, chère enfant, écris toujours : c'est la seule diversion que nous avons à notre ennui.

Ta mère affectionnée,

J. B. Papineau

Montréal, 27 mai 1853

Cher ami,

D'après ta lettre à Amédée, nous t'attendions presque hier soir, c'est pourquoi je ne t'ai pas écrit. Aujourd'hui, je le fais au cas que tu ne descendes pas pour l'appel nominal.

16. Le Palais de cristal, installé à New York, venu de Londres. Azélie le visitera avec son père, en juillet 1853.

17. Le 5 février 1850, Amédée Papineau avait loué de Thomas S. Judah un domaine appelé « Cherry Hill », à la côte Saint-Antoine, à Montréal, voisin de la villa Rosa des Donegani. Le domaine comprenait maison, jardin et verger couvrant quatre arpents de terre.

18. Polka : gilet de laine tissé ou tricoté, pour femme.

Je l'ai dit, dans ma dernière, que je me trouvais mieux et que j'espérais, mais, le lundi matin, j'avais une attaque de cette inflammation de la vessie, maladie que je redoute tant à cause de sa longueur plus encore que par sa souffrance. Ainsi, j'ai envoyé chercher le médecin de suite ; il m'a donné des remèdes qui ne font pas grand-chose. Dessaulles est venu me voir, je lui ai demandé de m'envoyer du cèdre, je viens de le recevoir. Je ne sais pas si cela me fera du bien à cette fois ou non, mais je suis souffrante et assez découragée. Nous sommes voués au malheur et à tous les contretemps.

Le curé est venu me voir et il m'invite à aller à Verchères, où il veut réunir toute la famille. Si je suis un peu mieux, j'irai parce qu'en bateau à vapeur je n'aurai pas de fatigue et j'emporterai remèdes et directions du médecin. Ce sera mardi prochain mais, comme je te le dis, il faudra que je sois mieux.

Ézilda et Azélie vont bien, et Marie et la chère petite. Denis[19] reste ici à m'attendre ; il a grand hâte de te voir, il a été bien désappointé hier soir. Il fait mauvais temps, ici, aujourd'hui.

De ton côté, tu as aussi tes tourments et ton ennui : il n'en pouvait être autrement. À l'avenir, il ne faudra plus faire de projets. C'est pour ces pauvres petites filles que je l'ai fait, car, pour moi, la douleur et le malheur me suivront partout et c'était avec grande répugnance que je me rendais à leurs instances et, à présent, je ne sais si je pourrai faire ce voyage[20]. Si tu ne viens pas ce soir, j'espère que j'aurai une lettre demain.

Nous t'embrassons tous de tout cœur en attendant le plaisir de te revoir.

Ton épouse et amie,

J. B. Papineau

Petite-Nation, 12 septembre 1853

Ma chère Marie,

Ce n'est qu'hier matin que j'ai reçu votre lettre datée du 2 ; j'ai éprouvé en la lisant diverses sensations de surprise, de crainte et, à la fin, de satisfaction

19. Denis Bruneau, avocat, frère de Julie, quitta le toit paternel à la suite « d'une affaire d'amour et d'un duel », à l'âge de 22 ans. On le croyait mort depuis plus de vingt ans. Il avait parcouru le monde à bord d'un vaisseau de guerre américain puis s'était marié et établi comme fermier à Fairmont, en Virginie (aujourd'hui Virginie-Occidentale). Amédée Papineau eut la surprise de sa vie de rencontrer cet oncle inconnu qui frappa à sa porte, le 5 mai 1853.

20. Julie, son mari, Ézilda, Azélie, Marie et Ella partirent pour Saratoga le 23 juin 1853.

d'apprendre avec quel bonheur vous avez échappé le plus grand des malheurs qui devait être la suite d'une pareille chute, et je ne sais si cela n'aura pas de suite fâcheuse dans votre état. J'espère pourtant pour le mieux, puisque vous êtes si bien, d'après ce que m'en dit oncle Benjamin. Et puis la dernière d'Amédée, reçue ce matin. Il faut que vous soyez bien puisque vous avez repris courage et la résolution de sortir de nouveau. Votre état ne me surprend pas, et je vous en félicite, surtout si vous pouvez échapper sans blessure un pareil coup et saisissement : vous êtes une vraie Canadienne, forte et bonne mère, et non une délicate et nerveuse Américaine. Après cet essai, vous pouvez aller au bal et y danser impunément ; j'espère que vous serez bien toute la saison d'hiver et que vous n'aurez aucune des idées et inquiétudes de l'an passé, et que tout ira bien.

Ce que vous me dites de la chère petite Ella nous intéresse et nous attache de plus en plus à elle. Vous faites bien de lui parler souvent de sa mémé : j'espère qu'elle me reconnaîtra quand je la verrai. Vous ne me dites pas si elle marche. Nous nous sommes bien aperçu de son départ : la maison était triste, il nous semblait entendre sa chère petite voix et voir ses petits clins d'œil.

Azélie a bien de désir d'aller, cet hiver, vous voir ; je ne sais si son père la laissera aller ou non. Elle vous remercie pour les graines que vous lui avez envoyées et vous prie de remercier M. Westcott pour la musique qu'il lui a adressée. Quant à Ézilda, je vous assure que je lui ai offert de descendre avec Mme Judah et aussi avec Mme Laframboise, mais elle a dit qu'il était trop tard et qu'elle aurait de la difficulté à remonter.

Je suis bien aise que vous ayez trouvé une cuisinière, nous n'aurons jamais la chance d'en trouver pour ici : nous sommes destinées à souffrir bien des inconvénients à la campagne et, encore pis, par la suite, quand je n'aurai plus la force de supporter la fatigue et l'inquiétude d'un pareil établissement. Ce sera pire pour les chères petites filles. Elles ne pourront soutenir seules : ainsi, il faut aller jusqu'au bout de sa carrière, dans les peines et les honneurs, sans repos, ni paix.

Nous avons reçu les effets qu'Amédée nous envoie mais, pour ceux que je vous avais demandés, je croyais que vous en aviez pris une note : c'était de l'étoffe de laine damassée bleue, tout laine, pour couvrir un petit ottoman[21] pour Ézilda. Si c'est double largeur, deux verges et demie, sinon cinq, et puis du rouge pour moi, pour couvertures de chaises, 10 ou 12 verges, et puis des cordonnets [en] laine pour border, ou miret[22]. Je suis fâchée de vous donner ce trouble, mais j'ai été si peu de temps en ville. Auguste Papineau doit monter, si vous n'avez pas d'autres occasions avant ce temps.

---

21. Ottoman : canapé sans dossier.
22. Miret : milleret ou mille-raies, tissu à rayures très rapprochées (Bélisle).

Quand vous écrirez à Saratoga, faites bien nos amitiés à M. et dame Westcott et à nos amis, etc. Ne soyez pas inquiète sur votre secret[23], je le garderai aussi longtemps que vous le voudrez. Dites-moi si vous le confiez à vos parents. Je pense que non, que vous attendrez que votre père vienne en ville.

Je finis en vous embrassant tous deux, et la chère petite Ella, de tout cœur. Écrivez-moi souvent : vos lettres m'intéressent et m'amusent. Ne craignez pas que nous les trouvions trop longues, au contraire.

Votre mère affectionnée,

J. B. Papineau

Petite-Nation, 31 décembre 1853

Chère Marie,

C'est bien triste pour nous d'être si éloignés de vous, à l'époque du premier [de] l'An, c'est toujours un jour de bonheur pour la famille de se réunir, faire des souhaits de bonheur, de désirs de se réunir souvent en famille et avec ses amis. Il faut se résigner à notre sort et vous transmettre par écrit ce que je voudrais vous exprimer autrement ; vous dire que je vous aime et vous veux tout le bien qu'il est possible ici-bas. S'il vous arrive des peines, je les partage vivement. Votre deuil de la perte d'une grande partie de votre famille, je l'ai partagé avec vous. J'espère que vous serez épargnée, cette nouvelle année, et que vous serez heureuse, en conservant votre bon père, bien aimable et qui vous aime tant ; que votre époux continuera à vous rendre heureuse, et qu'ensemble vous jouirez du bonheur que vous donne déjà votre petite famille, dans la personne de la chère et intéressante petite Ella. Puisse-t-elle vous être conservée, et croître et grandir ! J'ai tant d'espoir qu'elle fera votre bonheur et je présume que celui ou celle que nous attendons viendra heureusement, en son temps et lieu. La maman est si bien et a si bien fait par le passé qu'elle nous donnera un nouveau-né bel et bon, comme notre chère petite : c'est le souhait que je vous fais.

Je vous prie de faire agréer à M. et Mme Westcott, nos compliments du nouvel An, et à Mlle Kate, leur aimable nièce, et à nos bons amis de Saratoga.

Quant à nous, je crains que notre jour de l'An sera assez triste avec le souvenir du passé, l'absence de la famille et puis, de plus, la maladie de M. Benjamin Papineau qui est assez sérieuse pour nous donner de l'inquiétude. Votre père y est allé hier le voir et il arrive à l'instant : il dit que le docteur ne peut se

23. Marie est enceinte.

prononcer encore ; il faut qu'il sache comment les remèdes opéreront. Cela attriste son frère, c'est bien juste, entre bons parents.

J'espère que le séjour d'Azélie vous est agréable et vous distrait, retirée comme vous l'êtes et sortant peu ; elle vous raconte les nouvelles et vous amuse par sa musique, j'espère, le soir. Ici, nous la manquons dans notre isolement, sa sœur surtout, et son oncle : il aime ses nièces de tout son cœur.

Azélie a été une exacte correspondante, elle pense bien que c'est tout ce que nous avons de récréations ici et elle fait bien. Vous, chère Marie, je ne puis exiger cela de vous, étant si négligente moi-même sous ce rapport, mais je vous répète que j'ai de bonnes raisons à donner : j'écris si mal sous tous les rapports que mes lettres doivent être rares, sans que l'on puisse croire que ce soit paresse ou indifférence. Les vôtres, au contraire, nous amusent et nous intéressent et seront bienvenues en tout temps, même pendant le séjour de votre sœur avec vous, et sur laquelle vous vous reposez pour nous donner de vos nouvelles. Nous vous embrassons tous de tout cœur et surtout la chère petite.

Votre tendre mère,

J. B. Papineau

Amédée Papineau
Montréal

Petite-Nation, dimanche, 19 mars [1854]

Mon cher fils,

Je ne puis t'exprimer avec quel empressement nous avons décacheté ta lettre hier soir et, en parcourant les premières lignes, nous avons appris l'heureuse nouvelle de la naissance de ce cher petit Louis-Joseph[24], comme tu le dis. La fête est complète, car je sais que tu désirais un fils, car notre position est exceptionnelle et la chère Marie l'a compris aussi, c'est ce qui fait qu'elle le désirait aussi. Dis-lui que nous la remercions bien et nous la félicitons du bonheur qu'elle a eu d'avoir un si heureux accouchement. Elle doit se rappeler que je lui avais dit que ce ne serait pas comme le premier. J'avais bien l'espoir que tout irait bien, mais c'est bien mieux d'en avoir la certitude ; j'étais très inquiète, ne pouvant être près de vous, car je connaissais la faiblesse du père et grand-papa Westcott. Je me

24. Louis-Joseph Papineau, fils d'Amédée et de Marie, né à Montréal le 16 mars 1854. Il décédera d'une pneumonie le 6 février 1855.

représentais votre anxiété et vos craintes. C'est bien naturel, il n'en peut être autrement.

J'espère que ta première nous dira bien des choses de la chère petite Ella, au sujet de *baba*, elle doit être bien joyeuse et faire bien des gentillesses au petit frère. Ton père en a versé des larmes de joie et il s'est décidé à descendre de suite : cela lui fait trop de plaisir de vous voir tous, la chère Marie et les petits. Et, quant à moi, je ne pourrais non plus y aller au printemps, je craindrais le froid et les stages. Cela retarderait le baptême trop tard, et cela paraît faire tant de plaisir à ton père de descendre. Les deux nuits de froid rendent les chemins praticables. C'est bien pénible pour moi et tes sœurs de ne pas pouvoir y aller. Notre famille si peu nombreuse, et encore si dispersée, ajoute toujours à nos regrets et à nos douleurs un double ennui.

Tu es le plus heureux, ne manque pas d'en rendre grâce à la Providence si tu veux qu'elle te continue ses faveurs et mets ton fils sous sa protection le jour de son baptême.

Embrasse bien la chère Marie pour nous ; je n'ai pas besoin de lui recommander d'être prudente et, si elle est bien, il faut qu'elle prenne autant de soins que si elle n'était pas aussi bien. J'espère qu'elle ne souffrira pas autant de son sein.

Dis à M. et Mme Westcott que j'ai souvent pensé à eux et à leur inquiétude et que je les félicite aussi de la joie qu'ils ont de voir le tout s'y bien terminer, : cela les récompense de leur bonté et de leur dévouement pour leurs chers enfants ; et que c'est une grande privation pour moi de n'être pas réunie à eux, pour jouir ensemble du plaisir de famille.

Tes sœurs se joignent à moi pour vous embrasser tous. Saluts à Mme la gardienne de Saratoga, je ne me rappelle pas de son nom mais bien de son amabilité et des bons soins qu'elle donne à la chère Marie, dont je la remercie. Dis-[le-]lui de ma part. Adieu, chers enfants.

Votre mère affectionnée,

J. B. Papineau

Petite-Nation, dimanche, 26 mars 1854

Cher ami,

J'ai reçu ta lettre hier soir, cela nous a bien rassurés ; je pensais bien que tu avais fait un voyage heureux, mais j'étais inquiète de Marie, car Amédée m'avait écrit qu'elle avait pris un peu de froid dans une nuit de gros vent et qu'elle avait été assez indisposée pour qu'on appelle le médecin. Ainsi, j'étais inquiète, j'espère qu'elle va continuer en son mieux.

Tout ce que tu me dis sur l'arrivée du cher curé, de la rencontre de ta chère sœur m'ont bien fait plaisir : tout a été accompli comme je l'espérais ; que le cher petit serait baptisé le jeudi, et par son oncle[25]. J'espère que Dieu le bénira et le conservera à ses bons parents pour être leur consolation au milieu des peines dont cette vie est remplie.

Le lendemain de ton départ, M. Egan[26] est venu de Bytown pour te voir et il a été bien désappointé de ne pas te voir ; il m'a laissé des papiers ; il a été surpris et enchanté de ta maison. Il est remonté de suite et m'a dit qu'il reviendrait à ton retour.

Mme Thibodeau est venue aussi passer quelques jours avec nous. Quoiqu'elle soit bien chétive, elle nous est une bonne société.

Je suis assez raisonnable pour consentir que tu restes quelques jours pour faire des affaires, mais non pour te permettre de te dégrader[27].

Auguste, ainsi que la voiture que tu nous annonces, n'est pas arrivé ; tu as peut-être changé d'idée, soit. Nous ne pouvons avoir de lettre que mardi. Au moins j'espère que vous ne manquerez pas de nous écrire aujourd'hui, plus au long, des détails sur les parents, sur les chers petits enfants, sur la chère Ella, etc.

Ici, rien de neuf, toujours ennui du dimanche sans office ; je ne sais si tu as eu le curé vendredi pour t'aider dans le choix d'un ornement. Quant à Ézilda, elle est fatiguée de vents, la digestion ne se faisant que difficilement ; elle pense qu'elle a besoin d'être purgée et elle ne veut pas prendre de remèdes, dans la crainte que cela ne soit pas ceux qui lui conviennent et que cela pourrait déranger son estomac, comme il l'était quand le Dr Macdonnell l'a soignée. Depuis ce temps, elle ne veut rien faire sans son avis, ni prendre d'autres remèdes que les siens : voilà tout ce qu'elle ressent pour le présent.

Nous sommes en plein hiver, de la neige et du froid. Il n'y a pas de danger pour les glaces. Les chemins ne sont pas aussi beaux que lors de ta descente ; les érables n'ont pas coulé du tout.

Fais bien mes amitiés à tous les parents, grands et petits.

J'ai laissé ma lettre ouverte au cas que la voiture arrive, mais non. Ainsi, je termine en vous embrassant tous.

Ton épouse et amie,

Julie Bruneau Papineau

---

25. Son grand-oncle, René-Olivier Bruneau, curé de Verchères, baptise Louis-Joseph II, le 23 mars 1854. L'aïeul Louis-Joseph Papineau est parrain ; la marraine est Rosalie Papineau-Dessaulles.
26. John Egan, député du comté d'Outaouais.
27. Dégrader : perdre son temps.

L'honorable Louis-Joseph Papineau
Québec

Petite-Nation, 16 juin 1854

Cher ami,

J'ajoute quelques lignes à la lettre du frère[28] pour te dire que je suis mieux : le docteur ne me donne que de légers purgatifs pour cette semaine. Je te disais que le sang me fatiguait beaucoup depuis quelque temps ; et puis la bile, comme toujours, je ne comprends pas que je puisse en avoir autant. Enfin, prise à temps, la maladie a été arrêtée ; j'espère qu'elle va cesser.

Je suis bien aise que la session a l'apparence d'être courte ; persuadée que je suis que vous ne pouvez y faire de bien, j'aime bien mieux que tu reviennes le plus tôt possible. Fais attention à ta santé et écris-moi souvent, car tu vois comme nous sommes vieux et sujets à des maladies imprévues ; mais, comme le dit le frère, les cousins[29] sont en si grand nombre que nous en souffrons beaucoup, cela nous ôte le sommeil et donne de la fièvre. Cela contribuera à retarder mon entier rétablissement de quelques jours. Je n'en ai jamais tant vu, et de la pire espèce !

Fais mes amitiés à ton hôtesse et dis-lui que je suis bien aise que tu sois chez elle, que cela diminue mon inquiétude au sujet de ta santé, et sois aussi mon interprète auprès de M. et dame Christie qui sont si bien pour toi ; et les parents et amis. Je t'écrirai plus au long ces jours-ci ; les chères Azélie et Fleurine se joignent à moi pour t'embrasser de tout cœur.

Ton épouse et amie affectionnée,

J. B. Papineau

Petite-Nation, 18 septembre 1854

Cher Amédée,

Je t'écris ce peu de lignes ce matin pour te dire que nous avons reçu hier une lettre de Liverpool, de M. Taschereau, et une incluse de ce cher et malheureux Lactance[30]. Ils ont eu une heureuse traversée. Lactance n'a donné aucun

28. Écrit à la fin d'une lettre de Théophile Bruneau, frère de Julie.
29. Insectes piqueurs.
30. Lactance quitta la ville de Québec, le 20 août 1854, à bord du vapeur *Charity*, pour Liverpool, puis Lyon, en France, où il entra chez les Hospitaliers de Saint-Jean-de-Dieu. Deux prêtres du séminaire de Québec l'accompagnèrent, les abbés Elzéar-Alexandre Taschereau (futur cardinal) et Hamel, qui se rendaient alors à Rome.

trouble à ce monsieur. Il a gardé son lit une partie de la traversée à cause du mal de mer. Sa lettre est très sensée ; il dit qu'il est presque bien, que sa santé s'est améliorée, qu'il a rejeté beaucoup de bile. Cette maladie est incompréhensible. Ce qu'il y a de certain, c'est que la contradiction est le mal le plus funeste pour eux. Quand on peut leur accorder ce qu'ils demandent et désirent, ils sont tout autres, mais il y a des cas où il est impossible, et alors leur irritation s'augmente. Prions, soumettons-nous et attendons si Dieu permet un adoucissement à son sort et à ceux de ses parents. C'est la plus grande épreuve pour une mère, et bien difficile à supporter !

Nous sommes ici bien occupés, il fait froid et pas de calorifère de monté : j'espère que tu vas hâter l'envoi de notre tuyau. Ce fol d'Aimond dit qu'il ne t'a pas dit qu'il fallait [en] envoyer, en même temps d'envoyer la fonte pour recevoir et passer le tuyau en haut dans ta bibliothèque, car celui qui y est sera trop petit et il est bien impossible d'y poser ces énormes pierres ; elles sont posées en bas dans le petit salon.

Donne mes amitiés à Saratoga de tout cœur. Je suis si pressée que je finis.

Ta mère affectionnée,

J. B. Papineau

Petite-Nation, 24 septembre [1854]

Ma chère Marie,

Je reçois à l'instant votre lettre et je réponds de suite par une occasion qui va remettre la lettre à la poste. Je vous remercie de tous les bons souhaits que vous nous faites mais qui ne se réaliseront pas pour nous ; je suis condamnée à vivre ici, l'hiver comme l'été, loin de vous. J'ai été heureuse de savoir vos bons parents auprès de vous et je vous exhorte fortement à aller leur rendre leur visite.

Dites à Amédée qu'il faut qu'il vous exhorte à y aller, loin de vous en détourner : monsieur votre père en serait fâché et avec bon droit. Et vous avez besoin de ce voyage sous tous rapports. Si Amédée ne veut pas y aller, tant pis, il le devrait, mais ce serait très mal à lui de ne pas vous y laisser aller.

À New York, vous serez notre interprète auprès de la famille Porter. Dites-leur qu'il faudra qu'elles viennent passer trois mois avec nous l'été prochain, et, quant à votre deuil, vous ferez comme vous voudrez. Ici, on le porte six mois mais ce n'est pas nécessaire pour les hardes de par-dessus de les avoir noires : votre pelisse gros bleu et vos châles peuvent vous servir.

Je vous souhaite un agréable voyage et de la santé. Je serais bien heureuse de pouvoir vous y accompagner, mais non, il me faut faire tous les sacrifices.

Faites bien mes amitiés à vos bons parents. Dites-leur qu'il m'aurait été si agréable de les voir ici puisque je suis dans l'impossibilité de les aller voir. Adieu, ma chère, excusez ce peu de griffonnage. Je l'ai écrit pour vous persuader de faire votre voyage, car je serais fâchée du contraire[31].

Votre mère et amie,

J. B. Papineau

Petite-Nation, 28 février 1855

Chère Marie,

Je ne vous ai pas écrit depuis notre malheur commun[32] parce que votre père a bien voulu être mon interprète auprès de vous, de mes sentiments douloureux et sympathie pour vous. Vous savez, chère fille, que personne ne peut l'avoir partagée plus que votre mère : vous êtes bien certaine que je partage et comprends toute votre douleur et j'ai été si inquiète de votre état que j'y ai succombé. J'ai été bien malade ; je n'ai plus de courage ni d'énergie pour tant de malheurs qui nous ont si cruellement assiégées depuis quelques années. Mais vous, chère Marie, qui êtes jeune, et si bonne et dévouée à tous vos bons parents, je vous prie de faire tout ce qui est en votre pouvoir pour adoucir votre situation et rétablir votre santé si utile à votre cher Amédée, notre chère petite Ella, et votre bon père, qui ne vit que pour vous et tout ce qui vous est cher, [de sorte] qu'il est nécessaire à sa santé de vous voir rétablir la vôtre avant son départ. Et puis, chère enfant, l'on dit, et avec raison, qu'il n'y a que l'amour maternel qui est exempt d'égoïsme. Et puis, la pensée que notre cher ange est heureux nous impose le devoir de sacrifier notre douleur et votre sacrifice. Et puis, le bonheur de la chère petite Ella doit vous aider à calmer et adoucir votre peine ; qu'elle vous voie calme et résignée.

Je ne sais quand ce cher M. Westcott partira, je pense souvent à lui, combien il sentira la douleur de la séparation. Est-ce que vous ne pourriez vous décider, chère Marie, à aller à Saratoga avec lui ? Il me semble que cela vous serait utile à tous, pour votre santé, et beaucoup pour vous aider à supporter ensemble votre

31. Dans son journal, Amédée Papineau rapporte que, cet automne de 1854, sa femme alla passer un mois à Saratoga, dans la famille Westcott, avec les deux enfants.
32. La mort du petit Louis-Joseph Papineau.

malheur. Ce bon père, qui est toujours prêt à vous venir en aide, ainsi que cette bonne Mme Westcott, il a besoin de cette consolation, votre présence. Et le babil et la gaieté de cette chère petite pourront l'aider à passer le temps. Prenez cet avis de la part de votre mère, qui vous porte un si grand intérêt à tous, et qui, par expérience, comprend tout ce que vous souffrez, mais qui sait aussi que c'est un devoir de soigner sa santé et celle de ceux qui dépendent de nous.

Adieu, chers enfants, je vous embrasse tous de tout cœur.

Votre mère affectionnée,

J. Bruneau Papineau

Montréal, 8 mars 1855

Cher ami,

(J'écris sans lunettes, à la hâte ; lis si tu peux). Amédée est venu hier à cinq heures chez M. Bourret, avec ton mot de lettres, m'annoncer la triste nouvelle de votre malheureux voyage ; quel bonheur que je n'aie pas appris l'accident avant, par les journaux ! Il n'y a que par toi que je l'ai su. J'avais un pressentiment à l'égard de ce voyage tout le jour de votre départ. Amédée aurait dû savoir, par les charretiers, que les trains n'étaient pas arrivés, et alors, aller vous voir et vous ramener, car je suppose que c'est parce que vous n'avez pas trouvé de voitures pour vous ramener. Car, sans cela, je ne conçois pas que vous ayez consenti à rester là tout le jour et risquer à vous embarquer le soir. Je me fais bien des reproches de ne pas avoir envoyé là, voir si vous étiez partis ; enfin, quand un malheur arrive, il y a toujours des reproches à se faire.

Je ne suis pas surprise du courage de la chère Ézilda, mais je suis bien inquiète des suites : je crains que cela n'affecte sa santé et je la prie de se soigner de suite. Je connais sa discrétion poussée trop loin et [je] crains les suites. Qu'elle m'écrive et qu'elle se purge le plus tôt possible, car je ne serai pas tranquille avant cela.

En me rendant à l'église, ce matin, j'ai appris que le curé Bruneau était en ville hier ; ainsi, j'ai été privée de le voir : voilà bien des contretemps qui affligent tout à la fois.

Quel climat ! Il fait froid et gros vent ; je me suis mise en chemin pour aller chez Amédée avoir des nouvelles du curé, et j'ai trouvé le temps si froid et le vent qui rafale que je me suis arrêtée ici, chez Mme Cherrier, d'où je t'écris. Azélie continue seule et me donnera les nouvelles. Elle reviendra me rejoindre à trois heures pour l'office de l'après-dîner, d'où nous retournerons chez Mme Bourret où nous resterons jusqu'à la fin de la neuvaine.

Je ne sais si tu auras des nouvelles avant celle-ci des affaires de la cour seigneuriale. M. Cherrier a écrit que cela avait une apparence favorable aux seigneurs sous le rapport des cens et rentes mais cela va durer toute la semaine ; il faut que chaque juge lise ce qu'il a écrit à ce sujet, il n'y avait que le juge en chef qui avait lu ce jour. Ainsi, Amédée te tiendra au courant chaque jour, je suppose.

Fais mes amitiés au cher frère et à la chère sœur, ainsi qu'à Mme Thibodeau ; remercie-les de ma part, ils sont bien contents de vous voir arrivés et vous aussi. La chère Ézilda va se trouver réconciliée d'être rendue dans sa chambre, après la fatigue et l'inquiétude qu'elle aura éprouvées en elle-même, malgré la sagesse qu'elle aura eue de ne le pas manifester au dehors. Je l'admire et conviens bien avec toi que nous ne serions pas aussi raisonnables en pareil cas.

Je vous embrasse tous de tout cœur, soigne-toi aussi, je te prie.

Ton épouse,

J. B. Papineau

Petite-Nation, 23 mai 1855

Chère Marie,

Je voulais vous écrire aussitôt que nous avons appris la triste nouvelle de la maladie de M. Westcott mais nous attendions Amédée de jour en jour et, hier, il nous écrit qu'il ne viendra qu'à la fin de la semaine. Ainsi, je vous écris avant son arrivée. Vous pensez bien que nous sommes très affligés, avec vous et votre famille, à ce nouveau chagrin. Toutes nos sympathies vous sont acquises : vous n'en doutez pas, chère fille, et ce bon et aimable père et ami, nous l'aimons tous et désirons au plus vite son rétablissement.

Ce n'est pas étonnant qu'il soit faible : c'est toujours le cas à la suite d'une inflammation, et puis les remèdes actifs, qu'il faut employer en ce cas, produisent la faiblesse, mais il ne faut que du temps et de la patience et, après cela, le bon air salubre de la Petite-Nation et les soins et l'amitié de ses amis ici achèveront son entier rétablissement. Et vous, chère Marie, cela a été un douloureux moment pour vous : Amédée nous écrit que vous n'êtes pas bien, je le crois : un surcroît de peines n'est pas propre à ramener la santé. J'espère qu'aussitôt votre père rendu à la santé vous aussi aurez du mieux. Votre séjour à la maison paternelle et la société de bons parents et de quelques amis intimes vous distrairont un peu de vos pensées si tristes et si amères. C'est ce que j'espère au moins.

Amédée nous a fait part de vos projets au sujet de notre visite à Montréal et Saratoga : nous les approuvons en partie, car, pour le tout, il n'y a pas de moyens de laisser tous ensemble. Quant à moi, je pense que je serai la gardienne ; s'il n'y a pas de chemin de fer, je ne descendrai pas du tout. Mais les demoiselles partiront avec leur frère pour la ville et, quelques jours après, M. Papineau ira les rejoindre pour aller à Saratoga : voilà ce que nous proposons pour le moment. Quand Amédée sera ici, nous verrons si cela lui conviendra ; nous avons toujours tant de circonstances qui peuvent amener d'autres plans.

Ézilda a grande envie de ne pas manquer son voyage et, comme je ne puis aller avec elle, j'envoie sa sœur.

La chère Ella est heureuse à Saratoga : elle y voit des enfants et une vie plus animée qu'à Lis Carol[33]. Dites-lui que mémé s'ennuie d'elle et qu'elle l'embrasse de tout cœur. Amitiés et bon souvenir à vos bons parents et à vos amis, et les nôtres qui s'informent de nous.

Votre père est bien occupé et il se propose de vous écrire s'il a un moment aujourd'hui.

Votre mère affectionnée,

J. Bruneau Papineau

Montebello, 18 juin 1855

Cher fils,

J'ai prié ton père de t'écrire ce matin. Il ne l'a pas fait et je crains qu'il n'ait pas le temps de le faire demain ; ainsi, je le fais de suite pour te dire que nous avons enfin reçu la couchette dont un des côtés a été cassé net au milieu. Heureusement que Fortin dit qu'il peut y mettre des rivets facilement ; il l'a emportée hier soir. Il faudra peinturer cela en blanc et ce sera en dedans. Je ne sais à qui la faute, si c'est dans leur hangar ou à bord du bateau. Il y a aussi les pots de fleurs en bon ordre, mais non les vitres. J'espère que tu enverras bientôt la peinture et autres effets qu'Aimond t'a demandés, car Marguerite et moi, nous pourrons peinturer plusieurs choses, telles que le balcon, etc., sans ouvriers.

Ton père trouve que tu ne lui as pas envoyé assez d'argent. Tu fais bien, fais ton possible pour le gêner, car c'est désolant et très sérieux de voir autant de

33. Nom de la nouvelle maison d'Amédée Papineau, rue Saint-André, depuis 1853.

monde à payer et à nourrir, et si peu d'ouvrage de fait. Il ne peut les surveiller ; le soir, il ne leur donne pas leur ouvrage du matin ; ils viennent l'on ne sait à quelle l'heure, et ils ne savent que faire. Il n'a plus de grains ici, rien au moulin ; il lui faut donner tout en argent. Écris-lui donc qu'il diminue les hommes.

Le jardinier a été malade toute la semaine ; j'ai bien de la peine à avoir un homme pour faucher les parterres, pendant le temps humide et froid. Tu sais comme nos gazons sont gâtés tous les ans ; les filles et moi avons semé la graine de trèfle où il y avait tous ces endroits nus. Il y a peu de maringouins jusqu'à présent. Je ne sais si les premières chaleurs en feront éclore avec la baisse des eaux.

La pierre monumentale est arrivée ici et posée, comme tu l'as désiré, mais c'est bien mal et [elle] fait un bien vilain effet : c'est bon dans un cimetière, mais ici, la chapelle [est] si petite ! en entrant, cela masque la moitié de ton autel.

J'ai été bien aise d'avoir des nouvelles de chère Marie, de chère petite Ella, et du bon M. Westcott. Que j'étais inquiète ! Tu as bien fait de m'écrire le départ de tes sœurs ; les chères enfants, cela va leur être un agréable petit voyage en compagnie de ces dames, et puis, quand tu leur écriras, dis-leur qu'elles ne soient pas inquiètes de nous ni pressées de revenir ici : il n'y a rien à faire. Nous n'avons pas eu une livre de viande à manger depuis votre départ. Ainsi, il n'y a pas d'ouvrage à la cuisine. Marguerite s'occupe avec ses poulets. Elle en a soixante à présent, bien portants ; je ne sais si elle pourra les voir grandir et engraisser.

Enverras-tu bientôt ton modèle pour la maison du jardinier afin que j'essaye d'en faire faire les fondations ?

Tu dis que tu as hâte de voir revenir tout ton monde, je n'en doute pas, je comprends ton ennui, mais quand je dis à tes sœurs de ne pas hâter leur retour, ce n'est pas pour qu'elles retiennent Marie plus longtemps à Saratoga. Mais, à Montréal, elles pourront attendre que vous montiez. Qu'elles aillent à Saint-Hyacinthe, à Verchères ; enfin, qu'elles mettent à profit leur voyage, car il n'est pas facile de sortir d'ici quand on y est cloué et enfermé plus que jamais ! Nous aurons peu de visiteurs cet été, à raison de la difficulté du voyage.

Tu nous écriras au sujet de ta paye quand tu en connaîtras le montant. Sois prudent, cher enfant. Pendant que tu es seul, ce serait plus pénible d'être malade sans personne pour te soigner. Adieu.

Ta mère affectionnée,

J. Bruneau Papineau

Lis Carol, 1er novembre [1855]

Cher ami,

Je t'écris ces quelques lignes après celles qu'Amédée t'a envoyées le lendemain matin de notre arrivée. Il t'a décrit le long tour que nous avons fait pour arriver à Montréal. Nous sommes bien reposés après une bonne nuit de sommeil ; hier, je ne suis pas sortie, j'ai arrangé mes effets.

Ézilda a eu bien mal à son œil ; elle a mis des cataplasmes et il est mieux aujourd'hui.

M. Westcott est parti ce matin, seul, à six heures, mademoiselle sa nièce reste ici pour quelque temps encore.

Ce matin, je suis allée à la Providence à pied et à la pluie, mais j'ai eu l'avantage d'entendre la grand-messe chantée par les sœurs, en bonne musique, et elles s'accompagnent sur un harmonium, et puis un bon sermon par un prêtre français. C'est tout ce que j'aurai d'offices aujourd'hui, car la pluie continue à tomber et il fait sombre et humide : l'on est bien à la maison.

J'ai trouvé Marie bien, ainsi que la chère petite Ella qui est si contente de nous voir, surtout sa tante Ézilda : elle ne peut la laisser d'un instant.

Amédée invite Dessaulles, le jeune Bossange et Fabre à venir dîner ce soir ; le premier devait arriver en ville ce matin. S'il y est, j'aurai des nouvelles de la famille.

J'espère que Mme Papineau est auprès de vous. Il faisait beau hier, elle a pu se rendre pour la fête d'aujourd'hui. Je regrette de ne l'avoir pas vue avant mon départ.

En arrivant ici, Ézilda a trouvé un paquet à son adresse de la part de M. Christie : ce sont des chansons en musique, *More's Irish Melodies.* Elle te prie de lui écrire en son nom et au tien, car elle dit qu'elle ne peut le faire, et elle enverra le cahier par son oncle Pierre quand il montera.

Vous ferez nos amitiés d'ici à tous là-haut. Je ne sais si je pourrai envoyer ma lettre ce soir.

Adieu, cher ami, sois prudent, aie soin de ta santé.

Ton épouse affectionnée,

J. Bruneau Papineau

Lis Carol, 11 novembre [1855]

Cher ami,

Depuis que je t'ai écrit, Ézilda a écrit à sa sœur. Ainsi, je n'ai rien de bien intéressant à te mander, excepté que j'ai vu mon frère Bruneau jeudi et il m'a dit qu'il ne pourrait pas monter encore avant la fin du mois, car il avait des affaires à terminer, et il m'a dit qu'il m'écrirait deux ou trois jours avant son départ : ainsi, j'aurai tout prêt pour ce temps. Les effets qu'Azélie a demandés et puis la valise de la pauvre Marguerite, il m'a dit qu'il s'en chargerait. J'enverrai des comptes.

Aussi, Amédée t'envoie un quart d'huîtres, grandes et bonnes, mais il faut que vous les mangiez de suite, car elles ne se conservent pas aussi bien que les petites.

J'ai reçu bien des visites mais je n'en ai pas encore faites, car il a fallu faire les affaires les plus pressées avant.

Dis à la chère sœur que j'ai vu Mme Émery avec sa petite ; elle l'a amenée : elle est grande et grasse et forte, c'est extraordinaire. Elle dit qu'elle ne lui donne pas de trouble du tout, elle dort bien.

J'ai aussi eu la visite de M. Maurice Laframboise et du frère Augustin : ils m'ont dit que toute la famille était bien à Saint-Hyacinthe. Tu diras à Azélie que nous avons été visiter ce fameux piano qui joue sans artiste mais je n'en suis pas si éprise que Dessaulles, et je ne suis pas seule de mon avis. Marie et Amédée aussi pensent comme moi : il a le son très fort, pas sûr, clapissant et puis, pour ces jeux sans musicien, il faut faire tourner une manivelle et puis poser [sur] le dessus les morceaux de musique, un à un, changer continuellement. C'est une personne occupée continuellement et qu'il faut instruire à le faire ; ainsi, l'on ne peut pas dire qu'il joue seul, mais j'en ai vu d'autres superbes, un ou autres magnifiques de sons, etc.

J'espère que Mme St-Julien continue à bien aller. Fais mes amitiés à la chère Angelle et à toute la famille. Dis à Azélie qu'elle nous donne des détails sur la maison. A-t-elle fait secouer mon tapis ? J'espère qu'elle continue à pratiquer son piano. Qu'elle me donne des nouvelles de la vieille Marguerite et des autres. Adieu. Ton épouse et amie, cher ami.

J. Bruneau Papineau

[Sur un billet ajouté à la lettre] : Avez-vous fait laver les châssis de la tour ? Nous avons envoyé un quart de belles bouctouches[34], il faut les manger de suite pendant qu'elles sont bonnes. Mettez-les dans la laiterie de dehors. Aussi un quart de fleur, pour faire le pain de la chambre.

---

34. Bouctouches : huîtres de Bouctouche, Nouveau-Brunswick.

Lis Carol, 28 décembre 1855

Cher ami,

Je commence celle-ci à la [fin][35] de la saison afin qu'elle parvienne au jour du nouvel An, pour nous la souhaiter meilleure et plus heureuse que celles qui nous ont été si amères et qui nous ont laissé des plaies et cicatrices qui ne peuvent plus se guérir. Il n'y a que l'amour et l'amitié que nous devons à ceux qui nous restent, qui nous imposent le devoir de nous vaincre et de nous oublier pour ne pas trop attrister le commencement de leur pèlerinage, qui n'a pas commencé pour eux avec autant de bonheur que pour nous. Notre jeunesse a été heureuse, entourée et chérie d'un grand nombre de bons parents ; d'une société d'amis sincères comme était celle du pays. Alors quel changement depuis ce temps ! Tout cela a disparu et puis, de plus, nos peines personnelles n'ont pas été d'une nature ordinaire. Depuis 37, nous avons été éprouvés de toutes manières, l'une à succédé à l'autre, et de plus en plus poignantes. Il faut donc se soumettre et désirer la patience de continuer notre sacrifice jusqu'à la fin : Dieu le veut.

Nous n'avons pas eu plus de lettres depuis celle d'Azélie, il y a huit jours ; je n'en attendais pas d'elle cette semaine. Elle a dû être bien occupée pendant la retraite et puis, ensuite, à aider à faire la crèche et parure de l'église, je pense. Ce surcroît à ces autres occupations l'exempte, mais je ne pense pas que M. Pierre soit excusable, lui qui avait promis d'écrire son arrivée et, depuis, il aurait encore plus de sujets de le faire : il nous donnerait des détails sur vos occupations journalières et des nouvelles de la famille, de la paroisse, de la maison, etc.

Quant à nous, depuis la dernière d'Ézilda, notre vie a été occupée par un peu de magasinage pour étrennes, et puis l'assistance à l'église, dimanche dernier. Il pleuvait, nous nous sommes fait mener à l'église de la Providence et puis, au sortir, M. Jacques Viger m'a offert sa voiture, je me suis fait conduire chez Mme Côme Cherrier, où Ézilda est venue me rejoindre après la grand-messe de la paroisse. Nous y avons passé la journée et la veillée ; elle a envoyé inviter la famille Chauveau à venir veiller ; ils y sont venus : M. et dame et [la] petite fille de 12 ans et deux sœurs de madame, qui l'ont suivie à Montréal, mais qui louent une petite maison à part. La soirée a été agréable. Il m'a priée de te présenter ses respectueux hommages et m'a dit qu'il espérait que tu irais le voir, qu'il ne faisait pas de visites, ayant tout récemment perdu un de ses enfants, charmante petite fille, celle dont nous parlait Mme Christie. Il paraît que cette dame dit à tous ceux qui la visitent qu'elle nous attend et vante beaucoup sa réception chez nous, sous tous les rapports.

Dimanche, à la porte de l'église, Mlle Delisle, jeune amie d'Azélie, me disait qu'elle arrivait de Québec et que Mme Christie nous attendait en février. Elle ne

35. Distraitement, Julie a écrit ici le mot « vie ».

s'est trompée que de l'hiver à l'été. Il faut que cette demoiselle ne se ressente pas de son rhumatisme, puisqu'elle peut voyager en cette saison. Je ne [le] lui ai pas demandé : ce n'est pas agréable pour une jeune personne, je pense.

Jour de Noël, tempête de neige, Marie n'a pas voulu fêter le Christmas ; elle a pleuré et a été attristée. Nous sommes revenus passer la soirée avec elle, et Dessaulles est venu dîner. Nous avons été bien aise de le voir et d'apprendre que sa mère était bien. Par une lettre d'Auguste, nous avions été informés de sa maladie, qu'il donnait comme grave. Elle a du mieux, c'est le plus sûr.

Dis à notre sœur Angelle que ses enfants ici sont bien. Dimanche, Émery[36], sa femme et la petite sont venus et, comme nous passions le jour chez Mme Côme, j'ai été privée de les voir. Marie dit que la petite grandit à vue d'œil ; et Ézilda y a déjeuné le jour de Noël.

Nous n'avons reçu ta lettre de dimanche qu'hier soir, au retour d'Amédée. Il dit que tu aurais mieux fait de l'envoyer par la poste : il aurait eu le temps d'y répondre à temps. À présent, la poste ne partant que lundi, ni la sienne ni la mienne ne te parviendront avant mardi soir, je pense. Je n'avais pas fini la mienne non plus pour répondre à celle que nous aurions dû recevoir trois jours plus tôt. J'étais bien inquiète, sachant combien tu travailles et que tu dois négliger le soin de ta santé ; il faut que tu prennes des pilules par précaution, avant ton voyage, et puis que tu en apportes avec toi, ici, car ton médecin sait ce qu'il te faut. N'y manque pas. Je me conserve en santé ici, car j'ai pris des remèdes pour prévenir la maladie. Tu n'as plus le droit de te moquer de mes avis, car je suis autorisée de ton médecin de le prescrire et il dit que tu dois suivre mon traitement. Ainsi, il faut s'y soumettre. Dis à Azélie que je lui recommande de me remplacer et de se rendre maîtresse là-dessus.

Je suis fâchée que la chère sœur ait été aussi fortement indisposée, qu'elle en ressente encore la faiblesse.

Répondez-moi donc au sujet de Mme Thibodeau. Sera-t-elle prête à venir auprès d'Angelle, lui faire compagnie quelques jours avant le départ d'Azélie, afin qu'elle lui montre la tenue de la maison, afin que la chère sœur n'ait ni embarras ni inquiétude ?

Je ne crois pas qu'Auguste monte à présent. Amédée dit qu'il faut à tout prix avoir la terre des Grant. Ici, tu donneras tes instructions à Auguste et il ira alors faire tes affaires pendant ton absence, car il ne peut laisser bientôt à cause du terme de janvier. C'est cela, je pense. Adieu, au revoir.

Ton épouse,

J. Bruneau Papineau

---

36. Émery Papineau, neveu de Louis-Joseph, épousa Charlotte Gordon (Joliette, 17 mai 1854), fille de défunt Jean Gordon, officier du département de l'Ordonnance, et de Christine Leodel.

Donne-moi des nouvelles de la pauvre Marguerite ; elle est encore souffrante.

Montréal, 1er avril 1856

Cher ami,

J'apprends hier par Amédée que tu persistes à faire la folie de bâtir de nouveau[37], moi qui voulais faire des réparations, le nécessaire nettoyage de maison afin de pouvoir renvoyer Aimond le reste de l'été et bien d'autres gens que nous ne pourrons plus employer, sans compter que cela va déguiser la maison, et nous tourmenter, et ennuyer encore tout l'été. Depuis six ans que nous sommes ainsi ! C'est incroyable une pareille idée, dans ce moment où il faut cesser toute dépense, là, puisqu'il faut réparer ici la maison. Et puis, avec des revenus encore plus douteux et précaires comme sont les nôtres, nous sommes ici désolés et tourmentés : je n'en ai pas dormi de la nuit ! je ne puis y croire encore ! Cela me paraît une si grande folie que je ne sais comment l'expliquer. Et puis, j'ai pensé à cette pauvre Ézilda que cela tourmente. Est-il possible que nous ne sommes pas à bout de nos tourments ? qu'il faut encore vivre pour être inquiets et tourmentés de toutes manières ? Je ne pourrai pas monter pour être témoin d'une pareille extravagance. J'avais dit à cette pauvre Ézilda de me faire faire mon peinturage et blanchissage de suite, afin de pouvoir nous annoncer de suite, et jouir d'un peu de tranquillité. Je suis si démontée de cette nouvelle que je ne me sens pas la force d'en être témoin.

Je vais rester ici jusqu'à la navigation et puis, si tu persistes à nous mettre au désespoir, j'irai passer ce temps à Saratoga avec Marie, que son père veut engager à passer le mois de mai. Mais la pauvre Ézilda, que va-t-elle devenir ? Il faudra que je l'envoie chercher, car je crains pour elle. Peut-on se ruiner de plein gré comme cela, quand on a reconnu que l'on a fait déjà trop, pour nos ressources, qui vont en diminuant chaque année ? Et puis, à notre âge, a-t-on besoin de se donner tant d'inquiétude après tous nos malheurs et les cruelles épreuves qui nous ont assiégés, qui nous ont brisés et ôté tout courage et bonheur ? Il faut encore, de plus, les diversi[fi]er par d'autres tourments et inquiétudes. Je ne sais comment expliquer cela, car cela va nous dégoûter de plus en plus de ton endroit qui nous a déjà été si funeste, que l'on n'en peut prévoir les conséquences. Tu répondras de tout le malheur de ta famille déjà si éprouvée.

37. Allusion probable à la construction d'une « tour », au manoir, qui servit de bibliothèque à Louis-Joseph Papineau.

J'étais à me réjouir de ce que Laframboise s'arrête, au moment de faire la folie, aussi lui, de bâtir une si grande maison et si coûteuse, à la campagne, et encore quelle campagne ! comparée à la nôtre. Il prend la résolution de s'en aller en Europe pour plusieurs années, voyant sa santé délabrée. Il s'est arrêté à cette sage résolution ; il aura de quoi vivre et élever sa famille pour moins qu'il ne dépense ici, sans jouissance raisonnable. Et nous, au moment de finir notre carrière, il faut se ruiner et faire le malheur de notre famille ! Il y a une fatalité qui nous poursuit et nous conduira où je ne sais. Je prie Dieu de me donner la force de pouvoir le supporter, car sans cela je ne le puis de moi-même.

Amédée est démonté : il travaille tout le jour et une partie des nuits pour éviter autant que possible les dangers de ces lois[38] qui menacent notre ruine. Azélie et moi ménageons autant que possible ; elle ne va pas au bal costumé, car elle ne veut pas dépenser. Elle dit qu'elle a assez de peine à avoir le nécessaire.

Ce voyage de Québec qu'il faut faire, si tu tiens à ne pas jouer, car ce pauvre M. Christie, qui a ta promesse formelle, et puis qui s'en vante à tous ses amis depuis un an ! Sans cela, je t'assure que je n'y tiens pas du tout : cela fait toujours un peu de dépenses, et puis enfin, cette année, il y a mille raisons de modérer nos dépenses et rester un peu en repos. Nous sommes tracassés de tout côté, et faut-il encore empirer notre sort ? Amédée dit que tu ne comprends pas du tout ta situation, par ces nouvelles lois, et que c'est plus dangereux que tu ne le penses. Tous les seigneurs sont démontés, et toi, le plus pauvre, ne sais pas t'arrêter !

Donegani a été averti, comme toi, et il n'a pas voulu rien entendre : il a fallu qu'il se ruinât. Le même sort nous attend sans faute. Enfin, après que nous aurons fait ce que nous pouvons pour éviter ce malheur, et le dégoût que nous inspire cet embarras nouveau, tu jouiras seul de tes œuvres et du malheur de ta famille qui vit dans le deuil et l'inquiétude depuis 37. Il était temps d'y mettre une fin, s'il était possible. Il y en a bien d'autres qui font ce qu'ils peuvent pour nous ruiner, sans leur prêter la main, comme on le fait depuis des années. Adieu, réfléchis aux conséquences et après fixe notre sort.

Ton épouse affligée,

J. B. Papineau

38. Les lois qui modifient le régime seigneurial.

Québec, 25 juin 1856

Chère Marie,

J'ai un moment de loisir ce matin ; je m'empresse de vous le consacrer. J'ai prié votre père de vous donner des nouvelles de notre arrivée ici, et, depuis ce jour, je n'ai pu trouver un instant pour vous écrire.

Je ne puis vous dire le nombre de visites que nous recevons chaque jour, qui ne nous laissent que peu d'instants à sortir, même le matin ; et puis, chaque soir, c'est un party, une soirée qui se prolonge à minuit, et, dans ces jours de grande chaleur, c'était bien fatigant. Mais nos amis sont si polis et si portés à nous amuser qu'ils mettent leurs voitures à notre disposition, en sorte que nous avons visité les environs de Québec.

Dimanche, nous avons été dîner chez le juge [René-Édouard] Caron. C'était un après-dîner assez frais, la campagne dans toute sa beauté ! Nous avons visité son établissement avant le dîner : c'est un endroit charmant sur le bord du fleuve, vous connaissez la beauté de ces vues. La famille est intéressante et très polie.

Hier, jour de la Saint-Jean-Baptiste, a été vraiment un beau jour. L'on nous a envoyé une belle voiture nous prendre, pour nous mener à l'église de Saint-Jean où nous avions des places de réservées. Il y a eu un beau chant et un excellent discours par un prêtre canadien très éloquent. Et puis au retour, M. le maire[39] nous a invités à arrêter chez lui pour voir défiler la procession qui s'est arrêtée vis-à-vis de chez lui. Le président de la Saint-Jean-Baptiste a adressé un compliment auquel il a répondu et, ensuite, un membre en a adressé un à M. Papineau, des plus flatteurs. Il a fallu qu'il remercie en peu de mots, et puis des hourras prolongés, etc. M. Papineau a assisté à la procession en allant à l'église, et puis, en revenant de l'église, on l'a exempté de continuer ; c'est pourquoi il était chez le maire avec nous, et puis le juge Caron et sa famille et d'autres amis. Après la procession passée, il nous a donné un lunch au champagne et a proposé la santé de M. Papineau et sa famille, avec quelques compliments auxquels il a fallu répondre. Et le soir, le président est venu prendre M. Papineau pour le conduire au banquet auquel il était invité. Il en est revenu à minuit et, ce matin, il est parti avec ses demoiselles pour le voyage en bas, à la Rivière-du-Loup, et revenir par le Saguenay. En arrivant ici, nous étions décidés à n'y pas aller ; mais ses amis ici ont insisté et ont envoyé une pressante invitation à notre famille et à celle de M. Christie. Cela va retarder notre départ à samedi soir et peut-être à lundi.

Présentez mes amitiés à vos bons parents, que je suis heureuse de savoir auprès de vous. Embrassez Amédée et la chère petite Ella. J'espère qu'ils nous écriront ces jours-ci, et qu'il écrira à la Petite-Nation, à Aimond, que nous

39. Le Dr Olivier Robitaille (1811-1896), maire de Québec, époux de Louise Denechaud.

n'arriverons que mardi prochain au plus tôt. Excusez mon griffonnage : trois visites m'ont interrompue.

Votre mère affectionnée,

J. B. Papineau

Montebello, 20 [octobre 1856]

Ma chère Azélie,

Je veux aussi te remercier de nous avoir écrit. Il y avait du temps que je voulais le faire aussi mais c'était mieux que tu le fisses la première. Je ne veux pas te réfuter sur ce que tu prétends nous avoir dupés. Oh non ! chère enfant, je te connais bonne et sincère, il n'y a que la maladie qui te fait raisonner ainsi. Je te remercie de la résolution que tu as prise de condescendre à la prière de ces dames[40] de ne plus te faire souffrir. Cela te méritera la grâce de ne plus céder à tes pensées et à ta volonté : tu fais mieux que ceux qui pensent et désirent le bien mais qui agissent au contraire, puisque tu commences à bien faire, contre tes inclinations. Ainsi, courage et continue à bien agir, tout le reste viendra.

Tu dois bien penser avec quel empressement nous attendons ton retour. Quel vide tu y as laissé, chère enfant ! Ta sœur et moi le ressentons bien plus que tout autre. Si tu veux qu'elle t'écrive, elle le fera, c'est le moyen de diminuer l'amertume que cause la séparation de bons parents, mais elle ne veut pas te fatiguer si tu ne le désires pas.

Après tes bons parents, tout le monde ici te désire, la bonne Marguerite surtout. Elle pense à toi à chaque instant : en travaillant, en soignant sa basse-cour, etc. Elle dit que cela la fait ennuyer à l'excès.

Le jardinier s'informe si tu seras ici pour voir ses fleurs d'automne. Il dit que c'est Mlle Azélie qu'il aime le plus, qu'elle s'intéresse à son jardin et surtout à ses fleurs.

Marguerite te fait dire qu'elle ramasse les feuilles rouges et jaunes pour ton bouquet d'hiver. Celui que tu as fait l'an passé est encore dans la cheminée de la grande chambre. Pauvre chambre, elle est fermée depuis ton départ ! Elle attend celle qui a coutume de la parer. Et le piano qui n'a pas été touché ! Ainsi, tu vois qu'il faut hâter ton retour. Tu dis que tu es bien mais tu ne penses pas

40. En septembre 1856, Azélie est mise en pension dans un couvent, souffrant d'une maladie nerveuse.

à tes mois, il faut que tu viennes avant que tu sois en santé et après nous espérons la guérison et le retour.

Ton père est mon interprète auprès de ces dames et de ces messieurs. Adieu, chère enfant, hâte-toi de guérir et de revenir. Nous t'embrassons de tout cœur.

Ta mère affectionnée,

J. Bruneau Papineau

P.S. Si tu as besoin d'autres effets, mande-le-moi. Je puis envoyer une robe et ton corsage de velours noir : ce sera chaud, ou une robe d'hiver, ta violette ou ta brune, comme tu voudras.

Montebello, 20 [janvier 1857]

Ma chère Azélie,

Tu m'as demandé de me rendre près de toi cette semaine, mais ta tante Dessaulles, ton frère et ta sœur ne partent que demain, mercredi. Ainsi, j'aimerais à avoir le reste de la semaine ici afin de mettre le tout en ordre, et puis, de plus, prendre des remèdes avant mon départ. Et puis ton père ne peut monter que lundi aussi. Alors nous monterions ensemble, sans plus de retard, sois-en assurée. Mais, si cela te fait de la peine, je suis prête à monter sans toutes ces préparations, pour remplir ma promesse ; et, ensuite, pour être plus tôt auprès de toi, chère enfant.

Tu ne dois pas douter combien j'ai souffert depuis notre séparation. Ainsi, réponds-moi demain si tu ne veux pas attendre à lundi et j'espère que je te trouverai raisonnable et obéissante, et alors nous ne serons plus séparées : c'est ce que ta pauvre mère espère pour la consoler des mois d'angoisse et de douleurs qui l'ont accablée depuis l'invasion de ta maladie. J'apporterai avec moi les effets que tu me demandes et bien d'autres. J'ai arrangé ici tes autres objets en ordre.

Renouvelle mes respects et reconnaissances à ces dames pour tout ce qu'elles ont fait pour toi et pour nous. Adieu, chère fille.

Ta mère affectionnée,

J. Bruneau Papineau

Montebello, 14 juin 1857

Mon cher fils,

Par ta lettre d'hier, j'apprends la mort de ma pauvre sœur[41] ; j'espère qu'elle sera plus heureuse dans l'autre vie puisqu'elle s'y est bien préparée, elle a eu du courage jusqu'à la fin d'être venue en ville dans l'état de souffrances où elle était ; toute sa vie n'a été qu'une souffrance et que misère. Sa pauvre fille se sentira encore de sa perte, car elle lui aidait et la consolait malgré ses infirmités. Elle lui faisait toute sa couture.

C'est bien ennuyeux pour toi de voir partir ta femme et tes chers petits enfants, mais Marie et les enfants, et les bons parents et amis, vont jouir ensemble de leur réunion. Ainsi, en pensant à cela, tu te résigneras à supporter leur absence avec moins de regrets.

Je me trouve ici sans aucune harde de deuil. Il me faut un chapeau et du crêpe, j'en garnirai mes robes d'alpaca. Quant au chapeau, je ne sais si tu connais la modiste où Marie a acheté le sien : c'est celle qui les fait à meilleur marché, elle demeure dans la rue Notre-Dame, du côté de la maison de Justice, un bloc ou deux plus haut. C'est une Canadienne ; je vais lui donner des ordres sur cette dernière feuille de ta lettre ou plutôt sur une feuille à part que tu pourras lui donner et, quand il sera fait, qu'elle l'envoie dans une boîte à ton bureau et tu pourras me l'envoyer à mon adresse et recommander au capitaine Shephard. Il m'a dit qu'il me ferait parvenir tout ce que je voudrais, lui étant adressé avec le chemin de fer ; que c'était bien facile. Si tu lui dis, à la modiste, de mettre la boîte un peu plus grande, tu y ajouteras quatre verges de crêpe noir et large, et puis envoie-moi le compte. Je t'enverrai le montant dans une lettre. Je te prie aussi d'envoyer le tapissier le plus tôt possible, et des pains à cacheter.

Je ne puis rien finir dans la chambre ni dans la tour : il y pleut et Aimond n'a pas le temps de la raccommoder. Ils sont à transporter la maison et [les] bâtiments de Fortin. Avant cela, il a travaillé à finir cette tour.

Quand tu écriras à Saratoga, ne manque pas d'y faire nos amitiés et souhait pour la santé et contentement. J'écrirai à Marie sous peu.

Ta mère affectionnée,

J. Bruneau Papineau

41. Luce Bruneau, épouse de Toussaint Cherrier, chantre, est décédée à Lachine, le 8 juin 1857, à l'âge de 57 ans.

4 juillet 1857

Mon cher fils,

Je suis des plus étonnées de la demande que tu fais à ton père de t'aider à acheter ton établissement avec l'indemnité que ton père doit recevoir. Cela passe tout ce que l'on peut penser d'un tel égoïsme, de ne pas plus penser à tes malheureuses sœurs. Ton père dit qu'il ne peut aider à Azélie pour l'établir, et elle aime un jeune homme sage, religieux et d'esprit et de talents qui pourront par la suite la faire vivre. J'ai fait tout ce que j'ai pu pour l'en détourner. Elle a pleuré, elle lui a écrit elle-même qu'elle n'était pas changée à son égard, qu'elle ne changerait jamais et elle veut l'épouser[42]. Ainsi, vous courrez le risque de la rendre malade encore. Sur vous tombe toute la responsabilité, si cela vous fait honneur, et en conscience que vous sacrifiiez ces petites filles-là.

Tous les pères pensent à l'établissement de leurs filles ; il y a longtemps que je prévoyais cela ; et elle m'a avoué qu'il y a longtemps qu'elle est malheureuse, parce qu'elle voulait s'établir. Ainsi, elle s'est engagée avec ce jeune homme. Son père, simple cultivateur, fait ce qu'il peut, mais, pour le présent, il ne peut faire que peu, et M. le seigneur qui passe pour riche, qui fait des extravagances depuis des années ici, sur ton établissement, dans lesquelles les filles n'auront rien ! Et tu viens demander encore que l'on aide à t'acheter un autre établissement !

J'ai hâte de voir M. Westcott moi-même, je lui dirai toute votre conduite avec ces petites filles-là. Hier au soir, en entendant lire ta lettre, Azélie s'est retirée dans sa chambre et elle a pleuré. Elle est décidée à se marier cet automne, et à pensionner puisque l'on ne peut leur aider ; et moi, pauvre mère, plutôt [que] de la voir dans l'état de l'an passé, il faut que je m'y soumette et que je consente, au cas de pis. J'espère que le bon Dieu les aidera, ainsi que moi, dans cette nouvelle épreuve.

Il y a longtemps que je sais que nous n'avons pas de protection à attendre de personne, pas même de justice. C'est pourquoi nous avons toujours cherché, avant tout, les consolations de la religion pour nous soutenir dans nos épreuves. Sans cela, nous serions tous au désespoir. Ézilda dit souvent : « Si je pouvais gagner ma vie ! car je vois bien ce qui nous attend après notre mort. Sans vous, il y a longtemps que je désirerais le sort du pauvre Gustave. Je remercie la Providence de l'avoir appelé à elle. »

Ainsi, sois assuré que je ferai mon possible pour garder ces arrérages pour aider à Azélie.

Ta malheureuse mère,

J. B. Papineau

---

42. Azélie Papineau épousa Napoléon Bourassa (Montebello, 17 septembre 1857), fils de François Bourassa et de Geneviève Patenaude. Napoléon Bourassa fut artiste peintre, architecte, écrivain et musicien ; Napoléon et Azélie sont les père et mère d'Henri Bourassa, fondateur du *Devoir.*

Montebello, septembre 1857

Ma chère Marie,

Je réponds de suite à votre lettre, comme vous me dites qu'il faut une conclusion à faire avec cette dame. Ils sont bien flattés et vous remercient de la peine que vous avez prise d'aller visiter le logement ; et ils sont de votre avis, de prendre la chambre qui joint le salon, et de faire apporter leurs repas pour eux seuls. De cette manière, je crois qu'ils seront aussi bien que l'on peut être en pension, et mieux même que dans un hôtel pour le confort, car M. Bourassa dit que la dame est bien bonne. Ils seront aussi privément que s'ils louaient des chambres et qu'ils feraient apporter leurs repas. C'est à leur goût. Ainsi, je vous prie de lui rendre réponse et de lui dire qu'il faut meubler la chambre décemment, et que ce sera pour le 1er de novembre. Si elle dit que cela lui fera du tort, que ce sera trop long, elle dira ses raisons. D'ailleurs, je vous écris cela pour vous rendre réponse, et puis j'ai dit à M. Bourassa de lui écrire lui-même et de lui faire ses conditions. Il écrira demain. Ainsi, elle aura avis par vous et puis ensuite de lui.

Si Dessaulles monte, Ézilda prie Amédée d'envoyer encore trois ou quatre livres de fromage de gruyère et des fruits : pommes, poires et prunes, s'il y en a. Ici il n'y a plus de melons ni de raisins.

Azélie répond à Amédée pour l'adresse de Mlle Darcy[43], qu'elle a ici les cartes pour Philadelphie, qu'elle enverra d'elle-même.

Fleurine se propose de partir mercredi, avec la vieille Marguerite. Ainsi, si Dessaulles ne monte pas, la vieille apportera ce qu'il y aura à envoyer ici dans le temps. Elle ne sera que huit jours.

Avez-vous eu des nouvelles de M. Westcott ? Quand vous écrirez, rappelez-nous auprès d'eux. Amitiés et regrets de n'avoir pas eu le plaisir de sa société plus longtemps. Dites à ma chère petite Ella que nous nous sommes bien ennuyés d'elle et du cher petit frère : nous parlons d'eux chaque jour. La famille se joint à moi pour vous embrasser et vous remercier de toutes vos bontés.

Votre mère affectionnée,

J. B. Papineau

43. Les Papineau avaient rendu visite, avec leur fille Azélie, à Mlle Augustine Darcy, à Philadelphie, en décembre 1856.

Lis Carol, 19 novembre 1857

Cher ami,

J'ai prié Major d'aller te donner des nouvelles du voyage ; c'est ce qui fait que je n'ai pas écrit à Lachine, d'où je suis revenue hier, comme je l'avais projeté.

J'ai été bien désappointée à Carillon, quand j'ai vu, au lieu du *Lady Simpson,* un petit bateau à touer les cages, sans chambre ; et il était 3 heures quand nous sommes entrés dedans. Et, vers 5 heures, l'on nous a annoncé qu'il était probable qu'il faudrait y passer la nuit, s'il faisait trop noir en arrivant à Sainte-Anne. Alors tout le monde à se récrier. Alors le pilote a dit qu'il ferait son possible. Et enfin, il nous a conduits au port à 7 heures. Le capitaine m'a envoyé conduire par le *waiter* et une lanterne, chez M. Globensky, qui ont été agréablement surpris de me voir arriver à cette heure. Ils n'avaient pas reçu la lettre, il ne l'a reçue que le lendemain matin. Ainsi, tu vois que j'avais bien fait de prendre ce parti, car chez Amédée je serais arrivée avec misère.

J'ai passé une agréable journée avec cette intéressante famille, et puis j'ai été voir Mme Decoigne aussi, qui est bien, ainsi que son mari, qui est mieux sous tous les rapports, plus sobre en pratique.

Ici, j'ai trouvé la famille bien. Amédée était à la maison, à rentrer son jardinage. Ils ont envoyé chercher M. et Mme Bourassa pour dîner. Ils sont bien aussi.

Nous serons obligés d'attendre les gelées pour nous visiter. J'ai remis à Amédée ton argent et ce compte de la fabrique. Il disait qu'il ne fallait pas s'en occuper, mais je lui ai dit qu'il le fallait de suite et que tu lui recommandais de consulter Cherrier, etc. Je ne sais ce qu'il fera aujourd'hui.

Mme Papineau s'en va en ville. Je termine pour l'envoyer par elle. Je t'embrasse ainsi que la famille ici, grands et petits.

Ton épouse affectionnée,

J. B. Papineau

Dis à Marguerite que j'ai parlé à Amédée de son petit livre et qu'il arrangera cela.

Lis Carol, 22 novembre 1857

Cher ami,

Je t'ai écrit, jeudi dernier [19 novembre], mon arrivée ici ; et depuis je n'ai rien de nouveau à te dire.

J'ai vu Azélie et son mari, ils ont dîné ici jeudi, et Azélie est venue hier me voir, car je ne sors pas par ces mauvais chemins.

Aujourd'hui, j'ai été à la messe dans la nouvelle église de Saint-Jacques, en voiture. Cet édifice est très beau. Et ensuite, je suis allée chez Émery attendre le retour de la voiture. Ils sont bien portants, tous deux et les enfants aussi. Chez Casimir, le dernier enfant est malade.

Amédée voulait t'écrire, mais il est en remède et ne croit pas pouvoir le faire. Il s'est bien fatigué à son nouvel établissement, et puis ici, à rentrer ses légumes, en abondance : 150 gros choux pommés et choux-fleurs ; 63 minots de betteraves et 150 minots de carottes, sur un demi-arpent de terrain et qu'une femme pour jardinier. Dis cela au tien.

J'avais oublié de te dire de te procurer du bois afin qu'il sèche, pour faire la cloison qui doit séparer la grande chambre d'en haut. Je la ferai faire à mon retour au printemps.

J'espère que tu te soignes bien afin d'éviter la maladie avant ton voyage ici. Écris-moi comment tu es, et puis dis-moi comment est la vieille Marguerite. Elle était malade depuis quelque temps.

Je ne te parle pas des nouvelles : les journaux t'en diront autant que nous en savons ici. Tout est à l'état de rumeur et rien de décidé. Dessaulles doit venir en ville demain, pour son procès du Grand-Tronc, l'indemnité qu'il demande pour les terrains dans sa seigneurie où le chemin de fer passe. Tu connais mieux ce qui en est que moi. Émery dit que c'est d'un grand intérêt pour lui.

Les petits enfants ici sont charmants. Le petit[44] est très bien engraissé, de belles couleurs ; il est bien aimable, quoique un peu entêté.

Je ne sais quand nous aurons l'hiver ; le *Lady Simpson* monte à présent. Dis à Marguerite que, si elle a une occasion, elle m'enverra mon beurre frais, qu'elle m'a fait, et sinon elle continuera à en faire faire pour m'envoyer par toi, quand tu viendras.

Nous t'embrassons tous de tout cœur. M. Westcott te salue bien, quand il écrit.

Ton épouse dévouée,

J. B. Papineau

44. Louis-Joseph II, fils d'Amédée, âgé de 17 mois.

Montréal, 7 décembre 1857

Cher ami,

Amédée t'ayant écrit la semaine dernière, je ne l'ai pas fait, mais je regrette de ne l'avoir pas fait pour samedi, car je n'ai appris qu'hier que vous n'aviez la poste que trois fois la semaine. Quoique je n'aie aucune nouvelle à te donner, nous sommes assez en santé ; mais, avec le mauvais état des chemins, nous ne sortons que pour aller à l'église, le dimanche.

J'ai été une fois chez Mme Cherrier. Ils sont à l'ordinaire, souvent malades, les demoiselles surtout. J'ai été voir Azélie deux fois : ils sont assez contents de leur pension. Ils n'ont pas encore fini de rendre leurs visites de noces[45]. Ils profitent des jours de beau temps et, comme ils sont rares, c'est ce qui les retarde. Je ne leur ai pas demandé s'ils sont inquiets sur leur avenir ; s'ils sont pour avoir de la misère, il faut espérer qu'ils auront la vertu et le courage de la supporter, comme ceux qui les ont devancés et qui les suivront. S'ils se font illusion ou qu'ils aient quelques espérances, c'est naturel à cet âge, et c'est autant de jours de deuil de retranchés sur cette misérable vie. Ce n'est pas à moi, en qualité de mère surtout, à leur faire pressentir des jours de deuil. Si elle peut avoir quelques jours de bonheur, elle en jouira, car elle a eu assez de deuil et de malheur au sujet de ses frères ; et puis sa cruelle maladie, qu'elle ne peut oublier, ni sa mère non plus... Ainsi, qu'ils se confient en la Providence et ils se conformeront à ses desseins sur eux : ils n'ont pas d'autres ressources.

Ézilda est bien contente de m'avoir avec elle. Elle dit qu'elle craignait beaucoup quand elle voyait la saison s'avancer.

Hier, après la messe, j'ai été voir M. Denis Viger. Je l'ai trouvé vieilli et affaibli, c'est naturel à son âge. Tu as sans doute appris la mort de M. de Boucherville[46] ? Je n'ai pas eu de détails sur sa maladie ; mais j'en ai eu sur sa triste fin : il a refusé de voir son curé, ni aucun secours religieux. Après sa mort, le curé a écrit à l'évêque s'il pouvait l'enterrer en terre sainte, et la réponse a été que non. Ainsi, il a été inhumé en protestant sur un terrain qu'il avait désigné dans son testament, au cas que les prêtres ne voulussent pas l'inhumer près de sa femme. Il a été accompagné de sa famille.

Hier, Émery est venu nous voir avec sa dame et la petite Charlotte. Ils sont bien portants et leur petit marche depuis quelques jours. M. et dame Laframboise sont venus en ville et ils n'y ont été que deux jours ; je ne les ai pas vus. Mme Casimir Dessaulles est enceinte et est bien chétive, sans appétit et très faible. L'enfant d'Auguste aussi est très faible, ils craignent de ne le pas élever.

---

45. La coutume exigeait des nouveaux mariés de faire une visite de courtoisie à tous les parents et amis qui avaient assisté à leur mariage.

46. Pierre Boucher de Boucherville (1780-1857), conseiller législatif, seigneur de Boucherville. Décédé le 30 novembre, il fut inhumé sur sa terre, en arrière du manoir seigneurial.

Tu diras au jardinier Tinch que ses filles sont venues hier me voir ; elles m'ont dit qu'elles avaient chacune une bonne situation : une, fille de chambre, et l'autre, bonne d'enfants, la plus jeune. Elles ont aussi quelques verges de flanelle du pays, provenant de la laine de leurs moutons, et que la jeune a apportée de Sorel cet automne, et elle doit me l'apporter ici, car elle ne sait comment la faire parvenir. Ainsi, si vous connaissez quelqu'un qui descende aux premiers chemins d'hiver, vous me les adresserez afin que je la lui envoie.

J'ai reçu une lettre du pauvre oncle Joseph. Il dit qu'il a eu le plaisir de voir Bruneau trois jours avec lui, qu'il a eu le bonheur d'être assez bien pendant ce temps-là, qu'il est plus fort qu'il n'était, l'été. Je n'ai pas eu de réponse à ma lettre écrite à Bruneau pour lui demander des détails sur ce pauvre oncle.

Ici, les enfants ont été indisposés, le petit de ses dents, et la petite Ella a eu besoin de prendre des remèdes. Marie n'est pas forte ; Amédée, ses indispositions ordinaires de maux de gorge, de vents, de mauvaise digestion, et puis surcroît de travail à la cour. Les chers petits enfants sont bien aimables et nous amusent. La petite apprend à lire, à coudre, et elle fait des progrès ; le petit augmente en beauté, en gentillesse chaque jour, mais il parle peu, comprend tout et, par ses signes, se fait comprendre.

J'espère que Marguerite sera mieux si elle s'est purgée. Qu'elle me fasse dire tout ce qu'elle a fait depuis mon départ, si elle a bien soin des souris, c'est-à-dire de les prendre avec soin ; et si elle en est rendue à n'en plus avoir, c'est mieux. Est-elle contente de la fille et du garçon, etc. ?

La famille se joint à moi, grands et petits, pour t'embrasser et te recommander d'être prudent et te conserver en santé. Au plaisir de te revoir.

Ton épouse affectionnée,

J. Bruneau Papineau

Lis Carol, 9 décembre 1857

Cher ami,

Ce n'est qu'hier soir que j'ai reçu ta lettre, dans laquelle tu demandes à Ézilda ce qu'il y a dans ces boîtes de fer-blanc et de bois qui sont dans sa chambre. Elle te fait dire qu'il n'y a aucun papier, il n'y a que ses argenteries et, dans celle de bois, ce sont celles de Mme Bourassa, ses présents de noces. Elle dit que tes boîtes à toi étaient dans la grande chambre en haut. Elle t'avait demandé ces boîtes et tu lui as dit que tu en avais besoin. Ainsi, je crois que tu les as portées dans ta bibliothèque quand nous avons arrangé cette chambre. Regarde dans tes tablettes, derrière tes grands livres : il faut qu'elles soient là. Tu as aussi des liasses de papiers sur une tablette du portemanteau d'en bas, où l'on suspend les hardes, derrière la porte. Tu n'en as pas ailleurs, si Mackay t'a remis tout ce que tu lui avais confié.

Quant à l'autre affaire au sujet d'Émery, tu as sans doute appris qu'il s'était décidé à se laisser porter candidat pour l'Ottawa. C'est bien triste pour lui, car cela lui fera du tort dans sa profession. Amédée me dit qu'il est parti cet après-dîner. Je suis fâchée de ne l'avoir pas su, car j'aurais envoyé ma lettre par lui. Elle sera plus longtemps en chemin par votre poste.

Il fait toujours mauvais temps. Hier, fête, j'ai été à l'église de Saint-Jacques et puis, hier soir, il a gelé. Ainsi, Azélie en a profité pour venir passer la journée avec nous ; et puis, après dîner, le temps s'est adouci et la pluie a commencé. Il a fallu qu'elle parte avec le *waggon*[47] qui allait chercher Amédée en ville. Ce n'est que la troisième fois qu'elle vient, et avec peine.

Marie et les enfants sont bien, et Amédée pas très bien, très fatigué, et demain commence sa cour. Ce temps humide ne lui convient pas. Dessaulles était en ville avec sa femme et sa petite fille ; mais il est reparti aujourd'hui. Nous t'embrassons tous, et amitiés à la famille là-haut.

Ton épouse affectionnée,

J. Bruneau Papineau

J'écris ce soir, afin qu'Amédée emporte la lettre demain matin. Il part à huit heures. Amédée t'a écrit qu'il avait reçu l'argent.

Lis Carol, 16 décembre 1857

Mon cher ami,

J'ai été surprise, en lisant ta dernière, d'apprendre que tu n'avais pas reçu mes deux lettres. Tu peux bien ne rien comprendre à votre poste. J'espère que tu les as reçues depuis. Et, si vous avez la poste régulière, ce sera bien une grande amélioration. Je m'étais proposée de t'écrire une fois chaque semaine, et Amédée une fois pour les affaires. Je n'y ai pas manqué, et j'ai si peu de choses nouvelles à te donner. Je t'ai dit à chaque lettre que je ne sortais que le dimanche pour aller à l'église, et je reviens à la maison. Pour aller veiller en ville ou aller voir

47. *Waggon* : prononcé « waguine », voiture traînée par un cheval.

Mme Bourret ou Mme Judah, il faudrait payer des voitures. Ainsi, je n'y suis pas encore allée. Mon pied est mieux et je pourrai marcher peu à peu, quand les chemins seront beaux. J'ai commencé à le faire, ces jours-ci qu'il a gelé. Quand j'irai passer quelques jours chez Mme Bourret, j'irai voir Mme Judah. Son mari a rencontré Amédée et il lui a dit que madame désirait me voir et qu'elle ne sortait pas depuis le mois de novembre, qu'elle s'était mise en hivernement dans sa maison. Sur le tout, elle est bien mieux que les années dernières.

Mme Théode Doucet[48] est accouchée d'un fils, il y a quatre jours ; Mme Adolphe Cherrier[49], de même, d'un fils, dont Amédée a été le parrain la semaine dernière.

Azélie a presque fini de rendre ses visites. Je n'ai reçu de visites ici que de Mme Bourret, Mmes Monk et Drummond, et les dames Papineau, Émery et Casimir. Elles sont bien, ainsi que leurs enfants.

Il y a toujours eu de mauvais chemins dans l'avenue, excepté la semaine dernière. Ainsi, je sors peu aujourd'hui, il neige un peu et il fait très doux. Je crains que cela ne retourne en pluie.

Tu me demandes quels sont nos projets. Nous n'en faisons aucun. Quand la glace sera prise et qu'il y aura de la neige, j'irai les voir à Verchères. Les enfants Ézilda et Azélie n'ont pas voulu que j'aille m'y dégrader ; elles se trouvent avoir raison, car j'y serais restée bien longtemps, et comme je ne suis venue ici que pour l'amour d'elles et pour être à même de profiter des cérémonies religieuses, et ici même, j'en suis bien privée. Il y a de bons prédicateurs à Saint-Jacques heureusement.

Dans ma lettre, je te disais que nous n'avions aucun de tes papiers, qu'ils étaient dans des boîtes de fer-blanc, à toi, dans ta tour, quelque part.

Amédée demande si tu lui fais faire son bois. Il te répondra pour Thivierge[50]. Nous t'embrassons tous.

Ton épouse affectionnée,

J. B. Papineau

[De la main d'Ézilda] :Vous trouverez vos gants fourrés dans le portemanteau que maman vous a arrangé pour votre voyage, et qui [est] dans votre chambre.

---

48. Lucie-Angélina Mignault, épouse de Benjamin-Théode Doucet, notaire (Chambly, 1841), fils du notaire Nicolas-Benjamin Doucet et d'Euphrosine Kimber.
49. Françoise-Cécile Marchand, épouse d'Adolphe Cherrier, « employé au protonotariat ».
50. Selon des marchés conclus, Cook, Gareau, Taylor et Thivierge, de la Petite-Nation, ne devaient y couper, pendant l'hiver, que 25 000 pieds de « pin quarré et épinette ». Voir le manuscrit de la lettre du 7 décembre 1857, écrit de la main d'Amédée, qui se termine par l'interrogation : « Pauvre Thivierge se loge-t-il ? »

Lis Carol, 22 décembre [1857]

Cher ami,

Je t'écris aujourd'hui parce que c'est demain jour de poste et que j'en attends une ce soir de toi et qu'il y aura peut-être quelques réponses à te faire. Voilà le grand inconvénient de ne l'avoir pas chaque jour. Je ne sais si Amédée aura la diligence de t'écrire aujourd'hui, car, pour moi, je n'ai aucune autre nouvelle à te donner sinon que nous sommes tous en santé et que M. Westcott est avec nous, ce que tu sais déjà. Je crois te l'avoir dit, ou Amédée.

C'est le second jour de l'élection : l'on ne sait comment elle se terminera ; l'on est certain de faire élire Dorion et espérons de faire perdre celle de [George-Étienne] Cartier : c'est toujours une victoire. Quant aux autres, l'on craint, car les Anglais et les Américains ne veulent pas de McGee[51]. Et un grand nombre votent pour Rose, et l'on craint que les Canadiens ne se laissent intimider par le déploiement des forces que le shérif et l'effronté Coursol font de la cavalerie, et le grand nombre de connétables spéciaux que le shérif a assermentés pendant deux jours dans son office avant l'élection, et il y avait aussi du militaire. Tout cela paradait dans les rues et autour des polls, toute la rue Notre-Dame en était remplie avant même l'ouverture des polls. Contrairement à la loi, s'ils craignaient du trouble de la part des Irlandais, ils pouvaient prendre leurs précautions mais ne les faire sortir qu'au cas de violences. Mais, au contraire, c'est bien évident que c'est pour intimider nos paisibles Canadiens des faubourgs et pousser les Irlandais à quelques violences, car sachant qu'ils étaient en minorité sous le rapport du nombre de voix, car partout le ministère est méprisé mais il manque d'hommes influents pour les remplacer. À Verchères, Cartier aurait perdu. S'il avait un homme, ce n'est que ce Préfontaine qui ne peut remporter dans tout le comté et encore ! Cartier a bien du trouble. Il y est allé lui-même. Il ne se met pas ici sous le poll.

Amédée pourra te donner de plus grands détails aussitôt que ce sera fini et plus certain. Ce que je t'en écris, c'est au cas qu'il ne le fasse pas aujourd'hui. Ne sois pas inquiet de nous, il n'y a pas de dangers ici. Chez vous, vous aurez aussi du trouble, de la division, Émery s'étant présenté tard.

Puisqu'il n'y a pas eu de gelée, tu devrais faire vider les latrines encore une fois. Après, ce sera bien. Sans cela, au printemps, cela empoisonnera au dégel. Adieu.

Ton épouse affectionnée,

J. Bruneau Papineau

51. Thomas d'Arcy McGee, élu député de Montréal le 28 décembre 1857.

Lis Carol, 26 décembre [1857]

Mon cher ami,

Je viens de voir Aimond à l'instant. Il m'a laissé la lettre pour Amédée, et le bœuf et le beurre. Dis à Marguerite que j'aurai soin de ses serviettes. Ce soir, Amédée aura les nouvelles et il te répondra, car Aimond reviendra demain.

Il m'a parlé de la cloison ou séparation qu'il faut faire en haut. Ordonne-lui de la faire en mars ou avril, dans les jours longs. Il faut la séparer en deux seulement et la faire venir près du tuyau seulement et non l'inclure dans la chambre à coucher. Car elle ne servira pas en hiver et elle fumerait inutilement, car il faut toujours avoir ce tuyau en hiver. Alors, leur chambre fermée, elle se conserverait propre.

La veille de Noël, M. et dame Bourassa sont venus dîner avec nous, et hier soir, jour de Noël, Mme Émery et M. et dame Casimir sont venus à leur tour. Nous avons tous regretté que tu n'y fusses pas ; la fête n'était pas complète. Ils sont tous bien portants et les enfants aussi. Nous nous joignons tous ensemble pour te souhaiter une meilleure année que celle des années précédentes, où nous avons eu à subir de si cruelles épreuves. Et nous faisons des vœux pour la conservation de ta santé, car, sans cela, il est encore plus difficile de supporter les peines et les croix qu'il plaît à la Providence de nous envoyer, et qui ne cesseront qu'avec notre vie mortelle.

D'après ce qu'Aimond me dit, je crois que vous vous flattez trop de votre élection, car il dit que Mackay vous fait beaucoup de tort, qu'il est si impopulaire. Dans ses discours où il a parlé de toi, les gens ont crié : « Hourra » et ont dit qu'ils seraient tous unanimes en ta faveur ; mais, ensuite, il a parlé et vanté Cook, c'était bien gauche de sa part, sachant que tu étais opposé à lui à la dernière élection, et la paroisse, à ton exemple. Il dit qu'il va voir dans cette élection combien lui et la famille ne sont pas populaires. Il prétend que tout Saint-André est contre et une partie de Bonsecours.

Je te mentionne cela au cas que les gens n'osent te le dire, et que Mackay ne te trompe en se trompant lui-même sur sa majorité. Cela serait bien désagréable pour toi : l'impopularité de la famille retombera sur toi. Tu n'aurais pas dû te servir de Mackay, ton discours avait fait effet et il en a fait perdre le fruit.

Nous t'embrassons tous de tout cœur, en attendant le plaisir de te voir. Souhaits de la bonne année à la vieille Marguerite.

Ton épouse,

J. B. Papineau

Montebello, 26 septembre [1858]

Ma chère Marie,

Je vais écrire quelques lignes pour vous remercier de m'avoir donné des nouvelles de votre voyage et votre arrivée chez vous sans aucun accident, car les voyages inquiètent toujours. Et, au milieu de l'embarras où vous êtes, j'apprécie davantage votre attention à me donner de vos nouvelles et des chers petits enfants. Je ne suis pas surprise de ce que vous me dites du cher petit, qu'il a tout remarqué et s'est bien amusé sans dormir ; il est étonnant pour son âge, et il est bien aimable et gai, d'une humeur charmante[52].

Vous concevez quel vide et quel ennui nous éprouvons du départ de ces chers enfants ! Et moi en particulier, car j'ai été malade depuis votre départ : ce mal de gorge, et puis le rhume accompagné de fièvre, m'a tenue au lit trois à quatre jours et, aujourd'hui même, je suis à prendre des remèdes. J'espère que je me débarrasserai de ce rhume en le prenant à temps. Dites à ma chère petite Ella combien je l'ai manquée doublement étant malade. Si elle avait été près de moi, elle m'aurait soignée, fait prendre bien des médecines, et je serais guérie plus vite, et je [ne] me serais pas ennuyée comme je l'ai fait pendant ces jours de votre départ. À chaque fois que je pensais à ces chers petits, cela m'attristait.

M. Papineau a été aussi indisposé, je lui ai fait prendre de l'huile de castor ; il est mieux. Fleurine est bien, ainsi que les jeunes époux. Le père Bourassa[53] a envoyé un violoncelle en présent à son frère et un réveille-matin à la petite sœur, et il espère qu'elle n'y verra pas de malice. C'est un joli instrument pour accompagner le piano. Ils font de la musique le soir et, dans le jour, il travaille à finir un tableau d'église qu'il avait commencé à Bytown. C'est pour une paroisse près de Carillon, et il voudrait le finir pour le laisser en passant, quand il descendra. C'est un grand cadre, il ne peut le placer en haut. Il a fallu le mettre dans le salon, comme il n'y a pas de visite en ce moment.

La famille se joint à moi pour vous embrasser tous et dire qu'il faut parler souvent aux petits-enfants de leurs parents de Montebello. J'espère qu'Amédée pensera à envoyer les cartes aux Flagg et Maulien.

Votre mère,

J. B. Papineau

52. Le deuxième petit Louis-Joseph Papineau, fils d'Amédée et de Marie Westcott, est né le 26 juin 1856.
53. Médard Bourassa, o.m.i., frère de Napoléon et curé de Montebello de 1858 à 1887.

Montebello, 7 octobre [1858]

Ma chère Azélie,

Ézilda t'a écrit dimanche et je le fais ce matin, puisque tu te plains de ce que tu ne reçois pas de lettres, en écrivant à Mlle Darcy. Tu avais de nos nouvelles qui se résument en peu de mots : l'ennui que nous éprouvons, sans aucune distraction que le mauvais temps, le bruit des ouvriers sur la tour et la saleté que cela occasionne. Il serait difficile de trouver matière à des lettres !

Mais nous pouvons te dire avec justice que les tiennes nous seraient utiles et agréables, s'il y en avait deux par semaine, et bien détaillées, sur ce que tu fais. Tu projettes, ainsi que ton mari ; avez-vous espoir de quelques commandes ? Amédée écrit à son père que ce n'est pas du tout la place à un artiste de se retirer dans le bois. On le sait, et on ne ressent [pas] comme lui le tort que cela fait à sa profession. Mais comment trouver le moyen de faire autrement ? Il faudrait 150 louis pour cet hiver. Je sais que votre père pouvait les avoir facilement cette année, car il a reçu bien de l'argent de Tucker, etc., mais il ne le veut pas, il dépense trop ici pour cela. Vous savez ce que j'ai eu à souffrir, ce printemps, pour empêcher ces dépenses, et, à présent que je vois que je n'y puis rien, il faut souffrir et se résigner. Il n'y a pas de possibilité d'arrêter son goût de tout dépenser sur cet établissement. Cela nous dégoûte de plus en plus de la campagne. Ainsi, si vous trouvez moyen, pauvres enfants, je vous le souhaite de tout cœur, mais je n'en vois pas.

Écris-nous donc des détails sur les chers enfants. Je pense qu'ils sont heureux de voir leur chère petite cousine. Et la petite, fait-elle attention à eux ? Quand tu as été chez Mme Cherrier, a-t-elle été bonne ? Comment l'ont[-ils] trouvée ? etc. Ézilda voudrait tous ces détails. Il ne peut y en avoir trop sur la petite. Tu dois concevoir quel est son ennui. Chère D^lle^ Darcy[54], l'on s'aperçoit grandement de son absence ; elle est toute une société quand on a le plaisir de l'avoir ; elle m'a écrit deux longues lettres et elle m'a promis de t'en écrire en arrivant.

Dis à ma chère Marie que je la félicite sur son logement, puisqu'il lui sera agréable et surtout confortable. L'annonce de la nouvelle qu'ils allaient être chauffés par une fournaise m'a surtout réjouie, car, sans cela, ils n'auraient pas manqué de charbon, qui est mon cauchemar. Et puis les chers petits enfants seront bien mieux pour leur santé. Si tu reviens, consulte le docteur, au cas que la petite soit sujette au *croup*[55], car elle est si grosse et le cou si court, et puis elle est sujette à étouffer. Quant à l'alpaca, il est fin et fort, mais pas bien luisant. Fais pour le mieux, mais je l'aime bien luisant, car cela manque qu'il y a plus de soie.

---

54. Augustine Darcy, de Philadelphie, rendit visite aux Papineau en 1858.
55. *Croup* : mot anglais, synonyme de diphtérie.

Après le mémoire rempli, dis-moi ce qui te reste d'argent. N'oublie pas mes longues mitaines. As-tu écrit à Verchères ? Ils sont venus en ville : les as-tu vus ?

Ta mère affectionnée,

J. B. Papineau

Montebello, 7 novembre [1858]

Ma chère Azélie,

Je suis bien attristée de voir le trouble que vous avez à trouver un logement et pension. Mais je n'en suis pas surprise, je l'avais prévu. Mais, enfin, il ne faut pas désespérer. Avez-vous vu Mme Chalifoux ? Je disais à ton mari, le jour de son départ, qu'en lui parlant et lui faisant entendre que sa chambre à côté du salon ne se louerait pas sans cela ; et à M. Doutre, elle pourrait lui dire que ce n'est pas un salon qu'il vous faut, mais une chambre pour la petite. Ainsi, il ne pourrait trouver à redire que vous ne lui laissez la jouissance du salon, étant un ami. Je te suggère cela au cas que vous ne trouviez pas mieux ailleurs. Et puis chez Mme Chalifoux, tu ne serais pas inquiète de la petite : ces dames y verraient quand tu serais absente, surtout si tu changes de fille. Mais ne te presse pas de la laisser aller, avant que j'aie une réponse de Mme B. Papineau. En recevant la lettre de ton mari, qui me disait cela, j'ai fait écrire ton père pour savoir si c'était elle qui avait écrit à ses parents qu'elle s'ennuyait, ou que sa santé souffrait d'être enfermée en ville, elle qui courait et gambadait à la journée. Si c'est sa mère, qui est mieux à présent, j'espère que Mme Papineau lui représentera que c'est mal de la demander, il y en a assez à la maison. Attends cette réponse ; si c'est elle qui n'aime pas à rester, il faudra bien que tu la laisses aller, si tu ne peux la persuader de rester, car sa mère n'en a pas besoin ; à présent, elle est mieux.

Tu dis que tu n'es pas certaine que ton frère monte ; dis-lui de ma part que c'est bien mal à lui de ne pas venir. Qu'il vienne pendant que M. Westcott est avec Marie. Je suis bien aise que ce ne soit pas la rougeole que le petit a, car je connais la frayeur qu'en a la mère. Et elle prétend qu'elle ne l'a pas eue, alors elle craindrait de l'avoir. Quant aux enfants, je n'ai pas la même crainte, il faut qu'ils l'aient. Et, quand ils sont bien soignés, ce n'est pas dangereux. Pense à faire inoculer la petite au plus tôt : cela est bien plus à craindre.

Tu nous recommandes d'avoir du courage, que cela t'en donnera ; tu sais bien, chère enfant, que nous en aurons, puisque c'est nécessaire. Que ton mari essaie à faire quelque chose avec sa profession, j'y étais bien décidée, moi, et si j'avais pu y décider ton père plus tôt, cela aurait été mieux. Il n'y a que quand Amédée lui a écrit qu'il a consenti à vous aider. Nous serons raisonnables si tu nous écris souvent et que tu donnes de grands détails de notre chère petite. Il faut habituer la petite à se servir de sa petite chaise : cela évitera du lavage en pension. C'est si difficile à le faire. Si ta fille te laisse, ne lui donne pas le chapeau, ni les chemises que je lui ai envoyées ; je faisais cela pour l'engager à rester, et par rapport à toi, afin qu'elle n'ait qu'un manteau et une robe à s'acheter et encore, si tu ne voulais pas lui avancer, je pouvais lui envoyer ma grande écharpe rouge.

Si tu n'as pas acheté de paire de bottines de drap, pour porter dans la maison, Ézilda et moi en avons fait faire : je puis t'en faire faire sur mon pied et un peu plus long. Réponds-moi de suite, afin que je puisse te les envoyer avec ton linge avant la fin de la navigation.

Fais bien nos amitiés à M. et Mme Westcott ainsi qu'à Amédée et Marie, et embrasse bien les chers petits enfants.

Oncle Pierre est arrivé sain et sauf avec ta lettre dans le lieu de sûreté où vous l'avez fait mettre, et puis, pour se venger, il dit qu'on lui a remis un sac où il a trouvé la clef après s'être embarqué dans le bateau.

Ézilda te fait dire que ce sont des petits jupons blancs pour l'été prochain qu'elle veut avoir pour broder, cet hiver, pendant qu'elle en a le loisir, et qu'il faut envoyer, si ton frère monte.

Ta mère affectionnée,

J. Bruneau Papineau

La seringue est dans la valise.

Montebello, 13 novembre [1858]

Ma chère Azélie,

Je t'écris quelques lignes à la hâte, ce matin, pour te dire que ton linge est lavé et prêt à envoyer, mais les effets de ta fille ne sont pas ici. L'on a écrit à Mme Papineau ; s'ils arrivent pour lundi, nous enverrons le tout ensemble, sinon ce sera mardi. Le capitaine les laissera au dépôt, je pense. Il faudra que vous les envoyiez chercher là.

Je suis bien aise que tu aies trouvé une pension dans ce local : c'est central et puis agréable, c'est gai, et près des églises et de tes amies intimes Cherrier,

Doucet. Fais-leur nos amitiés. Et, de plus, la chance de garder ta bonne fille ! Je pense qu'elle s'ennuie et puis le changement de vie, le manque d'air et d'exercice, tout cela lui donne un malaise. Il faut que tu lui donnes le temps de faire de l'exercice, et puis lui donner quelque chose à manger pour la nuit, des *crackers,* et puis Ézilda va faire des beignes qu'elle mettra dans la valise, car elle dit qu'elle a une valise qu'elle peut donner. Et nous y mettrons le sac et tous les effets. Et cela ne fera qu'un envoi par le steamboat. Ainsi, vous saurez que c'est cela que l'on envoie. Il faudra l'aller chercher. Tu ne m'as pas dit si elle pouvait se servir du chapeau et des chemises ; cela lui exemptera d'en acheter.

Nous avons toujours du mauvais temps, c'est ennuyeux on ne peut plus. Le curé est en retraite, les vieux parents sont seuls. La mère attend chaque jour une lettre de son Napoléon, mais en vain. Bruneau va les voir chaque jour ; je ne le puis à raison de mon rhume.

Je suis bien aise que vous soyez en ville ; fais inoculer la petite le plus tôt, si le médecin le juge à propos, car à présent qu'elle a été avec le petit, qui avait la rougeole, il faut attendre, je suppose, un temps convenable pour être assuré qu'elle ne l'a pas. Consulte le docteur. Mais, en ville où la picote peut se déclarer à chaque instant, il ne faut pas trop retarder.

Excuse mon papier taché, je suis si pressée, c'est alors que l'on fait des accidents. Amitiés chez Amédée, embrasse [la] chère petite de tout cœur pour nous et les chers enfants chez Amédée. Adieu ma chère.

Ta mère affectionnée,

J. Bruneau Papineau

Montebello, 2 décembre 1858

Chère Azélie,

Je t'écris ce matin quelques lignes pour te dire que nous avons reçu ta lettre lundi au lieu de samedi. Il faut à présent que tes lettres soient mises à la poste le jeudi soir, afin que nous les recevions le samedi.

Ézilda n'a que ce plaisir de recevoir des lettres. Elle dit que, quand la navigation est close, cela paraît nous éloigner davantage. C'est un grand sacrifice pour elle, la chère enfant, je le sais, mais ni elle ni moi sommes assez égoïstes pour regretter que tu sois en ville, sous tous les [ ] ; il n'y a pas de sens commun d'obliger des jeunes personnes à demeurer ici toute l'année, et cela nous convient moins qu'à tout autre. Après les grandes peines que nous avons eues et que nous avons encore, il faut un peu de diversions ; et qui les ressent plus qu'une mère ! Donc le sacrifice de la chère Ézilda me chagrine plus que ne ferait son absence. Ainsi, sa santé en souffre. Il faudra prendre des moyens, l'an prochain, pour qu'elle passe l'hiver avec vous. J'y suis bien décidée, il y a des moyens de le faire.

Parlez à Mme Chalifoux au sujet de la maison, et puis à ton frère. Judah nous disait ici que si c'était à Berthelet ou à Rodier, une maison comme celle-là, ils sauraient bien en tirer parti. J'ai toujours dit que c'était une folie de louer cela à des canailles. J'ai dit à Judah aussi que j'espérais que la somme que l'on recevra des lods et ventes ne serait pas gaspillée ici. Il a dit : « Vous avez bien raison », devant ton père.

Prenons courage, pauvres enfants. La Providence vous sauvera peut-être, mais en même temps il faut en prendre les moyens. L'idée de rester ici toute l'année, pour un artiste, était bien mal conçue, et son atelier ici ne pourrait être chauffé la moitié de l'hiver. Il aurait perdu beaucoup de temps. Ainsi, c'est bien ; pour cela, amuse-toi, soigne ta santé et celle de notre chère petite : il faut de la gaieté, de l'exercice pour être bonne nourrice. Ici, tu n'aurais rien de cela.

Amitiés à tous. Quand tu recevras des lettres de la chère Augustine[56], donne-nous des passages que tu pourras. Adieu.

Ta mère affectionnée,

J. Bruneau Papineau

Montebello, 13 décembre [1858]

Chère Azélie,

J'ai reçu ta lettre samedi. Je ne comprends pas pourquoi les nôtres sont si longtemps à vous parvenir ; il faut que ce soit au bureau en ville. Je suis bien aise d'avoir de bonnes nouvelles de vous, de la chère petite en particulier, de la réussite de sa vaccine[57] et puis de ses petites gentillesses, etc. : cela intéresse beaucoup. Et puis je suis bien aise de savoir que Napoléon donne sa lecture, c'est le bon temps, au cas qu'il ait plus d'occupations plus tard. Et aussi le concert auquel l'on vous a invités à faire votre part, je l'approuve. Quand Dieu vous a donné des talents, il faut les utiliser et les faire servir au bien pour les institutions charitables, et pour l'amusement de vos parents et amis. Voilà pourquoi je désire vivement que tu ne négliges pas le tien : cela va te faire pratiquer. J'espère que

56. Augustine Darcy, de Philadelphie.
57. *Vaccine* : mot anglais pour vaccin.

tu joueras une de tes belles pièces, à part l'accompagnement que tu feras à ton mari pour son violoncelle, si toutefois il en joue. Il ne fera peut-être que chanter. Il n'y a que les musiciens qui comprennent les accompagnements, mais un morceau bien exécuté et pas trop long plaît à tout le monde : c'est ce qu'il faut dans ces assemblées. Tout cela fera penser à ton mari ; et puis ne vous découragez pas s'il fait peu : dans toutes les professions, dans ce pays-ci, l'on a peu d'encouragement. Et puis ton père peut vous aider, et il le doit, afin que vous passiez les hivers en ville, et Ézilda aussi. Je verrai à cela ce printemps. Et, au cas qu'il ne vous achète pas une maison, il faut louer la nôtre à une bonne famille qui prend des pensionnaires, et nous réserver des appartements pour nous. Il vaut autant l'employer en partie pour nous, au lieu de croire qu'il peut la louer pour une auberge, un prétendu grand prix, et puis la faire détruire chaque année. Tout passe en réparations. Je t'en préviens afin que tu en parles à Amédée. Je l'ai dit à ton père ce matin, et en janvier ou février il aura peut-être des demandes.

Je suis bien attristée de la nouvelle que tu me donnes de ce pauvre M. Bourret ; j'y pense chaque jour. Dis-le à notre chère amie quand tu la verras. C'est un si bon mari et si bon père, si utile à sa famille ; ce sera une perte irréparable pour eux, sous tous les rapports.

Voilà le Christmas chez Amédée. Ils vous inviteront sans doute à y participer. Ainsi, il faudra que tu achètes quelque chose pour les enfants ; et puis, connaissant que vous êtes peu en moyens de le faire, je voudrais t'envoyer un peu d'argent et je n'ose le confier à la poste. Je te l'enverrai à la première bonne occasion. Ce sera M. Mackay peut-être qui descendra pour Noël. J'enverrai un petit paquet et une lettre, où je mettrai deux louis, et plus si je puis ; ainsi, au cas que ce soit trop tard pour que tu donnes quelque chose aux enfants, fais-le pour le temps, et tu recevras plus tard ce que je t'enverrai.

Oncle Bruneau est bien sensible à ton bon souvenir. Il dit qu'il s'amuse le mieux qu'il peut. Hier, il a passé la journée au presbytère et il est allé veiller chez Fortin, avec les père et mère et le curé. Il va les voir tous les jours : ils sont assez bien portants et ne s'ennuient pas, ils sont heureux. Nous vous embrassons tous, surtout la petite.

Ta mère affectionnée,

J. B. Papineau

Montebello, 20 décembre [1858]

Ma chère Azélie,

J'ai reçu ta lettre, samedi matin, qui nous a fait un double plaisir, puisque vous êtes en santé et courage, et puis que la lecture de ton cher mari a été très bien, que tu en as été satisfaite. J'espère que cela lui donnera du courage à en faire une autre, si l'on insiste à les lui demander. J'espère que votre concert réussira de même, que tout en faisant du bien vous donnerez de l'amusement. Je suis bien privée de ne pas assister aux concerts : cela m'amuse mieux sur mes vieux jours qu'aucun autre amusement. Ce goût-là me reste, parce que j'en suis privée si souvent peut-être. Je ne puis l'expliquer, mais je le ressens vivement.

M. Mackay partira vendredi prochain. J'envoie par lui la robe d'Adeline et la flanelle de la petite. Cela lui fera une change du matin ; cette couleur peut laver souvent, et cela ménagera sa bleue et rose ; elle n'est pas bien fine, il n'y a que la couleur qui m'a plu.

Je désirerais bien t'envoyer des beignes, etc., mais, par Mackay, il ne peut emporter qu'un petit paquet ; il emmène femme et enfant. Aussitôt qu'il y aura une autre occasion, j'enverrai tes retailles de drap et tes jupons avec les autres effets.

Nous avons été souper au presbytère, hier soir, sur invitation en cérémonie de M. le curé. Les bons parents sont enfin arrangés et installés dans leurs appartements, qui sont bien et très commodes. La mère a besoin d'être médicamentée. Je voulus l'amener chez nous afin de la bien soigner, mais elle ne veut pas du tout. Si elle ne se soigne pas bien, il faudra insister davantage, car elle pense si peu à elle que je crains que sa santé en souffre. Ils sont contents et ne paraissent pas s'ennuyer, excepté de l'absence du petit : cela est une grande privation pour la mère. La famille en haut est bien ; chez St-Julien, ils ont eu la douleur de perdre leur dernier enfant, une petite fille née l'hiver dernier. Elle leur a donné beaucoup de fatigue. Elle avait de l'eau dans la tête. Angelle est souvent indisposée.

Je suis bien affligée de savoir que ce pauvre M. Bourret n'ait pas de mieux ; j'y pense sans cesse, j'aime tant cette bonne amie. Je connais tout son mérite et l'étendue de la perte qu'elle fera, irréparable pour elle et sa famille. Va la voir aussi souvent que possible et dis-lui combien je pense à elle, qu'elle sache que personne n'y prend un plus vif intérêt que moi, et que je regrette beaucoup d'être si loin d'elle.

Quand tu verras Mmes Doucet, Globensky et Delagrave, fais-leur mes amitiés. Cette pauvre petite femme-là est bien à plaindre aussi ; elle a un grand mérite.

Chez Amédée, amitiés à tous ; embrasse bien les chers petits enfants qui sont occupés si agréablement cette semaine. Ce que tu nous dis de notre chère petite

Augustine[58] nous l'a fait aimer chaque jour davantage. Je pense comme toi qu'elle sera gaie et bonne, sa physionomie a indiqué cela, tout enfant, et son air raisonnable et distingué, chère petite chérie. Notre Augustine de Philadelphie tarde à nous écrire. Je crains qu'elle [ne] soit malade. Aussitôt que tu recevras une lettre, transcris-moi la partie qui te semblera nous intéresser le plus.

Je te complimente sur ton grand papier ; c'est plus aisé à lire que vos petites feuilles. J'espère que tu continueras à le faire. Nous vous embrassons tous de tout cœur.

Ta mère affectionnée,

J. Bruneau Papineau

Montebello, 26 décembre [1858]

Ma chère Azélie,

Ta lettre reçue hier soir et lue au retour de la messe de minuit, toujours avec intérêt et plaisir, puisque nous [n']avons pu nous coucher avant de l'avoir lue, ainsi que celle de la chère Augustine ! J'étais inquiète d'elle, cela m'a un peu rassurée, puisqu'elle n'est pas plus mal en hiver.

Messe de minuit ici ; temps beau et frais ; l'église bien parée, jolie crèche ; affluence de monde, même des paroisses étrangères. Mais hélas ! pas de chants pour correspondre ! Ces cantiques et hymnes de Noël si touchants, et que j'ai été habituée à entendre depuis ma jeunesse, nous ont manqué tout à fait. L'on a bien regretté la voix de ton cher mari. La mère dit qu'elle s'était fait un grand espoir de l'entendre cet hiver, mais enfin, si elle fait son sacrifice comme moi, elle le supportera patiemment, car je me félicite chaque jour de vous voir à la ville, sous tant de rapports. C'est pénible de voir des jeunes personnes de talents utiles et agréables, acquis avec tant de labeur, et être condamnées, tout aussitôt acquis, à venir les ensevelir dans l'ombre et l'oubli, sans occasion de les exercer. J'espère qu'il n'en sera plus question une autre année.

Je suis bien aise que tu aies eu occasion d'apprécier Mme Pinsonnault. Ce sera une agréable maison à visiter, qui vous convient à tous deux.

Je suis bien aise que Mme Judah continue à se croire mieux, surtout si cela peut la prolonger. Qu'il en soit ainsi de ce pauvre M. Bourret, si utile à sa famille. Dis donc à Mme Bruneau qu'elle m'écrive, cette pauvre Mme Bourret est trop

58. Marie-Julie-Augustine Bourassa, fille d'Azélie Papineau et de Napoléon Bourassa, née le 5 juillet 1858.

occupée ; j'aurais plus de détails ainsi. Ces dames doivent être certaines du vif intérêt que j'y porte, etc.

Je suis bien aise que tu visites les autres membres de la famille de temps à autre. Nous leur sommes tous attachés et nous leur manquons. Si nous étions en ville et chez nous, ce serait comme par le passé. Pour le peu qui nous reste, nous ne pourrions plus jouir du même plaisir, mais de souvenirs du temps passé.

Il faudra que tu ailles voir Mlle Lennox avec Mme Cherrier : c'est bien une fille qui boit le calice jusqu'à la lie. Après avoir eu tant de fatigue, de patience, avec M. Viger[59], il ne le lui a pas fait don de tout ce qu'il avait, sa vie durant au moins.

Amédée écrit à ton père qu'il n'a pas fait de testament ; c'est incroyable.

Tu ne m'as pas dit un mot du programme de ton concert, la partie que vous vous proposiez d'exécuter tous deux. Je t'approuve bien de faire une petit cadeau à la chère Marie. Je suppose que la chère petite Ella a joui de l'après-dîner passé avec lui et la chère petite Augustine. J'espère qu'elle ira de temps en temps, elle a si peu d'amusements chez elle. La chère petite, à son âge sans amies ! et elle aime la gaieté et la société.

M. Mackay est parti vendredi, seul. Il faisait trop froid pour madame et l'enfant. J'espère qu'il n'oubliera pas ton paquet. Il ne m'a pas dit qu'il irait en ville de suite, mais je pense que ce sera cette semaine. Et puis celle-ci te parviendra par Major, et aussi un panier contenant les jupons demandés et les retailles de drap noir, et puis des beignes, de la liqueur et des pralines. Il y a une bouteille pour Marie et aussi des pralines.

Ézilda n'a eu d'avis du départ de Major que la veille de Noël. Ainsi, elle n'a pas eu le temps de faire un gâteau de Savoie. Et moi, je voulais vous faire faire de la galette par le boulanger, et je ne l'ai pas vu. Ce sera plus tard, par une autre occasion. Au presbytère, tous bien. Ils ont pris le thé ici hier soir, et, ce soir, ils vont chez Taillefer, ainsi que l'oncle Bruneau, qui vous fait tous ses bons souhaits et se joint à nous pour vous embrasser de tout cœur, et la chère petite. Nous attendons ta prochaine avec anxiété, surtout Ézilda qui veut savoir tous les faits et gestes des chers petits enfants et du Christmas.

Ta mère affectionnée,

J. Bruneau Papineau

59. Jacques Viger, décédé à Montréal le 12 décembre 1858.

Montréal, 7 janvier [1859]

Cher ami,

Je t'écris quelques lignes ici ce matin, chez Mme Bourret, où je suis venue hier, après dîner, pour passer quelques jours en attendant ton arrivée. Je t'avais écrit le 5 et hier matin. Ézilda m'a tant pressée de partir pour la messe que j'ai oublié ma lettre dans mon tiroir et, comme elle n'était ni cachetée ni adressée, je ne la fais pas demander, j'écris celle-ci pour envoyer par Ernest, qui s'en va en ville, en sorte qu'elle partira demain matin.

J'ai appris hier, au sortir de la messe, chez Mme Émery, la nouvelle de l'élection de son mari. Elle avait le *Herald* qui avait reçu une dépêche. C'est heureux que vous ayez réussi, car ici Papin a perdu la sienne, l'enfant terrible aussi et Laframboise n'a été élu qu'à une majorité de deux voix. Partout où ils [ont] répandu l'argent à flot, ils ont réussi.

Je suis bien peinée du désagrément que tu as éprouvé de la part de Fortin, mais il est bien puni de n'avoir pu réunir que 15 voix à Saint-André. Ils ont réussi à gâter cette partie de la seigneurie. Quel malheur que ces deux êtres-là soient venus démoraliser cette paroisse ! Et il paraît que c'est bien facile de corrompre nos habitants. Cette élection-ci en est une preuve certaine.

Toute la famille est bien, en ville. Chez Amédée, nous avons été enfermés tout le jour de l'An ; le lendemain, il a fallu avoir des hommes à pelleter et des voitures pour faire le chemin. Heureusement qu'Ézilda était partie la veille pour aller chez sa sœur, recevoir les visites du jour de l'An. Et elle venait coucher chez Émery le soir. Madame est bien et ses enfants, et chez Casimir aussi, tous bien.

J'ai été, hier, voir M. Denis Viger : il change, il affaiblit, je crains qu'il ne puisse passer l'hiver. J'espère que tu te prépares à descendre avec Émery. Il écrit que tu as l'air fatigué, que c'est bien mal à toi de ne pas sortir du tout, et puis le travail, les soucis que tu as, tout cela nous rend malheureux ; mais il faut que ta santé soit plus précieuse que tout cela. Adieu, au revoir.

Ton épouse,

J. B. Papineau

Montebello, 11 janvier [1859]

Ma chère Azélie,

J'ai reçu ta lettre de la semaine, jeudi matin, au lieu de samedi matin. J'espérais que c'était une extra et que nous ne serions pas privés de celle du samedi. Ainsi, il faut attendre à samedi ; cela fera dix jours, cela paraît long. Amédée ne nous écrit que rarement. Nous trouvons une semaine ici aussi longue qu'un mois en ville. Je ne t'ai pas écrit lundi comme je le fais ordinairement, car nous attendions une lettre d'Amédée et que j'aurais pu avoir à répondre quelque chose. Ainsi, je le fais pour demain matin, ce qui sera le jour de votre concert. Cela te donne un surcroît d'occupations. J'espère que vous réussirez bien à la satisfaction de vos auditeurs.

Je ne suis pas sans inquiétudes pour le froid vigoureux qu'il fait, je crains que Napoléon ou toi n'ayez pris du froid, si vous avez sorti ces jours-ci. Sois bien prudente, évite les occasions de prendre du froid, surtout pour une nourrice. Nous avons grand hâte d'apprendre des nouvelles du concert.

Ton cher mari a eu de grands éloges au sujet de sa lecture. Il y a un nouveau journal qui nous a été envoyé, dans lequel il y a une appréciation de sa lecture. On ne peut rien dire de plus flatteur pour ses parents. Je pense que c'est bien vrai aussi, c'est mieux écrit que le premier, et par une personne compétente d'en juger. Nous attendons de grands détails sur le concert, s'il a eu du succès, s'il y avait beaucoup de monde. Ensuite une autre lettre sur Mlle Augustine ; les deux dernières nous promettaient de grands détails. C'est pour cela qu'il nous faudra deux lettres la semaine prochaine.

As-tu fait ma demande à Mme Bruneau de m'écrire, afin de me donner des informations plus amples sur la maladie de M. Bourret ; son oncle Pierre aussi le désire. Au sujet de Mme Judah, tu me disais qu'elle se trouvait mieux sous les soins de ses nouveaux médecins, et puis dans ta dernière, tu me dis qu'elle décline vite. A-t-elle eu une rechute ? Écris-le-moi. Je sais, chère enfant, que tu es bien occupée, que c'est bien exigeant de demander plus de lettres, mais si tu réfléchis à notre isolement et le peu de distractions qu'a ta pauvre sœur, tu n'en seras pas surprise. Et personne autre ne nous écrit.

J'ai oublié, dans ma dernière, de te demander de la vaccine pour Mme St-Germain. Veux-tu en demander au docteur ? Et tu pourras la donner à Mme Leclerc ; et puis son mari va aller en ville à la fin du mois et il [la] lui apportera.

L'oncle Pierre a été indisposé, mais il est mieux et vous fait les souhaits de l'année de tout cœur, ainsi que cher Amédée.

La petite de la maîtresse d'école a six dents. Mlle Augustine[60] va-t-elle en avoir bientôt ? Quand Mme Théod. Doucet attend-elle la maladie ? Les parents de

60. Augustine Bourassa, fille de Napoléon Bourassa et d'Azélie Papineau ; petite-fille de Julie.

Saint-Hyacinthe sont-ils venus en ville ? Avez[-vous] été aux représentations des amateurs[61] ? Si Ézilda était en ville, elle irait bien. C'est encore une grande privation de plus pour elle.

Adieu, je vous embrasse tous.

Votre mère,

J. B. Papineau

Montebello, 25 janvier [1859]

Ma chère Azélie,

Nous avons eu le grand plaisir de recevoir trois lettres ce matin : une d'Amédée, une de Marie et puis la tienne. C'est notre seule récréation ici, et nous la savourons tout entière.

Ton frère donne de meilleures nouvelles au sujet de l'affaire des seigneurs. Et, si le Parlement n'est pas dissous, il paraît que le gouvernement est décidé à payer. Ainsi, pensez donc à voir et vous informer s'il y a une maison convenable à acheter, parles-en donc à Dumas ou autres qui ont occasion, plus Napoléon, à voir à cela, car si ton père est payé, il faut saisir ce moment pour acheter et ne pas laisser cela se dépenser ici. Et, quant à la maison Bonsecours, je crois qu'ils sont peu disposés à la donner à Mme Chalifoux, à cause des réparations qu'elle demande. Enfin, si l'on peut vous en acheter une, je les laisserai faire ce qu'ils voudront de celle-là. J'aimerais bien la rue Saint-Denis, mais enfin, s'il n'y en a pas là, il devrait s'en trouver dans le local opposé, à l'autre bout de la ville ; c'est plutôt au centre, dans les environs de Beaver Hall, où il se fait tant de nouvelles constructions. Vois à cela sérieusement. Parles-en à Théod. Doucet aussi, car il ne faut pas laisser échapper cette occasion.

Vos lettres aujourd'hui nous donnent bien des nouvelles. Tu me dis avoir été passer la soirée chez Mme Guy. Est-ce qu'elle demeure en ville ? Je suis bien aise que tu aies été au Sault. Je le désirerais bien. Quelle est la cause qu'elle ait si peu de pensionnaires ?

Tu es bien de mon goût quant aux grandes *parties,* mais enfin, quand il faut de temps en temps le faire, il faut s'y soumettre. Chez Marie, cela lui ferait de la peine si tu y manquais. Je serais bien aise que le cousin Leblanc restât en ville pour aller à la partie de Marie.

---

61. À Montréal, les représentations d'amateurs, au théâtre Royal, sont à la mode depuis plus de trente ans.

Mackay a dit au presbytère que Napoléon avait trop d'ouvrage, qu'il avait refusé de faire les portraits d'un de leurs cousins et de sa dame, pour le présent ; et puis la mère est venue ici hier et dit que c'est mieux de faire des portraits en hiver et de faire le tableau de monseigneur en été, et que ce dernier est pauvre et ne le payera pas de sitôt, dit-elle. Elle m'a dit de t'écrire cela, mais ne dis pas à ton mari que c'est nous qui l'écrivons, car il n'aime pas que nous nous mêlions de ces affaires. Mais vois cela toi-même et sache ce qui en est : en faisant ses portraits quant à la ressemblance, il pourra les achever l'été prochain.

Ce que tu nous dis de la chère petite est toujours la partie la plus intéressante de ta lettre, et nous l'aimons toujours de plus en plus, cher bijou. C'est triste d'en être si éloigné : nous ne la voyons pas progresser et puis elle ne nous connaîtra pas au printemps. Je crains qu'elle [ne] soit timide aux étrangers, étant dans une pension, ne voyant que ses parents, mais ici, en été, elle s'y fera et elle sera aimable, gaie et affectionnée.

Donne-nous de grands détails sur la petite de Marie, et une liste des personnes présentes. Nous vous embrassons de tout cœur.

Ta mère,

J. B. Papineau

Montebello, 31 janvier [1859]

Ma chère Azélie,

J'attendais une lettre samedi, qui nous aurait donné des nouvelles de la party de Marie. C'est vrai que cela aurait été un extra, mais enfin, il faut attendre la prochaine, et ce sera demain, je pense.

Nous avons reçu deux lettres de la chère D^lle^ Darcy : une à ton père, qui lui avait écrit, et une à Ézilda aussi, en réponse. Elle se plaint de n'en pas avoir reçu de toi depuis longtemps, et dit que sans nos lettres, elle aurait été inquiète. Et elle dit qu'elle va t'écrire de suite. Ainsi, l'on [n']aura pas besoin de t'envoyer de nos nouvelles. Elle dit aussi avoir reçu une aimable lettre de Mlle Caron. Je ne sais qui a pu lui donner son adresse.

Mme Benjamin, ta tante, est ici depuis quatre jours. Elle est bien souvent indisposée ; et l'oncle Bruneau est bien vieilli. Aussi l'on trouve un grand changement chez lui : il est lourd, endormi et pas aussi gai. Il est vrai qu'il en peut dire autant de nous ; la maison n'est pas gaie : pas de musique, pas de jeunes personnes à qui il puisse parler des cavaliers, etc.

Au presbytère, ils sont bien ; ils sont venus hier soir passer la veillée. Le curé a fini sa visite de la paroisse et travaille maintenant à sa boutique, à se faire des charrettes pour l'été, et puis une petite voiture légère pour lui ; et le père va au bois tous les jours, bûcher et charroyer. Il a fait cela tout l'hiver ; il va finir cette semaine. Et puis il se propose de descendre à la fin de février, pour aller chez lui faire ses affaires.

Napoléon a écrit quelques lignes à son frère, et il dit quelques mots au sujet de la petite. Il dit qu'elle commence à montrer des petites malices, et il suppose que la maman n'en dit rien dans ses lettres ; mais, comme il ajoute qu'elle ne peut tenir cela que de ses oncles, Ézilda en a profité pour défendre sa chère petite, et dit que ce n'était que pour faire une malice contre l'oncle, etc.

Ta tante espère que le petit d'Émery est mieux, puisqu'ils ne lui ont pas écrit. C'est une famille bien négligente à écrire.

Ézilda écrit à Marie aujourd'hui, en réponse à la sienne. Elle se plaint à Ézilda d'être une mauvaise correspondante, cet hiver. Elle dit qu'elle a souvent de nos nouvelles par toi. Mais dis-lui que c'est pour les deux maisons que nous écrivons. Et puis il est impossible de trouver matière ici à plus : nous ne pourrions que vous ennuyer, comme nous le sommes nous-mêmes. Ézilda a la ressource du travail ; aussi, elle s'en acquitte bien ; mais moi, qui ne peux coudre longtemps, ni travailler fort, je trouve le temps plus lourd.

Toute la famille se joint à moi pour vous embrasser, surtout la chère petite. Mme Benjamin la jeune me disait que ta fille se marierait probablement au printemps ; ainsi, tu peux t'attendre à changer de nourrice. Alors vois à cela, parle-lui-en.

Ta mère affectionnée,

J. B. Papineau

Montebello, 13 février [1859]

Ma chère Azélie,

Je ne t'ai pas écrit la semaine dernière, parce que j'étais en cours de médecine ; j'espère que j'en serai quitte pour quelque temps. Nous avons reçu ce matin la lettre de Napoléon, qui nous dit que tu seras obligée d'écrire à d'autres et que cela va nous priver d'en recevoir de toi. Je suis peinée d'apprendre que ta fille soit de plus en plus sujette à ces accès de nerfs ou autrement. Il est bien certain que c'est dangereux de la laisser seule avec la petite. Marie nous écrit cela aussi. Il faut donc te presser d'en chercher une d'ici au printemps. Si elle ne veut pas venir ici, alors l'on pourra peut-être en trouver une ici. Je sais que c'est difficile d'en trouver, mais d'ici à ce temps, ne laisse pas la petite seule avec elle. Il peut y avoir quelqu'un de la maison où elle peut se tenir, ou une des filles à qui tu pourras donner quelque chose pour se tenir auprès, au cas que ta nourrice se trouve mal. Tu ne pourras plus aller en soirée tard, car alors tout le monde est couché dans la maison.

Ton père répondra à Napoléon et lui enverra ce qu'il lui demande par le curé et son père, qui descendront la semaine prochaine.

Ton père a écrit à Mme Beach au jour de l'An, et l'on n'a eu aucune lettre d'elle ; l'on ne sait si elle l'a reçue. Si tu lui écris, mentionne-le-lui. Je suis inquiète d'elle, je crains qu'elle ne soit tout à fait inconsolable.

Nous avons reçu par Thibodeau les effets. Il a trouvé la chère petite belle et aimable, grasse et très gaie, mais la nourrice lui a dit qu'elle s'ennuyait beaucoup.

Nous savons que John Mackay est arrivé de samedi, mais nous n'avons pas su s'il vous a vus. Il nous le dira quand nous le verrons. Oncle Pierre aussi parle de partir bientôt ; il est assez bien à présent. Je suis bien soulagée d'apprendre que M. Bourret soit mieux, avec un peu d'espoir de le voir se rétablir. Quand tu verras madame, dis-lui combien je pense à elle ainsi qu'à sa chère petite famille. Quant à Mme Judah, il faut donc se résigner à la voir finir : c'est bien heureux qu'elle fasse son sacrifice avec courage.

Mme Théod. Doucet doit en connaître des filles de confiance, ou Mme Cherrier, etc. Tu seras peut-être obligée de leur donner plus cher. Ne t'en inquiète pas, je te payerai le surplus. Dis à Marie qu'Ézilda la remercie de sa lettre. Mais elle dit qu'elle ne lui parle pas assez des enfants.

Thibodeau a été enchanté de l'établissement d'Amédée et des petits enfants. Dis-leur que nous les embrassons tous de tout cœur. Que je plains la pauvre Mme Émery d'avoir un pauvre petit enfant si malade !

Amitiés à tous les parents et amis qui s'informent de nous à Saint-Hyacinthe, Saratoga et Verchères, etc. Embrasse la chère petite pour nous tous.

Ta mère affectionnée,

J. Bruneau Papineau

Je reprends ce matin. Enfin, grâce au clair de lune, nous avons pu nous rendre ici hier soir à neuf heures et demie. Major a envoyé un homme chercher notre voiture et puis, avec sa charrette à foin, a amené le bagage. J'ai été bien inquiète : étant faible, j'ai craint de ne pouvoir supporter la fatigue de ce mauvais bateau sans chambre de dames. Mais je ne suis pas plus mal ce matin, c'est heureux. Je pourrai me soigner et me reposer, car la vieille Marguerite s'est signalée comme de coutume : elle a tout arrangé, fait blanchir ma chambre et la tour, fait peindre le plancher du haut, en bas. Aimond aussi a fini les chambres, peint le bois, et fait les portemanteaux, bref ils nous ont surpris agréablement. À ton arrivée, vous ferez poser votre tapisserie vous-mêmes, car je ne puis supporter aucune fatigue. Et comme le plancher de la tour n'est pas sec, il faut passer en dehors et monter par la tour de ton père pour aller à vos chambres. C'est une raison de plus que je [ne] puis entreprendre cela à présent. Sans cela, vous auriez trouvé vos appartements tout prêts. Je suis bien aise que vous ne soyez pas montés avec nous : la tour va sécher et puis ils promettent le *Phoenix* pour lundi, mais je ne m'y fie pas trop. Ainsi, ne monte pas avant que je ne te l'écrive.

Il pleut aujourd'hui, après le beau clair de lune d'hier soir. On ne peut se fier sur le temps.

La poste ne va pas avec les bateaux à vapeur avant le 1er de mai. Ainsi, nous ne l'avons que tous les deux jours. C'est pourquoi je m'empresse de t'écrire ce matin. Et lundi, nous écrirons à Amédée, mais il faut que Bourassa communique celle-ci de suite, car j'ai promis à Marguerite de lui écrire de suite, mais je n'ai pas le temps d'en écrire deux aujourd'hui.

Pour le tapis, il faut 7 pieds de long, 5 pieds 6 pouces de large, et puis la ouate à la livre. J'en voudrais deux livres. Il y en a, chez Gravel, de la belle, à l'entrée du faubourg Saint-Laurent, dans l'ancienne maison de M. Fabre, si cela ne te gêne pas trop. Pauvre enfant ! si je n'avais pas été malade, j'aurais pu faire tout cela.

Ton père n'est pas très bien. Je lui ai fait prendre de l'huile de castor. J'espère que nous [nous] rétablirons bientôt.

Adieu, je vous embrasse de tout cœur.

Ta mère affectionnée,

J. B. Papineau

Montebello, 3 mars 1859

Chère Azélie,

Je reçois ta lettre ce matin. J'y réponds de suite, cet après-dîner, mais elle ne partira que demain matin.

Tu as dû savoir par ton frère, aujourd'hui, que tu ne peux avoir cette nièce de Charlebois : elle n'est pas convenable. Ainsi, ne parlons plus de celle-là. Tu vois que c'est bien difficile d'en trouver ici ; ce n'est pas surprenant. Mais, en ville même, tu le vois par toi-même. Quant à cette vieille femme dont tu me parles, cela ne me sourit pas, ce serait un grand risque. Il faut que tu prennes des informations ; et après tout de qui ? comme tu le dis. Les dames anglaises ne sont pas difficiles. Elle sera exigeante, je pense, comme le sont ces nourrices-là. Je serais bien contente si cette pauvre Adeline continue à avoir du mieux ; et puisqu'elle désire rester, je pensais au contraire qu'elle serait contente de revenir, comme elle s'ennuie. Et l'attache qu'elle a pour la petite la retient. Tu n'en trouveras pas de mieux pour la chère petite ; je comprends la répugnance que tu as à t'en séparer.

As-tu parlé au docteur ? Il pourrait te dire si c'est le mal de matrice, ou des vers. J'en ai soigné ici pour des vers, grandes personnes comme les enfants. Si c'est le mal de matrice, je t'envoie une recette pour lui faire un emplâtre. Je l'ai reçue de la sœur Thibodeau de Bytown. Je lui avais écrit pour des femmes ici. Je ne l'ai reçue que la semaine dernière ; ainsi, je n'en ai pas encore fait usage. Essaie-la. Et puis, il faut qu'elle prenne un peu d'exercice après cela. Pendant que l'emplâtre fait son effet, il faut du repos autant que possible. Tu vois par la recette qu'il faut de la gomme de sapin (il y en a chez les apothicaires, toute préparée), de l'ail sur le marché, etc. Je désire bien qu'elle ait du mieux et, si elle ne se marie pas au printemps, nous serons contents de la garder ici l'été prochain. Par la voie de ton frère, je lui fais un petit présent à l'occasion des dents de la chère petite. Nous sommes bien réjouis de la nouvelle. Je commençais à craindre qu'elle les eût tard et qu'elle serait plus malade. Ton papa m'en a dit autant ; il est tout fier d'elle et dit qu'elle est bien extraordinaire d'être si bonne petite fille, et de ne pas vous donner plus de trouble. Il sait ce que les nôtres ont souffert et nous ont causé de veilles.

Ce que tu me dis au sujet de cette pauvre Mme Judah m'a bien affligée ; j'y suis très attachée. Je l'aimais et l'admirais, c'était une personne bien distinguée et de force d'esprit ; elle en donne des preuves jusqu'à la fin, en faisant son sacrifice avec autant de calme et de présence d'esprit, entourée de luxe et de confort, qu'elle savait si bien se donner par ses talents. Il faut être femme chrétienne et possédant une foi vive comme la sienne, ce qui lui donne les moyens de voir approcher sa fin sans crainte. Si tu la revois, fais-lui bien mes amitiés sincères, et dis-lui combien je regrette de n'être pas auprès d'elle. Je ne suis pas surprise qu'elle s'occupe autant de Mme Bourret : elle l'aimait comme elle mérite de l'être, et je partage sa sollicitude et ses craintes. Dis-lui combien je regrette de n'être pas auprès d'eux, mais qu'il m'est impossible de voyager en hiver.

Le père Bourassa a dîné avec nous. Sa mère n'était pas assez bien encore pour venir. Elle continue à prendre des remèdes. Il vous fait ses amitiés, et à la famille Cherrier, chez qui il a passé une agréable soirée. Il dit qu'il se rappellera les heures de repas qu'on lui a indiquées, quand il ira à la ville.

Si l'on trouve une occasion, on t'enverra des provisions. Ézilda dit qu'elle n'a pas pu t'en envoyer par le père Bourassa, ni par Bruneau : ils n'avaient pas de place pour un panier, ni une boîte. Ne te gêne pas, en attendant, d'acheter quelque chose pour toi et ta fille. Il vous faut prendre quelque chose, le soir, surtout si la petite dort moins bien.

Je t'ai dit de ne pas te gêner si tu as besoin d'argent. Il ne faut pas te faire souffrir du nécessaire. Si je pouvais vous donner le superflu de notre table chaque jour ! Car plus je vais, moins je mange : peu de viande, aucun dessert ni confiture. Nous pouvons t'en envoyer. L'on en a fait bien peu de dépenses ; c'est une pitié de nous voir tous trois à la table !

Je suis bien aise de savoir que tu as bon appétit. C'est signe d'une bonne nourrice. Tu ne m'as pas dit si le petit de Casimir Dessaulles avait des dents. Mme Laframboise t'a-t-elle dit qu'il était plus gros que ta petite ?

M. Westcott est-il arrivé ? Ézilda a reçu la petite robe ; elle a fini les jupons.

Mme Thibodeau m'a dit qu'elle avait entendu dire que Mme Doucet mère[62] avait eu une attaque de paralysie et, comme tu ne m'en as pas parlé, j'espère que cela n'a pas été bien dangereux. Va la voir pendant la neuvaine, si tu le peux, et tu lui feras mes amitiés, et chez Delagrave et Globensky.

Ta mère affectionnée,

J. Bruneau Papineau

Montebello, 28 avril [1859]

Ma chère Azélie,

J'ai reçu ta lettre hier matin. Je suis bien surprise que tu ne reçoives pas les nôtres exactement. Je t'ai écrit lundi matin à la hâte, et ta sœur aussi, un mot pour demander des graines pour le cher petit oiseau. Sur la lettre envoyée par le père Bourassa, ta sœur avait écrit en crayon, sur le dessus, pour demander, et à ton frère, celles du jardin. Et c'est cela qui a été envoyé, et vous n'avez pas compris qu'il en fallait aussi pour le petit chéri. M. Besserer a promis de nous en envoyer de Bytown et il ne l'a pas fait. Ainsi, c'est sérieux si l'on n'en reçoit pas par la poste. Ton père a écrit à ton frère jeudi ; ainsi, entendez-vous ensemble pour en envoyer.

Je vois aussi par ta lettre que tu es bien dégoûtée de ta pension. Tu peux avoir de bonnes raisons, mais, chère enfant, ne t'en tourmente pas trop. Ici, n'ai-je pas eu toute espèce de désagréments et de dangers avec mes domestiques ? Et bien souvent l'on en manque quand l'on tient maison. Ce n'est pas que l'on veuille

62. Mme Doucet mère : Euphrosine Kimber.

t'exposer à être en pension un autre hiver, mais c'est pour te prémunir contre les dispositions de ton caractère à te tourmenter de petites choses, comparé aux grands événements qui nous attendent en cette vallée de larmes. Quand l'on est jeune et dans la vigueur de l'âge et de la santé, il faut avoir le courage de supporter les contradictions et les épreuves afin de se former un caractère aimable et paisible. Tu as l'exemple de ton frère pour t'aider à éviter ces petitesses, lui à qui tout a souri et réussi. Il n'a pas de grandes inquiétudes ; eh bien ! il s'en fait et se rend désagréable à sa famille et à lui-même. Reçois ces avis, chère enfant, comme ceux d'une bonne mère qui ne travaille et n'a de sollicitude que pour le bonheur de ses enfants. Et je suis toujours alarmée de vos dispositions, chers enfants ; mais j'espère plus de mes filles, qui sont plus religieuses et qui désirent faire leur salut. Eh bien ! il n'y a rien de plus méritoire que de se conformer à la volonté de Dieu et de travailler à se corriger chaque jour.

Ton père est bien désireux de vous aider, et je m'en réjouis, car il ne te l'avait pas promis à l'époque de ton mariage. Ainsi, il faut ménager cela et ne le pas tourmenter. Ton frère a écrit qu'il espérait louer la maison avantageusement ; ainsi, j'attends que cela soit conclu : cela sera une inquiétude de moins. Et puis ton père a dit qu'il attendait la décision du Parlement au sujet des arrérages qui lui sont dus des lods et ventes. S'il les reçoit, il vous casera bien mieux, il achètera une maison qui nous conviendra à tous. Et c'est son plan, à présent, que nous allions passer l'hiver ensemble. Ta sœur [ne] veut aller en ville qu'à cette condition, et puis avoir une voiture. Ainsi, ce sera commode et agréable à tous. Mais s'il n'achète pas à cause qu'il n'en trouve à son goût, il en louera une en attendant que l'on en trouve une convenable. Ainsi, ne te trouble pas dans la crainte d'être obligée d'être en pension.

Quant à ton plan de Mlle Boutillier, tu tomberais de la poêle à frire dans le feu. Et ce, avec un pareil caractère et une tête aussi folle et extravagante que celle-là, tu serais exposée à des désagréments. Elle te promet l'usage de la cuisine et de la cour et, quand quelque chose lui déplaira, elle n'a pas la force de se contenir. Tu ne peux pas penser à celle-là, demande à ses amies qui la connaissent. Ainsi, quelques autres projets seraient mieux que ceux-là, mais le plus sage c'est de t'en fier à tes parents. Que ton frère voie toujours en attendant ce qui est convenable. C'est bien de s'en occuper et d'y voir, mais je n'aime pas à presser ton père plus qu'il ne le faut.

Tu ne me parles pas de M. Westcott. Est-il parti ? Amédée, dans sa dernière, se plaignait de ce que vous n'aviez pas été le voir pendant son séjour là. Ils sont polis et affectionnés ; mais ils sont un peu sensibles quand on leur manque.

Ton père a encore écrit à ton frère, vendredi ; j'espère qu'il la recevra, et qu'il écrive s'il a loué la maison.

Je t'approuve d'aller faire ta promenade à Saint-Hyacinthe, et puis ensuite il faut que tu reviennes avec ta sœur ici. La mère Bourassa désire vivement revoir sa chère petite-fille ici et, comme elle se propose de descendre en juin, ses filles viennent la voir et t'emmènent passer quelque temps chez elle. Ainsi, arrange-toi pour cela.

Ton père a écrit à Mme Bourret[63] et, à New York, à la pauvre Mme Allan. J'écrirai bientôt à la chère Augustine, en réponse à la sienne, et [pour] la gronder de ce qu'elle me dit qu'elle ne se propose pas de venir cet été. Quand tu lui écriras, dis-lui que nous ne consentons pas à cela. Ton [père] dit qu'il ira plutôt jusqu'à New York au-devant d'elle.

Amitiés à nos parents et amis. Mme Doucet est-elle accouchée ? Mlle Cherrier se marie-t-elle au printemps ? Prend-elle maison ou va-t-elle demeurer avec ses parents ? J'espère que la navigation ouvrira à bonne heure. Nous avons été en voiture d'été à la messe. Nous vous embrassons tous de tout cœur.

Ta mère affectionnée,

J. Bruneau Papineau

Le père Médard s'attend à recevoir une réponse cette semaine.

Montebello, 4 mai 1859

Cher ami,

Taillefer est à t'écrire au sujet de la cage[64]. Je ne sais ce qu'il a de renseignements, mais Aimond dit qu'il pourrait peut-être la conduire à l'Orignal, et se dire si elle est saisie là, ils ont des avocats aussi. Tout cela est des supposés. Hier, ils disaient qu'ils ne la mèneraient pas en ville pour être saisie, ce matin, ils disent qu'ils se préparent. Ainsi, Taillefer t'écrira de nouveau demain matin. Je n'y puis rien de plus, c'est une triste affaire.

Mon objet de t'écrire ce matin est le sujet de ta tour. Aimond découvre chaque jour des sujets graves. Il dit que le bas en terre, et hors de terre, est tout pourri, qu'il est impossible de la rembrisser à neuf, car elle est au moment de s'écrouler, qu'il faut un solage en pierre. L'on tient cela toujours humide et puis cette terrasse qu'ils ont faite au bas a fait pourrir le bois. Ainsi, vois ce qui en

63. Stéphanie Bédard-Bourret venait de perdre son mari, Joseph Bourret, le 5 mars 1859. Il avait été plusieurs années maire de Montréal et conseiller législatif.

64. Il s'agit d'une cage de bois flotté, habité par des *cajeux* (bûcherons). Ce bois avait sans doute été coupé illégalement sur les terres de l'ancienne seigneurie de la Petite-Nation. Voir à ce sujet une lettre d'Amédée Papineau à sa mère, datée de l'Orignal, le 10 mai 1859, ANQM, P 7, 1/8.

est ; il faut aller chercher la pierre chez Quimby. Et tout ce travail long et coûteux va prendre tout l'été, à gâter les jardins et tenir tout sale au dehors et au dedans. Pendant l'été que nous avons de la compagnie, ne vaut-il pas mieux attendre à l'automne ? Penses-y, à ton retour. Il n'y peut rien faire, dit-il, avant ton retour. Il dit que tu envoies les huiles et peintures au plus vite : il pourra travailler à l'autre. Le bois de celle-là travaille de plus en plus par ces jours chauds, en séchant. Je savais bien que ce serait un travail et un coût inutile. Je le dis de faire celle de la serre en brique ; sans cela, ce sera encore inutile. Parles-en à Amédée.

Angelle est partie d'hier. Le docteur n'est pas venu. Va voir Mme Leclère et dis-lui que sa mère est bien affligée de ne pas [avoir] de nouvelles, pas de réponse à la lettre qu'elles avaient envoyée avant la maladie, ni de réponse à la tienne. Sa pauvre sœur est un peu mieux un jour, pire le lendemain ; hier, les pieds enflaient de nouveau.

Amitiés à tous, écrivez-moi, car je m'ennuie doublement de tous nos tracas et embarras sans fin.

Ton épouse affectionnée,

J. Bruneau Papineau

Montebello, 2 juin 1859

Mon cher Amédée,

Nous sommes arrivés ici à 3 heures et demie avec du beau temps, nous avons eu un voyage agréable ; la famille ici est bien.

Ce matin, j'ai administré à ton père une dose d'huile de castor, car son indisposition a continué ; il n'a pas fait d'opposition.

Je t'écris à la hâte, ce matin, comme je vous l'avais promis. C'est jour de fête, en allant à la messe, j'enverrai celle-ci. Ézilda et Azélie sont bien contentes que nous ayons manqué la grande maison de Grenier : elles y étaient toutes deux très opposées. Elles approuvent le choix d'une petite maison plus commode. Si ma chère Marie veut aller visiter ces maisons, dans la rue Sainte-Catherine, avant que tu parles à Dubuc, puisque tu n'aimes pas l'autre rue. Mais, après les avoir vues, je pense qu'elle reviendra à mon avis que cette maison-là est plus commode. Et remarquez bien la différence des écuries et bâtiments au dehors, etc., et tu nous écriras, ainsi que Marie. Après cela, nous déciderons finalement, mais il faut que Dubuc finisse le bas et la cuisine commodément. Dans les autres maisons, je n'ai pas été en bas. Enfin, tu feras tes investigations et tu nous écriras afin que nous décidions de suite, car, après celle-là, je n'en vois pas dans ces quartiers.

Adieu, cher fils, embrasse bien les chers petits enfants pour

Ta mère affectionnée,

J. B. Papineau

Belle-Rive[65], 22 septembre [1859]

Mon cher ami,

Je suis arrivée hier soir à neuf heures chez Amédée. Comme je le craignais, le voyage n'a pas été agréable, le gros vent m'a rendue malade et la peur aussi. Je n'ai jamais été, dans le bateau, aussi fatiguée par la secousse, sur le lac surtout. J'ai été couchée la plus grande partie du temps. Je n'ai pris qu'une tasse de thé avec pain, du beurre. Quant aux effets, je n'ai eu aucun trouble. Le retard que le vent occasionne au bateau fait que nous sommes arrivés après le départ des chars. Il a fallu attendre le train de 7 h et demie. Amédée était venu à ma rencontre, mais, apprenant que le bateau n'était pas arrivé et croyant peu que je fusse à bord, s'en était retourné. Heureusement qu'il n'y avait pas de foule. Et le conducteur du chemin, à qui le capitaine m'avait recommandée, m'a procuré une bonne voiture et une autre pour mon bagage. Ainsi, je n'ai eu que la peur et l'inquiétude. En arrivant, j'ai trouvé la porte ouverte. Je ne suis pas tout à fait remise de mon mal de mer. Je me console en voyant que je n'aurais pas eu plus beau aujourd'hui, et plus mauvais pour le bagage : il n'a eu pluie hier et est en sûreté.

Amédée a été bien occupé et n'a pas encore acheté du bois. Il y a tout à faire. Je voudrais qu'il fît beau temps afin d'avancer. La famille Westcott n'est partie que lundi. Ici, la maison n'est pas encore chauffée.

Amédée a reçu hier l'invitation d'assister au mariage de Mlle Louise Cherrier avec M. Sénécal[66], mardi prochain à 8 h du matin. Je suppose qu'il y aura un déjeuner à la fourchette.

J'espère que notre sœur est mieux. Dis-lui qu'ils sont bien chez Émery ; c'est Amédée qui a été le parrain, avec Mme Benjamin Papineau pour marraine. L'on dit qu'elle va rester à Saint-Hyacinthe longtemps ainsi.

---

65. Nom donné à la maison d'Amédée Papineau, au 372, rue St. Mary.
66. Denis Sénécal épouse Marie-Louise Cherrier le 27 septembre 1859.

Marie fait dire à Azélie qu'il sera trop tard pour envoyer son gilet. Elle a dû recevoir hier soir ce qu'elle demandait, avec une lettre de Marie, sa feuille et *braid* [galon, soutache] de soie bleue.

Je me suis informée du capitaine s'il y avait une grande différence dans le prix du fret. Il dit que c'est bien peu. Ainsi, par exemple, il dit que cela ne sera que sept piastres pour les deux chevaux, trois piastres pour la voiture couverte. C'est plus cher en proportion aux chevaux. Ainsi, prends des informations chez Major : c'est comme cela que vous pourrez vous décider. Et puis, ensuite, il y a des effets qu'il faut plutôt transporter dans l'un que dans l'autre, vous en jugerez par vous-mêmes.

Nous vous embrassons tous de tout cœur.

Ton épouse affectionnée,

J. B. Papineau

Montréal, 19 octobre 1859

Mon cher ami,

La fille de Mme Cherrier est venue me dire hier soir qu'elle partait ce matin, s'il faisait [ ], s'il ne ventait pas trop. Et, comme je n'avais pas le temps d'écrire par elle, je le fais aujourd'hui par la poste.

J'ai continué à être indisposé depuis l'arrivée de la famille, mal à un doigt, et un dérangement d'estomac et d'intestins, en sorte que je n'ai pas sorti pour acheter de la flanelle rouge pour Marguerite. Ainsi, fais-lui-en acheter chez Tucker, c'est aussi bien. Ézilda dit qu'elle doit envoyer une caisse de chandelles et de la cassonade pour les filles. Alors, je dirai à Amédée d'envoyer en même [temps] un quart d'huîtres et des pommes.

La famille est bien depuis son arrivée, la chère petite aussi, avec toutes ses gentillesses ; mais elle crie assez la nuit, ce sont ses dents qui la tourmentent. Je pense bien que tu vas t'en ennuyer, et aussi un peu des grands.

Nous sommes à peu près installés, avec les choses nécessaires, mais je n'ai encore rien décidé par rapport aux meubles du salon. Je n'y ai pas vu depuis quinze jours ; j'avais à cœur de préparer les chambres à coucher pour leur arrivée, et l'entrée et le petit salon, et attendre ensuite leur arrivée pour se consulter ensemble. Et nous t'écrirons à ce sujet.

Le père Bourassa a monté le même jour que la famille descendait ; tu as dû les voir chez toi dimanche soir, afin que tu ne fusses pas seul. Fais-leur nos amitiés et dis-leur que nous les prions de t'aller voir souvent et, de ton côté, tu peux y aller aussi souvent. Ce ne sera qu'un petit exercice qui te sera nécessaire.

J'espère que tu seras prudent et que tu te soigneras bien. C'est assez pénible d'être forcé d'être séparés pendant autant de temps sans être inquiet de ta santé. La famille est satisfaite de la maison ; je ne sais s'il en sera de même de toi, quand tu y viendras.

Amédée et sa dame vont assister au mariage de D^lle^ Mondelet, fille du juge, qui épouse un jeune Américain qui est dans le génie. Et ils doivent être stationnés pour l'hiver en Virginie. Il était à Plattsburgh jusqu'à présent, et c'est par le jeune Dr Nelson qui l'a introduit dans la famille. C'est un protestant : ils se marieront à la maison. Il n'y aura qu'un déjeuner. L'autre demoiselle se mariera dans quinze jours avec un avocat qui pratique à Beauharnois.

Il n'y a pas d'autres nouvelles ces jours-ci. J'ai vu, la semaine dernière, Mme Séguin, elle est assez bien et doit rester quelques jours en ville, mais je n'ai pu aller la voir, étant indisposée. Et il fait très froid aujourd'hui.

La pauvre Mme Bourret est toujours chez les D^lles^ Hall ; je n'ai pu aller la voir, j'irai aussitôt que je pourrai savoir quel parti elle va prendre.

Hier, le curé Bruneau est venu nous voir et il a dîné avec nous. Mme Malhiot et Mme Chaillon étaient en ville aussi, mais elles n'avaient pas le temps de venir nous voir : elles sont bien, le curé aussi. Il dit que M. Pierre est rendu sur sa terre, il a la moitié de sa maison et il a un bon fermier qui n'a pas d'enfants qui occupe l'autre partie ; et il paraît s'intéresser à ses travaux. C'est mieux pour lui, cela l'occupe un peu.

Adieu, cher ami, nous t'embrassons de tout cœur, et nos amitiés au presbytère.

Ton épouse et amie,

J. B. Papineau

Amitiés à la bonne Marguerite, qu'elle se repose et se soigne.

Montréal, 1er novembre 1859

Cher ami,

J'ai reçu hier ta lettre écrite samedi, dont je te remercie. Mais l'argent, Amédée s'en est emparé, je sais qu'il en a besoin, mais il aurait dû nous en parler et savoir si nous en avons besoin. Celui que tu avais donné à Ézilda, elle l'a gardé, et il voulait qu'elle [le] lui donnât. Voilà pourquoi il s'est vengé. Mais la première fois que tu en enverras, tu l'adresseras à Bourassa afin qu'il nous parvienne ; toujours aux soins d'Amédée, mais adressée à Bourassa, afin qu'il n'ouvre pas la lettre pour s'emparer de l'argent. Voilà les recommandations d'Ézilda. Tu sais comme elle s'inquiète, je ne voudrais pas qu'elle eût ce tourment, elle a grand besoin de repos d'esprit. Elle te fait dire qu'au lieu d'engraisser elle maigrira si elle a de l'inquiétude. Elle marque toutes nos dépenses exactement. Nous n'achetons rien pour nous pour le présent. Mais il faut, outre la nourriture, que je paie aussi des ouvriers pour des petites affaires. Je ne puis tourmenter Amédée pour cela. C'est un marchepied que j'ai fait faire, des bois de rideaux, acheté des baudets pour les filles, fait blanchir le salon seulement, puisqu'il n'y mettait pas de tapisserie cette année, et c'était le mur le plus sale, etc. Tout cela nous le payons. Ainsi, Ézilda dit que cela rogne ses finances. Et les ouvriers ici sont juifs à l'excès. Ce serait beau de te voir bâtir en ville : il faudrait que tu eusses de grands moyens, et puis encore te quereller avec les ouvriers, car ils sont vraiment indépendants et peu consciencieux.

La voiture d'Ézilda est arrivée ce matin. Elle en est bien aise ; mais elle dit qu'ils n'ont pas envoyé le *rinche*[67], mais, si elle a besoin de faire graisser les roues, ils pourront aller chez l'ouvrier qui l'a vendue.

M. et dame Galarneau sont venus nous voir dimanche et m'ont appris que les amis de cette pauvre Mme Bourret lui avaient acheté une petite maison dans le faubourg Saint-Louis. Ainsi, elle sera près de nous. Il m'a dit qu'il avait vu le contrat qui se préparait. Il dit qu'il ne connaît pas ceux qui l'ont achetée mais, enfin, qu'il en était très heureux, qu'il avait été le lui annoncer. Il est un du nombre, je pense, et Dumas, car ils se sont beaucoup intéressés à elle. C'est toujours un gîte à elle ; pauvre femme, ses affaires ne sont pas encore réglées. Elle ne connaît pas encore si elle aura quelque chose. Elle est venue nous voir une fois (excuse mon barbouillage), mais je n'ai pu y aller encore. J'ai fait tant de courses pour les meubles qu'il ne m'a resté ni le temps ni les forces de faire des visites. Et encore, je n'ai pas terminé pour le salon. Benjamin me fait attendre pour les étoffes ; j'espère que ce sera cette semaine qu'il les aura. Et puis je terminerai chez Abbott, qui est celui qui a les meubles à bas prix. Ensuite je te l'écrirai finalement.

Nous sommes assez bien portants, excepté ta chère petite qui a eu un gros rhume, qui a encore dérangé son sommeil ; mais elle est mieux depuis hier. J'espère que cela va continuer. La famille se joint à moi pour t'embrasser de tout

---

67. *Rinche* : sans doute *wrench* (clé) ou *winch* (treuil).

cœur. Dis à Marguerite que, si Mme Papineau monte cet automne, elle enverra des lampions à Monette, qu'elle a oubliés. Amitiés au presbytère.

Ton épouse,

J. B. Papineau

Montréal, 6 novembre 1859

Mon cher ami,

Amédée vient de me remettre ta dernière, par laquelle je vois que tu as reçu la mienne, puisque tu lui parles de l'argent qu'il avait gardé sans nous en parler. S'il se fût expliqué avec Ézilda et lui eût dit que, si elle manquait d'argent, elle pourrait avoir recours à lui, etc., elle ne se serait pas tant inquiétée. Car elle en a encore des 25 louis que tu lui avais donnés. Quant à moi, je n'étais pas aussi inquiète, car nous faisons peu de dépenses pour la vie. Quant aux meubles, je t'assure que je ne pensais pas avoir tant de peine à trouver une assez jolie étoffe à bon marché. Les belles sont chères. Et c'est ce Benjamin qui me remet de semaine en semaine, disant qu'il en aura de tout prix. Celle en acajou et crin sont de huit piastres, et puis les sofas encore plus chers.

Azélie insistait à avoir des couvertures en étoffe. Alors j'ai décidé à prendre, chez Abbott, du noyer, les chaises sont à grand marché, quatre piastres. Et puis un canapé, afin que ce soit commode pour te coucher dessus, ainsi que pour moi. J'en prenais deux, car c'est à meilleur marché que les sofas à dos travaillé.

Azélie a voulu avoir un sofa et elle en paie le surplus, car son mari a été payé de ses portraits de Judah. Ainsi, elle a voulu son sofa ; et ils sont prêts, sauf la couverture. C'est désagréable, mais il faut bien se soumettre. Les tapis sont posés, et le gaz nous avons eu aussi bien de la peine à le faire poser : il y avait toujours de l'odeur, et les ouvriers bien difficiles à avoir.

Ézilda a déjà sorti avec ses chevaux et ils vont à merveille. Rien ne leur fait peur, elle te fait dire de n'avoir aucun inquiétude. Elle a toujours Francis avec elle. Azélie a été aussi avec elle. Nous avons été passer la journée avant-hier chez Amédée : ils nous avaient envoyé leur voiture pour la petite et la mémé et les jeunes ont été dans leur voiture de Montebello, dont elles sont très satisfaites, puisque les petits chevaux sont admirés.

Je t'ai dit que la petite maison achetée pour Mme Bourret par ses amis est dans la rue Saint-Louis, et j'ajoutais qu'elle allait être près de nous ; je ne l'ai pas vue depuis. Et ces jours-ci, où je me proposais de faire des visites, il a fait un temps sale, de la neige fondue qui a mis les rues impraticables.

Nous avons eu les visites des dames Lacroix, Chauveau, Jean Bruneau, Leclère, Lamothe, Dessaulles ; Laframboise, deux ou trois fois, elle va et vient souvent à la ville ; Mme Théod. Doucet, etc. Je les rendrai la semaine prochaine. Nous avons refusé d'aller en soirée chez Mme Cherrier et chez Mme Chauveau ; c'est un club de cartes que ces dames ont établi ; elles auront chacune leur dimanche et, comme elles jouent de l'argent et le short whist, cela ne nous plaît pas, et il y a des personnes que nous ne voyons pas même en visite dans leur club. Et puis nous ne voulons pas engager ainsi nos dimanches, car cela priverait nos parents et amis intimes de venir passer la soirée.

Je pense bien que tout cela n'est pas bien intéressant pour toi mais, puisque tu me demandes de tout écrire, je le fais.

La petite est mieux de son rhume et augmente chaque jour en babil et gentillesse.

La famille se joint à moi pour t'embrasser, ainsi que nos amitiés au presbytère. Napoléon emporte son lunch le matin et ne revient que le soir à cinq heures. Les jours sont si courts qu'il n'aurait pas le temps de travailler. J'espère que la bonne Marguerite se soigne et se repose et que sa compagne ne s'ennuie pas trop.

Ton épouse affectionnée,

J. B. Papineau

Montréal, 13 novembre 1859

Cher ami,

J'ai encore oublié que c'est le vendredi soir que je devrais envoyer ma lettre à la poste, afin que tu la reçoives pour le dimanche. Je ferai en sorte de n'y plus manquer.

Nous avons reçu les tiennes et l'argent qu'elles contenaient, par Taillefer ; ce n'est que le lendemain matin que Napoléon a pu laisser celle adressée à Amédée et, ne l'ayant pas trouvée, il lui a laissé un mot d'écrit pour lui dire d'envoyer le bluteau à l'endroit indiqué par Taillefer, où il avait ses effets qui devaient s'embarquer le soir même. Quant à lui, il partait pour aller dans sa famille, disant qu'il remonterait le lundi suivant. Je suppose que ton fils t'aura écrit s'il l'a envoyé, car je ne l'ai pas vu de la semaine. Ils ont chez eux une de leurs cousines des États, en visite pour quelques jours ; nous irons les voir cette semaine, si c'est possible, car le temps et les chemins sont affreux.

J'ai été bien attristée du malheur qui vient de frapper la famille Mackay. Cette chère petite fille, à cet âge si intéressant et qu'ils espéraient conserver, puisqu'elle avait passé le temps de la dentition, de la rougeole, coqueluche, etc., mais ce *croup* prend à tout âge, et c'est une maladie bien cruelle. Il faut la soigner de suite, c'est le plus sûr remède, puisque nous n'avons pas l'avantage des sangsues. Une légère attaque se guérit par le vomitif, mais, quand c'est sévère, il n'y a que la saignée. Dis-leur bien toute la part que je prends à leur douleur et que je la partage, d'autant plus que j'ai passé par toutes ces épreuves et de plus grandes. Je connais ce qu'il en coûte de sacrifices à faire à la volonté de Dieu, mais le souvenir reste pour la vie : il n'y a plus de joie pour les parents après de si cruelles pertes, sinon celle que l'on est sûr qu'à cet âge ils sont heureux.

J'ai été bien inquiète quand notre chère petite a eu son rhume ; elle est tout à fait bien à présent. La petite Ella l'a eu aussi, mais elle est bien mieux.

Nous avons été occupés cette semaine, à la Providence, à suivre la retraite des dames de la charité, commencée mercredi et qui se terminera cet après-dîner, dimanche. C'est heureux que j'étais si près, car nous avons eu tous les temps, et aujourd'hui c'est encore pis : la neige qui est tombée hier s'est changée en pluie, et les chemins épais de boue. Mme Laframboise est venue nous voir hier, et elle devait venir dîner avec nous, s'il faisait beau. Ainsi, je ne l'attends pas, elle retourne demain. Elle m'a dit que Mme Benjamin Papineau devait venir ces jours-ci. J'espère qu'elle ne partira pas sans nous venir voir ou nous faire avertir. Je verrai chez Émery demain si elle est attendue ; elle aurait été bien utile chez vous. Écris à la chère et bonne Angelle la part que nous prenons à sa douleur : elle aussi a sa grande part.

Je pense que tu auras bien de la peine à faire finir la tour à l'extérieur cette année, avec un si mauvais temps. Au moins es-tu assez confortablement chauffé, comme je le pensais, avec ton petit poêle ?

Dis à Marguerite que je verrai le docteur pour elle et que je lui en ferai parvenir les remèdes, si je puis, par Mme P.

Comment est la fille ? S'ennuie-t-elle ? Ici, Léocadie dit toujours qu'elle s'ennuie tant qu'elle ne croit pas y passer l'hiver. C'est l'amour de ce petit Jodoin qui la tourmente, car elle est bien habituée avec nous ; et elle est très bien. Je pense qu'elle aura lieu plus tard de se repentir. Ce sera peut-être le dernier [ ] qu'elle sera aussi bien. Son père devrait lui écrire pour la décider à rester. Si ce jeune homme l'aime, il se comportera bien cet hiver. C'est une épreuve qu'elle devrait désirer, s'il passe l'hiver sans boire, ce sera beaucoup. C'est bien assez qu'elle le prenne pauvre, mais sans vice. Nous t'embrassons tous de tout cœur.

Ton épouse affectionnée,

J. Bruneau Papineau

Le frère Bruneau est venu coucher ici et est parti pour Verchères de suite. Il est bien, il remet à l'hiver.

Montréal, 20 novembre 1859

Cher ami,

J'ai encore failli à t'écrire vendredi, car j'ai eu la visite de Mme Papineau et de sa cousine et autres. Et puis, au moment où je voulais écrire, cette pauvre Mme Bourret est entrée, et puis elle est restée à passer la soirée avec nous ; elle est bien résignée, comme toujours, à se soumettre aux desseins de la Providence sur elle. [Elle] est plus admirable qu'imitable. Elle se trouve assez bien dans son modeste logis et elle a Ernest Bruneau avec elle, et elle doit avoir un autre pensionnaire que Judah lui procure : cela l'aidera à vivre un peu mieux cet hiver.

Je suis fâchée de ce que tu mentionnes dans ta lettre à Amédée, au sujet du bureau de poste que Major va manquer d'avoir. Cela sera bien incommode pour nous, mais lui en est bien aise, je suppose, car il n'aimait pas cela, ni son fils.

Nous avons eu le plaisir de voir le curé de Verchères jeudi. Il est arrivé pour l'heure du dîner et a couché aussi, et n'est reparti que vendredi. M. Malhiot est venu aussi souper avec nous. Ils sont bien portants et Fleurine aussi. Ils en ont souvent des nouvelles.

Nous voilà enfin avec nos meubles. Nous les avons depuis lundi dernier ; c'était bien longtemps rester ainsi. Ézilda est toujours satisfaite de ses chevaux, ils vont bien, n'ont peur de rien. Elle a reçu sa sleigh ces jours-ci : elle est bien propre. Francis fait bien son devoir et est toujours le même : ne se plaint de rien, ne sort pas sans nécessité. C'est heureux qu'on l'ait amené. La nourrice d'Azélie aussi est bonne petite fille et est bien contente. Elle est bien portante. Si Léocadie peut surmonter son ennui, je serai bien contente, car elle serait difficile à remplacer. Tels que nous sommes à présent, nous sommes bien.

Je suis bien aise que le père Bourassa ait acheté tes emplacements, cela empêchera d'y voir bâtir des petites cabanes. Cela va embellir ton village au lieu de l'enlaidir. Taillefer m'a dit que la vieille Landreville allait partir pour aller dans la côte Saint-Louis. Alors il faudra faire en sorte que sa petite maison soit reculée en arrière.

Mme Benjamin Papineau est venue veiller ici jeudi. Je ne l'ai pas revue, je ne sais quand elle partira. Elle est bien attristée de la mort de la chère petite Charlotte, c'est ce qui l'a fait partir de Saint-Hyacinthe plus tôt qu'ils ne le voulaient. J'espère qu'elle ne partira [pas] sans nous prévenir. Il a fait si mauvais temps hier et aujourd'hui que je n'ai pu y aller, c'est un verglas, j'ai peur de tomber. Malgré que c'est bien près, je n'aime pas à me risquer.

Azélie a reçu une lettre de Mlle Darcy qui lui dit qu'elle est assez bien portante en ce moment. Elle est toujours chez Mme Dutton et dit qu'elle espère venir nous voir l'été prochain. Ainsi soit-il.

La chère petite Augustine est toujours en santé, gaieté, augmente son babil, chaque jour du nouveau.

Dis donc à la vieille Marguerite qu'il n'y a rien de mieux à faire pour elle que de se mettre des sacs d'avoine[68] chaque soir, pendant longtemps. Elle réussira à se guérir, je ne connais rien de mieux. Le docteur ne sait ce qu'elle a ni ce qu'il y a [à] lui faire. Sors la voir. Je ne me suis guérie qu'avec cela, moi, sans le médecin, elle le sait bien. Nous t'embrassons tous de tout cœur.

Ton épouse,

J. B. Papineau

Montréal, 25 novembre 1859

Mon cher ami,

Depuis ma dernière, Napoléon a reçu une lettre de toi qu'il nous a communiquée. Nous apprenons que tu te maintiens en santé, j'espère qu'il en sera de même tout le temps de ton absence de la famille. C'est toujours notre principale inquiétude, sachant qu'il n'y a pas de médecins dans l'endroit, il faut être bien prudent. J'espère que tu l'es, malgré tes visites de près et de loin de la ville d'Ottawa. Ce que tu dis à ce sujet, à l'adresse d'Ézilda, n'a pas manqué son but : elle t'en remercie et te dit que tu as bien présumé de l'effet que cela a fait sur elle. Elle est de plus en plus satisfaite d'être en ville avec ses chevaux qu'elle admire de plus en plus. Elle sort tous les jours et puis avec elle, Mlle Augustine, qui est aussi enthousiaste que sa tante. Elle se laisse habiller, empaqueter, quand on lui dit que c'est pour aller avec Spot ou Fan. Et elle parle tout le long du chemin de tout ce qu'elle voit. Elle est enfin de plus en plus aimable le jour ; mais la nuit, elle dort peu et crie assez fort.

Nous avons eu, hier soir, un souper de famille ici. Nous avions invité la famille Cherrier et chez Amédée, lui, sa femme et leur cousine, ce qui formait en tout douze à table. C'est tout ce que peut permettre notre table, et la chambre

68. Des sacs d'avoine comme cataplasmes, pour guérir ulcères et chancres.

aussi. Nous nous sommes bien amusés, mais pas aussi bien que si tu avais été notre convive. Chacun a témoigné le regret de ne pas avoir le plaisir de te voir avec nous et le désir de te voir au plus tôt venir nous joindre.

Ézilda va avec Napoléon au théâtre des amateurs. Après ses chevaux, c'est ce qui lui plaît le plus en ville. Azélie a été une fois au concert, et elle va ce soir à une soirée chez Mme Couillard avec son mari. Toi qui es toujours jeune, tu les accompagnerais si tu étais ici. Ézilda et sa mère resteront bien tranquilles à la maison.

Mme Papineau est partie avec Casimir pour monter chez nous ; et, hier soir, Amédée était bien fâché de ne l'avoir pas su, car, dit-il, il avait le bluteau à t'envoyer. C'est de sa faute : il ne vient que rarement ici, et puis il n'a pas fait demander s'il y avait une occasion. À présent, il ne sait comment faire. Ils m'ont fait avertir la veille. Elle est venue me voir, disant qu'elle partirait le lendemain matin. C'était trop tard pour faire avertir Amédée. Le lendemain matin, je suis allée chez Émery pour savoir s'ils étaient partis, et l'on m'a répondu que oui. Ainsi, tu vois que je ne pouvais avertir à temps. Il faut que tu lui indiques de quelle manière il pourra te l'envoyer.

Où as-tu pu mettre ton M. Besserer[69] coucher ? Il fait froid partout en haut, et en bas il n'y a pas de lit. Il est mieux portant, j'en suis bien aise.

Je suis forcée de finir ma lettre, car Ézilda part pour son tour et elle veut partir de suite. Elle emporte ma lettre pour la mettre à la poste. Adieu, la famille se joint à moi pour t'embrasser. Amitié au presbytère.

Ton épouse affectionnée,

J. B. Papineau

Amitié aux filles qui ont grand soin de toi, j'en suis convaincue.

Montréal, 2 décembre 1859

Mon cher ami,

Je n'ai pas reçu de lettres de toi cette semaine. Amédée en a reçu une avec 100 piastres à donner acompte de ce que vous avez à payer pour des effets de moulin.

69. Louis-Joseph Besserer, de la paroisse de Saint-Sauveur (Gloucester, près d'Ottawa), est un confrère de collège de Louis-Joseph Papineau.

Les 25 louis qu'Ézilda a reçus sont venus à propos, pour me permettre d'acheter l'étoffe pour couvrir nos meubles, car je n'osais faire un compte chez [Thomas] Mussen, et il n'y a que là que j'ai pu m'en procurer. Encore, cela n'est pas bleu et jaune, comme j'en cherchais en vain depuis l'automne. Il a fallu se décider à en prendre d'une autre couleur : c'est du violet et jaune, soie et laine, car tout coton, c'est bien mauvais ; tout soie, c'est trop cher. Il a fallu un milieu. Je l'ai payée 14 shillings la verge, grande largeur. Il a fallu 12 verges pour couvrir le tout, sofas et chaises et le canapé. Ainsi, c'est très convenable et de belle apparence. Et, après tout, c'est un ameublement aussi à bon marché que possible, pour l'avoir décent, comme c'était de rigueur chez M. Papineau. Les chaises sont de quatre piastres, le canapé 15 ditto, le sofa de 36 ditto, il est sculpté et de belles formes et commode. Les chaises sont moins bien bourrées et assez dures. Ils disent que le bourrage augmente de beaucoup les meubles. Ainsi, des chaises qui reviennent à cinq piastres et demie ne peuvent être comme celles de 12 ou 15, prix qu'ils font dans bien des maisons. Ainsi, par là, tu vois que, nos rideaux ne pouvant pas servir, il a fallu aviser à un moyen. Marie m'a conseillé de faire une soupante [?] de la même étoffe que celle des meubles, que cela ferait bien avec les rideaux blancs. Ainsi, j'ai acheté quatre verges d'étoffe et du miret pour les border et des glands. Le tout m'a coûté 15 piastres, et cela fait un bel effet, c'est aussi bien que s'il y avait des rideaux. Calcule le tout et tu verras que, si nous avions acheté de l'acajou en crin, cela aurait coûté bien plus cher et n'aurait pas l'effet que ceux-là ont, car, n'ayant que des murs blancs, il fallait quelque chose de couleur, surtout n'ayant aucun ornement, ni glaces sur la pièce de cheminée. Cela a encore l'air bien uni. Ainsi, avec un peu de l'argent que tu as envoyé, j'ai payé toute l'étoffe, car je ne voulais pas risquer à faire un compte chez Mussen. Amédée n'a pas payé les meubles ; il n'a payé que les tapis et le quartier de loyer.

Ici, nous sommes bien en santé, excepté le rhume que l'on prend souvent. Je l'ai ces jours-ci, et Ézilda l'a eu, mais elle est mieux. Elle arrive de chez Amédée. Azélie et elle y avaient été avant-hier, et elles ont trouvé la petite Ella malade. Ézilda y a retourné ce matin ; elle en arrive. Elle dit que la petite a la jaunisse et ne peut rien garder ; elle rejette tout ce qu'elle prend, et même les remèdes. Cette chère petite, c'est malheureux, elle va maigrir et ce sera long, je crains.

Mercredi, nous avons été manger des huîtres chez Mme Cherrier. Il y avait les Chauveau, les Couillard, M. et dame Sénécal, M. et dame Coursol et quelques autres. Ils m'ont chargée de te faire leurs saluts et tous désirent te voir au plus tôt.

Notre petite est toujours bien et fait tous les jours des progrès. Quand on lui demande où est pépé : « Parti, chercher pépé ». Quand elle entend sonner la cloche, elle dit : « Écoute, Mai sonne » ; elle se rappelle que c'était Marie qui sonnait. Elle parle de Dick, cela démontre qu'elle pense souvent à Montebello.

Elle dit : « Maguitte Olivier ». Elle aime à aller en voiture, elle se laisse empaqueter avec patience, car elle comprend qu'il le faut pour sortir. Elle a bon appétit et est bien grasse. Dis tout cela à la grand-mère et à l'oncle curé. Nous pensons souvent à eux. J'espère que le curé ne manquera pas de nous venir voir cet hiver.

Amitiés à tous chez Mackay et autres. Ils doivent être bien affligés de leur perte. Nous aurons des nouvelles par Casimir. Les parents de la fille sont bien ici. Dis-le-lui.

Ton épouse affectionnée,

J. B. Papineau

Montréal, 9 décembre 1859

Mon cher ami,

Amédée [ne] m'a remis ta lettre qu'hier, et il m'a dit qu'il t'avait répondu de suite. Au sujet de la viande, il en faudra toujours pour ici et chez lui. Tant qu'à en vendre, ce sera tout aussi bien ici, car je sais que là vous ne pouvez en vendre. Offrez-en au presbytère ; aussi, si tu n'as pas fini de payer le curé, il en prendra peut-être. Enfin, fais pour le mieux.

J'apprends par ta lettre que tu as des nouvelles d'ici, même plus que moi. Je te dirai que j'ai tant sorti par affaires que j'ai fait peu de visites, et le temps a été si mauvais, les chemins de même, et voilà déjà deux fois que je prends le rhume. Celui que j'ai contracté, le dernier, a été bien mauvais : j'ai eu de la fièvre et je tousse beaucoup, malgré que je me soigne bien. Tout cela a nui à mes visites.

Amédée t'aura écrit que la petite Ella est mieux. Dans son alarme, elle a écrit à son beau-père, qui va sans doute arriver ces jours-ci. Hier, j'ai eu plusieurs visites, entre autres celle de Judah. C'est la première fois qu'il est venu me voir. Il a hâte que tu descendes. Il dit qu'il espère que tu iras le voir souvent, et même passer quelque temps avec lui.

Tu me demandes si je suis contente de la cuisinière que Mme Lamothe m'a engagée. Oh non, pas du tout ! Elle n'est pas entendue du tout. Ézilda, qui espérait qu'elle aurait un peu de repos en ville, a été désappointée de suite, car elle ne voulait pas la comprendre. Et, de plus, elle voulait cinq piastres, et puis se plaignait de l'ouvrage. Elle n'avait de lavage que le mien et celui d'Ézilda ; les autres se font laver hors de la maison. Ainsi, il a fallu la congédier, et heureusement qu'il s'en est trouvé une de suite, vieille fille honnête, propre et bonne cuisinière. C'est un grand hasard qu'elle nous soit venue. On l'a dite assez méchante et aimant à changer de maison. J'espère que nous la garderons au moins pour l'hiver. Elle te régalera avec de la soupe aux lièvres, à la tortue, à la Julienne, etc. C'est rare de pouvoir en trouver une de ce genre, sobre et honnête. Ramasse ce que tu pourras de perdrix que tu apporteras avec toi : les gelées pourront les conserver.

Tu ne me donnes pas de nouvelles de la famille de Mme Thibodeau. Quant à elle, elle est toujours chétive, ne pouvant sortir sans que sa toux augmente, en sorte que la famille l'empêche de sortir. Mme Bruneau, ma belle-sœur, est en ville. Ézilda devait l'aller chercher chez les D^lles^ Hall pour passer la journée ensemble avec la vieille Mme Doucet, et dans l'après-dîner la pauvre Mme Bourret serait venue les joindre, car elle ne peut s'absenter à l'heure des repas, ayant un pensionnaire que Judah lui a procuré, un jeune Porter de New York. Avec son neveu Ernest, cela lui donnera les moyens de vivre cet hiver.

Mais la pluie est venue enlever le peu de neige que nous avions. Il en faut attendre une autre, car les vieilles dames n'aiment pas à se promener dans ces voitures hautes et difficiles à embarquer. Si les chemins d'hiver nous viennent, nous pourrons faire bien des visites et des affaires.

Je ne sais si Napoléon a écrit à sa mère qu'Azélie et lui ont assisté à la réception de leur nièce à la vie religieuse, à l'Hôtel-Dieu. Mme Ranger avait passé la soirée ici, la veille.

Mlle de Beaujeu est enfin entrée hier matin à la Congrégation. Sa mère fait pitié : elle ne peut faire son sacrifice, c'est toujours nouveau pour elle.

Fais nos amitiés à tous là-haut et reçois pour toi nos baisers. C'est Léocadie qui fait notre marché, et très bien, en attendant que tu le fasses encore mieux. Adieu.

Ton épouse affectionnée,

J. B. Papineau

Montréal, lundi, 19 décembre 1859

Mon cher ami,

J'ai reçu de tes nouvelles par les deux dernières lettres d'Amédée, et qui nous font craindre que ton voyage ne soit retardé, ce qui nous afflige. Mais je conçois que cette affaire de Cook te donne de l'inquiétude et que, si tu descends sans la régler, elle sera bien risquée pour l'hiver, si tu t'absentes. Mais c'est un grand contretemps pour nous tous. C'est une année bien gênante pour nos finances, que les réparations de ce moulin et autres grandes dépenses qu'il faut toujours faire dans ton grand établissement. Nous serons toujours à la gêne, je le sais. Puisse la famille le comprendre comme moi, pour leur avenir ! Car, pour moi, le peu de temps que j'ai à rester sur cette terre et le peu de choses qu'il me faut personnellement ne m'inquiète guère. Mais les enfants, à leur âge, ne peuvent comprendre cela. Ils aiment à jouir de la société et de quelques distractions nécessaires au début de la vie où l'on espère avoir du bonheur et du contentement en cette vie, âge où l'on se fait illusion. Mais, à la fin d'une vie où l'on a été exposé à souffrir des déceptions et des douleurs aussi poignantes que les nôtres, il n'y a plus de jouissances possibles, il faut de la résignation et souffrir en silence. Mais je comprends que mes enfants ont eu une grande part de notre affliction dans le temps de leur première jeunesse, ce qui les a bien fatigués ; et qu'ils ont besoin d'être consolés. C'est ce qui m'a décidée à faire le sacrifice de venir en ville et l'augmentation de dépenses que cela occasionne. Il faut partager nos dépenses en les faisant toutes là-haut. Cela ne les satisfait pas. Au contraire, cela les afflige. Quand nous ne serons plus, ils auront vieilli et alors ils sentiront la nécessité de conduire les affaires de ta propriété. S'ils n'ont pas d'autres ressources pour vivre, il faudra céder à la nécessité. En attendant, il faut leur donner occasion de se délasser l'esprit des cruelles épreuves qu'ils ont eu à subir dès leur première jeunesse. J'en voyais la nécessité pour Ézilda surtout, qui m'inquiète toujours, en mère prévoyante. Je ne crois pas que je pourrais supporter de nouveaux malheurs du genre que j'ai eus par le passé, et même encore [à] présent, dans un des membres de la famille. La mort me serait plus douce, car l'on sait que l'on en approche à notre âge ; ainsi, il faut y être préparé.

Nous espérons tous que tu pourras terminer ton affaire. Et, quant aux autres, si tu es obligé de les laisser à Mackay, fais bien tes conditions avec lui. Dis-lui que s'il touche de l'argent, il te l'envoie de suite, que nous en avons besoin en ville. Et, dans la paroisse de Bonsecours, si les gens paient en grain, fais-le mettre à la maison. Olivier sait lire et écrire : il peut bien le recevoir, régler avec Mackay pour le passé. S'il est honnête homme, je ne comprends pas qu'il fasse des affaires ainsi.

Je te remercie d'avoir suivi mon avis, de n'avoir pas renvoyé le meunier pour en prendre un de leur recommandation, et qui aurait plutôt pris leur intérêt que le nôtre. C'est pour cela qu'ils n'aiment pas Guénette, car j'ai des preuves à t'en donner en temps et lieu.

Amitiés au presbytère. La famille se joint à moi pour t'embrasser. J'ai laissé tout ce qu'il fallait pour ton voyage : bas, souliers de chevreuil[70], etc. Il n'y a rien

70. Romuald Trudeau, apothicaire, près du Vieux marché à Montréal, vendait déjà en 1829 « un lot considérable de souliers de chevreuil, de ceintures rouges et fléchées... »

dans le portemanteau. Que Marguerite cherche bien, elle trouvera cela en haut ou dans celui d'en bas, dans le passage.

Ton épouse affectionnée,

J. B. Papineau

Montréal, 26 décembre 1859

Mon cher ami,

J'attends une lettre de toi de jour en jour, qui nous annoncera ton départ, je l'espère, afin que tu puisses être avec nous au jour de l'An. Nous avons été fêter le Christmas chez Amédée, samedi, mais la fête n'a pas été complète à raison de ton absence. Toute la famille a témoigné à plusieurs reprises leur regret. Nous avons emmené Mlle Augustine, qui a joué aussi son rôle à table et au dessert, où on l'a amenée. Et puis ensuite dans le salon où était l'arbre de Noël paré et chargé de présents et décorations. Et ensuite la distribution des cadeaux, de la part de M. et Mme Papineau et du bon et généreux M. Westcott. Ézilda et Azélie avaient acheté des bagatelles pour les enfants, à qui elles les ont distribuées. Il ne faut pas grand-chose à cet âge.

J'avais dit à Amédée de ne rien acheter pour nous, puisque je ne pouvais rien leur offrir, mais en vain. Ils m'ont fait cadeau de deux jolis vases de cheminée, et à Ézilda de petits objets de fantaisie, ainsi qu'à Azélie ; et à Napoléon aussi.

La semaine précédente, ils ont donné une soirée musicale à la famille Cherrier, Doucet, Lamothe et autres amis américains ; il y avait 30 personnes à peu près. Je n'y suis pas allée, j'avais une courbature de reins dont je me ressens encore. J'ai eu de la difficulté à y aller même la veille de Noël, pour la fête.

Le vieux Groulx a fait demander par Aimond trois piastres à son fils, et Ézilda te fait dire de les lui donner toi-même, car elle n'aime pas à donner ce qu'elle a en main dans la crainte de manquer.

Nous avons bien fait d'amener Francis, car il fait si bien son devoir, sans jamais se plaindre. Ils sortent tous les jours avec la voiture et quelquefois deux fois par jour. Le dimanche, il va à la basse messe pour mener ces dames à la grande, et aller les chercher. M. Leclère, gendre de Mme Thibodeau, a eu la politesse de leur offrir deux places dans son banc à la paroisse, et deux à Saint-Jacques. J'ai insisté à les louer, mais il ne le veut pas, disant qu'il est bien aise de pouvoir nous être utile en quelque chose.

Ézilda est toujours enchantée de son Spot, qui est gentil et doux comme un agneau. Il n'a peur de rien en ville. Ainsi, elle jouit de cela, et de sa chère petite nièce qui s'attache à elle de plus en plus. Elle dit des mots nouveaux chaque jour. Quand on lui demande où est pépé Papineau, pépé et mémé Bourassa, oncle, « À Montebello » répond-elle. Elle nomme Marguerite Olivier Monette et elle tire la langue comme les petits chiens, elle se les rappelle bien. Elle appelle sa maman Azélie, son père Napoléon, bien franc. Mais elle est prompte comme l'éclair : si on lui refuse quelque chose qui la contrarie, elle se croise les bras et dit : « Bébé choqué ». Elle dit quelques mots anglais, d'entendre ses petits cousins, et elle les dit franc. Ella dit à son petit frère : « N'as-tu pas honte que la petite parle mieux que toi ? » Elle est bien rétablie, cette chère petite. M. Westcott est très bien, toute la famille là et ici t'embrasse de tout cœur, espérant de le faire tout de bon à la fin de la semaine.

Je t'ai répondu au sujet de tes effets pour ton voyage. Je suis certaine qu'il n'y a rien d'enfermé : le gilet de cuir est dans les tablettes du portemanteau d'en bas, et tes bottes et souliers [de] chevreuil, s'ils ne sont pas au grenier avec les effets que j'avais laissés exprès. Au revoir.

Ton épouse affectionnée,

J. B. Papineau

[L.-J. Papineau]

[1859]

[ ] Amédée est venu hier, l'après-dîner, et a fait ses explications à Ézilda et lui a donné 20 piastres.

Je suis fâchée que le pauvre Aimond ait eu le danger de perdre son enfant. Je t'ai laissé mes remèdes : s'il y a des malades, le curé est capable de les soigner, et s'il a besoin de mes remèdes, donne-lui-en.

Si tu as des nouvelles de Thibodeau et de sa fille à St-Germain, donne-m'en des nouvelles, afin que je les communique ici à la pauvre dame. Je la vois de temps en temps ; aussitôt qu'elle sort au froid ou à l'humidité, elle tousse beaucoup. Sa fille, Mme Leclerc, est bien maigrie et changée.

Si Taillefer vient en ville et que vous ayez besoin de quelque chose, mandez-le-moi. Dis aussi à Monette, s'il a besoin de quelque chose, qu'il me le demande ; par la même occasion, je pourrai le lui envoyer. Et dis à la fille que sa tante m'a dit qu'elle avait eu des nouvelles de son frère, qu'il est bien.

Francis fait très bien en ville tout son ouvrage et les commissions : vous auriez peine à le reconnaître avec sa toilette et son air dégagé. Comment sont ses pauvres parents malades ?

[1860]

Ma chère Marie,

Je suis arrivée sans accident à Bytown, à quatre heures et demie, à ce bel British Hotel, d'où j'en suis repartie de suite pour aller passer la soirée au couvent, où j'ai passé le temps agréablement. J'y ai pris le thé. À l'arrivée du bateau, elles ont envoyé voir si M. Papineau y était, et il y était, comme je le pensais bien.

J'avais résolu d'aller coucher à bord. Nous y sommes venus et nous voilà près d'arriver, j'en suis bien aise. Je suis assez fatiguée : le chemin de fer est assez inégal pour nous donner le mal de tête. Jugez si le stage m'aurait fatiguée ! Il y a peu de passagers ici par cette voie, le matin, et pas de dames.

Votre mère affectionnée,

J. B. Papineau

Montebello, 19 juillet 1860

Ma chère Marie,

Nous avons su qu'Amédée était allé à New York, mais aussi en même temps la bonne nouvelle que vous êtes en santé, ainsi que les chers enfants.

Je vous remercie de nous avoir procuré le plaisir d'avoir la chère petite Ella avec ses grands-parents. Leur visite est de beaucoup trop courte ; j'espérais qu'ils resteraient au moins 15 jours avec nous, mais ils disent que leur voyage a été différé parce qu'ils attendaient des amis de Saratoga à Montréal. Et, à présent, M. Westcott dit qu'il a des affaires qui peuvent l'appeler d'un jour à l'autre aux États. Enfin, l'on n'a pas pu les retenir plus longtemps. Il est vrai que ce n'est pas bien amusant. Il n'y a pas de compagnie en ce moment, et puis des enfants à soigner, tout cela n'est pas bien amusant. Et puis votre beau-père, qui nous fait ennuyer en faisant de plus en plus des dépenses à l'excès, pour des choses inutiles, pour ne pas dire nuisibles, cela nous fait ennuyer et dégoûter de son établissement de plus en plus. Et les réparations nécessaires restent là...

Je suis bien aise que votre mari soit allé voir le *Great Eastern*. Il pourra nous en donner une exacte description, ainsi que du parc. J'espère qu'il aura pu aller un moment, le soir, chez les Porter.

Je pense bien que votre Belle-Rive est intéressante en été, et la chère petite commence déjà à s'y promener ; le nôtre n'est pas encore sorti. Il a encore des moments de souffrances, mais il est mieux. La petite Augustine est toujours avancée et aimable, mais elle est de plus en plus colère et volontaire. Elle est bien difficile à gouverner. Je pense bien que Papineau s'ennuie de sa chère sœur et qu'il aura un grand plaisir à la revoir.

Il y a beaucoup d'amusements à Montréal ; je ne sais quelle part vous y prenez. Et cela va toujours continuer et augmenter jusqu'à l'arrivée du prince[71]. Il y aura une partie des dépenses qui seront utiles : celles que l'on fait pour nettoyer et embellir la ville. Quant à la bâtisse que l'on fait pour ce bal, je ne l'approuve pas, c'est une grande folie, et qui fera bien rire le prince, je crois, à leurs dépens, s'il a du sens commun. Accoutumé aux splendeurs de la Cour d'Angleterre, ce ne sont pas des bals qui doivent l'intéresser dans son voyage au Canada.

La famille se joint à moi pour vous embrasser ; et les chers petits-enfants aussi. Amitiés aux parents et amis de la ville et de la campagne, quand vous les verrez.

Adieu, chère Marie, ayez courage et santé pour élever votre nouvelle enfant[72] avec autant de soins que vous avez fait des autres.

Votre mère affectionnée,

J. Bruneau Papineau

[Montréal], Belle-Rive, 6 août [1860]

Ma chère Ézilda,

Je t'ai écrit une fois depuis mon départ. J'espère que j'aurai une lettre de toi demain : tu as dû avoir le temps d'écrire le dimanche. Je n'ai rien de nouveau

---

71. Cet été-là, le prince de Galles vint visiter le Canada.

72. Marie-Louise Papineau, fille d'Amédée Papineau et de Marie Westcott, née à Montréal le 18 mai 1860.

à te mander. Comme je prends des remèdes, je ne sors pas. Je suis allée aujourd'hui à la petite chapelle de M. Picard, à messe et vêpres. J'irai à la ville demain.

Écris-moi si Léocadie a commencé les matelas, et puis si tu vas faire peinturer la galerie. Vous aurez peut-être de la visite après le départ du Prince. Ainsi, tenez la maison propre et en ordre, s'il est possible, sans te tourmenter, chère enfant. Je ne veux pas ajouter à ta fatigue ordinaire. Ce n'est pas moi qui ferai des invitations mais, si les gens y vont, il faudra bien les recevoir.

Je n'ai pas entendu parler de ta tante Bruneau, je sais qu'elle est à la campagne avec Alida, et Mme Bourret est chez son beau-frère avec ses enfants tout le temps des vacances. Ainsi, celles-là ne viendront pas cette année. Je n'ai pas non plus de nouvelles de Verchères ; je n'irai pas non plus cette semaine, parce qu'il faut que je sois près du médecin pendant que je prends des remèdes. Je crains bien qu'il ne puisse me guérir, mais s'il peut me soulager et me mettre en état de travailler, ce sera toujours quelques adoucissements à mes peines.

J'espère que tu as soin de toi, que tu fais des promenades en voiture et que tu vas à la pêche souvent. Et puis le soin et la société de la chère petite Augustine, tout cela te fera passer le temps. Écris-moi tout cela.

Amédée a du raisin en quantité, et du magnifique. Il te fait dire que, si les mûres sont belles, il faut lui en envoyer dans une panier, entre des feuilles, ou dans une boîte de fer-blanc. Fais pour le mieux.

Adieu, chère enfant. Je vous fais à tous amitiés, et embrasse les chers petits enfants surtout.

Ta mère affectionnée,

J. B. Papineau

Dis à la vieille Marguerite qu'elle veille à ma gâterie et qu'elle ne s'ennuie pas trop.

Montebello, 4 septembre 1860

Mon cher Amédée,

J'ai écrit à ma chère Marie pour lui annoncer mon heureuse arrivée, malgré mon désappointement de n'être pas montée dans le beau bateau ; mais mon deuil a été encore bien plus grand, arrivant ici, en apprenant la mort de notre pauvre Aimond.

Tu connais autant que nous la perte que nous ressentirons de plus en plus et à toute occasion. On lui a caché l'incendie du hangar et la perte qu'il éprouvait aussi en perdant tous ses outils, etc. C'est bien heureux, car cela aurait aggravé ses regrets. Il a paru avoir du mieux mais c'était impossible de le sauver.

J'ai dit à Marie que je vous dirais comment ils avaient décoré la maison. Ils avaient mis un pavillon français au haut du grand pin, où est la petite galerie ; un autre au pigeonnier, un au haut de chaque tour, et les autres sur le toit ; et puis tous les habitants et ceux de Sainte-Angélique au bord du terrain avec des fusils ; et puis de plus, M. Bourassa père a inventé une espèce de canon. Il dit qu'il s'était servi de cela à Saint-Jean et à l'Acadie pour la fête de la Saint-Jean-Baptiste. Ce sont des enclumes dans lesquelles ils percent des trous assez profonds et qu'ils emplissent de poudre bien pressée, et que cela fait un bruit assez fort pour remplacer de petits canons, à s'y méprendre. Mais ce qu'il y avait de plus appréciable, c'était un immense bouquet fait avec grand art et bon goût, c'était un grand carré ayant quatre tours et un centre en pyramide élevée, puis de la mousse au pied des guirlandes. Enfin, ils l'ont envoyé au bateau à vapeur *Phoenix,* le matin, afin que le capitaine pût le présenter au prince et l'installer sur une table dans la chambre. Il m'a annoncé cela à mon arrivée au bateau, et puis il m'a dit qu'il allait l'envoyer porter au prince, le soir, à son hôtel. En passant ici, ils ont presque arrêté le bateau, et ils ont salué et bien admiré. Et puis hier, j'ai reçu un billet à mon adresse de la part du colonel Bruce, qui nous dit qu'il est chargé de la part de Son Altesse royale, le prince de Galles, de nous remercier du splendide bouquet et de la manière élégante et distinguée dont nous avons orné notre demeure pour le saluer à son passage, et il me prie de sa part de faire ses amitiés à M. Papineau, dont il avait fait la connaissance ci-devant, et qu'il avait reconnu sur son quai, lui M. Bruce. Tu vois qu'ils n'ont pas perdu leur temps.

Les autres endroits sur l'Ottawa, en montant, se plaignent de ce que le capitaine a passé au large, ce qui fait que les ornements qu'ils avaient préparés n'ont pas été aperçus, et eux n'ont pas vu non plus. À Carillon, c'était bien aussi et ils ont fait un beau pontage qui nous restera pour embarquer du quai aux chars[73] en tout temps. M. Montmarquet était monté pour cela.

Le jour que je suis montée, Billingham a débarqué ici. Je ne sais s'il a été en haut chez Cook. Hamilton persiste à se présenter, et aujourd'hui M. Wright est ici, il a parlé avec ton père et il a dîné. Je ne sais ce qu'il lui a communiqué, je le saurai demain peut-être, si ce n'est pas un secret.

Ces dames se proposent de partir jeudi ou vendredi, et ne feront que passer à Montréal. Probablement Mme Planté y passera le dimanche, mais j'aime mieux envoyer ma lettre à la poste.

---

73. Depuis 1857, un chemin de fer de 21 km relie Carillon à Grenville.

Je ne sais pas si M. Westcott est parti ; faites-lui bien nos amitiés. Et s'il est parti, vous les lui ferez à Saratoga, ainsi qu'à madame. Nous sommes assez bien, le petit d'Azélie est énorme, je ne l'aurais pas reconnu. Il est bon, dort bien, sourit à tous ceux qui lui parlent, il a un gros visage, grosse tête, enfin, on lui donnerait quatre à cinq mois.

J'espère que tu m'écriras aussitôt que tu auras vu notre propriétaire, et hâte-le de faire nos réparations.

Je te remercie, ainsi que ma chère Marie, des complaisances et des bontés que vous avez eues pour moi pendant mon séjour chez vous. Je t'assure que je trouve un vide ici et que je ne puis définir. Je t'envoie une liste d'effets que j'ai achetés chez Merrill, la veille de mon départ, pour ajouter à celle que je t'ai laissée.

Je vous embrasse ainsi que la famille ici, qui s'y joint.

Ta mère affectionnée,

J. B. Papineau

Montebello, 17 septembre 1860

Cher Amédée,

Je t'écris un mot ce matin pour te dire que j'ai reçu samedi des lettres de France[74], une du principal adressée à ton père - c'est pourquoi je ne te l'envoie pas, il verra à y répondre lui-même. C'est ordinairement à ton adresse qu'elles sont envoyées. Cette fois, je ne sais pourquoi il l'adresse à ton père. C'est afin qu'il lui écrive, je suppose. Il n'envoie pas de compte dans celle-ci. J'espère que tu n'oublies pas d'envoyer l'argent régulièrement, au temps exigé.

Les autres sont de ce cher enfant, malheureuse victime de nos malheurs qu'il a trop vivement ressentis et dont il a tant souffert moralement et physiquement. Je n'ai pas le courage de les lire tout au long, d'autant plus que je n'étais pas bien. Je ne sais si c'est le mauvais pain que nous avons eu depuis mon arrivée, mais j'ai l'estomac tellement dérangé que cela m'a occasionné un entier dérangement des intestins : j'ai souffert toute la semaine, malgré l'huile d'olive et l'eau de riz, en sorte que je me suis décidée à me purger ce matin.

J'avais oublié de te mentionner que l'eau aussi avait besoin d'être réparée à la maison. Dis à M. Dubuc que, dans la chambre que M. Bourassa habitait, il y avait souvent de l'odeur, et puis, en bas, dans la chambre où le garçon avait son

74. Des Hospitaliers de Saint-Jean-de-Dieu, à Lyon, où était interné Lactance.

banc-lit, je crois qu'il séjournait de l'eau sous le plancher. Le canal doit être dérangé, c'est l'odeur des privés. Qu'il visite tout cela.

Je ne sais quand ton père arrivera, comme nous n'avons pas eu de lettres depuis son départ. Il avait dit qu'il reviendrait samedi. Ainsi, n'ayant pas d'avis, je ne sais quel jour il viendra.

La famille se joint à moi pour vous faire amitiés à tous, et embrasser les chers petits enfants. Dis à ma chère Marie qu'elle ne m'oublie pas auprès de ses chers parents dans ses lettres. Azélie a reçu le patron qu'elle lui a adressé. Tout à vous.

Votre mère affectionnée,

J. B. Papineau

[L.-J. Papineau]

[octobre 1860]

M. Bourassa écrit un mot à sa famille. J'y ajoute quelques lignes pour te dire que nous sommes dans un grand embarras avec les peintres, blanchisseurs, tapissiers, etc. Et de plus j'ai suivi la retraite des dames de la charité à la Providence : c'est le seul temps de délassement et de tranquillité que j'ai eu. Puisse-t-elle avoir pour fruit de me donner de la patience et du courage pour supporter mes épreuves et mes peines, qui s'aggravent au lieu de diminuer, à la fin de ma carrière. J'avais assez à supporter en pensant à celles qui les ont devancées et que je n'oublie ! En vieillissant, l'on a bien moins de courage et plus de sensibilité.

C'est un malheur que je [ne] t'aie écrit d'envoyer au plus tôt les oreillers et paillasse des filles, qu'elles ont été assez étourdies de ne pas apporter. Et Ézilda demande son beurre au plus tôt.

Je demande au jardinier de faire ce que je lui ai recommandé et qu'il m'a promis de faire : charroyer du terroir sur les gazons devant et derrière la maison. Il est grand temps, dans ce temps-ci, avant les gelées. C'est tout ce que je demande, un peu de propreté autour de la maison et puis de beaux gazons, qui sont en vue de la galerie. Si je ne puis l'avoir, il faudra se résigner et faire le dernier sacrifice.

La famille est bien ici et chez Amédée, et se joignent à moi pour t'embrasser.

Ton épouse,

J. B. Papineau

Montréal, 21 octobre 1860

Mon cher ami,

Azélie t'a écrit vendredi, je ne sais si elle t'a mentionné que nous avions reçu tous les effets envoyés par la ligne Dickinson. Nous les avons reçus tous et en bon ordre ; et, hier au matin, nous avons envoyé au dépôt du chemin de fer de Lachine, et nous avons reçu la tinette de beurre de lard et le paquet mentionné dans ta lettre. Les filles et le garçon en sont contents, car ils ont couché sur des baudets nus depuis leur arrivée. Ils ont bien payé leur gaucherie. Puisque j'étais partie avant elles, je ne pouvais le leur apporter avec moi.

Je ne sais comment tu as pu comprendre que je faisais tapisser les chambres à coucher à mes frais, puisque je n'avais pas osé les faire blanchir même l'an dernier. C'est le propriétaire qui le fait lui-même, sans que nous le lui ayons même demandé. Il sait bien qu'il faut qu'il la finisse et que cela le lui fera louer plus cher l'an prochain. Ils ont presque fini ; il y a encore le passage, et puis ensuite il faut qu'ils les vernissent. Ils en ont encore pour la semaine prochaine à nous faire de l'embarras et de la saleté.

Le mauvais temps continue aussi ; aussitôt qu'il y a un beau jour, le lendemain : mauvais. Les chemins sont affreux à la campagne ; en ville, ils peuvent sortir chaque jour et ils l'ont fait, les enfants aussi. Chez Amédée sont bien, et ici aussi. Les enfants sont bien et bien gais. Tu sais que Mme Sénécal a une petite fille ; la mère et l'enfant sont bien. Sa petite est assez ordinaire, c'est ce qui a surpris tout le monde.

Je n'ai pas encore écrit à Verchères. Ils sont dans le chagrin : cette chère Azélie, sœur grise, a été envoyée à Toledo, à leur grand chagrin. Aussitôt que je serai débarrassée des ouvriers, j'écrirai pour leur demander de venir. Toute la famille ici est bien. Mme Leman est en ville ; elle est venue déjeuner avec nous vendredi, avec Hindelaing. Cette dernière est partie pour Saint-Hyacinthe, hier, avec Mme Auguste et Honorine ; partiront pour Saint-Barthélemy mardi. Elle se dit assez bien.

Écris cela à Angelle en lui faisant nos amitiés. Je suis bien contente de mes filles jusqu'à présent. Je n'ai pas encore vu Mme Thibodeau, j'irai ces jours-ci.

Je ne suis pas surprise de la perte de votre élection. De la manière qu'elle était conduite, c'était aisé d'y voir la main du gouvernement et la corruption qu'ils étaient disposés à employer. C'est ce qui fait que ceux qui t'avaient demandé s'en sont retirés, sachant que tu ne voulais ni ne pouvais lutter contre de tels moyens : c'était t'exposer à une défaite certaine. Ce que tu me dis au sujet de la démoralisation du peuple, je le sais et le ressens vivement, et, si la boisson recommence à se répandre davantage, ils feront de grands progrès dans le mal, et ils seront d'autant plus coupables qu'ils n'ont pas les mêmes motifs que d'autres nations. Ils ont les moyens de vivre tous les secours religieux à leur portée, que d'autres n'ont pas. Il faut que notre nature soit bien perverse, puis que rien ne peut arrêter le torrent des vices ! J'ai pensé au cher curé : il doit être bien affecté de pareils méfaits. Il ne sait plus comment les prendre.

J'espère que la mère Bourassa est mieux. Nous leur faisons des amitiés à tous. Marguerite fait des amitiés chez Monette et leur fait dire qu'ils n'ont pas besoin d'attendre leur nièce, car elle va se marier, elle est à son second ban ; Orphée a été la voir et a dit cela à Marguerite. Cette dernière se fait soigner par le Dr McCallum. Il dit qu'elle a l'estomac bien faible et bien dérangé, à part de son rhumatisme.

Ézilda a aussi reçu l'argent que tu avais mis dans ta lettre à Amédée. Tu ne me réponds pas si Tinche fait mettre du terroir [terreau] sur les gazons, et comment Léocadie s'arrange. A-t-elle fait mettre le poêle de la cuisine au milieu, comme je le lui avais dit ? et fait ramoner la cheminée ?

Mme Lévesque nous a donné une petite soirée cette semaine, et un joli souper. Elle a été contente de son voyage chez nous et a tout vanté. Elle va faire son voyage à Québec. M. Cartier vient la chercher ces jours-ci, elle ne sera que peu de jours.

J'ai vu cette pauvre Mme Bourret : elle est bien ainsi que ses enfants. Sa fille aînée est avec elle. Ernest Bruneau est allé à Rimouski s'établir comme avocat. Il espère avoir des pratiques. Chez les Globensky et chez Mme Doucet sont bien. Je pense que vous avez ressenti le tremblement de terre comme nous. Tout à toi.

Ton épouse,

J. B. Papineau

Montréal, 5 novembre 1860

Cher ami,

C'est Azélie qui t'a écrit la dernière ; je le fais à mon tour. J'ai été indisposée d'un fort rhume de cerveau, mais je suis mieux. Les autres de la famille sont bien, les petits-enfants aussi. Le petit a été inoculé. La picote n'a pris que le sixième jour et il n'en est pas souffrant : il continue à être bon, engraisse et prend des forces chaque jour. C'est un aimable enfant, il dort bien. Mlle Augustine fait aussi des progrès, mais elle est bien volontaire et bien espiègle. C'est l'âge où elle n'a pas encore assez de raison pour être contrainte, et elle en profite.

Nous ne sommes pas encore libérés des ouvriers. Il y a encore le vernis à poser sur les tentures, et ils l'attendent de New York. C'est bien ennuyeux d'être à la merci de ces gens. M. Dubuc est de bien mauvaise humeur. Il ne veut pas faire arranger son gaz ; et, s'il ne le fait pas, ce sera bien coûteux de s'en servir, à part le désagrément de l'odeur. Je pense que tu pourras l'y obliger de le faire, quand tu seras ici. Quand on loue une maison arrangée pour le gaz et que l'on fait la dépense d'acheter tout ce qu'il faut pour l'éclairage, l'on doit obliger le propriétaire de le faire mettre en état de s'en servir ; mais Amédée ne peut s'en mêler et, quand je lui en ai parlé, cela l'a fâché. Il dit qu'il a cherché et qu'il n'a pas senti d'odeur et qu'il verrait. Mais il n'en a rien fait, je connais maintenant la cause de sa conduite : c'est qu'il a été en marché de vendre sa maison ou de la louer pour cinq ans à Marchand. Et il a manqué l'un et l'autre, et son ouvrier m'a dit que sa maison ne lui rendait pas 3 %. Tout cela le rend regardant à faire des frais. Il l'a tapissée, car il sait bien que cela lui donnera plus belle apparence pour la louer. La tapisserie du salon est assez bien : c'est une semblable à celle de chez Grenier, à panneaux jaunes sans médaillon. C'est propre et uni, bien assez beau pour une maison à louer. Je ne l'aimerais pas dans une maison qui serait à moi, surtout avec les portes et châssis en couleur : cela fait trop de jaune. De même dans les chambres de l'autre côté ; c'est une imitation de chêne avec bordure rouge. Cela la relève, mais c'est avec la menuiserie, tout du chêne, c'est sombre. Mais ils disent que c'est mieux pour louer.

Nous avons vu peu de monde avec ces mauvais temps, et puis c'est l'octave des morts, l'on sort pour aller aux églises. Ézilda et Azélie et Mlle Augustine sortent tous les jours en voiture, malgré les mauvais temps et mauvais chemins. À pied, on peut toujours s'en retirer. Voilà la commodité en ville et dans les faubourgs. Ces trottoirs en bois sont d'un si grand avantage. L'on ne peut aller à Saint-Jacques : les enduits sont à se faire et ils ne chauffent pas encore, ce sera trop malsain cet hiver. Nous avons loué un banc chez les oblats ; et pour la basse messe, nous allons à Sainte-Pélagie. Berthelet a fait finir la chapelle et il y a des bancs et il ne veut pas les louer, afin que les pauvres aient des places. Mais la messe est à six heures et demie du matin. En hiver, c'est trop à bonne heure.

Le curé Bruneau est venu en ville lundi. Il est bien et il m'a dit que Mme Malhiot viendrait la semaine prochaine. Bruneau était à Verchères ; il ne viendra en ville qu'aux chemins d'hiver. L'on dit les chemins à la campagne impraticables. Chez vous, il ne doit y avoir personne à l'église que les gens du village.

Mme St-Germain a-t-elle procuré à Mme Mackay de la vaccine ? Dis-lui que Mme Thibodeau est à peu près dans le même état. Mme Leclère se trouve un peu mieux, mais elle ne le paraît pas. Nous sommes toujours satisfaits de nos filles. La jeune Groulx ne s'ennuie pas du tout : dis-le à ses parents. Les autres s'ennuient un peu, mais cela se passera. La jeune Lalonde est une bonne fille et se formera. La fille de chambre est bien adroite ; c'est étonnant pour une fille de campagne qui n'a pas été mise à de tels ouvrages. Elle est bien décente.

Nos gens sont descendus sans emporter de parapluie. J'ai le tien et le mien. Ainsi, apportes-en un autre et ce sera assez.

Nos amitiés au presbytère. Cette pauvre Mme Bourassa doit bien s'ennuyer, un pareil automne et à la campagne, où il est impossible de sortir. Nous voyons Amédée bien rarement. Il vient à pied et n'aime pas à allonger son chemin. Nous nous réunissons tous ensemble pour t'embrasser et nos amitiés au presbytère. Adieu, au revoir.

Ton épouse,

J. Bruneau Papineau

Azélie demande du bois pourri, et le faire piler et sasser. Amitiés à Léocadie.

Montebello, 14 janvier [1861]

Ma chère Marie,

Je vous remercie de votre bonne lettre et des souhaits que vous faites pour que la nouvelle année nous soit plus heureuse que celle que nous avons terminée par la maladie, l'inquiétude, de l'affliction que nous avons ressentie plus vivement ; étant éloignée de la famille et de tout secours, il fallait nous soigner l'une et l'autre. Espérons plus de santé pour l'avenir puisque nous sommes obligés de rester ici, loin de vous tous. C'est notre lot.

Je suis bien sensible à votre sollicitude pour nous et au bon souvenir de ces chers petits-enfants et à ceux de ce cher Amédée et de votre famille. J'espère que ce cher M. Westcott va venir bientôt vous voir. Vous aurez beaucoup à vous dire, que l'on ne peut communiquer par lettres.

Il a dû être bien inquiet au sujet de ces bruits de guerre[75] : au cas que cela se réalise, que ferez-vous ? Vivre loin de votre père sera bien difficile, pour ne pas dire impossible. Et pourra-t-il laisser ses affaires ou ses propriétés en mains sûres ? Je pense souvent à cela. C'est un état bien triste pour tous, c'est un grand malheur que votre guerre traîne ainsi en longueur, sans bataille décisive contre le Sud. Cela autorise l'Europe dans ses sympathies pour le Sud et augmente le danger de la guerre. Je crains qu'il ne vous manque de chefs à la tête de vos armées. Il ne faudrait que des victoires éclatantes pendant l'hiver pour changer les dangers qui nous menacent.

75. Allusion à la guerre de sécession américaine.

Vous devez souffrir cruellement dans ce Montréal si abject, qui se réjouit tant de se battre pour ces Anglais qui les ont tant flagellés, méprisés, pillés, etc. Ils sont de l'ordre de ceux qu'il faut ainsi conduire et ils se choquent quand on le leur dit de la part de Durham ou de sir Francis Head. On leur a répété en tout temps et sur tous les tons, et parfois ils veulent en appeler à grands cris à leur honneur national ! Pauvre race dégénérée : ils sont pour toujours exploités, ils n'ont plus de chefs honnêtes et habiles, l'on sait qu'ils sont obligés d'obéir et de se préparer ; mais le faire avec joie et enthousiasme, et se plaire à dénigrer, insulter, mépriser les États-Unis, qui ont eu un jour le grand courage de secouer le joug de leur gouvernement oppresseur et, en peu d'années, ont pu parvenir au degré de prospérité et de grandeur où ils sont ! C'est vraiment ridicule et nous montre évidemment combien ils sont vils et rampants aux pieds de leurs mauvais gouvernements, qui savent mieux les apprécier et les traiter comme ils le méritent : de vils colons.

Je reçois toujours les journaux d'Amédée et je souffre de ne pas apprendre quelque chose de décisif. Il est impossible d'éviter une guerre s'ils n'ont pas le dessus avec leurs ennemis cet hiver. L'Europe a trop d'intérêt à les voir morcelés, j'ai craint cela dès le début.

J'ai reçu une lettre d'Azélie aujourd'hui et elle ne dit pas si elle vous a envoyé ce qui était à votre adresse. Je ne vous envoyais que le porc ; le bœuf n'était pas assez beau et gros pour vous en faire part. Azélie, qui est assez en besoin, en fera son affaire, et des pralines et sucre de crème. Azélie dit que vous avez commencé vos visites. Elle ne m'a pas dit si la famille de St-Ours passe l'hiver en ville ; et puis ils disent tous que Mme Sénécal est bien faible et bien pâle : est-ce de la suite de son ancienne maladie, ou est-elle enceinte ? Et puis est-elle entrée dans sa maison ? Vous me direz s'il y a de l'extra chez Azélie, si vous en savez quelque chose. Elle n'en parle pas.

Par les nouvelles apportées par Auguste, il nous a dit que Laframboise avait eu une attaque nouvelle de sa maladie. Les médecins disent que c'est de l'épilepsie. En ce cas, il faudrait qu'il se fît soigner de suite dans ces établissements exprès, aux États-Unis. Ils ne l'ont pas dit à sa femme.

Ézilda est mécontente de ce que je ne vous ai pas répondu au sujet des pantoufles de son père ; elle les a finies l'an dernier et j'ai oublié de vous l'écrire. Elle dit qu'elle aurait eu honte de ne pas les avoir remplies. Je vous remercie de votre bonne volonté de le faire.

La famille se joint à moi pour vous embrasser. Quand je pense que la chère petite Marie-Louise[76] ne me reconnaîtra pas. Elle était si jeune, c'est pénible.

Votre mère affectionnée,

J. B. Papineau

76. Marie-Louise Papineau, fille d'Amédée Papineau et de Marie Westcott.

Montebello, 9 mars [1861]

Ma chère Azélie,

Nous avons reçu ta lettre, écrite le jour de l'arrivée de ton beau-père. Quoique abrégée, c'était mieux que de n'en pas recevoir du tout.

La semaine dernière, la poste de mardi n'est arrivée ici que samedi. Et je pense que cela va arriver souvent d'ici au printemps. Ainsi, tu vois si le temps nous paraît long. Je ne t'ai pas fait reproche de l'hiver, mais je pense que si tu avais pris la méthode d'écrire tous les deux ou trois jours, quand tu as un instant à toi, tu aurais eu une longue lettre prête chaque semaine à nous envoyer. Comme tu es si distraite, et puis le jour que l'on écrit, quelquefois l'on est peu disposé. Je te citerai un fait qui vient à l'appui. Depuis ton arrivée en ville, tu ne m'as jamais dit un mot de la petite Sénécal, pas plus que si elle n'existait pas ; si elle marche, si elle parle, si elle est jolie, intéressante (pour son âge, sous-entendu). Et pourtant, elle a sa grande place dans la famille.

En d'autres de tes lettres, tu nous annonces un événement, en disant : « Je crois que je vous l'ai écrit il y a un mois », et pas un mot n'en avait été dit.

Je ne sais si Marie me donnera des détails sur le bal de M. Judah, etc.

La mort de ce pauvre M. Laframboise m'a bien affligée. Je l'estimais bien et j'avais toujours du bonheur de le rencontrer. Il nous faisait du bien : sa gaieté, sa franchise de caractère, son empressement à secourir tous ceux qui étaient dans la peine ou la détresse ; il essuyait les larmes des uns ou donnait de l'encouragement à d'autres. Je ne puis penser à la perte que fait sa famille et la ville-mère. L'on ne remplace plus de tels hommes. Quand tu verras quelques membres de sa famille, dis-leur combien je prends part à leur perte. Et aussi sois mon interprète auprès de cette chère Mme Bourret ; la mort de son enfant est annoncée sur les journaux.

Embrasse bien mes chers petits-enfants. Qu'ils n'oublient pas leur mémé, je m'en flatte, ils me caresseront ce printemps.

Ta mère,

J. B. Papineau

Mes yeux sont mieux, j'espère.

Montebello, 8 mai [1861 ?]

Ma chère Azélie,

Je t'ai écrit lundi. J'espère que tu as reçu ma lettre mardi. Je croyais recevoir une lettre hier soir, mais en vain. Je te dirai que nous n'avons pas eu de malle depuis deux jours. Mardi, le jour de ce vent foudroyant, le bateau à vapeur *Le Prince de Galles* n'a pu monter. Le nôtre l'a attendu tard et il est remonté avant [la fin] de la nuit sans malle ; mais, hier, il est monté à l'heure ordinaire et nous n'avons pas eu de papiers. Je ne sais la cause. Ainsi, d'après cet incident, je ne te conseille pas de remonter seule. L'on ne sait s'il a pu partir de Lachine ou s'il a passé la nuit à Vaudreuil, craignant de s'embarquer sur le lac. Et, dans ce mois-ci, l'on peut avoir encore du gros vent. Ainsi, attends ton mari.

Cette ligne-ci est destinée à avoir toujours de pauvres bateaux. Quand nous sommes montés, il avait tant de secousses que nous étions tous indisposés, et la petite pouvait à peine marcher.

Cette chère petite continue toujours à être bien en santé, gaieté, et dit tous les jours qu'elle est si contente d'être ici ; et, si elle veut faire la méchante, sa tante la menace de l'envoyer en ville. Alors elle obéit. Elle la baigne chaque jour. Elle a peu sorti ces jours-ci, il fait si froid et si humide, et elle s'amuse si bien à la maison. Elle mange peu : je crois qu'elle n'aime pas le veau, et puis le pain est pesant. Ton père ne veut pas en faire venir de Bytown, avant de voir Mackay, savoir de lui s'il aura de plus belle fleur. Et, les chemins étant impraticables, il faut attendre.

Je t'écrivais aussi que nous n'avions pas reçu nos effets de chez le *grocer* et nous n'avons pas de fleur ; sans cela, nous aurions essayé à faire des *rolls* [petits pains]. Demande à Mme Papineau si elle veut bien nous envoyer par toi de la nouvelle *yeast* [levure] pour le levain, car, n'ayant pas de fleur, elle n'a pas pu renouveler son levain et il sera trop vieux.

Le jour que vous viendrez, apportez du bœuf, car vous ferez maigre chair.

As-tu vu pour ta fille si Mme Girard veut la garder jusqu'à ton départ. Tâche de ne la pas manquer, car tu auras de la peine à en trouver ici de convenables.

J'espère que la famille est bien, chez vous ; fais-leur bien mes amitiés et embrasse les chers enfants.

Je pense que tu n'iras pas à Verchères mardi : il faisait un temps affreux ici, et à Montréal aussi. Au presbytère, à notre arrivée, le père était malade d'une attaque de rhumatisme inflammatoire, mais le curé a écrit au Dr Beaubien et il est venu le voir, mais il avait déjà du mieux et il est bien, il commence à sortir. La mère n'est pas bien, elle est maigre ; elle dit qu'elle a passé un triste hiver d'ennui, de toux, etc.

Je te prie de demander à Mme Lévesque où elle se procure ce savon pour les argenteries. Tout en leur faisant nos amitiés, ne manque pas d'en apporter.

Ton père dit qu'il a écrit à McGibbon. Voyez s'il l'a reçue et s'il a envoyé les effets à bord et non dans les hangars.

L'eau est si haute que, chez Major, ils ont peur d'être obligés de laisser leur maison.

Adieu, amitiés à tous, chez vous et à Saratoga.

Ta mère affectionnée,

J. B. Papineau

Il y avait dans ma lettre quatre piastres ; tu l'as reçue, j'espère.

Montréal, 19 juin 1861

Ma chère Ézilda,

Dans ma dernière, je n'ai pu fixer le jour de mon départ, mais j'avais le désir de monter jeudi et puis, après avoir vu Mme Bourret, elle m'a montré le désir de rester pour la fête du Sacré-Cœur vendredi. Je ne lui ai pas promis ; et puis depuis, ici, il faut bien se décider à rester pour jeudi : c'est la fête de Papineau et l'on attendait le grand-papa, qui est en effet arrivé samedi. Ainsi, il faut remettre mon départ à samedi, s'il fait beau. Tu nous attendras et tu nous prépareras ton dîner, car, emmenant Mme Bourret et dame Ranger et la petite Stéphanie, c'est un objet pour la dépense. Ainsi, Léocadie pourra venir jeudi et vendredi aider à tes filles à repasser tout le ménage.

J'espère que vous avez reçu vos effets et que vous ne manquerez pas de m'écrire si vous les avez reçus, et puis si tu as ta fille. Tu as eu tort de craindre cette fille d'Azélie, elle est bien sans prétention, je la connais, je l'ai déjà vue [à] la Petite-Nation ; elle a été quelque temps chez les Corrignon. Et puis Azélie dit que c'était entendu qu'elle devait monter. Je lui ferai mes conditions, tu n'as pas à craindre aucun désagrément. Depuis que la nourrice est malade, elle s'est prêtée à tout, et de bonne grâce ; elle est propre et honnête. Et le médecin te défend la fatigue et le feu surtout. Ainsi, ne te fais pas de craintes non fondées. Et puis il faut tout faire pour rétablir ta santé avant toute autre considération.

J'avais dit à Mme Ranger de venir pour partir jeudi. Elle va le regretter, mais j'espère qu'elle aura le temps de faire ses affaires. Le curé Papineau [est venu] me voir ce matin : il part pour Saint-Barthélemy. Et j'espère que le curé Bruneau viendra aujourd'hui. J'ai appris qu'il ne laissait pas sa cure cet automne. Le grand vicaire Truteau lui a dit que, s'il lui fallait deux vicaires, il les aurait.

J'irai passer deux jours chez Azélie et je serai plus près pour le départ et voir la famille, car je n'ai pas fait de visites, j'ai voulu faire mes affaires avant.

J'espère que vous aurez de la pluie et que mon gazon a été fauché. Toute la famille se joint à moi pour vous faire [mes] amitiés.

Ta mère affectionnée,

J. B. Papineau

Montebello, 17 décembre 1861

Ma chère Marie,

Je viens de recevoir votre lettre ainsi que celle du cher Amédée. Je vous remercie de tout cœur de vos bonnes invitations. S'il était possible de les accepter, je le ferais de grand cœur, car notre situation est bien pénible après le coup qui nous a frappés de voir la chère Ézilda encore malade. Cela me tourmente et me rend aussi malade de mon côté. Elle était un peu mieux depuis trois jours et, hier soir, elle a eu des vents et elle a fait des efforts considérables ; et puis elle a rejeté des glaires. Elle avait l'air inquiète et cela me saisit tellement que je me ressens de mes étourdissements et de mon mal de tête. Ce matin, je me suis décidée à envoyer chercher le Dr Longpré, puisque nous n'avons aucune autre ressource et que nous nous soignons à peu près, depuis un mois. Il faut se décider à prendre le seul moyen que nous ayons. Il va faire prendre à Ézilda de l'*épépiac*[77] et, à moi, il me dit de réitérer les mouches [de moutarde]. Je les avais mises de moi-même la semaine dernière, et j'étais un peu mieux. Et je me suis purgée trois ou quatre fois. Tout cela n'empêche pas mes maux de tête et étourdissements. Cela m'inquiète et me fatigue. Je n'ai jamais éprouvé cela. Ainsi, je vais me mettre les mouches demain matin sur la nuque du col. Si vous pouvez voir le docteur et lui dire cela, il pourra peut-être me donner un avis utile. Azélie lui a parlé pour Ézilda, et nous avons reçu la boîte de pilules pour sa dyspepsie.

Ainsi, vous voyez, mes chers enfants, que nous ne sommes guère en état de voyager. Mais je vous assure que, si j'avais prévu tout cela, je n'aurais pas consenti à passer l'hiver ici, sans aucun secours. Il est impossible de trouver une personne pour soigner des malades, la cuisinière aussi malade. Il n'y a en bas que deux jeunes filles bien peu capables. Ézilda a descendu en bas depuis quelques jours et elle a une enflure au col [cou] : elle aura pris un peu de froid, il faut lui mettre

77. *Épépiac* : sans doute l'ipéca ou ipécacuhana, vomitif.

des cataplasmes. Vous voyez que la chère enfant n'est pas encore guérie. Il faut prendre courage et espérer que cela va avoir une fin.

Heureusement que vous êtes bien chez vous et chez Azélie. Au moins nous n'avons pas cette inquiétude, que nous ne serions pas assez fortes pour supporter. Il y a assez de l'ennui : c'est en partie la cause de la maladie d'Ézilda. Mais, si elle était en santé et qu'elle [pouvait] s'occuper, le soir surtout, cela serait différent.

Je vous remercie de nous avoir envoyé les photographies des Porter ; elles sont très bien, la petite ressemble à son père. J'espère que vous aurez des détails sur elle, quand vous verrez Mme Laframboise. Vous ne manquerez pas de nous en écrire.

Mme Boutillier est-elle arrivée ? et a-t-elle eu l'opération de la cataracte ? J'espère que vous avez de bonnes nouvelles de Saratoga. Quand vous écrirez, ne manquez pas de leur dire que nous pensons souvent à eux.

Je vous remercie, ma chère, de vos bonnes intentions à notre égard, je connais votre bon cœur. J'ai toujours éprouvé de l'amitié, de l'attention et toutes les prévenances de votre part, et vous savez combien je vous aime tous. J'ai été si heureuse de la visite de ce cher Amédée, mais il m'en a coûté de le voir partir si tôt. J'avais un pressentiment du triste hiver que nous allions passer.

Embrasse les chers petits-enfants pour moi. Je ne fermerai ma lettre que demain matin.

Nous n'avons pas non plus la ressource de Léocadie, elle s'en va en consomption, elle n'a pu travailler de l'automne. Qui pourrait garder notre maison ? Personne. Ainsi, nous sommes à la Providence pour secours, espérance...

Votre mère,

J. B. Papineau

[1861]

Ma chère Azélie,

Tu te plains de ne pas recevoir de lettres de moi. Je ne pouvais écrire plus souvent sans se ressentir un peu de notre état de malaise.

À quoi cela aurait-il servi ? Je connaissais votre état de gêne et d'inquiétude, et je [ne] pouvais rien pour vous. Cela a bien contribué à notre ennui et mauvaise santé. Mais, d'après la lettre de ton mari à sa famille, Ézilda a parlé (car pour la paix, nous n'avons pas parlé d'affaires de l'hiver). Malgré la vilaine affaire de Racco, ton père, par compassion pour sa famille, s'est fait adjuger sa terre et, aujourd'hui, il est obligé [de] payer toute sa dette. Il a déjà envoyé des cents louis, qui auraient été bien utiles à la famille. Comme je te le dis, ta sœur lui a dit de vous écrire, mais il disait qu'il n'était pas décidé. Et aujourd'hui, en lisant les vôtres, je lui ai dit qu'il fallait qu'il se décidât, que vous aviez plus de droit à sa sympathie que de parfaits étrangers. Et, pour cette affaire, il doit sentir tout son tort. Sans colère, il s'y est décidé. J'espère que cela va nous ôter un peu de soucis.

Ézilda est mieux. Elle n'a pas de bile, mais son estomac ne digère pas ; elle est fatiguée des vents, et elle dit que c'est inutile d'en parler au docteur, qu'il n'y peut rien. Elle s'ennuie beaucoup et a l'air indifférente.

Je te remercie de tes lettres, et surtout celle d'aujourd'hui. Les chers enfants sont si avancés, ce cher petit paraît tant se souvenir de moi, que j'espère qu'il me reconnaîtra. Tu ne nous dis [pas] que la chère petite apprend à lire. J'espère que c'est pour nous surprendre.

Nous vous embrassons tous de tout cœur. Écris donc à Verchères : je suis bien inquiète de ma sœur.

Ta mère,

J. B. Papineau

[Marie Westcott-Papineau]

Lundi matin, [1861 ?]

Le bon M. Westcott arrive de la poste et m'apporte ta lettre de samedi, au moment où je me disposais à fermer la mienne, et je réponds à vos accusations en deux mots.

J'ai dit à Ézilda, en partant, que je n'écrirais pas, étant pour si peu de temps et me réservant à portée de ce que j'aurai vu et entendu pendant ce temps. Ézilda était ici pour un temps indéfini ; le cas était bien différent, et puis, ayant vu et entendu par elle-même les chers petits enfants, ce que j'en pourrais dire ce s[er]ait peu, je ne les ai vus que deux fois. Je vais dans les chars faire les affaires, mais quand il s'agit de monter à pied chez Azélie, je n'ai ni le temps, ni la force d'y aller chaque jour. C'est pour cela que je vais y passer deux jours avant mon départ.

Si la nourrice a du mieux, Azélie tient à faire son voyage à Saint-Hyacinthe, m'a-t-elle dit hier. Ainsi, ce n'est pas certain qu'elle monte avec moi. Si elle s'y décide, je vous le manderai jeudi par rapport aux voitures.

Montebello, 1er mars 1862

Mon cher fils,

Je te remercie de ta dernière lettre ; elle était bien intéressante et nous a fait du bien. Tu as ton tour à jubiler. Tu as souffert assez longtemps des propos insolents et ridicules des gens de Montréal. Ézilda et moi y prenons bien part ; aussi ta sœur déploie le pavillon américain dans son petit salon, et elle attend chaque jour les journaux avec empressement.

Le père ne dit plus mot quand on lui dit qu'il est trop vieux et qu'il a bien mal envisagé la révolte du sud, et qu'il avait la foi bien faible au sujet de la force du nord. Il sera bien content si le nord emporte la victoire.

J'ai admiré le dernier morceau sur les affaires d'Amérique, publié dans *Le Pays.* Il devrait être traduit en anglais dans le *Herald,* qui est lu en Angleterre. Et vous devriez envoyer plusieurs exemplaires du *Pays*[78] à Paris. Ils ont si peu d'idées au sujet de cette guerre civile[79].

Je suis bien aise que vous soyez tous en santé. J'espère que le cher M. Westcott ne partira si tôt. C'est une passée de tempêtes qui nuisent même aux chemins de fer et donneraient de l'inquiétude à Marie.

Ézilda te remercie des bons conseils que tu lui donnes. Elle dit qu'il y a une partie de tes prescriptions qu'elle peut suivre, mais pas toutes. Ici, à la campagne, elle ne peut pas prendre d'exercice de pied, ni manger de bon pain, etc. Espérons qu'elle pourra achever l'hiver tel que tel, et, au printemps, elle ira se faire soigner.

M. Bourassa père part cet après-dîner pour Montréal et il restera à l'Acadie une quinzaine de jours au moins. Quand il remontera, ce sera le temps de nous envoyer des graines par lui ; nous n'aurons pas d'autres occasions après. Il faudra que ton père t'en envoie la liste d'ici là.

Que Marie me donne des détails sur ces bals où elle a été, si elle peut trouver un moment de loisir. Nous vous embrassons tous de tout cœur.

Ta mère affectionnée,

J. B. Papineau

78. *Le Pays,* journal démocratique publié à Montréal depuis 1852, rédigé entre autres par Louis-Antoine Dessaulles et Louis Labrèche-Viger.

79. La guerre de sécession aux États-Unis.

Montebello, 26 mai 1862

Ma chère Azélie,

Je reçois à l'instant ta lettre et j'y réponds de suite, car je n'ai pas le temps de le faire le matin.

J'ai dit à ton père, ce matin, que je le priais de chercher à avoir une cuisinière avant tout, car je savais qu'Ézilda ne pourrait supporter le feu et la fatigue qu'elle a l'habitude de faire, les étés précédents. Et ta lettre est venue à propos, en me proposant d'avoir la tienne. Tu ne devais pas hésiter et ton père sera bien aise d'être si tôt libéré de sa commission dont il sentait lui-même la nécessité. Je lui ai bien recommandé de ne pas hâter le retour de la chère Ézilda. Quant à lui, il ne peut rester longtemps. Il est impossible que je reste ici seule. C'est heureux que j'aie pu supporter la fatigue et l'embarras que j'ai eu pendant la maladie de ton père. La part d'Ézilda et puis mon barda du dehors et du dedans, aussi cela va lentement. Je n'ai pas fini.

Tu parles d'avoir Mme Ranger pour garder la maison. Elle ne voudrait pas en prendre la responsabilité. Tout ce que j'ai essayé à faire auprès d'eux, c'est d'avoir une personne de la maison pour rester avec moi. Mais la mère n'a pas dit oui, et la fille ne se prononce jamais sans avoir l'ordre du père ou de la mère. D'ailleurs, la pauvre dame est si chétive et si affaiblie, je la crois bien malade, elle fait peine à voir ; elle qui était si gaie, elle est triste. Mais la Providence est venue à mon secours. Mme Benjamin Papineau est venue hier avec son Hindelaing ; et je lui ai dit qu'il fallait qu'elle restât avec moi. Tu connais son bon cœur et son dévouement : elle s'y est décidée, elle m'a promis de revenir ce soir.

Ton père m'a dit qu'il ne serait pas longtemps, et ce sera prudent de sa part, car je sais que c'est bien difficile qu'elle puisse rester longtemps. À part de ses occupations, il peut survenir de la maladie chez elle ou chez Mme Mackay, ils ne peuvent s'en passer.

Quant aux autres parties de ta lettre, tu n'as pas besoin de t'en inquiéter. Je suis arrangée pour le lavage de la famille hors de la maison, à peu d'exceptions près. Et, quant aux filles, c'est facile d'envoyer la petite Groulx chez elle pendant ce temps-là. Elle est malade depuis quelques jours. Ce qu'elle fait est peu de chose.

Je n'ai pas répondu à ta dernière lettre. Ton père emporte la réponse. Napoléon n'a pas répondu si vous avez reçu le sirop, et Ézilda n'a pas dit si tu voulais la tinette de beurre. Ainsi, je ne l'ai pas envoyée. Ton père t'en achètera si tu en as besoin. Pendant son séjour en ville, demande-lui ce que tu veux, car je ne pourrai rien, moi. Je ne veux pas faire de comptes en ville : le pauvre Amédée a assez de trouble à trouver les moyens de les payer. Quand je descendrai - je ne sais quand - je pourrai alors, et ce sera le bon temps d'amener ta tante et

Mme Bourret ; car, en juillet, Mme Planté vient avec sa nièce. J'espère que Marie viendra et les chers enfants, M. Westcott, etc.

Tu as raison de dire que je suis contente de la chute du ministère[80], et j'apprends aujourd'hui par *L'Ordre* la formation du nouveau[81], et j'en suis satisfaite. Les hommes compromis et qui ont peu de popularité, Drummond et Loranger, n'en font pas partie.

Je vous embrasse tous, les chers enfants, chez vous, chez Amédée.

J. B. Papineau

Montréal, 19 juin 1862

Cher ami,

Je n'ai pas écrit à mon arrivée. Je savais que vous ne deviez avoir aucune inquiétude. Le lendemain de mon arrivée, j'ai été de suite chez M. McGibbon, je lui ai laissé le mémoire et les recommandations d'Ézilda ; je lui ai dit d'envoyer les effets aussitôt qu'il aurait examiné le mémoire, qu'il pouvait prendre deux ou trois jours et ne pas les mettre dans leur hangar. Et Amédée a été le même jour chez Hagar, qui n'avait pas fait partir les effets ; mais il allait les envoyer de suite, avec mêmes recommandations qu'à l'autre. J'espère que vous les recevrez bientôt et en bon ordre.

D'après l'indication qu'Ézilda m'avait donnée pour la maison de Bourassa, je l'ai trouvée de suite, mais, voyant les petits enfants à la fenêtre, je ne les reconnaissais pas. J'ai envoyé le conducteur demander si c'était là ; c'est la nourrice qui m'a reçue, le petit ne m'a pas reconnue de suite, mais bientôt après. J'y suis retournée le lendemain, alors il m'a fait des amitiés et ne voulait plus me laisser.

Mme Ranger s'est rendue de suite au couvent en arrivant et, le lendemain, elle est arrivée chez son frère trop tard pour partir pour l'Acadie. Elle l'a regretté ; elle doit être partie hier, mercredi.

Pendant que j'étais chez Azélie, j'ai écrit à Verchères et Azélie m'a dit qu'elle avait une lettre de commencée pour sa sœur et qu'elle allait la finir le soir pour l'envoyer. Mais, au cas qu'elle ne l'ait pas fait, je vous écris aujourd'hui. Hier, je ne suis pas sortie, craignant l'orage ; mais il n'est venu que le soir et, ce matin, il fait vent de nord-est, temps couvert et froid. J'espère qu'il pleuvra et que vous

80. Le ministère Cartier-Macdonald démissionna le 21 mai 1862, défait sur le projet de milice.
81. Le 24 mai 1862, lord Monck appela un nouveau ministère, libéral. Ce fut celui de John Sandfield Macdonald-Sicotte.

en aurez votre part. Sans cela, je serais inquiète, car je sais que vous ne ferez pas arroser autant que moi. Amédée a laissé souffrir son gazon ; sa femme l'en blâme avec raison, car il a l'eau qu'il a trop prodiguée sur ses vignes, qui se ressentent de la moisissure, et il s'en repent. Voilà des idées de faire tous les ans du nouveau.

Je suis allée à la messe à la petite chapelle ce matin, et je reçois une invitation de la part de Mme Théod. Doucet à aller passer la soirée chez elle, avec M. et Mme A. Papineau, où je dois rencontrer Bourassa et Azélie, je pense bien quelques autres, je n'ai encore vu personne de la famille.

Le prétendu de Mlle Globensky[82] est en ville. Amédée les a rencontrés hier soir au théâtre. Je les verrai demain. La famille ici vous fait amitiés. Je vous écrirai de nouveau lundi et vous dirai quand je partirai.

Ton épouse et amie,

J. B. Papineau

Qu'Ézilda m'écrive et qu'elle ne s'ennuie pas. Azélie ne montera pas avec moi : elle va passer huit jours à Saint-Hyacinthe, avant de monter le 4 ou 5 d'août.

Grenville, [ ]

Chère Azélie,

Je t'écris ici, me trouvant dégradée à attendre le steamer. C'est toujours déception sur cette ligne. Quand M. Globensky a demandé si la ligne était établie, il aurait dû dire que, rendu ici, l'on ne savait à quelle heure il y aurait un bateau quelconque pour nous recevoir. Le *Phoenix* ne marche pas encore et puis ils disent que c'est l'*Otter* qui vient à sa place. Ainsi, l'on ne sait à quelle heure nous embarquerons, et par conséquent à quelle heure nous nous rendrons. Je n'appelle pas cela la ligne établie. J'ai regret d'avoir engagé Mme Leclerc à monter avec nous : elle désirait descendre samedi. Mais fais dire à M. Leclerc qu'elle ne partira que lundi, car ils disent que le *Phoenix* marchera alors. Il vaut mieux qu'elle risque cela. Le capitaine m'a dit à Lachine que le *Phoenix* marchait aujourd'hui. C'est ainsi sur cette ligne : il n'y a jamais à savoir les choses au juste. Je te recommande de ne pas monter avant que je t'informe moi-même.

82. Élodie Globensky, fille de Léon Globensky, officier de douanes, et d'Angelle Limoges, épousera Alfred Garneau, avocat, fils de François-Xavier et d'Esther Bilodeau (Montréal, 6 août 1862).

Je ne sais quand la poste part, c'est pourquoi je prépare cette lettre, car, si l'on arrive ce soir, cela sera tard ; et, si c'est jour de poste demain matin, elle sera fermée ce soir.

Si tu vois M. Montmarquet - il est en ville - dis-lui que c'est comme cela qu'ils font tort à leur ligne. Que le père Bourassa monte par Bytown. Allons, courage ! le voilà qui arrive. Il faut qu'il décharge du fer. Nous arriv[er]ons tard, mais au moins nous ne resterons pas ici.

Excuse le papier, et pas de lunettes... Je finirai chez Major.

[Amédée Papineau]

Montebello, [30 juin 1862]

Mon cher fils,

Je t'écris ce matin quelques lignes pour te dire que je suis arrivée saine et sauve, à 3 heures samedi. J'ai trouvé la famille bien, ici et au presbytère. Ézilda était au quai avec ses deux voitures, espérant que nous serions en plus grand nombre.

J'ai trouvé mes gazons bien tristes et jaunis. Tout avait l'air aride. Ils disent qu'ils ont bien arrosé, mais pas autant que je l'aurais fait moi-même, je pense. Mais enfin, nous voilà avec de la pluie depuis hier soir. J'espère que cela va continuer tout le jour ; et alors nous verrons si cela réparera les dommages causés par la sécheresse.

Je vous remercie des attentions et des amitiés que vous m'avez données et je vous embrasse tous de tout cœur, en attendant le plaisir de vous voir tous ici. M. Westcott a promis d'emmener la famille bientôt.

Ta mère,

J. B. Papineau

ÉPILOGUE

En juillet 1862, il y eut une grande fête au manoir de Montebello. Des provisions de vin de Xerez et de Bordeaux avaient été commandées ; de la viande d'agneau et de bœuf, tout ce qu'il fallait pour un joyeux festin. Amédée, sa femme et leurs enfants, les amis Westcott, Ézilda, Azélie et Napoléon Bourassa et leurs enfants, Mme Bourret, un grand nombre d'amis répandirent partout la joie autour de Julie, pendant plusieurs jours. Leur présence avait-elle pour but de lui prouver que la vie n'est pas que souffrance et douleurs ? Julie rayonnait de bonheur, au milieu des siens, comme si elle allait vivre ses derniers moments. Ce furent ses derniers moments. En août, elle partit pour ne plus revenir, laissant un grand vide dans le cœur de ceux qu'elle avait aimés.

> « Rompre avec la présence des lieux où nous venons d'éprouver une si grande douleur, est-il adoucissement ou redoublement de chagrin ? Un voyage éloigné avec quelqu'ami pour parler de ceux que l'on a perdus peut distraire. Mais la séparation des lieux où l'on a vécu avec les personnes aimées, des lieux où on les a vues contentes est une grande amertume. Chers enfants et petits-enfants, votre bonne mère a plus joui de votre présence, de vos caresses, de votre empressement à l'aimer et la rendre contente, qu'elle l'avait fait en aucun temps. Vous avez rendu ses derniers jours heureux. Je vous en remercie[83]. »

83. ANQQ, Lettre de Louis-Joseph Papineau à Amédée, 7 septembre 1862.

Bibliographie

BARIBEAU, Claude, *La Seigneurie de la Petite-Nation, 1801-1854 : le rôle économique et social du seigneur*, Asticou, Hull, 1983.

BOURASSA, Anne, *Napoléon Bourassa,* Montréal, 1968.

DE CELLES, Alfred D., *Papineau,* Librairie Beauchemin, [1905].

CHAMBERLAND, Michel, *Histoire de Montebello, 1815-1928.*

DESSAULLES, Louis-Antoine, *Écrits,* édition critique par Yvan Lamonde, Les Presses de l'Université de Montréal, 1994.

*** *Dictionnaire des parlementaires du Québec, 1792-1992,* Bibliothèque de l'Assemblée nationale, Les Presses de l'Université Laval, Sainte-Foy, 1993.

FAUTEUX, Aegidius, *Patriotes de 1837-1838,* Les Éditions des Dix, 1950.

LACOURSIÈRE, Jacques, *Histoire populaire du Québec, de 1791 à 1841,* tome 2, Les éditions du Septentrion, 1996.

LÉPINE, Luc, *Les Officiers de milice du Bas-Canada, 1812-1815,* Société généalogique canadienne-française, 1996.

LESSARD, Renald, *Se soigner au Canada aux XVIIe et XVIIIe siècles,* Musée canadien des civilisations, 1989.

OUELLET, Fernand, « Correspondance de Julie Bruneau, 1823-1862 », *RAPQ,* 1957-1959 (transcription littérale des lettres du fonds Papineau-Bourassa aux ANQQ).

OUELLET, Fernand, « Lettres de Louis-Joseph Papineau à sa femme, 1820-1862 », *RAPQ,* 1953-1955; 1955-1957.

OUELLET, Fernand, *Papineau, textes choisis,* Cahiers de l'Institut d'histoire, 1, 1964.

PAPINEAU, Amédée, *Journal d'un Fils de la Liberté (1837-1842)* suivi de *Mon Journal (1842-1855).*

PAPINEAU, Denis-Benjamin, lieutenant-colonel (1882-1971), *Généalogie [de la] famille Papineau*, 561 pages dactylographiées, Toronto, c. 1944.

PAPINEAU, Louis-Joseph, *Histoire de l'insurrection du Canada,* Réédition-Québec, 1968.

PICKERING-LEBLANC, J.-Normand, *Le Mémorial Papineau,* Éditions du Fleuve, 1989.

RUMILLY, Robert, *Papineau,* Éditions Bernard Valiquette, [1944].

SYLVESTER, Nathaniel Bartlett, *History of Saratoga County, N.Y.,* Heart of the lakes, Interlaken, 1979.

WHITE, Ruth L., *Louis-Joseph Papineau et Lamennais,* Hurtubise HMH, 1983.

Index

C

D

Q

R

S

T

V

W

Y

TABLE DES MATIÈRES

COMPOSÉ EN BEMBO CORPS 11
SELON UNE MAQUETTE RÉALISÉE PAR PIERRE LHOTELIN
CE DEUXIÈME TIRAGE A ÉTÉ ACHEVÉ D'IMPRIMER EN MAI 1998
SUR LES PRESSES DE VEILLEUX IMPRESSION À BOUCHERVILLE
POUR LE COMPTE DE GASTON DESCHÊNES
ÉDITEUR À L'ENSEIGNE DU SEPTENTRION

COMPOSÉ EN BEMBO CORPS 11
SELON UNE MAQUETTE RÉALISÉE PAR PIERRE LHOTELIN
CE DEUXIÈME TIRAGE A ÉTÉ ACHEVÉ D'IMPRIMER EN MAI 1998
SUR LES PRESSES DE VEILLEUX IMPRESSION À BOUCHERVILLE
POUR LE COMPTE DE GASTON DESCHÊNES
ÉDITEUR À L'ENSEIGNE DU SEPTENTRION

Table des matières